a morte não é o bastante

KIM HARRISON

a morte não é o bastante

Tradução de

Guilherme Miranda

pavana

Publicado mediante acordo com HarperCollins Publishers.
Publicado originalmente sob o título *Every Which Way but Dead*.

O texto deste livro foi fixado conforme o acordo ortográfico vigente no Brasil desde 1º de janeiro de 2009.

EDIÇÃO UTILIZADA NESTA TRADUÇÃO Kim Harrison, *Every Which Way but Dead*, Nova York, HarperCollins Publishers, 2005.
PREPARAÇÃO Vita Martins
REVISÃO Ana Luiza Cândido, Rosi Ribeiro Melo
CAPA Edições Pavana
ILUSTRAÇÃO DE CAPA Larry Rostant/Bernstein & Andriulli
IMPRESSÃO E ACABAMENTO EGB – Editora e Gráfica Bernardi

1ª edição, 2017

Dados Internacionais de Catalogação na Publicação (CIP)
(Câmara Brasileira do Livro, SP, Brasil)

Harrison, Kim
A morte não é o bastante / Kim Harrison ; tradução de Guilherme Miranda. -- São Paulo : Pavana, 2017. -- (Série Hollows ; 3)

Título original: Every which way but dead
ISBN: 978-85-8419-023-2

1. Ficção norte-americana I. Título II. Série.

17-01247 CDD-813

Índices para catálogo sistemático:
1. Ficção : Literatura norte-americana 813

2017
Pavana é um selo da Alaúde Editorial Ltda.
Avenida Paulista, 1337, conjunto 11
Bela Vista – 01311-200 – São Paulo – SP
Tel.: (11) 5572-9474
www.edicoespavana.com.br

Ao rapaz que me deu meu primeiro par de algemas.
Obrigada pelo apoio.

Um

Respirei fundo, tentando me acalmar, e puxei o punho das luvas para cobrir o pedaço de pele nua do meu pulso. Sentia os dedos ainda dormentes sob a lã enquanto levava meu segundo maior pote de feitiço para a frente de uma pequena lápide lascada, cuidando para que os meios de transferência não vazassem. Estava frio e minha expiração fez surgir uma névoa sob a luz da vela branca e barata que eu tinha comprado em uma liquidação na semana anterior.

Depois de derramar um pouco de cera, grudei a vela no topo da sepultura. Senti um friozinho na barriga quando observei a neblina que crescia no horizonte. Mal dava para distinguir as luzes da cidade ao redor. A lua estava prestes a nascer, já em seu quarto minguante. Não era uma boa hora para invocar demônios, mas ele viria mesmo que eu não o chamasse, e seria melhor encontrar Algaliarept nos meus termos, antes da meia-noite.

Fiz uma careta ao olhar de soslaio para a igreja bastante iluminada atrás de mim, onde eu e Ivy morávamos. Ela tinha saído para cuidar de umas coisas e nem imaginava que eu fizera um pacto com um demônio – muito menos que era hora de pagar pelos serviços dele. Pensei que eu poderia fazer isso lá dentro, na minha cozinha linda e quentinha, com meus ingredientes para feitiços e todos os confortos da modernidade, mas parecia mais correto – e sinistro – invocar demônios no meio de um cemitério, mesmo com a neve e o frio.

Além disso, queria encontrá-lo ali para que Ivy não tivesse de passar o dia todo limpando sangue do teto.

Ainda não sabia se o sangue seria meu ou do demônio. Mas eu é que não permitiria ser arrastada para o todo-sempre e me tornar uma familiar de Algaliarept sem pelo menos lutar contra isso. Eu já o machucara uma vez e ele tinha sangrado.

E, se o demônio podia sangrar, também poderia morrer. "Deus, me ajude a sobreviver a isso. Me ajude a encontrar um jeito de tirar algo bom disso."

Raspei levemente o tecido do casaco ao envolver os braços em torno do corpo enquanto, desajeitadamente, desenhava no chão um círculo de uns quinze centímetros com minha bota. Era preciso tirar a crosta de neve do piso avermelhado que trazia um grande círculo gravado. Do tamanho de um cômodo, o bloco de pedra marcava o fim da graça de Deus e o início do caos. O antigo clero o colocou sobre o ponto adulterado do terreno antes sagrado ou para garantir que ninguém fosse sepultado ali por acidente, ou para fixar no chão o anjo semiajoelhado, ornamentado e carcomido que ele cingia. O nome na tumba imponente havia se apagado, restando apenas as datas. Quem quer que fosse, havia morrido com vinte e quatro anos, em 1852. Torci para que não fosse um mau sinal.

Cimentar um morto no chão para impedir que ele ressuscitasse dava certo algumas vezes – outras, não. De todo modo, a área não era mais santificada. E o fato de estar cercada por um terreno ainda consagrado fazia dela um bom lugar para invocar um demônio. Se acontecesse o pior, eu poderia fugir para o terreno santificado e ficar em segurança até o sol nascer, quando Algaliarept seria tragado de volta para o todo-sempre.

Meus dedos tremiam enquanto eu tirava do bolso do casaco uma bolsinha de seda branca cheia de sal. Tinha exagerado na quantidade ao pegar o condimento do meu saco de onze quilos, mas queria um círculo sólido, e o sal seria diluído ao derreter a neve. Olhei para o céu a fim de estimar o norte e encontrei um sinal no círculo que, supus, marcava a direção. A ideia de que alguém havia usado aquele círculo antes para invocar demônios não me deixou confiante. Não era ilegal ou imoral invocá-los, mas que era idiota, ah, isso era.

Fiz um trajeto lento em sentido horário a partir do norte, com meus pés do lado de fora do círculo do sal que eu jogava, cercando a estátua do anjo com a maior parte do terreno blasfemado. A circunferência teria uns bons cinco metros de diâmetro, um cerco grande que normalmente exigiria pelo menos três bruxos para fazer e manter, mas eu era boa o suficiente para canalizar a força de toda aquela linha de ley sozinha. Aliás, esse devia ser o motivo por que o demônio queria tanto me levar para ser sua mais nova familiar.

Naquela noite, eu iria descobrir se meu contrato verbal cuidadosamente formulado três meses antes me manteria viva e do lado certo das linhas de ley. Eu tinha aceitado voluntariamente ser familiar de Algaliarept se ele testemunhasse contra Piscary. Nesse caso, eu manteria minha própria alma, o que era uma vantagem.

O acordo tinha terminado oficialmente hoje, duas horas depois do pôr do sol, selando a parte do pacto do demônio e tornando a minha obrigatória. O fato de que o vampiro morto-vivo que costumava controlar a maior parte do submundo de Cincinnati ter sido sentenciado a cinco séculos pela morte dos melhores bruxos de linhas de ley da cidade quase não parecia importar mais. Ainda mais porque eu podia apostar que seus advogados o tirariam dessa facilmente.

A grande dúvida – compartilhada por pessoas dos dois lados da justiça – era se Kisten, seu antigo herdeiro, seria capaz de manter o império em pé até que o morto-vivo saísse da prisão. Era certo que Ivy não faria isso, sendo ou não herdeira de Piscary. Bem, se eu conseguisse sobreviver àquela noite com a alma intacta, começaria a me preocupar um pouco menos comigo e um pouco mais com minha colega de quarto, mas antes precisava acertar as contas com o demônio.

Sentindo dor nos ombros de tanta tensão, tirei círios de uma coloração verde leitosa do bolso do casaco e os coloquei no círculo para representarem os vértices de um pentagrama que eu não chegaria a desenhar. Acendi-os com a vela branca que eu usava para fazer os meios de transferência, e as minúsculas chamas tremeluziram. Observei-as por um tempo a fim de garantir que não se apagariam antes que eu prendesse a vela de volta no marcador do túmulo fora do círculo.

O som abafado de um carro chamou minha atenção para os muros altos que separavam o cemitério dos terrenos vizinhos. Depois de me acalmar para liberar a linha de ley mais próxima, apertei o gorro na cabeça, sacudi a neve acumulada na barra da calça jeans e conferi pela última vez se estava tudo certo. Mas não havia mais nada a fazer para adiar o derradeiro encontro.

Depois de respirar fundo uma última vez, toquei com a vontade a minúscula linha de ley que atravessava o cemitério da igreja. Minha respiração saiu pelo nariz num silvo. Fiquei dura e quase caí para trás ao perder o equilíbrio. Parecia que a linha de ley tinha apanhado o frio do inverno e o feito passar por mim com uma gelidez cortante e fora do comum. Estendendo a mão, encostei na lápide para me estabilizar enquanto a energia que entrava pelo meu corpo continuava a crescer.

Quando a energia atingiu o equilíbrio, a força extra voltou para a linha. Mas, até isso acontecer, precisei ranger os dentes e aguentar o formigamento que balançava as extremidades virtuais no meu cérebro, as quais refletiam meus dedos reais. Cada vez era pior. Cada vez era mais rápido. Cada vez era mais agressivo.

Por mais que parecesse uma eternidade, a força se equilibrou em uma fração de segundo. Minhas mãos começaram a suar e fui tomada por uma sensação incômoda de calor e frio simultâneos, como se estivesse com febre. Tirei as luvas e as enfiei num bolso fundo. Os talismãs do meu bracelete tiniram, distintos, no ar silencioso de inverno. Eles não poderiam me ajudar. Nem eles, nem a cruz.

Eu queria fazer o círculo logo. De algum jeito que eu desconhecia, Algaliarept sabia quando eu captava uma linha, e eu precisava invocá-lo antes que o demônio aparecesse por conta própria e me roubasse o pouco poder que eu poderia reclamar por tê-lo invocado. O pote de cobre com os meios de transferência estava frio quando o peguei, e então fiz algo que nenhum bruxo na história havia feito e sobrevivido para contar: dei um passo adiante, entrando no mesmo círculo em que invocaria Algaliarept.

De frente para o monumento cimentado ao chão, respirei fundo. A estátua era do tamanho de uma pessoa e estava coberta por uma mancha preta causada por bactérias e pela poluição da cidade, fazendo-a parecer um anjo caído. O fato de que ele estava curvado, chorando sobre uma espada que estendia em forma de oferenda, só o tornava mais assustador. As dobras de suas asas, curvadas ao longo do corpo, serviam de moradia para um ninho de pássaros. Havia algo de errado no rosto do anjo, e seus braços eram longos demais para serem de humanos ou de impercebidos. Nem Jenks deixava os filhos brincarem perto daquela estátua.

– Por favor, faça com que eu esteja certa – murmurei para o anjo, movendo o vale de sal daquela realidade para a do todo-sempre. Cambaleei enquanto a maior parte das minhas reservas de energia era arrancada de mim para forçar a mudança. Os meios no pote chapinharam e, ainda sem encontrar equilíbrio, os coloquei na neve antes que fossem derramados. Voltei os olhos para os círios verdes. Eles tinham se tornado translúcidos e fantasmagóricos, tendo se transportado para o todo sempre junto com o sal. As chamas, porém, existiam nos dois mundos, oferecendo sua luz para a noite.

O poder da linha voltou a crescer devagar, de maneira tão incômoda quanto a do primeiro influxo quando a captei. Mas o círculo de sal havia sido substituído por um igual de realidade de todo-sempre que arqueava sobre a minha cabeça.

Nada mais substancial do que o ar era capaz de atravessar os vínculos inconstantes com a realidade e, como eu havia montado o círculo, somente eu seria capaz de quebrá-lo – pelo menos se tivesse feito tudo do jeito certo.

– Eu te invoco, Algaliarept – murmurei, com o coração a mil. A maioria das pessoas usava toda sorte de artifícios para invocar e controlar um demônio, mas, como já tínhamos um pacto, simplesmente dizer seu nome e desejar sua presença o faria atravessar as linhas. Que sorte a minha...

Senti um nó no estômago quando um floco de neve derreteu entre mim e o anjo guerreiro. No processo, ele soltou uma fumaça avermelhada que foi subindo e subindo, como uma onda esboçando os contornos de um corpo que demorou a tomar forma. Esperei, cada vez mais tensa. A forma de Algaliarept variava; o demônio vasculhava minha mente sem que eu percebesse para escolher o que mais me aterrorizaria. Antigamente, aparecia como Ivy. Depois passou a se parecer com Kisten – até que eu agarrei o vampiro no elevador num momento tolo de desejo induzido por feromônios vamp. É difícil ter medo de alguém que você já beijou. Com Nick, meu namorado, o demônio sempre tomava a forma de um cão raivoso do tamanho de um pônei.

Dessa vez, porém, a névoa era definitivamente humana, e imaginei que ele fosse aparecer como Piscary (o vampiro que eu tinha acabado de colocar na prisão) ou talvez como sua figura mais comum, a de um jovem cavalheiro britânico de paletó verde de belbutina com cauda.

– Você não tem mais medo de nenhum dos dois – uma voz surgiu em meio à névoa, fazendo-me erguer a cabeça de repente.

Era a minha voz.

– Ai, droga – praguejei, pegando o pote de feitiço e andando para trás até quase romper o círculo. Algaliarept iria aparecer na minha forma. Eu odiava quando ele fazia essas coisas. – Não tenho medo de mim mesma! – gritei, antes mesmo que ele terminasse de se formar.

– Ah, tem sim.

Ele acertou a voz, mas errou a entonação e o sotaque. Fiquei olhando, fascinada, enquanto Algaliarept assumia meus contornos, descendo as mãos sugestivamente pelo corpo para reduzir os seios até ficarem iguais aos meus, tão pouco femininos, e dando-me um quadril um pouco maior do que o original. O demônio estava vestindo calças de couro pretas, uma blusa frente única vermelha e sandálias pretas de salto alto, que ficavam ridículas no meio daquele cemitério coberto de neve.

Com as pálpebras semicerradas e a boca aberta, ele balançou a cabeça para, em meio ao resto de bruma do todo-sempre, dar forma aos meus cachos ruivos e crespos, cortados na altura do ombro. Eu tinha mais sardas em sua versão, e meus olhos eram bolas vermelhas, bem diferentes da coloração verde original. Além disso, meus olhos de verdade não eram talhados como os de um bode.

– Você errou os olhos – comentei, colocando o pote de feitiço no chão, na beira do círculo. Rangi os dentes, com ódio por ouvir minha voz tremer.

Firmando o quadril, o demônio ergueu um dos pés e estalou os dedos, fazendo surgir um par de óculos escuros, que colocou, escondendo seus olhos abomináveis.

– Agora estão certos – ele disse, e estremeci diante da semelhança da sua voz com a minha.

– Você não parece nem um pouco comigo – provoquei, percebendo que tinha perdido tanto peso que poderia voltar a tomar *milk-shake* e comer fritura.

Algaliarept sorriu.

– E se eu prender o cabelo? – perguntou, com falsa modéstia, enquanto reunia o volume rebelde e o colocava em cima da minha cabeça, quer dizer, da cabeça *dele*. Mordendo os lábios para avermelhá-los, Algaliarept soltou um gemido e mudou de posição, como se suas mãos estivessem atadas em cima da cabeça, como numa brincadeira sexual. Apoiando-se na espada que o anjo empunhava, assumiu uma postura libidinosa.

Eu me encolhi no casaco, um daqueles com pele falsa na gola, e ouvi ao longe, vindo da rua, o som de um carro que passava lentamente.

– A gente pode fazer isso logo? Meus pés estão congelando.

Ele ergueu a cabeça e sorriu.

– Você é *muito* estraga-prazeres, Rachel Mariana Morgan – disse com a minha voz, mas agora com o seu sotaque usual de intelectual britânico. – Mas tem espírito esportivo. Evitar que eu a arraste para o todo-sempre mostra uma *excelente* força de espírito. Vai ser um prazer acabar com você.

Levei um susto quando uma névoa de energia de todo-sempre caiu sobre o demônio. Ele estava mudando de forma. Pouco depois, relaxei ao ver que ele tinha se transformado no britânico de sempre, vestindo veludo e renda verde. O cabelo preto e longo e os óculos esfumaçados surgiram. Junto, apareceram a pele pálida e o rosto de traços marcantes, que tinham a mesma elegância de sua silhueta fina e bem trajada. Coturnos altos e um casaco elegante de alfaiataria completavam o traje, transformando o demônio num jovem carismático do século XVIII, rico e talhado para a grandeza.

Lembrei-me da horrenda cena de crime que eu havia contaminado no último outono ao tentar responsabilizar Trent Kalamack pelos assassinatos dos melhores bruxos de linhas de ley de Cincinnati. Al os havia massacrado em nome de Piscary. O demônio tinha lhes infligido uma dor brutal para seu próprio divertimento. Ele era um sádico, por mais bonito que fosse.

– Sim, vamos acabar logo com isso – Al disse, enquanto pegava uma lata de poeira negra que cheirava a enxofre e inalava profundamente. Coçou o nariz e se aproximou para cutucar meu círculo com a bota, fazendo-me crispar. – Bom e apertadinho. Mas está frio. Ceri gosta dele quente.

"Quem é Ceri?", me perguntei enquanto toda a neve derretia subitamente. O cheiro do piso úmido subiu com força e desapareceu quando o cimento secou, assumindo uma coloração vermelho-pálida.

– Ceri – Algaliarept disse, com uma voz tão suave que me surpreendeu, ao mesmo tempo doce e imperiosa –, venha cá.

Fiquei olhando, atônita, quando uma mulher surgiu detrás de Algaliarept, parecendo vir do nada. Ela era magra, com um rosto lívido em forma de coração e ossos proeminentes. Muito menor do que eu, possuía um ar diminuto, quase infantil. Trazia a cabeça baixa, e seu cabelo translúcido e opaco descia até o meio das costas. Usava um vestido lindo e muito elegante, que cobria os pés descalços – de seda suntuosa tingida de tons vivos de púrpura, verde e dourado –, caindo sobre suas curvas como se tivesse sido pintado no corpo dela. Embora Ceri fosse pequena e de aparência meio frágil, tinha boas proporções.

– Ceri – Algaliarept disse, erguendo a cabeça da moça com a mão enluvada. Os olhos dela eram verdes, grandes e vazios. – O que já falei sobre andar descalça?

Um traço de irritação perpassou o rosto da moça, longínquo e distante sob o entorpecimento em que ela se encontrava. Olhei para baixo quando um par de sandálias ornamentadas se materializou em seus pés.

– Agora, sim. – Algaliarept desviou os olhos dela, e fiquei fascinada pelo retrato do casal perfeito que eles formavam, com toda sua elegância. Ceri estava linda naquelas roupas, mas o vazio em sua mente era tão grande quanto sua graciosidade. O demônio a obrigava a filtrar o poder das linhas de ley através da mente e, assim, mantê-lo protegido, mas ela ficava ensandecida com tanta magia bruta. O medo fez minhas entranhas se contorcerem.

– Não mate essa moça – murmurei, com a boca seca. – Você não precisa mais dela. Deixe-a viver.

Algaliarept abaixou os óculos esfumaçados e olhou por cima deles, fixando em mim os círculos vermelhos que trazia no rosto.

– Você gosta dela? – perguntou. – Ceri é bonita, não é? Mais de mil anos e não envelheceu um segundo sequer desde que tirei sua alma. Para ser sincero, ela é o motivo por que fui convidado para a maioria das festas. A garota aguenta tudo sem um pio. Mas, é claro, nos primeiros cem anos eram só lágrimas e lamentos. É divertido, mas chega uma hora que cansa. Você vai me enfrentar, não vai?

Cerrei os dentes.

– Devolva sua alma agora que você acabou com ela.

Algaliarept riu.

– Ah, mas você é uma gracinha mesmo! – ele disse, batendo as mãos enluvadas uma contra a outra. – Mas vou devolvê-la de qualquer jeito. Não dá mais para Ceri se redimir, tão grande é a mácula que causei em sua alma para manter a minha relativamente pura. Vou matá-la antes que ela tenha a chance de implorar o perdão do seu deus. – Os lábios grossos dele se abriram num sorriso perverso. – Afinal, tudo não passa de uma mentira.

Congelei ao ver a mulher se curvar, transformando-se em um pequeno ponto púrpura, verde e dourado aos pés dele. Estava destruída. Eu preferia morrer a ser arrastada para o todo-sempre e virar... aquilo.

– Filho da puta – murmurei.

Algaliarept deu de ombros e se voltou para Ceri, encontrando sua mão pequena em meio ao tecido e ajudando-a a se erguer. Ela estava descalça de novo.

– Ceri – o demônio disse, antes de olhar para mim. – Eu deveria tê-la substituído há quarenta anos, mas a Virada deixou tudo mais difícil. A mulher nem ouve mais antes de você dizer o nome dela. – Al se voltou para ela. – Ceri, faça a gentileza de pegar os meios de transferência que você preparou no pôr do sol.

Senti um frio na barriga.

– Eu fiz um pouco – eu disse, e Ceri pestanejou, parecendo entender algo pela primeira vez. Com os olhos grandes, solenes e vazios, me olhou como se só agora me notasse. Sua atenção se voltou para o pote de feitiço aos meus pés e para os círios verdes opalescentes ao nosso redor. O pânico se acendeu no fundo de seus olhos enquanto permanecia parada diante da estátua angelical. Acho que só então ela entendeu o que estava acontecendo.

– Que maravilha – Algaliarept disse. – Você já está tentando ser útil, mas prefiro os meios da Ceri. – Ele olhou para a mulher, que, boquiaberta, exibia seus dentes brancos pequeninos. – Sim, querida. Está na hora de se aposentar. Traga meu caldeirão e os meios de transferência.

Tensa e esquiva, Ceri gesticulou, fazendo surgir entre nós um pequeno caldeirão de cobre, mais grosso que meu punho, já cheio de uma infusão amarelo-âmbar gelatinosa em que boiavam flocos de gerânio-selvagem.

O cheiro de ozônio subiu conforme o líquido borbulhava, e abri meu casaco. Algaliarept estava cantarolando com os lábios fechados, visivelmente em êxtase. Fez sinal para que eu me aproximasse, e dei um passo à frente, tocando com os dedos a faca que eu tinha enfiado na manga do casaco. Meu coração acelerou, e me perguntei se o contrato bastaria para me salvar. Uma faca não seria de grande ajuda.

O demônio sorriu, mostrando os dentes lisos e perfeitos ao gesticular para Ceri.

– Meu espelho – ordenou, e a mulher delicada se inclinou para pegar um espelho de vidência que não estava ali no minuto anterior. Ela o segurou como uma mesa diante de Algaliarept.

Engoli em seco, me lembrando da sensação repugnante de remover a própria aura e lançá-la num espelho de vidência, como eu tinha feito no outono anterior. Dedo a dedo, o demônio tirou as luvas brancas e pôs as mãos avermelhadas e grossas sobre o vidro, espalmando-as. Em seguida, estremeceu e cerrou os olhos conforme sua aura se lançava para dentro do espelho, vazando de suas mãos feito uma tinta, antes de se dissolver e se acumular no reflexo.

– Leve-o para os meios, Ceri querida. Rápido.

A mulher estava quase ofegante enquanto levava até o caldeirão o espelho que carregava a aura de Algaliarept. Não era o peso do objeto que a cansava, mas sim o peso da situação. Ela provavelmente estava revivendo a noite em que se encontrava no meu lugar, observando seu predecessor como eu a observava. Ceri devia saber o que estava acontecendo, mas sua mente estava tão enfraquecida que só conseguia fazer o que lhe mandavam. E, pelo pânico óbvio e desesperançado que demonstrava, eu sabia que restava algo nela que valia a pena salvar.

– Liberte-a – ordenei, encolhida em meu casaco cafona enquanto alternava a atenção entre Ceri, o caldeirão e Algaliarept. – Liberte a mulher primeiro.

– Por quê? – Ele olhou entediado para as unhas antes de recolocar as luvas.

– Vou matá-lo antes que me arraste para o todo-sempre, e quero que ela esteja livre antes.

O demônio soltou uma gargalhada longa e sonora ao ouvir isso. Apoiando-se no anjo, quase se dobrou ao meio de tanto rir. Um baque surdo reverberou até meus pés, e a base de pedra rachou com o som de um disparo. Ceri encarava, com os lábios pálidos entreabertos e os olhos se movendo rapidamente sobre mim. As lembranças e os pensamentos há tanto suprimidos pareciam estar voltando a ela.

– Você *vai* brigar – Algaliarept notou, encantado. – Que estupendo! Estava torcendo por isso. – Em seguida, me fitou, abriu um sorriso malicioso, tocando o aro dos óculos, e disse: – *Adsimulo calefacio.*

A faca na manga do meu casaco entrou em chamas. Soltando um grito, a sacudi para fora dele com um movimento brusco. Ela bateu na minha bolha e caiu. O demônio me encarou.

– Rachel Mariana Morgan, pare de testar minha paciência. Venha logo aqui e recite a maldita invocação.

Era um beco sem saída. Se eu não fizesse aquilo, ele diria que rompi o pacto, levaria minha alma como castigo e me arrastaria para o todo-sempre. Minha única chance era cumprir o acordo. Olhei de relance para Ceri, desejando que ela se afastasse de Algaliarept, mas a garota estava passando os dedos pelas datas gravadas na lápide lascada, com o rosto sem cor ainda mais pálido.

– Você se lembra da maldição? – Algaliarept perguntou quando me posicionei ao lado do caldeirão, que batia nos meus joelhos.

Dei uma espiada lá dentro e não me surpreendi ao descobrir que a aura do demônio era negra. Balancei afirmativamente a cabeça, sentindo-me fraca ao lembrar-me do episódio em que transformei Nick em meu familiar sem querer. Como podia fazer só três meses que aquilo tinha acontecido?

– Consigo dizer na minha língua, não em latim – sussurrei. "Nick! Ai, meu Deus, não me despedi dele." Ele andava tão distante nos últimos tempos que eu não tinha encontrado coragem para contar o que acontecera. Não tinha contado para ninguém, na verdade.

– É suficiente. – Seus óculos desapareceram e as pupilas de cabra, finas e infernais, se fixaram em mim. Meu coração acelerou, mas eu tinha tomado aquela decisão. Iria morrer ou viver por ela.

Sonora e ressoante, parecendo vibrar dentro do meu âmago, a voz de Algaliarept saiu de seus lábios. Eram latim, aquelas palavras semiconhecidas, como em uma visão ou um sonho.

– *Pars tibi, totum mihi. Vinctus vinculis, prece factis.*

– Um pouco para você – repeti, traduzindo as palavras de memória –, mas tudo para mim. Prenda meus laços feitos por apelo, sim?

O sorriso confiante do demônio se abriu ainda mais, causando-me arrepios.

– *Luna servata, lux sanata. Chaos statutum, pejus minutum.*

Engoli em seco com dificuldade.

– Lua segura, luz antiga e sã – murmurei. – Caos decretado, tropeçando se for amaldiçoado.

Os dedos de Algaliarept que seguravam o tonel embranqueceram com expectativa.

– *Mentem tegens, malum ferens. Semper servus, dum duret mundus* – ele disse, e Ceri conteve um soluço que mais parecia um miado. – Continue – Algaliarept ordenou. Sua figura tremia de tanta euforia. – Diga e coloque a mão no caldeirão.

Hesitei, com os olhos fixos no corpo curvado de Ceri diante da lápide e na mistura de cores que era seu vestido.

– Antes me absolva de uma das dívidas.

– Você já está enchendo o saco, Rachel Mariana Morgan.

– Me absolva! – exigi. – Você disse que me absolveria. Tire uma de suas marcas, como combinado.

Ele se debruçou sobre o caldeirão até que eu pudesse ver meu reflexo temeroso de olhos arregalados em seus óculos.

– Não faz diferença. Termine a maldição e acabe logo com isso.

– Você está querendo dizer que não vai cumprir sua parte do acordo? – provoquei, recebendo uma risada em retorno.

– Não, de maneira alguma. Se estava torcendo para romper o acordo por isso, você não sabe de nada. Vou tirar uma das marcas, mas você ainda me deve um favor. – Ele passou a língua nos lábios. – E, como é minha familiar, pertence... a mim.

Uma mistura nauseante de medo e alívio sacudiu meus ossos, e prendi a respiração para não passar mal. Mas eu precisava cumprir completamente minha parte do pacto antes de ver se minhas suposições estavam certas e se eu poderia escapar da armadilha do demônio por uma pequena cláusula chamada escolha.

– Abrigo da mente – eu disse, trêmula –, portador do desgosto. Escravo até os mundos em destruição serem postos.

Algaliarept soltou um ruído de satisfação. Cerrando os dentes, mergulhei as mãos no caldeirão e fui atravessada por um frio que fez minhas mãos doerem até ficarem dormentes. Quando as tirei, olhei horrorizada para elas, sem notar nenhuma mudança nos meus dedos com as unhas pintadas de vermelho.

Foi então que a aura dele começou a penetrar em mim, afetando meu *chi*.

Meus olhos pareciam inchar de agonia. Inspirei fundo, me preparando para gritar, mas não saiu nada. Avistei Ceri, cujos olhos se comprimiam com a lembrança de sua própria iniciação. Do outro lado do caldeirão, Algaliarept sorria maliciosamente. Engasgando, me esforcei para respirar, mas o ar parecia ter se transformado em óleo. Caí de quatro no chão, raspando as mãos e os joelhos no concreto. Com o cabelo caído sobre o rosto, tentei não vomitar. Não conseguia respirar. Não conseguia pensar!

A aura do demônio era como um lençol encharcado de ácido me sufocando. Ela me envolveu por dentro e por fora, e minha força foi cercada por seu poder. A aura comprimiu minha vontade até que não restasse nada. Ouvi meu coração bater uma vez, depois outra. Inspirei, trêmula, engolindo em seco o gosto azedo de vômito. Eu sobreviveria. Sua aura, por si só, não me mataria. Eu conseguiria fazer aquilo. Precisava conseguir.

Tremendo, levantei a cabeça quando o choque diminuiu, transformando-se em algo com que eu podia lidar. O caldeirão tinha desaparecido, e Ceri estava encolhida atrás da enorme lápide ao lado de Algaliarept. Inspirei, sem experimentar o ar por detrás da aura do demônio, e me mexi, sem sentir o concreto áspero que raspava meus dedos. Tudo estava dormente. Tudo estava emudecido, como por trás de um pedaço de algodão.

Tudo, exceto o poder da linha de ley mais próxima. Eu conseguia sentir o zumbido a trinta metros de distância como se fosse uma linha de alta tensão. Ofegante, me levantei com dificuldade, surpresa ao notar que conseguia enxergar. Era como se estivesse usando minha segunda visão, mas não estava. Senti um frio na barriga quando percebi que o círculo, que antes tinha o bonito tom dourado da minha aura, estava agora tingido de preto.

Voltei-me para o demônio, vendo a aura cor de piche que o cercava e sabendo que boa parte dela cercava a minha. Em seguida, olhei para Ceri, mal conseguindo diferenciar seus traços, tamanha era a força da aura de Algaliarept sobre a garota. Ela não tinha uma aura para combater a do demônio, pois perdera a alma para ele. E era nisso que eu havia depositado minha confiança.

Se eu mantivesse minha alma, continuaria com uma aura própria, ainda que sufocada sob a de Algaliarept. Além disso, mantê-la significava que eu manteria também meu livre-arbítrio. Ao contrário de Ceri, eu era capaz de dizer não.

– Liberte-a – ordenei, com a voz estridente. – Já peguei sua maldita aura. Agora liberte Ceri.

– Que seja – o demônio respondeu, rindo e esfregando as mãos enluvadas. – Matá-la vai ser uma ótima maneira de começar sua aprendizagem. Ceri?

A mulher frágil se levantou com dificuldade, com a cabeça erguida e o rosto tomado pelo pânico.

– Ceridwen Merriam Dulciate – Algaliarept disse. – Vou devolver sua alma *antes* de te matar. Agradeça a Rachel por isso.

Tive um sobressalto. "Rachel?" Até então ele sempre me chamava de Rachel Mariana Morgan. Pelo jeito, como familiar, eu não valia mais o nome completo. Isso me incomodou.

Ceri soltou um som baixo e fraco. Observei com minha nova visão o laço de Algaliarept a abandonar. Um tênue e parco brilho de azul puro a cercou – sua alma retornava e já tentava cobri-la como forma de proteção –, mas logo desapareceu sob as trevas milenares que o demônio tinha instilado na alma dela durante seu domínio. Ceri abriu a boca, mas não conseguiu falar. Seus olhos tornaram-se vítreos e ela ofegou, sem ar. Dei um salto à frente para segurá-la antes que caísse e, com dificuldade, a puxei para o meu lado do círculo.

Algaliarept correu para tomá-la de mim. Uma forte onda de adrenalina surgiu em mim, e derrubei Ceri. Endireitando-me, gritei:

– *Rhombus*! – Havia três meses que vinha praticando a palavra de invocação para estabelecer um círculo sem desenhá-lo antes.

Com a força de uma explosão que me fez sacudir, um círculo menor surgiu dentro do primeiro, selando Ceri e eu. O círculo novo não tinha um objeto físico no qual se concentrar, assim o excesso de energia se espalhou para todos os lados em vez de voltar para a linha de ley como deveria. O demônio praguejou, sendo lançado para trás contra o círculo original, que ainda estava em pé. Com um silvo que reverberou pelo meu corpo, meu primeiro círculo se rompeu e Algaliarept caiu no chão.

Ofegante, me curvei com as mãos nos joelhos. Do chão de concreto o demônio piscou para mim e abriu um sorriso maldoso.

– Temos a mesma aura agora, queridinha. Seu círculo não pode mais me deter. – Seu sorriso se abriu ainda mais. – Surpresa! – ele cantarolou tranquilamente, levantando-se e dando-se ao luxo de ajeitar cuidadosamente o casaco de veludo amarrotado.

"Ai, meu Deus." Se o primeiro círculo não se sustentava mais, o segundo também não o faria. Mas eu tinha considerado essa possibilidade.

– Ceri? – murmurei. – Levante. Precisamos correr.

Os olhos de Algaliarept se voltaram para atrás de mim, na direção do terreno sagrado que nos cercava. Meus músculos se retesaram.

O demônio saltou e, gritando, puxei Ceri para trás. Mal notei a onda de todo-sempre que fluiu para dentro de mim ao quebrar o círculo. Perdi o ar quando caí no chão, com a garota em cima de mim. Ainda sem respirar, arrastei os saltos pela neve, nos levando para mais longe. Senti a aspereza do acabamento dourado do vestido de Ceri, e a puxei comigo até ter certeza de que nós duas estávamos em solo sagrado.

– Maldita! – Algaliarept berrou, furioso, da beira do cimento.

Trêmula, me levantei. Prendi o ar e encarei o demônio frustrado.

– Ceri! – ele gritou, soltando um cheiro de âmbar queimado quando pôs o pé do outro lado da barreira invisível e o puxou para trás com tudo. – Traga Rachel para cá! Ou eu vou escurecer tanto sua alma que seu deus não vai aceitá-la de volta mesmo que implore a ele!

Ceri gemeu, agarrando minha perna encolhida e escondendo o rosto, numa tentativa de superar milênios de condicionamento. Meu rosto tensionou de raiva. "Essa poderia ser eu. Essa ainda pode ser eu."

– Não vou deixá-lo te machucar mais – eu disse, tocando o ombro dela. – Vou fazer o possível para impedi-lo.

Ela tremeu ao me segurar, parecendo uma criança espancada.

– Você é minha familiar! – o demônio gritou, aos cuspes. – Rachel, venha para cá!

Fiz que não, sentindo um frio alheio à neve.

– Não – respondi simplesmente. – Não vou para o todo-sempre. Você não pode me obrigar.

Algaliarept prendeu a respiração, incrédulo.

– Vai, sim! – ameaçou, enquanto Ceri se agarrava com mais força à minha perna. – Sou seu dono! Você é minha maldita familiar. Eu te dei minha aura. Sua vontade pertence a mim!

– Não, não pertence! – bradei, tremendo por dentro. "Está dando certo, graças a Deus, está dando certo." Senti meus olhos se amornarem e percebi que estava quase chorando de alívio. Algaliarept não poderia me levar. Eu era familiar dele agora, mas minha alma não lhe pertencia. Eu era capaz de dizer não.

– Você é minha familiar! – o demônio berrou. Ceri e eu gritamos enquanto ele tentava entrar em solo sagrado e era jogado para trás com um solavanco.

– Sou sua familiar! – gritei de volta, assustada. – E digo não! Eu disse que seria sua familiar e sou, mas não vou para o todo-sempre e você não pode me obrigar a isso!

Os olhos de cabra de Algaliarept se estreitaram. O demônio deu um passo para trás e se endireitou, acalmando-se.

– Você concordou em ser minha familiar – recomeçou, mais brando. Suas botas brilhantes e afiveladas soltavam fumaça na beira do círculo de terreno blasfemado. – Venha cá agora ou vou considerar o acordo quebrado e levar sua alma por direito.

"Quebra de contrato." Sabia que chegaria a esse ponto.

– Estou com sua aura fedorenta em torno de mim – retruquei, enquanto Ceri tremia. – Sou sua familiar. Se acha que o acordo foi quebrado, então arranje alguém para julgar a situação antes do nascer do sol. E tire uma dessas malditas marcas de demônio de mim! – exigi, erguendo o punho.

Meu braço tremeu, e Algaliarept soltou um barulho gutural, horrendo e sonoro. Aquela longa expiração fez minhas entranhas tremerem, e Ceri tomou coragem para olhá-lo.

– Não posso usá-la como familiar se estiver do lado errado da linha – ele esclareceu, pensando alto. – O laço não é forte o suficiente...

– Isso não é problema meu – interrompi, com as pernas trêmulas.

– Não – Algaliarept concordou, então entrelaçou as mãos atrás da cabeça, pousando os olhos em Ceri. A fúria intensa em seu olhar me deixou assustada. – Mas estou fazendo o problema ser seu. Você roubou minha familiar e me deixou sem nada. Me enganou para não pagar por um serviço! Se não posso arrastá-la, vou encontrar uma utilidade para você deste lado da linha. E nunca vou deixá-la morrer. Pergunte a Ceri. Pergunte sobre o inferno sem fim que a aguarda, Rachel. Não sou um demônio paciente. E você não pode se esconder em solo sagrado para sempre.

– Vá embora – respondi, com a voz trêmula. – *Eu* te chamei aqui. Agora estou te mandando embora. Tire uma dessas marcas de mim e vá. Agora. – Eu o tinha invocado e, por isso, ele era suscetível às regras da invocação, por mais que me tivesse como uma familiar.

Algaliarept expirou devagar, e pensei sentir o chão se mover. Seus olhos ficaram pretos. Pretos. Cada vez mais pretos. "Ai, merda."

– Vou encontrar um jeito de fortalecer o laço através da linha – entoou. – E vou arrastá-la com a alma intacta. E é apenas até isso acontecer que você vai andar deste lado da linha.

– Já estive marcada para morrer antes – eu disse. – E meu nome é Rachel Mariana Morgan. Use-o. E tire uma dessas marcas de mim ou vai perder tudo.

"Vou conseguir sair dessa, afinal, fui mais esperta que um demônio." Essa ideia era inebriante, mas eu estava assustada demais para que significasse alguma coisa.

Algaliarept me lançou um olhar frio. Seus olhos recaíram em Ceri e, então, ele desapareceu.

Gritei ao sentir o pulso queimar, mas a dor era bem-vinda, e me debrucei segurando o punho marcado pelo demônio com a outra mão. Doía como se os cães do inferno o estivessem mordendo, mas, quando minha visão turva ficou mais clara, havia apenas uma cicatriz cruzando o círculo, não duas.

Ofegando com o finzinho da dor, caí no chão com tudo. Ergui a cabeça e respirei fundo, tentando desfazer o nó na garganta. Al não poderia me usar se estivéssemos em lados opostos das linhas de ley. Eu continuava sendo eu mesma, embora coberta por sua aura. Devagar, minha segunda visão foi se desfazendo e a marcha vermelha da linha de ley desapareceu. A aura do demônio foi se tornando mais suportável, chegando a ficar quase imperceptível agora que ele partira.

Ceri me soltou. Lembrando-me dela, me inclinei para oferecer ajuda. Ela olhou para mim, maravilhada, pousando a mão fina e pálida com cuidado na minha. Ainda aos meus pés, beijou minha mão em um gesto formal de agradecimento.

– Não, não faça isso – pedi, segurando-a e puxando-a para cima, para longe da neve.

Os olhos de Ceri se encheram de lágrimas e ela chorou em silêncio por sua liberdade. Aquela mulher sofrida e bem-vestida era tão bela com lágrimas de felicidade silenciosa... Envolvi-a com um braço, dando-lhe o conforto de que necessitava. Ela se aconchegou em mim e tremeu com mais força ainda.

Deixando tudo onde estava e esperando que as velas se apagassem sozinhas, voltei a passos trôpegos para a igreja. Fitando a neve enquanto Ceri e eu marcávamos duas trilhas de pegadas sobre o caminho que levava até lá, fiquei me perguntando o que diabos eu iria fazer com ela.

Dois

Estávamos no meio do caminho para a igreja quando percebi que Ceri andava descalça na neve.

– Ceri – chamei, pasma. – Cadê seus sapatos?

Em prantos, a mulher soltou um soluço brusco e, limpando as lágrimas, olhou para baixo. Uma névoa de todo-sempre girou em torno dos seus pés pequeninos, fazendo surgir um par de sandálias chamuscadas. Uma surpresa perpassou seus traços delicados, mais visíveis sob a luz da varanda.

– Queimaram – entendi, enquanto ela os fazia desaparecer. Manchas de queimado ficaram em sua pele, parecendo hematomas pretos. – Talvez o Grande Al esteja tendo um ataque e queimando suas coisas.

Ceri fez que sim em silêncio; a sombra de um sorriso passou por seus lábios azulados ao ouvir o apelido ofensivo que eu usava para não dizer o nome do demônio na frente de pessoas que não o soubessem.

Voltei a andar e puxei Ceri adiante.

– Bom, tenho um par de pantufas que você pode usar. Que tal um café? Estou morrendo de frio. – "Café? A gente acabou de escapar de um demônio e estou oferecendo café para a garota?"

Ela não disse nada. Seus olhos se voltaram para o pórtico de madeira que levava para os quartos nos fundos da igreja e passaram para o santuário e para a torre de sinos.

– Padre? – murmurou, com uma voz tão cristalina e pura quanto o jardim coberto de gelo.

– Não – respondi, tentando não escorregar nos degraus. – Eu só moro aqui. Não é mais uma igreja de verdade. – Ceri piscou, confusa, e acrescentei: – É meio difícil de explicar. Entre.

Abri a porta dos fundos e entrei primeiro, já que Ceri tinha abaixado a cabeça e se recusado a fazê-lo. O calor da sala era um bálsamo para minhas bochechas geladas. Ceri ficou parada na soleira quando um grupo de pixies saiu voando da cornija da lareira, fugindo do frio. Dois pixies adolescentes olharam com interesse para ela, seguindo atrás do grupo em um ritmo mais lento.

– Pixies? – perguntei, lembrando que ela tinha mais de mil anos. Se ela não era uma impercebida, talvez nunca tivesse visto pixies antes e provavelmente achava que só existissem em contos de fadas. – Sabe o que são pixies? – perguntei, batendo as botas no chão para tirar a neve.

Ela fez que sim, fechando a porta atrás de si, e me senti melhor. A adaptação à vida moderna seria muito mais fácil se ela não tivesse que descobrir só agora a existência de bruxas, lóbis, pixies, vampiros e outras criaturas, além de TVs e celulares, mas, quando ela passou os olhos com desinteresse pelos equipamentos eletrônicos caríssimos de Ivy, pude apostar que as coisas do outro lado das linhas de ley eram tão avançadas tecnologicamente quanto as deste.

– Jenks! – gritei para a parte frontal da igreja, onde ele e a família moravam durante o inverno. – Pode vir aqui um minutinho?

Ouvi o leve ruído de asas de libélulas atravessando o ar quente.

– Oi, Rachel – o pixie disse, entrando aos zumbidos. – O que houve? Meus filhos estão falando sobre um anjo... – Ele ergueu a cabeça estupefato, com os olhos arregalados e o cabelo louro balançando ao olhar atrás de mim.

"Anjo, hein?", pensei ao me voltar para Ceri a fim de apresentá-la.

– Ai, meu Deus! – exclamei, puxando-a pela mão. Ela estava catando a neve que eu havia tirado das minhas botas. A visão daquela figura miúda usando um vestido lindíssimo e limpando minha bagunça era demais para mim. – Por favor, Ceri – implorei, tirando a neve de suas mãos e jogando-a no carpete. – Não faça isso.

A pequenina mulher pareceu irritada consigo mesma. Suspirando, pediu desculpas com os olhos. Acho que nem tinha percebido o que estava fazendo até eu a impedir.

Voltei-me para Jenks, vendo que suas asas tinham assumido um tom vermelho-claro devido ao aumento da circulação de sangue.

– Quem é ela? – murmurou, boquiaberto. Com a surpresa, soltou pó de pixie, formando uma mancha dourada no carpete cinza. Ele estava usando roupas informais e justas de jardinagem feitas de seda verde, e parecia uma miniatura de Peter Pan sem chapéu.

– Jenks – eu disse, colocando uma mão no ombro de Ceri e puxando-a para a frente. – Esta é Ceri. Ela vai morar com a gente por um tempo. Ceri, este é Jenks, meu parceiro.

Jenks avançou e em seguida recuou, agitado. Um olhar surpreso perpassou o rosto de Ceri, que olhou de mim para ele.

– Parceiro? – ela perguntou, voltando a atenção para minha mão esquerda.

Entendi de repente e enrubesci.

– Parceiro de negócios – expliquei, percebendo que ela tinha achado que éramos casados. "Como uma pessoa poderia casar com um pixie? Por que alguém faria uma coisa dessas?" – Trabalhamos juntos como caçadores de recompensas. – Tirei o gorro de lã vermelha, o joguei no degrau da lareira, onde poderia secar sobre a pedra, e arrumei o cabelo. Eu havia deixado o casaco do lado de fora da igreja, mas não queria pegá-lo agora.

Ela mordeu o lábio, confusa. O calor na sala tinha começado a deixar sua boca mais rósea, e suas bochechas estavam recuperando a cor.

Com um voo rápido, Jenks se aproximou tanto que meus cachos balançaram com a brisa de suas asas.

– Ela não é das mais inteligentes – ele comentou e pôs as mãos no quadril quando o afastei, irritada. Planando na direção de Ceri, disse em voz alta e devagar, como se a moça tivesse problemas de audição. – Nós... somos... do... bem. Lutamos... contra... os... caras... maus.

– Guerreiros – Ceri disse, sem lhe dedicar um olhar, enquanto tocava as cortinas de couro de Ivy, as cadeiras de camurça e o sofá. A sala era cheia de coisas confortáveis, graças aos recursos da vamp, não aos meus.

Jenks soltou uma risada que soava como sinos de vento.

– Guerreiros – ele repetiu, sorrindo. – Isso. Somos guerreiros. Já volto. Preciso contar essa para Matalina.

Ele saiu voando da sala, e fiquei mais relaxada.

– Desculpe-me por isso. Convidei Jenks para morar aqui com a família depois de ele admitir que costumava perder dois filhos por doença de hibernação toda primavera. Ivy e eu estamos ficando malucas por causa deles, mas prefiro perder minha privacidade por quatro meses do que ter Jenks começando a primavera com dois caixõezinhos.

Ceri assentiu com a cabeça.

– Ivy – começou, baixinho. – Ela é sua parceira?

– Sim. Igual ao Jenks – respondi, indiferente, para ter certeza de que ela entenderia corretamente. Seus olhos foram catalogando tudo, e andei devagar até o corredor. – Hum, Ceri? – disse, hesitante, antes que ela começasse a me seguir. – Você prefere ser chamada de Ceridwen?

Ela examinou a passagem escura que dava para o santuário mal-iluminado, seguindo o som de filhotes de pixie com o olhar. Teoricamente, eles ficavam na parte frontal da igreja, mas haviam tomado conta de tudo, e tínhamos nos acostumado a seus gritinhos agudos e estridentes.

– Apenas "Ceri", por favor.

Sua personalidade estava voltando muito mais rápido do que eu achava possível, passando do silêncio para sentenças curtas em questão de segundos. Havia uma mistura curiosa de encanto moderno e antigo em sua fala, que devia ter sido causada pelo longo convívio com demônios. Ela parou no batente da cozinha com os olhos arregalados enquanto absorvia tudo. Não achei que seria um choque cultural. A maioria das pessoas tinha a mesma reação ao ver minha cozinha.

Isso acontecia porque o lugar era gigante, dispondo de um fogão a gás e de um elétrico para que eu pudesse cozinhar em um e fazer feitiços no outro. A geladeira era de aço inoxidável, grande o bastante para abrigar uma vaca inteira. Havia uma janela corrediça que dava para o jardim e o cemitério cobertos de neve, e meu beta, o Senhor Peixe, nadava tranquilamente em um copo de conhaque no peitoril. Luzes fluorescentes iluminavam o cromo brilhante e o caríssimo balcão, que ficaria muito bem diante das câmeras de um programa de culinária.

Sobre o balcão central, um suporte organizava meus equipamentos de feitiço, e as ervas secas colhidas por Jenks e sua família tomavam a maior parte do espaço. A enorme mesa antiga de Ivy ocupava o resto. Uma metade estava meticulosamente arrumada como seu escritório, com seu computador – mais rápido e poderoso do que um laxante extraforte –, arquivos catalogados por cores, mapas e os marcadores que ela usava para estruturar suas missões. A outra metade da mesa era minha, e estava vazia. Bem que eu gostaria de dizer que era resultado da minha organização, mas a verdade era que quando tinha um serviço eu o cumpria, em vez de analisá-lo até a morte.

– Sente-se – sugeri, descontraída. – Quer um café? – "Café?", pensei enquanto caminhava até a cafeteira e seguia com a minha rotina. O que eu iria fazer com ela? Não poderia tratá-la como um gatinho abandonado. Ceri precisava de ajuda. Ajuda profissional.

Ela me fitou, com o rosto novamente atônito.

– Eu... – balbuciou, parecendo assustada e pequena em sua roupa majestosa. Olhei para minha calça e minha blusa vermelha. Eu ainda estava com neve nas botas e me sentia uma mendiga.

– Aqui – eu disse, puxando uma cadeira. – Vou fazer um chá. "Três passos para a frente, um para trás", pensei quando ela ignorou a cadeira que ofereci e sentou-se diante do computador de Ivy. Chá poderia ser mais adequado, já que ela tinha mais de mil anos. "Será que já existia café na Idade Média?"

Eu estava olhando para o armário, tentando lembrar se possuía uma chaleira, quando Jenks e quinze de seus filhos vieram voando, todos de uma vez. Suas vozes eram tão agudas e rápidas que me deram dor de cabeça.

– Jenks – chamei, olhando de soslaio para Ceri. Ela já estava confusa demais. – Por favor...

– Eles não vão fazer nada – o pixie argumentou, hostil. – Além disso, quero que deem uma boa cheirada nela. Não consigo identificar sua espécie por causa do odor forte de âmbar queimado. Quem é ela, aliás? E o que estava fazendo descalça no jardim?

– Hum... – Subitamente, fiquei desconfiada. Pixies tinham um olfato excelente e conseguiam identificar a espécie de uma pessoa só de sentir o cheiro. Eu tinha uma suspeita sobre a espécie de Ceri e realmente não queria que Jenks descobrisse.

Ceri ergueu a mão como um poleiro, sorrindo inocentemente para as duas pixies que pousaram nela, com seus vestidos de seda verde e rosa que ondulavam com a brisa causada pelas asas de libélula. Elas conversavam alegremente como faziam as pixies; pareciam desmioladas, mas estavam atentas a tudo, inclusive ao rato escondido embaixo da geladeira. Estava claro que Ceri tinha visto pixies antes. Ela devia ser uma impercebida, já que tinha mil anos. A Virada, quando todos nós, impercebidos, saímos das sombras e passamos a viver abertamente junto com os humanos, acontecera havia apenas uns quarenta anos.

– Ei! – Jenks exclamou ao notar que suas filhas estavam monopolizando Ceri, e elas saíram em redemoinho para fora da cozinha, como um caleidoscópio de cores e sons. Em seguida, o pixie assumiu o posto e chamou Jax, seu filho mais velho, para se empoleirar na tela do computador diante dela.

– Você tem o mesmo cheiro de Trent Kalamack – ele disse, de repente. – O que é você?

Uma angústia tomou conta de mim e virei de costas para ele. "Droga, eu tinha razão. Ela é uma elfa." Se Jenks soubesse, contaria para toda Cincinnati assim que o frio diminuísse e ele pudesse sair da igreja. Trent não queria que as pessoas soubessem que os elfos haviam sobrevivido à Virada, e ele derrubaria agente laranja em todo o quarteirão para fazer Jenks calar a boca.

Dei meia-volta e fiz um sinal para Ceri, como se estivesse fechando a boca com um zíper. Percebendo que ela não saberia o que o sinal significava, coloquei o dedo na frente dos lábios. Ela me olhou interrogativamente e então se voltou para Jenks.

– Ceri – respondeu, com gravidade.

– Sim, sim. – Jenks estava impaciente, com as mãos no quadril. – Entendi. Você Ceri. Mim Jenks. Mas o que você é? Uma bruxa? Rachel é uma bruxa.

Ceri olhou para mim e se voltou novamente para ele.

– Eu sou a Ceri.

As asas de Jenks se agitaram até se tornarem uma mancha vermelha.

– Sim – repetiu. – Mas de que espécie? Veja, eu sou um pixie e Rachel é uma bruxa. Você é...

– A Ceri – a moça insistiu.

– Jenks? – chamei o pixie quando ela estreitou os olhos. O mistério sobre a espécie dos Kalamack vinha perturbando os pixies durante toda a existência da família. Resolvê-lo daria mais prestígio a Jenks no mundo dos pixies do que se ele derrotasse todo o clã das fadas sozinho. Pude ver que o pixie estava no limite da paciência quando começou a pairar sobre Ceri.

– Maldita! – Jenks praguejou, frustrado. – O que você é, mulher?

– Jenks! – gritei, alarmada, quando a mão de Ceri surgiu de repente, agarrando-o. Jax, seu filho, soltou um grito agudo, deixando uma nuvem de pó de pixie quando saiu voando para o teto. A filha mais velha de Jenks, Jih, ficou observando pela arcada do forro, batendo as asas rosadas.

– Ei! Me solte! – Jenks ordenou. Suas asas ressoaram furiosamente, mas ele estava totalmente preso. Ceri tinha segurado sua perna entre o polegar e o indicador. Os reflexos dela seriam melhores que os de Ivy se tivesse controle suficiente para ser tão precisa.

– Eu sou a Ceri – ela disse, com os lábios finos, enquanto Jenks batia as asas, aprisionado. – E até o demônio que me capturou tinha respeito suficiente por mim para não me amaldiçoar, pequeno guerreiro.

– Sim, senhora – o pixie respondeu humildemente. – Posso ir agora?

Ela ergueu uma única sobrancelha pálida – uma habilidade invejável – e olhou para mim em busca de instruções. Assenti enfaticamente, ainda surpresa pela rapidez de tudo aquilo. Séria, Ceri o soltou.

– Acho que você não é tão devagar quanto eu pensava – Jenks disse, mal-humorado.

Irritado, o pixie levou cheiro de terra ensacada ao voar em direção ao meu ombro. Franzi a testa, virando-me de costas para Ceri para vasculhar embaixo do balcão em busca de uma chaleira. Ouvi um barulho conhecido de canetas e assumi que ela estava organizando a escrivaninha de Ivy. Os séculos de escravidão voltavam à tona. O misto de servidão submissa com orgulho vivaz me deixou sem saber como tratá-la.

– Quem é ela? – Jenks sussurrou no meu ouvido.

Agachei-me para colocar a mão dentro do armarinho, puxando uma chaleira de cobre tão sem brilho que parecia marrom.

– Ela era familiar do Grande Al.

– Grande Al! – o pixie gritou, subindo e pousando na torneira. – Era isso que você estava fazendo lá fora? Pelas calcinhas de Sininho, Rachel, você está ficando tão má quanto Nick! Não é seguro, e você sabe disso!

Agora que tudo tinha acabado eu podia contar a verdade para Jenks. Sabendo que Ceri estava ouvindo atrás de nós, joguei água dentro da chaleira e me virei para limpá-la.

– Grande Al não concordou em depor contra Piscary por bondade. Precisei pagar um preço por isso.

Com o ruído seco das asas, Jenks levantou voo e se aproximou. Pelo seu rosto passaram surpresa, choque e raiva.

– O que você prometeu para aquela pessoa? – perguntou com frieza.

– Ele é um demônio, não uma pessoa – afirmei. – E já está feito. – Não consegui olhar para Jenks. – Prometi ser familiar dele desde que eu pudesse continuar com minha alma.

– Rachel! – Uma rajada de pó de pixie iluminou a pia. – Quando? Quando ele vai vir te pegar? Precisamos encontrar uma saída. Deve haver um jeito! – Ele voou até meus livros de feitiço no balcão central e voltou, deixando um rastro brilhante atrás de si. – Tem alguma coisa nos seus livros? Ligue para o Nick. Ele deve saber!

Sem gostar daquela agitação, joguei fora a água que sobrara na chaleira. Os saltos da minha bota fizeram um barulho surdo contra o piso de linóleo enquanto eu atravessava a cozinha. O gás acendeu com um sopro forte, e meu rosto ficou vermelho de vergonha.

– É tarde demais – concluí. – Já sou familiar dele. Mas o laço não é forte o suficiente para que Al me use se eu estiver deste lado das linhas de ley e, se conseguir impedir que ele me puxe para o todo-sempre, vou ficar bem. – Eu me virei para ele, dando de cara com Ceri sentada na frente do computador, me fitando com arrebatada admiração. – Posso dizer não. Acabou.

Jenks parou na minha frente, ainda agitado.

– "Acabou"? – ele disse, perto demais para que eu pudesse focá-lo. – Rachel, por que fez isso? Não precisava de tanto para prender Piscary!

– Não tive escolha! – Frustrada, cruzei os braços e me debrucei sobre o balcão. – Piscary estava tentando me matar e, se eu sobrevivesse, queria prendê-lo para que não viesse atrás de mim de novo. Acabou. O demônio não pode me usar. Enganei aquela coisa.

– Aquele coiso – Ceri disse baixinho, e Jenks deu meia-volta. Eu tinha esquecido que ela continuava lá de tão quietinha que estava. – Al é macho. Demônios fêmeas não se deixam puxar pelas linhas. É assim que dá para diferenciar. Normalmente.

Pestanejei, pega de surpresa.

– Al é macho? Por que ele nunca me disse?

Ela deu de ombros, numa demonstração muito moderna de indiferença.

Soltei um suspiro e me voltei para Jenks. Levei um susto quando o encontrei voando bem na frente do meu nariz com as asas vermelhas.

– Você é burra – declarou, com os traços suaves e minúsculos encrespados de raiva. – Deveria ter contado para a gente. E se ele tivesse te pegado? O que seria de mim e de Ivy? Hein? Ficaríamos te procurando sem saber o que aconteceu. Se tivesse contado, a gente poderia pelo menos encontrar um jeito de te trazer de volta. Já pensou nisso, senhorita Morgan? Somos uma equipe e você passou por cima disso!

Minha resposta pronta morreu nos meus lábios.

– Mas não havia nada que vocês pudessem fazer – eu disse, envergonhada.

– Como você sabe? – Jenks retrucou.

Suspirei, envergonhada porque um homenzinho de dez centímetros estava me dando um sermão... e tinha toda a razão.

– É, você está certo – admiti. Devagar, fui descruzando os braços. – É só que... é só que não estou acostumada a depender de ninguém, Jenks. Desculpe.

O pixie despencou um metro de tão surpreso.

– Você... você está concordando comigo?

Ceri voltou a cabeça devagar para o arco aberto. Tinha a expressão ainda mais vazia. Segui seu olhar para o corredor escuro, surpresa ao encontrar a silhueta esbelta de Ivy, com o quadril empinado e a mão na cintura fina; um corpo curvilíneo vestindo sua roupa justa de couro.

Subitamente alerta, dei um pulo do balcão e me endireitei. Odiava quando ela aparecia assim, de repente. Nem tinha sentido a mudança na pressão do ar quando ela abriu a porta da frente.

– Oi, Ivy – a cumprimentei com a mesma vergonha na voz com que estava falando com Jenks.

Seu olhar inexpressivo era igual ao de Ceri quando analisou com seus olhos castanhos a mulher diminuta sentada na cadeira. Começou a andar, movendo-se com a graça de um vampiro vivo, quase sem fazer barulho com as botas. Arrumando o cabelo preto, longo e invejavelmente liso atrás da orelha, foi até a geladeira e pegou um suco de laranja. Com calças de couro e uma camisa preta, parecia uma motoqueira sofisticada. Suas bochechas estavam vermelhas por causa do frio e ela parecia gelada, mesmo usando jaqueta de couro.

Jenks voou atrás de mim, esquecendo a discussão graças ao problema mais urgente que era Ivy encontrar uma pessoa inesperada em sua cozinha. Ela havia lançado meu último convidado contra a parede e ameaçado tirar sangue dele. Tornou-se bem óbvio que Ivy não gostava de surpresas, por isso o fato de estar tomando suco de laranja era um bom sinal. Significava que havia sucumbido à sua maldita sede de sangue, e que Jenks e eu teríamos de lidar com uma vampira apenas culpada, e não com uma vampira culpada *e* irritada e faminta. Era muito mais fácil conviver com Ivy agora que ela tinha voltado a praticar.

– Ah, Ivy, essa é Ceridwen – apresentei. – Ela vai ficar com a gente até sua vida voltar aos eixos.

Ivy se virou e se debruçou no balcão, parecendo ao mesmo tempo predadora e *sexy* enquanto tirava a tampa do suco e bebia direto da caixinha. "Como se eu pudesse reclamar desse hábito..." Ivy examinou Ceri, se voltou para a agitação visível de Jenks e então para mim.

– Então... – começou, com uma voz melodiosa que me fazia pensar em um pedaço de seda cinza na neve – ... você deu um jeito no seu pacto com aquele demônio. Bom trabalho. Parabéns.

Meu queixo caiu.

– C-c-como você sabia...? – gaguejei, enquanto Jenks soltava um grito agudo de surpresa.

Ela abriu um leve sorriso, raro mas sincero, com o canto dos lábios. Suas presas apareceram de relance; aqueles caninos eram do mesmo tamanho dos meus, mas mais afiados, como os de um gato. Ela teria que esperar até a morte para ter a versão maior.

– Você fala dormindo – a vamp respondeu, tranquilamente.

– Você sabia? – perguntei, perplexa. – Nunca disse nada!

– "Parabéns"? – As asas de Jenks bateram como as de um besouro. – Você acha que virar familiar de um demônio é uma coisa boa? Bateu a cabeça, é?

Ivy foi pegar um copo no armário.

– Se Piscary tivesse sido solto, Rachel estaria morta antes do nascer do sol – ela reconheceu, entornando a caixa em direção ao copo. – Rachel é familiar de um demônio, e daí? Ela disse que o demônio não pode usá-la a menos que a leve para o todo-sempre. E ela está viva, não está? Não dá para fazer nada quando se está morto. –Tomou um gole do suco. – A menos que se trate de um vampiro.

Jenks soltou um ruído desagradável e voou até o canto da sala, amuado. Jih aproveitou a oportunidade para se esconder na concha pendurada sobre o balcão central, com as pontas das asas exibindo um vermelho-vivo sobre a borda de cobre.

Os olhos castanhos de Ivy encontraram os meus por sobre o copo. Seu rosto perfeito e oval era quase inexpressivo quando escondia seus verdadeiros sentimentos por trás da fachada fria de indiferença que mantinha quando havia alguém na sala além de nós duas, incluindo Jenks.

– Que bom que deu tudo certo – ela disse, pousando o copo no balcão. – Você está bem?

Fiz que sim com a cabeça, notando o alívio dela pelo leve estremecer de seus longos dedos de pianista. Ivy nunca admitiria que estava preocupada, e me perguntei há quanto tempo ela estava no corredor acompanhando a conversa e se recompondo. A vamp piscou algumas vezes e cerrou os dentes, tentando conter suas emoções.

– Não sabia que era hoje – ela disse, baixinho. – Caso contrário não teria saído.

– Obrigada – agradeci, pensando que Jenks estava certo. Foi burrice não contar nada para eles. Eu simplesmente não estava acostumada a ter pessoas, além da minha mãe, se importando comigo.

Ceri observava Ivy com o olhar confuso e encantado.

– Parceira? – ela arriscou, e Ivy voltou a atenção para a mulher pequenina.

– Sim – a vamp respondeu. – Parceira. E o que você tem a ver com isso?

– Ceri, esta é a Ivy – eu disse quando a elfa se levantou.

A vamp franziu a testa ao notar que a ordem precisa que ela mantinha na escrivaninha tinha sido alterada.

– Ela era familiar do Grande Al – adverti. – Só precisa de alguns dias para dar um jeito na vida.

Jenks fez um barulho irritante com as asas. Ivy me lançou um olhar expressivo e assumiu um ar de desconfiança, irritada quando Ceri se aproximou dela. A pequena mulher a estudava, confusa.

– Você é vampira – ela disse, estendendo a mão para tocar no seu crucifixo.

Ivy saltou para trás com uma rapidez surpreendente, escurecendo os olhos.

– Ei, ei, ei! – interrompi, me interpondo entre elas, pronta para o que desse e viesse. – Calma, Ivy. Ceri morou no todo-sempre por mais de mil anos. Talvez nunca tenha visto uma vampira viva antes. Acho que ela é uma impercebida, mas está cheirando a todo-sempre, então Jenks não sabe o que ela é. – Hesitei, dizendo a ela com o olhar e com minha última frase que Ceri era uma elfa, e, portanto, uma metralhadora no quesito magia.

As pupilas de Ivy dilataram até assumirem o preto denso dos vampiros. Sua postura era dominadora e fortemente sexual, mas ela tinha acabado de saciar sua sede de sangue e, por isso, conseguia prestar atenção ao que ouvia.

Lancei um olhar rápido para Ceri, feliz em ver que ela tivera a prudência de não se mexer.

– Estamos todos bem aqui? – perguntei. Meu tom de voz exigia que as duas se acalmassem.

Com os lábios finos cerrados, Ivy deu as costas para nós. Jenks pousou no meu ombro.

– Parabéns – ele disse. – Deu um jeito nas suas minas.

– Jenks! – murmurei, furiosa, sabendo que Ivy tinha ouvido porque seus dedos sobre o copo ficaram brancos. Eu o afugentei e, rindo, ele levantou voo e em seguida voltou para o meu ombro.

Ceri estava em pé com os braços confiantes ao lado do corpo, observando Ivy ficar cada vez mais tensa.

– Ihhh – Jenks provocou. – Sua amiguinha nova vai fazer alguma coisa.

– Ceri? – perguntei, com o coração acelerado enquanto a mulher pequenina caminhava até o lado de Ivy, claramente exigindo sua atenção.

Com a mão pálida pela raiva reprimida, a vamp se voltou para ela.

– Que foi? – Ivy perguntou, inexpressiva.

Ceri inclinou a cabeça de maneira nobre, sem nunca tirar os olhos verdes dos castanhos de Ivy, que se dilatavam devagar.

– Peço desculpas – ela disse, com a voz límpida e elegante, pronunciando cada sílaba com cuidado. – Eu a desrespeitei. – Sua atenção se voltou ao elaborado crucifixo pendurado na corrente prateada que Ivy trazia no pescoço. – Você é uma guerreira vampira, mas pode usar a Cruz?

As mãos de Ceri se contorceram, e entendi que ela queria tocar o crucifixo. Ivy também entendeu. Sem poder interferir, a observei se voltar para a elfa e, aprumando-se, examiná-la dos pés à cabeça – as lágrimas que secavam, o vestido primoroso, os pés descalços, o orgulho evidente e a postura ereta. Com a respiração presa, vi Ivy tirar o crucifixo do pescoço e passá-lo pelo longo cabelo.

– Sou uma vampira viva – explicou enquanto colocava o símbolo religioso na mão de Ceri. – Nasci com o vírus de vampiro. Você sabe o que é um vírus, não sabe?

Os dedos da elfa traçaram as linhas da prata forjada.

– Meu demônio me deixava ler o que eu quisesse. Um vírus está matando minha espécie. – Ela ergueu os olhos. – Não o vírus de vampiro. Outro vírus.

O olhar de Ivy se voltou para mim e, então, retornou à mulher pequenina.

– O vírus me alterou enquanto eu estava em formação no útero da minha mãe, fazendo com que eu virasse um pouco dos dois. Posso andar sob o sol e rezar sem sentir dor – Ivy disse. – Sou mais forte do que você – acrescentou, afastando-se discretamente de Ceri. – Mas não tanto quanto um morto-vivo de verdade. E tenho uma alma – completou, como se esperasse que a elfa discordasse.

A expressão de Ceri ficou vazia.

– Você vai perdê-la.

Ivy comprimiu os olhos.

– Eu sei.

Prendi a respiração, ouvindo o tique-taque do relógio e o zumbido quase subliminar das asas de pixie. Com uma expressão solene, a mulher devolveu o crucifixo à vamp.

– Sinto muito. Não ter uma alma é o inferno de onde Rachel Mariana Morgan me salvou.

Ivy olhou para a cruz na mão de Ceri, sem demonstrar emoção.

– Estou torcendo para que ela faça o mesmo por mim.

Eu me encolhi de vergonha. Ivy acreditava na existência de uma bruxaria que pudesse expurgar o vírus de vampiro de seu corpo. Botava fé na ideia de que bastava o feitiço certo para que ela conseguisse deixar o sangue e a violência para trás. Mas não existia nenhum feitiço. Esperei que Ceri dissesse à Ivy que todos poderiam se redimir, mas tudo que ela fez foi assentir com a cabeça, fazendo esvoaçar o cabelo fino.

– Tomara que ela consiga.

– Tomara. – Ivy olhou de soslaio para o crucifixo que Ceri estava devolvendo. – Fique com ele. Já não me ajuda mais.

Abri a boca, surpresa, e Jenks pousou nos meus grandes brincos de argola enquanto Ceri colocava a cruz no pescoço. A prata trabalhada com esmero combinava com o púrpura e o verde intensos de seu vestido.

– Ivy... – comecei, levando um susto quando ela estreitou os olhos na minha direção.

– Já não me ajuda mais – a vamp repetiu, incisiva. – Ela quer. Vou dar para ela.

Ceri colocou a mão na cruz, visivelmente encontrando paz nele.

– Obrigada – murmurou.

Ivy franziu a testa.

– Se tocar na minha mesa de novo, vou quebrar todos os seus dedos.

Compreensiva, Ceri ouviu a ameaça sem dar muita importância. Fiquei surpresa. Estava claro que ela já tinha lidado com vampiros antes. Queria saber onde, já que os vampiros não conseguiam manipular linhas de ley e, por isso, seriam péssimos familiares.

– Que tal um chá? – propus, querendo fazer alguma coisa normal. Preparar chá não era exatamente normal, mas estava quase lá. A chaleira estava soltando fumaça e, enquanto eu procurava no armário uma caneca boa o suficiente para uma visita, Jenks riu, usando meu brinco de balanço. Para a irritação de Ivy, seus filhos estavam entrando na cozinha em pares, atraídos pela novidade que era Ceri. Eles voaram em torno da elfa, e Jih assumiu a posição mais próxima.

Ivy ficou parada defensivamente diante do computador e, depois de um momento de hesitação, Ceri se sentou na cadeira mais longe dela. A elfa parecia perdida e sozinha, tocando o crucifixo no pescoço. Enquanto eu vasculhava a despensa em busca de um saquinho de chá, fiquei me perguntando como daria um jeito naquela situação. Ivy não gostaria nem um pouco de outra colega de quarto. E onde enfiaríamos Ceri?

Ivy arrumou ruidosamente as canetas em seu porta-lápis.

– Achei um – anunciei, aliviada ao finalmente encontrar um saquinho de chá. Afugentado pelo vapor quente que subiu quando joguei água fervente na caneca, Jenks me largou e foi incomodar Ivy.

– Aqui, Ceri – eu disse, afastando os pixies e colocando a caneca na mesa. – Quer alguma outra coisa?

A elfa olhou para a caneca como se nunca tivesse visto uma antes. Com os olhos arregalados, fez que não. Hesitei, sem saber o que eu havia feito de errado. Ela parecia prestes a chorar de novo.

– Está bom para você? – perguntei, ao que Ceri assentiu com a cabeça, pegando a caneca com a mãozinha trêmula.

Jenks e Ivy olharam fixamente para ela.

– Tem certeza que não quer açúcar nem nada? – perguntei, mas recebi uma negativa. Com o queixo fino trêmulo, ela levou a caneca aos lábios.

Franzindo a testa, fui pegar pó de café na geladeira. Ivy se levantou para enxaguar o copo e se aproximou, abrindo a torneira para abafar o som das palavras que começava a murmurar:

– Qual é o problema com ela? A garota está chorando por causa do chá.

Dei meia-volta.

– Ceri! – exclamei. – Se quiser açúcar, não tem problema!

Ela me olhou nos olhos, com lágrimas rolando pelo rosto pálido.

– Faz... mil anos que eu não como nada – ela disse, engolindo o choro.

Senti como se tivesse levado um soco no estômago.

– Quer açúcar?

Ainda chorando, ela meneou a cabeça.

Ivy estava esperando por mim quando me voltei.

– Ela não pode ficar aqui, Rachel – a vampira disse, com as sobrancelhas cerradas.

– Ceri vai ficar bem – sussurrei, surpresa por Ivy estar tão disposta a expulsar a elfa. – Vou pegar minha cama antiga que está no campanário e montá-la aqui na sala. Tenho umas camisetas velhas que ela pode usar até fazermos compras juntas.

Jenks zumbiu as asas tentando chamar atenção.

– E depois? – ele disse, em cima da torneira.

Fiz um gesto de frustração.

– Sei lá. Ela já está bem melhor. Meia hora atrás não estava nem falando. Olhe só agora.

Todos viramos e encontramos Ceri soluçando silenciosamente e bebendo seu chá a goles pequenos e reverentes enquanto as pixies pairavam em torno dela. Três faziam tranças em seus longos cabelos claros e outra cantava para ela.

– Certo – concordei, ao voltarmos uns para os outros. – Não foi um bom exemplo.

Jenks balançou a cabeça.

– Rachel, estou com muita pena dela, mas Ivy está certa. A mulher não pode ficar aqui. Ela precisa de ajuda profissional.

– Sério? – retruquei, me inflamando. – Nunca ouvi falar de sessões de terapia para ex-familiares de demônios. Você já ouviu?

– Rachel... – Ivy disse.

Um grito súbito dos filhotes de pixie fez Jenks sair voando de cima da torneira. Ele olhou para os filhos, que, atrás de nós, estavam perseguindo o rato, que finalmente tentara correr em direção à sala, encontrando seu inferno particular no caminho.

– Com licença – ele disse, partindo ao resgate do roedor.

– Não – contestei. – Não vou largar a mulher num hospício.

– Não é disso que eu estou falando – disse Ivy. Seu rosto pálido tinha começado a ganhar cor, e a íris castanha dos olhos dela diminuía agora que meu corpo estava mais quente, disparando seus instintos. – Mas ela não pode ficar aqui. Essa mulher precisa de pessoas normais. E, Rachel, nós não somos normais.

Fiz menção de discordar, mas desisti. Franzindo a testa, olhei com o canto dos olhos para Ceri. Ela estava secando as lágrimas e tentando segurar a caneca com a mão trêmula, prestes a derrubar o chá. Redirecionei minha atenção para os filhotes de pixie, que discutiam sobre quem cavalgaria o rato primeiro. A primeira foi Jessie, e a pixiezinha gritou de alegria quando o roedor disparou para fora da cozinha levando-a nas costas. Com uma névoa de brilhos dourados, todos os seguiram, menos Jih. Talvez Ivy tivesse razão.

– O que quer que eu faça, Ivy? – questionei, mais calma. – Até pediria para minha mãe ficar com Ceri, mas ela também não é a pessoa mais normal do mundo.

Jenks voltou com um zumbido.

– Que tal Keasley?

Surpresa, olhei para Ivy.

– O velhinho do outro lado da rua? – a vamp perguntou, desconfiada. – A gente não sabe nada sobre ele.

Jenks pousou no peitoril ao lado do Senhor Peixe e pôs as mãos no quadril.

– Ele é velho e tem renda fixa. O que mais a gente precisa saber?

Enquanto Ceri se recompunha, refleti sobre a ideia. Eu gostava daquele velho bruxo, cuja fala lenta escondia um humor ácido e uma inteligência vasta. Ele tinha ajudado a curar minhas feridas depois que Algaliarept me torcera o pescoço. Tinha me ajudado a recuperar a força de vontade e a confiança também. O velho, que sofria de artrite, escondia alguma coisa. Eu não acreditava que seu nome verdadeiro era Keasley, nem que ele tinha mais equipamentos médicos do que um pronto-socorro porque detestava hospitais. Mas eu confiava no sujeito.

– Ele não gosta da lei e sabe manter a boca fechada – ponderei, achando a ideia perfeita. Enrugando a testa, olhei para Ceri, que conversava com Jih com uma voz suave. Os olhos de Ivy mostravam indecisão e aborrecimento. Tomei uma atitude. – Vou ligar para ele – acrescentei, fazendo sinal para Ceri de que voltaria logo e indo buscar o telefone na sala.

Três

– Ceri – Jenks disse enquanto eu apertava o botão da cafeteira –, se você chora com chá, espere só até experimentar batata frita. Venha cá, vou te ensinar a usar o micro-ondas.

Keasley estava a caminho. Talvez demorasse um pouco, já que sofria tanto de artrite que a maioria dos talismãs nem chegava a funcionar. Eu me sentia mal por fazê-lo andar até a minha casa no meio da neve, mas seria ainda mais mal-educado aparecer de repente na casa dele.

Não entendi por quê, mas Jenks se empoleirou no ombro de Ceri e foi explicando muito atenciosamente a tarefa de descongelar batata frita no micro-ondas. A elfa se agachou para observar a caixinha girar; minhas pantufas cor-de-rosa pareciam estranhas e grandes demais em seus pés. Algumas pixies giravam ao redor dela num redemoinho de seda de cores pastel e conversas ignoradas. O barulho incessante fez com que Ivy fugisse para a sala, onde se escondeu com fones de ouvido.

Ergui a cabeça quando senti a mudança na pressão do ar.

– Oi? – A voz grave vinha da frente da igreja. – Rachel? Os pixies me deixaram entrar. Onde vocês estão?

Olhei de relance para Ceri, reconhecendo sua apreensão súbita.

– Esse é o Keasley, nosso vizinho – apresentei. – Ele vai dar uma olhada em você, para ter certeza que está bem de saúde.

– Eu estou bem – ela respondeu, melancólica.

Pensando que aquilo poderia ser mais difícil do que eu imaginava, caminhei de meias até o corredor para conversar com o bruxo antes que ele a encontrasse.

– Oi, Keasley, estamos aqui no fundo.

Sua silhueta corcunda e mirrada desceu mancando pelo corredor, tapando a luz. Outros filhotes de pixie o escoltavam, cobrindo-o de partículas de pó de pixie. Keasley carregava um saco de papel pardo nas mãos, e trazia consigo o cheiro frio da neve, que combinava perfeitamente com o odor típico de sequoia dos bruxos.

– Rachel – ele disse, erguendo os olhos castanhos ao se aproximar. – Como vai minha ruivinha favorita?

– Estou bem – respondi, trocando um abraço rápido com ele e pensando que, depois de enganar Algaliarept, "estou bem" era um eufemismo. O macacão de Keasley estava gasto e cheirava a sabão. Eu o via ao mesmo tempo como o velho sábio do bairro e como um avô, e não ligava se ele não queria falar sobre o próprio passado. O sujeito era uma boa pessoa, e isso era tudo que eu precisava saber.

– Pode entrar. Quero lhe apresentar uma pessoa – introduzi, andando devagar e com cautela. – Ela precisa da sua ajuda – acrescentei, baixinho.

Keasley pressionou os lábios grossos e franziu as rugas morenas. Respirou fundo, apertando com as mãos artríticas o saco de compras. Então, fez que sim com a cabeça, mostrando que seu cabelo encaracolado e grisalho começava a rarear. Soltei um suspiro aliviada e o levei até a cozinha, me posicionando de maneira a ver sua reação diante de Ceri.

De repente, o velho bruxo se deteve, fixando o olhar. Ao ver a mulher delicada de pantufas em frente ao micro-ondas, com seu vestido longo e elegante e uma caixa de batatas fritas quentes na mão, entendi por quê.

– Não preciso de um médico – a elfa disse.

Jenks voou do seu ombro.

– Oi, Keasley. O senhor veio dar uma olhada na Ceri?

O bruxo fez que sim, mancando, até que puxou uma cadeira. Em seguida, gesticulou para que Ceri se sentasse e, com cuidado, se sentou na cadeira ao lado. Arquejando, colocou o saco entre os pés e o abriu, tirando dele um medidor de pressão.

– Não sou médico – ele disse. – Meu nome é Keasley.

Ainda em pé, a elfa olhou para mim e então para ele.

– Meu nome é Ceri – respondeu, quase num sussurro.

– É um prazer conhecê-la. – Depois de colocar o medidor na mesa, ele estendeu a mão inchada pela artrite. Insegura e envergonhada, Ceri pousou a mão na dele. Keasley a apertou, sorrindo e mostrando os dentes manchados por causa do café. O velhinho apontou para a cadeira e Ceri se acomodou. Relutante, colocou as batatas fritas de lado, e olhou desconfiada para o medidor de pressão.

– Rachel quer que eu dê uma olhada em você – ele disse enquanto tirava mais equipamentos médicos do saco.

Ela olhou para mim. Com um suspiro, se rendeu e assentiu com a cabeça.

O café tinha ficado pronto e, enquanto Keasley tirava a temperatura dela, checava seus reflexos e sua pressão, e a mandava dizer "Ahhh", levei uma xícara para Ivy, que continuava na sala. Com fones de ouvido, a vamp estava sentada de lado na poltrona, um braço atrás da cabeça e um pé em cima do outro. Seus olhos estavam fechados, mas mesmo assim ela estendeu a mão quando baixei a xícara.

– Obrigada – agradeceu, ainda de olhos fechados. Saí, pensando que às vezes ela me causava arrepios.

Ao voltar, perguntei:

– Aceita tomar um café, Keasley?

O velhinho deu uma olhada no termômetro e o desligou.

– Sim, obrigado. – Ele sorriu para Ceri. – Você está ótima.

– Obrigada – respondeu. Ela estava comendo batatas fritas enquanto Keasley a examinava e olhou com tristeza para o fundo da caixa.

Jenks se aproximou dela na mesma hora.

– Quer mais? – sugeriu. – Você tem que experimentar com *ketchup*.

Subitamente, o motivo da dedicação de Jenks à Ceri ficou claro. O pixie não estava interessado nas batatas, mas no *ketchup*.

– Jenks – chamei-o, impaciente, enquanto levava o café para Keasley e me debruçava no balcão central. – Ela tem mais de mil anos. Até os humanos comiam tomate naquela época. – Hesitei. – Eles tinham tomate naquela época, não tinham?

O zumbido das suas asas diminuiu subitamente.

– Merda – murmurou, antes de voltar a se iluminar. – Vai lá – ele disse para Ceri. – Tente usar o micro-ondas sem a minha ajuda.

– Micro-ondas? – ela interrogou, limpando as mãos com cuidado em um guardanapo antes de se levantar.

– É. Não existe micro-ondas no todo-sempre?

Ela balançou negativamente a cabeça, fazendo voar as pontas do seu cabelo claro.

– Não. Eu preparava a comida do Al com magia de linhas de ley. Isso é... antiquado.

Keasley teve um sobressalto e quase derrubou o café. Seus olhos seguiram a figura graciosa de Ceri enquanto ela ia até o congelador e, estimulada por Jenks, pegava outra caixa de batatas fritas. Depois disso apertou os botões meticulosamente, mordendo os lábios. Achei estranho a mulher ter mais de mil anos de idade e considerar o micro-ondas primitivo.

– Todo-sempre? – Keasley perguntou baixinho, chamando minha atenção.

Segurei a xícara de café à minha frente com ambas as mãos para esquentar os dedos.

– Como ela está?

Ele encolheu os ombros.

– Saudável. Talvez um pouco magra demais. Sofreu abusos mentais, não sei dizer de que maneira. Ela precisa de ajuda.

Respirei fundo, olhando para a xícara.

– Preciso pedir um grande favor.

Keasley se endireitou na cadeira.

– Não – respondeu, enquanto colocava o saco no colo e começava a guardar suas coisas. – Não sei *quem* ou *o que* ela é.

– Roubei Ceri do demônio cujo ferimento você cicatrizou no outono – contei, tocando meu pescoço. – Ela era sua familiar. Posso pagar pelo quarto e pela comida dela.

– O problema não é esse – ele protestou, com o saco nas mãos. Seus olhos castanhos e cansados mostravam preocupação. – Não sei nada sobre ela, Rachel. Não posso correr o risco de botar uma desconhecida dentro de casa. Não me peça uma coisa dessas.

Eu me debrucei sobre o espaço entre nós, quase com raiva.

– Ela esteve no todo-sempre durante o último milênio. Não acho que ela esteja aqui para matá-lo – acusei, e seus traços rígidos mostraram surpresa. – Tudo de que ela precisa – continuei, revigorada por ter encontrado um de seus medos – é um ambiente normal no qual possa recuperar a própria personalidade. E uma bruxa, uma vampira e um pixie morando juntos numa igreja e caçando bandidos não é o que podemos chamar de "ambiente normal".

Sentado no ombro de Ceri, Jenks olhou para nós enquanto observava as batatas aquecerem. O rosto do pixie ficou sério. Ele podia ouvir a conversa tão claramente como se estivesse sentado à mesa. Ceri fez uma pergunta baixinho e Jenks se voltou para ela, respondendo alegremente. Ele tinha afugentado todos da cozinha, exceto Jih, e reinava um silêncio abençoado.

– Por favor, Keasley – sussurrei.

Jih começou a cantar com sua voz etérea, iluminando o rosto de Ceri, que se juntou a ela na cantoria. Mas a elfa conseguiu entoar apenas três notas antes de começar a chorar. Fiquei olhando a cena enquanto uma nuvem de pixies afluía para a cozinha, quase sufocando Ceri. Da sala, veio o grito furioso de Ivy, reclamando que os pixies estavam interferindo na recepção do seu rádio de novo.

Jenks gritou com os filhos e todos menos Jih saíram voando rapidamente. Juntos, pai e filha consolaram Ceri – Jih com a voz calma e reconfortante e Jenks com o jeito estabanado. Keasley afundou na cadeira, e naquela hora eu soube que iria aceitar.

– Certo – ele disse. – Vou tentar por alguns dias, mas se não der certo ela volta para cá.

– Está bem – respondi, sentindo um peso ser tirado das minhas costas.

A elfa ergueu os olhos ainda úmidos.

– Você não pediu minha opinião.

Arregalei os olhos e meu rosto ficou vermelho. A audição dela era tão boa quanto a de Ivy.

– Hum... Desculpe, Ceri. Não é que eu não a queira aqui...

Ela assentiu, solene, com a cabeça em forma de coração.

– Eu sou uma pedra no meio do caminho em uma fortaleza de soldados – ela interrompeu. – Seria uma honra morar com o guerreiro aposentado e aliviar as dores dele.

"Guerreiro aposentado?", pensei, sem saber o que a mulher via em Keasley que eu não via. Do canto da cozinha, chegava a nossos ouvidos a discussão aguda entre Jenks e a filha mais velha. A jovem pixie estava torcendo a barra do vestido verde-claro e mostrando os pezinhos minúsculos enquanto lhe pedia alguma coisa.

– Espere aí – Keasley disse, dobrando o saco de papel. – Eu consigo cuidar de mim mesmo. Não preciso de ninguém para "aliviar minhas dores".

Ceri sorriu e foi se ajoelhar diante dele, arrastando minhas pantufas pelo piso de linóleo.

– Ceri – protestamos, juntos, Keasley e eu. Mas a jovem nos ignorou, deixando claro, com o ar penetrante de seus olhos verdes, que não toleraria nenhuma interferência.

– Levante-se – Keasley disse, áspero. – Sei que você era familiar de um demônio e que devia ser assim que ele a mandava agir, mas...

– Fique quieto, Keasley – Ceri disse, com um brilho tênue de todo-sempre iluminando as mãos pálidas. – Quero ir com você, mas somente se me deixar retribuir a gentileza. – Ela sorriu para o velhinho, enquanto os olhos verdes perdiam o foco. – Você vai fazer com que eu me sinta útil, que é o que eu realmente preciso.

Prendi a respiração ao sentir que ela captava uma linha de ley.

– Keasley? – eu disse, com a voz aguda.

Seus olhos castanhos se arregalaram e ele estacou onde estava enquanto Ceri estendia as mãos e as pousava sobre os joelhos do seu macacão desbotado. Vi o rosto dele relaxar e suas rugas descerem, fazendo-o parecer mais velho. Ele respirou fundo, empertigando-se.

Ainda ajoelhada, Ceri tremeu e ergueu as mãos.

– Ceri – Keasley tinha a voz grave embargada e tocou os joelhos. – Passou – murmurou, com lágrimas nos olhos cansados. – Oh, meu Deus – ele disse, levantando-se para ajudá-la a também se levantar. – Fazia tanto tempo que eu não sabia o que era uma vida sem dor. Obrigado.

Ceri sorriu, com lágrimas descendo pelo rosto enquanto assentia.

– Fazia tempo para mim também. Isso ajuda.

Virei o rosto, com um nó na garganta.

– Tenho algumas camisetas que você pode usar até fazermos compras – eu disse. – Leve essas pantufas. Dá pelo menos para atravessar a rua.

Keasley segurou o braço da elfa com uma mão enquanto levava o saquinho na outra.

– Vou levar Ceri para fazer compras amanhã – ele disse, andando em direção ao corredor. – Faz três anos que não me sinto bem o bastante para ir ao shopping. Vai ser bom sair um pouco. – O velhinho se voltou para mim, com o rosto enrugado transformado. – Mas vou mandar a conta para você. Posso falar para todo mundo que ela é sobrinha da minha prima. Da Suécia.

Soltei uma risada que mais parecia um choro. Aquilo estava dando mais certo do que imaginava, e eu não conseguia parar de sorrir.

Jenks emitiu um grito agudo, e sua filha pousou devagar em cima do micro-ondas.

– Está bem, eu pergunto! – ele gritou, e Jih levantou voo, com o rosto esperançoso e as mãos unidas. – Se sua mãe e Keasley deixarem, eu deixo – disse, com as asas de um azul lúgubre.

Jih se ergueu e caiu, visivelmente ansiosa, enquanto o pai voava na direção de Keasley.

– Hum, por acaso o senhor tem alguma planta na sua casa de que Jih possa cuidar? – perguntou, parecendo bastante envergonhado. Tirando o cabelo louro dos olhos, fez uma cara constrangida. – Minha filha quer acompanhar Ceri, mas não vou deixar a menos que ela possa ser produtiva.

Fiquei boquiaberta. Olhei para Ceri e, ao ver que segurava o fôlego, percebi que ela claramente gostaria da companhia.

– Tenho um vaso de manjericão – Keasley respondeu, relutante. – E se ela quiser continuar lá depois do inverno pode trabalhar no jardim.

Jih emitiu um grito contente, soltando pó de pixie numa nuvem dourada que, aos poucos, foi ficando branca.

– Agora peça para sua mãe! – Jenks mandou, acabrunhado, enquanto a pixie animada saía voando. Ele pousou no meu ombro, com as asas murchas. Pensei sentir cheiro de outono. Antes que pudesse perguntar a Jenks o que era aquele cheiro, uma nuvem ruidosa rosa e verde entrou voando pela cozinha. Assustada, me perguntei se haveria algum pixie na igreja que não estava a um metro de distância de Ceri.

O rosto enrugado de Keasley demonstrou uma aceitação estoica enquanto ele abria o saco de suprimentos e deixava Jih entrar nele para fazer o trajeto a salvo do frio. Sobre o saco amarrotado, todos os pixies gritavam e acenavam em despedida.

Revirando os olhos, Keasley entregou o saco para Ceri.

– Pixies... – o ouvi murmurar. Segurando a elfa pelo cotovelo, nosso vizinho acenou para mim e entrou no corredor, mais rápido e aprumado do que eu nunca o tinha visto. – Tenho um quarto vago. Você dorme de noite ou de dia? – perguntou a ela.

– Os dois – ela disse, baixinho. – Algum problema?

Ele sorriu, mostrando os dentes manchados pelo café.

– Uma dorminhoca, hein? Que bom. Não vou me sentir tão velho quando pegar no sono.

Eu me senti feliz ao observá-los descer pelo santuário. Aquele arranjo seria bom de várias formas.

– Qual é o problema, Jenks? – perguntei quando ele permaneceu no meu ombro enquanto o resto da família acompanhava Ceri e Keasley para a frente da igreja.

O pixie deu uma fungada.

– Pensei que Jax fosse ser o primeiro a sair para começar seu próprio jardim.

Soltei um suspiro solidário.

– Sinto muito, Jenks. Mas ela vai ficar bem.

– Eu sei, eu sei... – Suas asinhas começaram a bater, soltando o aroma de folhas caídas. – Uma pixie a menos na igreja – ele disse, baixinho. – É uma coisa boa. Mas ninguém avisou que seria dolorido.

Quatro

Estreitando os olhos sobre os óculos escuros, me recostei no carro e observei o estacionamento. Meu conversível vermelho-cereja parecia deslocado entre as minivans e os carros antigos e enferrujados que estavam espalhados. Ao fundo, longe de possíveis arranhões, descansava um esportivo cinza de escapamento rebaixado. Provavelmente pertencia ao sujeito do departamento de relações públicas do zoológico, já que todos os outros veículos eram de funcionários de meio-período ou biólogos que não ligavam para o carro que dirigiam.

A manhã estava fria apesar do sol, e meu hálito soltava fumaça. Tentei relaxar, mas senti um nó aumentar na garganta pela irritação crescente. Nick tinha combinado de me encontrar ali de manhã para uma corrida rápida no zoológico. Pelo jeito ele me daria um bolo. De novo.

Descruzei os braços e balancei as mãos para relaxar antes de descer o tronco e colocar a palma das mãos contra a neve gelada no chão do estacionamento. Exalando no alongamento, senti meus músculos se esticarem. Eu estava rodeada pelos sons suaves e conhecidos do zoológico, que se preparava para abrir, e pelo cheiro exótico de adubo. Se Nick não aparecesse nos próximos cinco minutos, não teríamos tempo para uma corrida decente.

Eu tinha comprado entradas de corredores meses antes para que pudéssemos correr a qualquer hora no período da meia-noite ao meio-dia, quando o parque estava fechado. Tinha acordado duas horas antes para aquilo. Estava me esforçando para fazer nossa relação dar certo, tentando encontrar uma maneira de equilibrar meu horário do meio-dia ao nascer do sol, típico das bruxas, ao relógio biológico humano de Nick, que ia do nascer do sol à meia-noite. Nunca tinha sido um problema antes. Nick costumava se esforçar. Mas, nos últimos tempos, só eu andava tentando.

Eu me levantei ao som de um barulho áspero. Alguém estava rolando as latas de lixo. Meu ressentimento aumentou. Onde estava Nick? Ele não podia ter esquecido. Nunca esquecia nada.

– A menos que ele queira esquecer – murmurei. Tentando ignorar esse pensamento, ergui a perna direita e pousei o tênis de corrida em cima do capô. – Ai – resmunguei com dor nos músculos, mas continuei alongando. Eu vinha me exercitando pouco ultimamente, já que Ivy e eu tínhamos parado de lutar desde que ela sucumbira à sua sede de sangue. Senti a pálpebra tremer e fechei os dois olhos enquanto aumentava a intensidade do alongamento, agarrando e puxando o tornozelo.

Nick não tinha esquecido. Ele era esperto demais para isso. Estava me evitando, isso sim. E eu sabia o porquê, mas mesmo assim era triste. Fazia três meses, mas ele continuava distante e hesitante. O pior era minha intuição dizendo que ele queria terminar comigo. O cara chamava demônios dentro do próprio armário, mas tinha medo de tocar em mim.

No último outono, eu tinha tentado me vincular a um peixe para cumprir um requisito de uma aula inútil sobre linhas de ley e sem querer acabei transformando Nick em meu familiar. Idiota, idiota, idiota.

Eu era uma bruxa de terra; minha magia vinha das coisas que cresciam e era acelerada pelo calor e pelo meu sangue. Não sabia muito sobre magia de linhas de ley, só o fato de que não gostava dela. Só a usava para desenhar círculos protetores quando mexia em um feitiço especialmente sensível. E para fazer os Uivadores me pagarem o que deviam. E também, às vezes, para me defender de Ivy, quando ela perdia o controle da sua sede de sangue. Também a tinha usado para dominar Piscary e poder bater nele com a perna de uma cadeira. Foi depois dessa que Nick deixou de ser o namorado gostoso e forte que podia ser o amor da minha vida e passou a conversar comigo só por telefone e a me dar beijos sem graça no rosto.

Começando a sentir pena de mim mesma, desci a perna direita e ergui a esquerda.

A magia das linhas de ley tinha uma onda de força violenta e era capaz de enlouquecer um bruxo; não por acaso, existiam mais bruxos de magia negra de linhas de ley do que bruxos de magia negra de terra. O uso de um familiar tornava tudo mais seguro, já que o poder da linha era filtrado pelas mentes menos complexas de animais – na magia de terra, esse trabalho era feito pelas plantas. Por motivos óbvios, só animais eram usados como familiares, pelo menos deste lado das linhas, e, na verdade, não existiam feitiços realizados por bruxas para vincular um humano como familiar. Mas, por ser apressada e não saber quase nada sobre magia de linhas de ley, precisei usar o primeiro feitiço que encontrei para vincular um familiar.

Assim, sem querer, transformei Nick em meu familiar. Estávamos tentando desfazer a magia, mas agravei muito a situação quando puxei uma quantidade gigantesca de energia de linha de ley através dele para derrotar Piscary. Desde então, Nick quase não me tocava mais. Mas fazia meses que aquilo tinha acontecido. E eu não tinha feito aquilo outra vez. Ele precisava superar. Eu nem praticava mais magia de linhas de ley – não muito, quer dizer.

Impaciente, endireitei a coluna, soltei uma bufada angustiada e executei algumas torções laterais, fazendo meu rabo de cavalo pular de um lado para o outro. Depois de ter descoberto que era possível montar um círculo sem desenhá-lo, eu tinha passado três meses aprendendo, já que poderia ser minha única chance de escapar de Algaliarept. Praticava às três da manhã, quando Nick já estava dormindo e sempre puxava a energia diretamente da linha para que não passasse por ele antes, mas talvez o acordasse mesmo assim. Nick não tinha comentado nada, mas, conhecendo-o, sabia que ele não comentaria mesmo.

O som do portão se abrindo me fez estacar e afundar os ombros. O zoológico abriu e alguns corredores foram saindo com o rosto vermelho, exausto e contente, ainda na brisa da corrida. "Droga. Ele poderia ter ligado pelo menos."

Chateada, abri a pochete e peguei o celular. Depois de me recostar no carro, olhando para baixo numa tentativa de evitar os olhares dos transeuntes, cliquei nos meus contatos favoritos. Nick era o segundo, logo depois de Ivy e antes da minha mãe. Baforei nos dedos frios para esquentá-los enquanto o telefone tocava.

Respirei fundo quando a ligação pareceu ser atendida e segurei o ar ao perceber que, na verdade, era uma gravação de voz feminina informando que a linha estava fora de serviço. "Dinheiro?", pensei. Talvez fosse por isso que não saíamos fazia três semanas. Preocupada, tentei o celular.

O telefone ainda estava tocando quando reconheci o barulho abafado do carro de Nick. Com um suspiro, desliguei a ligação. A velha caminhonete Ford do meu namorado entrou aos trancos no estacionamento, manobrando devagar enquanto ignorava as faixas e cortava caminho pelo espaço amplo. Guardei o celular e cruzei os braços e as pernas.

"Pelo menos ele veio", pensei enquanto arrumava os óculos escuros e tentava não franzir a testa. Talvez pudéssemos sair para tomar café ou alguma coisa assim. Fazia dias que eu não via Nick e não queria estragar o encontro estando de mau humor. Além disso, nos últimos três meses eu andava tão preocupada em fugir do pacto com Al que, agora que tinha escapado, tudo que eu queria era ficar bem por um tempo.

Eu não tinha contado nada para Nick, e a chance de falar a verdade seria outro peso tirado das costas. Havia mentido para mim mesma, me convencendo de que tinha guardado segredo por não querer que Nick tentasse tomar esse fardo para si, pois era mais cavalheiro que um lorde inglês. Mas a verdade é que eu tinha medo de ser chamada de hipócrita, já que eu vivia ocupando os ouvidos do coitado sobre os perigos de lidar com demônios, e ali estava eu, virando familiar de um. Nick não tinha absolutamente nenhum medo de demônios, o que não era nem um pouco saudável. Achava que, desde que lidasse com eles da maneira certa, demônios não eram mais perigosos do que, por exemplo, uma víbora.

Então permaneci, impaciente e esperando no frio, enquanto ele estacionava sua caminhonete feia e enferrujada a algumas vagas do meu carro. Seu vulto se mexeu dentro do veículo e Nick finalmente saiu, batendo a porta com uma violência que, eu sabia, não era direcionada a mim, mas sim necessária para que ela travasse direito.

– Ray-ray – ele disse, com o celular na mão. Magro, alto e bonito, caminhava rápido. Com um sorriso no rosto antes sombrio, perguntou com a voz grossa: – Você acabou de ligar?

Fiz que sim, descruzando os braços. Ele obviamente não estava preparado para correr, já que vestia uma calça jeans desbotada e calçava botas. Trazia o casaco aberto, mostrando uma camisa de flanela simples por baixo. Apesar de ter a camisa enfiada dentro da calça e o rosto barbeado, Nick conseguia parecer meio desleixado, com seu cabelo preto gritando por um corte. Ele tinha um quê de intelectual, em vez do ar perigoso que normalmente me atraía nos homens. Mas talvez, nesse caso, o perigo fosse exatamente sua inteligência.

Nick era o homem mais inteligente que eu conhecia. Seu raciocínio brilhante se escondia por trás da aparência inofensiva e do jeito meigo que enganava a todos. Pensando agora, deve ter sido a rara mistura de intelecto perverso e humanidade inocente o que me atraiu nele. Ou talvez o fato de ter salvado minha vida prendendo o Grande Al quando ele tentou rasgar minha garganta.

E, apesar de se interessar por livros antigos e equipamentos eletrônicos modernos, fisicamente Nick estava longe do estereótipo de *nerd*: tinha ombros largos e uma bundinha dura. Suas longas pernas finas acompanhavam meu ritmo quando corríamos juntos e seus braços eram surpreendentemente fortes, como provado pelas brincadeiras de luta que antes eram tão frequentes entre nós e que quase sempre viravam, hum, atividades mais íntimas. Foi por causa da lembrança de nossa antiga proximidade que não fiz uma careta quando ele parou na frente da caminhonete, estreitando os olhos com cara de quem vai pedir desculpas.

– Eu não esqueci – começou. Seu rosto pareceu ainda mais longo quando ele afastou a franja lisa dos olhos. Dava para ver a marca de demônio em cima de sua sobrancelha. Ela fora adquirida na mesma noite em que eu ganhara a minha primeira e, agora, única marca. – Estava tão concentrado que perdi a noção do tempo. Desculpe, Rachel. Sei que você queria muito correr, mas ainda nem fui para a cama e estou muito cansado. Podemos remarcar para amanhã?

Não consegui conter um suspiro ao tentar abafar a decepção.

– Não – respondi, respirando fundo. Nick se aproximou, passando os braços em torno de mim em um leve abraço. Eu me encostei, querendo mais, embora sentisse sua hesitação. A distância entre nós estava lá havia tanto tempo que quase parecia normal. Ele se afastou arrastando os pés. – Trabalhando muito? – arrisquei. Com exceção de um telefonema estranho, era a primeira vez que nos falávamos naquela semana, e eu não queria simplesmente ir embora.

Nick também não parecia ansioso para ir embora.

– Sim e não. – Ele estreitou os olhos por causa do sol. – Fiquei acordado lendo mensagens antigas num fórum da internet depois de encontrar uma menção sobre aquele livro que Al pegou.

Com isso, ele ganhou minha atenção.

– V-você... – balbuciei, com o coração acelerado.

Minha esperança durou apenas um segundo e virou pó quando ele baixou os olhos e abanou a cabeça.

– Era um esquisitão cheio de si. O cara não tinha uma cópia. Era tudo maluquice da cabeça dele.

Estendi a mão e toquei em seu braço, perdoando-o por ter perdido nossa corrida matinal.

– Não tem problema. Uma hora a gente encontra.

– É – ele murmurou. – Tomara que seja logo.

Fui tomada por uma angústia súbita e estaquei. Nós formávamos um casal tão perfeito e agora tudo que nos restava era aquela distância terrível. Ao notar minha tristeza, Nick pegou em minhas mãos, deu um passo à frente e me abraçou debilmente. Seus lábios roçaram minha bochecha quando murmurou:

– Desculpe, Ray-ray. Vamos dar um jeito nisso. Estou tentando. Quero que isso dê certo.

Permaneci imóvel, inspirando seu aroma de livros mofados e loção pós-barba. Em seguida, minhas mãos o cercaram em busca de consolo e o abracei com força.

Prendi a respiração, recusando-me a chorar. Fazia meses que buscávamos o feitiço contrário, mas era Al quem tinha escrito o livro sobre como transformar humanos em familiares e havia um só exemplar – o dele. Também não podíamos colocar um anúncio no jornal em busca de um professor de linhas de ley ou coisa parecida para nos ajudar, pois era bem provável que eu fosse denunciada por lidar com magia negra. E então eu realmente ficaria de mãos atadas. Ou morta. Ou coisa pior.

Devagar, soltei Nick e dei um passo para trás. Pelo menos eu sabia que a estranheza em nosso relacionamento não significava que meu namorado tinha outra.

– Ei, hum, o zoológico está aberto – eu disse, com uma voz que denunciava meu alívio pelo fato de a distância constrangedora entre nós estar diminuindo. – Quer entrar e tomar um café? Ouvi dizer que o Moca do Macaco é tão bom que ressuscita até os mortos.

– Não – respondeu, com um arrependimento sincero na voz. Talvez Nick tivesse percebido minha preocupação com Al durante todo aquele tempo e achado que eu estava chateada com ele e que vinha me afastando. Talvez aquilo fosse mais culpa minha do que eu imaginava. Talvez eu pudesse ter fortalecido nossa relação se tivesse contado a verdade, e não escondido tudo e o afastado de mim.

De repente, me toquei de quão grande poderia ter sido a consequência do meu silêncio, e senti meu rosto ficar frio.

– Nick, desculpa – murmurei.

– Não foi sua culpa – ele disse, perdoando-me com seus olhos castanhos, desconhecendo meus pensamentos. – Fui eu quem o deixou ficar com o livro.

– Não, escuta...

Ele me abraçou, me fazendo ficar quieta. Senti um nó na garganta e não consegui falar nada ao encostar a testa em seu ombro. Eu deveria ter contado. Deveria ter contado logo na primeira noite.

Sentindo a mudança em mim, devagar, depois de pensar por um momento, ele me deu um beijo hesitante – mas era uma hesitação causada pela longa ausência, e não pela insegurança dos últimos tempos.

– Nick? – eu disse, ouvindo minha voz embargada.

Ele se afastou de repente.

– Ei – Nick disse, com um sorriso, mantendo a mão de dedos longos no meu ombro. – Preciso ir. Estou acordado desde ontem, preciso dormir um pouco.

Relutante, dei um passo para trás, torcendo para que não percebesse que eu estava à beira das lágrimas. Aqueles últimos três meses, longos e solitários, pareciam estar chegando ao fim.

– Tudo bem. Quer passar em casa para jantar hoje?

Pela primeira vez depois de semanas de recusa, ele sugeriu:

– Que tal um cineminha e um jantar? Por minha conta. Tipo um... encontro de verdade.

Empertiguei-me, sentindo-me mais alta.

– Tipo um encontro – repeti, encostando os pés um no outro, sem jeito como uma adolescente idiota sendo chamada para o primeiro encontro. – No que está pensando?

Ele sorriu com tranquilidade.

– Alguma coisa com explosões, armas... – Ele não me tocou, mas vi em seus olhos o desejo de fazê-lo. – ... roupas justas...

Fiz que sim, sorrindo, e Nick olhou para o relógio.

– Hoje à noite – ele disse, olhando-me nos olhos enquanto voltava para a caminhonete. – Às sete?

– Às sete – confirmei, sentindo-me cada vez melhor. Ele entrou no carro, fazendo-o tremer ao bater a porta. O motor ganhou vida com um ruído surdo e, contente, meu namorado foi embora. – Às sete – repeti, observando o brilho da luz traseira do carro até ele virar a rua.

Cinco

Batendo os cabides de plástico, amontoei as roupas no balcão ao lado da caixa registradora. A loura falsa de cabelo curto e ar entediado nem ergueu os olhos enquanto remexia naqueles lacres de segurança. Mascando chiclete, apontou sua maquininha para todas as roupas, somando as minhas compras para Ceri. Pendurada no celular, conversava sem parar com o namorado, contando como tinha levado a colega de quarto para encher a cara de Enxofre na noite anterior.

Olhei para ela interrogativamente, sentindo o cheiro tênue da droga que ainda restava em seu corpo. A garota era mais burra do que parecia se andava metida com Enxofre, ainda mais agora. Nos últimos tempos a droga andava vindo batizada com algo mais, deixando um rastro de mortes em todas as classes socioeconômicas. Talvez fosse a ideia de Trent de presente de Natal.

A menina diante de mim parecia menor de idade, então eu poderia acionar os Serviços de Saúde dos Impercebidos contra ela, ou arrastá-la até a cadeia da SI. A última opção poderia ser divertida, mas botaria um fim na minha tarde de compras de solstício. Eu ainda não sabia o que comprar para Ivy. As botas, a calça jeans, as meias, as calcinhas, os sutiãs e os dois suéteres no balcão eram para Ceri. Ela não podia sair com Keasley usando uma camiseta minha ou aquelas pantufas cor-de-rosa.

A caixa dobrou o último suéter, mostrando as unhas pintadas de vermelho berrante. Os amuletos tilintaram no seu pescoço, mas ela estava precisando trocar o de aparência, que tentava esconder sua acne. Ela provavelmente tinha ido a um feiticeiro, porque uma bruxa não usaria um amuleto tosco como aquele nem morta. Olhei para o anel de madeira no meu mindinho. Ele podia parecer pequeno, mas era potente o bastante para esconder minhas sardas com um feitiço simples. "Picareta", pensei, sentindo-me muito melhor.

Um zumbido surgiu do nada, e fiquei orgulhosa por não levar um susto igual ao da menina do caixa quando Jenks quase caiu em cima do balcão. O pixie estava usando duas segunda pele pretas, uma por cima da outra, um chapéu vermelho e botas para se proteger do frio. A temperatura estava baixa demais para que Jenks saísse de casa, mas a mudança de Jih o deixara deprimido, e ele nunca tinha feito compras de solstício antes. Arregalei os olhos quando vi a boneca que o pixie tinha arrastado até o balcão. Era três vezes maior do que ele.

– Rachel! – exclamou, ofegante, enquanto colocava de pé aquela boneca cheia de curvas, que mais parecia o sonho de meninos adolescentes. – Olha o que achei! Estava na parte de brinquedos.

– Jenks... – comecei, ouvindo o casal atrás de mim rir baixinho.

– É uma boneca Betty Morda-me! – exclamou, agitando as asas para ficar em pé apoiado nas coxas da boneca. Eu quero. Vou dar para Ivy. É igualzinha a ela.

Olhando para a saia de couro feita de plástico e para o corpete de vinil vermelho, fiz menção de argumentar.

– Quer ver? – ele me interrompeu, eufórico. – Você aperta o botão nas costas e ela solta sangue de mentira. Não é incrível?

Levei um susto quando a boneca de olhar vítreo soltou pela boca uma gosma gelatinosa, que voou por uns bons trinta centímetros antes de cair no balcão. Uma gosma vermelha descia por seu queixo pontudo. Ao ver a cena, a caixa interrompeu o telefonema. "Ele queria dar aquilo para Ivy?"

Depois de tirar a calça de Ceri do caminho, soltei um suspiro. Jenks apertou o botão de novo, observando com fascínio o sangue vermelho que jorrava, fazendo um som escabroso. O casal atrás de mim começou a rir alto; a mulher estava pendurada no braço do namorado e sussurrava no seu ouvido. Ruborizada, peguei a boneca.

– Tudo bem, eu compro desde que você pare com isso – murmurei, irritada.

Com os olhinhos brilhando, Jenks levantou voo e pousou no meu ombro, enfiando-se entre o meu pescoço e o cachecol para se esquentar.

– Ela vai adorar – afirmou. – Você vai ver.

Entregando o brinquedo para a caixa, olhei de soslaio para o casal que não parava de rir. Eles eram vampiros vivos, bem-vestidos e incapazes de ficar muito tempo sem se pegar. Sabendo que eu estava observando, a mulher ajeitou o colarinho da jaqueta de couro do namorado, deixando à mostra o pescoço cheio de leves cicatrizes. Pensar em Nick me fez sorrir pela primeira vez em semanas.

Enquanto a caixa recalculava o total, peguei meu talão de cheques. Era bom ter um pouco de dinheiro. Bom mesmo.

– Rachel – Jenks começou –, pode comprar um pacote de M&M's também? – O pixie vibrou as asas para gerar um pouco de calor no corpo, enviando uma onda de ar frio para meu pescoço. Ele não podia usar um casaco por causa das asas, pois qualquer coisa pesada seria muito limitante.

Peguei a guloseima embaixo do anúncio de papelão informando que o dinheiro das vendas iria para a reconstrução dos abrigos da cidade destruídos pelo incêndio. A conta já estava fechada, mas a menina podia fazê-la de novo. E se os vamps atrás de mim fossem reclamar, eles que morressem duas vezes. Pelo amor de Deus, eu estava fazendo aquilo pelos órfãos!

A caixa pegou o doce e o passou na maquininha, me olhando com irritação. A registradora fez um barulho e calculou o novo total e, enquanto todos esperavam, olhei para o registro dos cheques. Surpresa, estaquei. As contas estavam feitas com números pequenininhos e caprichados. Eu não tinha me dado ao trabalho de acompanhar o saldo, pois sabia que estava cheia de dinheiro, mas alguém tinha feito a conta. Olhei mais de perto, fixamente.

– Só isso? – exclamei. – É só isso que eu tenho?

Jenks pigarreou.

– Surpresinha – ele disse, baixinho. – Estava lá na escrivaninha e pensei em fazer as contas para você. – Ele hesitou. – Desculpa.

– O dinheiro está quase acabando! – balbuciei, devendo estar com o rosto tão vermelho quanto meu cabelo. A menina do caixa assumiu um ar desconfiado de repente.

Envergonhada, terminei de preencher o cheque e o entreguei para ela, que chamou a supervisora para passá-lo no sistema da loja a fim de garantir que tinha fundos. Atrás de mim, o casal de vamps começou a fazer comentários sarcásticos. Ignorando os dois, folheei o registro de cheques para ver aonde o dinheiro tinha ido.

Quase dois mil dólares para a escrivaninha e os móveis novos do quarto, mais quatro para fazer o isolamento térmico da igreja e três mil e quinhentos para a garagem do carro novo – eu é que não iria deixar o conversível à mercê da neve. Também tinha o seguro e a gasolina. Uma boa grana tinha ido para Ivy pelo aluguel. Outra para a passagem pelo pronto-socorro quando quebrei o braço, já que não tinha plano de saúde na época. Mais uma grana para pagar um plano. E o resto... engoli em seco. Ainda havia dinheiro na conta, mas eu tinha passado de vinte mil dólares para quatro dígitos em apenas três meses.

– Hum, Rachel? – Jenks me chamou. – Eu ia falar depois, mas conheço um cara que é contador. Quer que eu peça para ele abrir um fundo de aposentadoria para você? Eu estava checando suas finanças e talvez você precise de gastos dedutíveis esse ano, já que não separou nada para os impostos.

– Gastos dedutíveis? – Eu estava me sentindo mal. – Não tenho nenhum gasto que se encaixe nessa categoria. – Depois de pegar as sacolas com as compras, segui para a porta. – E por que você estava checando minhas finanças?

– Estou morando na sua escrivaninha – ele disse, sarcástico. – Está tudo meio jogado lá.

Suspirei. Minha escrivaninha. Minha linda escrivaninha de carvalho sólido com nichos e prateleiras e um compartimento secreto no fundo da gaveta esquerda. Minha escrivaninha, que tinha sido usada durante apenas três semanas antes que Jenks e seus filhotes se mudassem para nossa casa. Minha escrivaninha, que agora estava tão coberta por potes de plantas que parecia um cenário de filme de terror sobre plantas assassinas que querem dominar o mundo. Mas era isso ou eles dominariam os armários da cozinha. Não. Minha cozinha não. Já era ruim demais ver todos aqueles pixies brincarem de lutinha no meio das panelas.

Distraída, apertei o casaco e estreitei os olhos diante da luz forte refletida pela neve quando as portas automáticas da loja se abriram.

– Opa, espere aí! – Jenks gritou na minha orelha quando fomos atingidos pelo vento frio. – O que você acha que está fazendo, sua bruxa? Pareço ter um casaco de pele, por acaso?

– Desculpa. – Virei para a esquerda para fugir do vento e abri minha bolsa para o pixie, que, sem parar de xingar, se escondeu lá dentro. Ele odiava isso, mas não havia alternativa. Uma temperatura contínua abaixo de sete graus o colocaria em um estado de hibernação que não seria seguro quebrar até a primavera, mas ele ficaria bem dentro da minha bolsa.

Um lóbis vestindo um casaco de lã longo e grosso passou por mim com ar constrangido. Quando tentei fazer contato visual, ele desceu o chapéu de caubói e virou a cara. Franzi a testa. Eu não tinha um cliente lóbis desde que fiz os Uivadores me pagarem para trazer seu mascote de volta. Talvez eu tivesse cometido um erro.

– Ei, me dá aqueles M&M's? – Jenks resmungou, com o rosto delicado e vermelho pelo frio emoldurado pelo cabelo louro. – Estou morrendo de fome aqui.

Obediente, vasculhei as sacolas e entreguei o pacote de doce antes de fechar a bolsa. Eu não gostava de sair com Jenks daquele jeito, mas ele era meu parceiro, não meu filho. Ele gostava de ser o único pixie adulto macho em Cincinnati que não estava hibernando. Aos seus olhos, toda a cidade devia ser seu jardim, por mais fria e cheia de neve que estivesse.

Levei um tempo para encontrar a chave do carro, decorada com listras de zebra. Na saída, cruzei com o casal que estava atrás de mim na fila e que não parava de flertar naquelas roupas *sexy* de couro. O cara tinha comprado uma boneca Betty Morda-me para a namorada e os dois não paravam de rir. Voltei a pensar em Nick e senti um calorzinho de ansiedade no peito.

Depois de colocar os óculos escuros para me proteger da luz forte, saí para a calçada, balançando as chaves e segurando a bolsa rente ao corpo. Mesmo dentro dela, Jenks ficaria com frio. Pensei com meus botões que deveria assar biscoitos para que ele pudesse se aquecer no calor do forno depois. Fazia séculos que eu não assava biscoitos de solstício. Estava certa de que tinha visto uns cortadores de biscoito manchados de farinha num saquinho sujo em algum canto do armário. Só faltava açúcar colorido para fazer do jeito certo.

Meu humor ficou melhor quando vi meu carro no meio-fio, afundado na neve semiderretida e suja. Claro, a manutenção do automóvel saía mais cara do que sustentar uma princesa vampira, mas ele era meu e eu ficava muito bem sentada atrás do volante do conversível com o cabelo ao vento... Não tinha construído uma garagem por acaso.

O carro soltou um apito alegre quando o destravei, e joguei as sacolas no banco de trás, no qual ninguém conseguiria se sentar. Coloquei o cinto e, com cuidado, pousei a bolsa em que Jenks estava no meu colo, onde ele ficaria um pouco mais quentinho. O calor aumentou muito assim que dei partida. Mudei de marcha e estava prestes a sair quando um automóvel branco e comprido parou a meu lado com um som lento e abafado.

Olhei indignada enquanto ele parava, me bloqueando.

– Ei! – exclamei, quando o chofer saiu no meio da maldita rua e abriu a porta para o chefe. Irritada, desliguei o conversível, saí e coloquei a bolsa no ombro. – Ei! Estou tentando sair daqui! – gritei, querendo pular em cima do carro.

Mas meus protestos viraram fumaça quando a porta se abriu e um homem mais velho e cheio de correntes de ouro colocou a cabeça para fora. Seu cabelo louro e crespo voou em todas as direções. Com os olhos azuis brilhando de euforia contida, me chamou:

– Senhorita Morgan – ele disse, tranquilamente. – Podemos conversar?

Tirei os óculos escuros e o fitei.

– T-t-takata? – balbuciei.

O velho roqueiro recuou, e seu rosto se encheu de ruguinhas ao olhar para os pedestres ao redor. Eles tinham notado a limusine e, depois do meu acesso de raiva, deviam ter achado que era hora do *show*. Exasperado, o músico estendeu a mão magra e me puxou para dentro da limusine. Abafei um grito, segurando a bolsa para não esmagar Jenks enquanto caía no assento acolchoado ao lado de Takata.

– Vai! – o roqueiro gritou, e o motorista bateu a porta e correu para a frente do carro.

– Meu carro! – protestei. Tinha deixado a porta aberta e as chaves estavam na ignição.

– Arron? – Takata disse, chamando um homem de camiseta preta escondido no canto do carro gigantesco. O sujeito passou por mim deixando um rastro de cheiro de sangue, que o identificava como vamp. Senti uma onda de ar frio quando ele saiu, batendo a porta atrás de si. Observei pela janela fumê enquanto ele sentava no meu banco de couro, parecendo um predador com a cabeça raspada e os óculos escuros. Eu queria parecer tão descolada quanto ele quando estava no meu carro. O som abafado do motor do conversível cresceu e a limusine começou a se mover no momento em que o primeiro fã bateu na janela.

Com o coração acelerado, virei a cabeça para olhar para trás ao nos afastarmos. Meu carro desviou com cuidado das pessoas paradas no meio da rua gritando para que voltássemos, depois chegou a um trecho vazio e começou a acelerar, passando por um farol vermelho para nos acompanhar.

Pasma com a rapidez dos acontecimentos, me virei.

O astro *pop* de meia-idade usava uma calça laranja esquisita e um colete da mesma cor por cima de uma camisa em tons de terra. O conjunto era todo de seda, a única coisa boa no *look*, afinal, pelo amor de Deus, até os sapatos do homem eram laranja. E as meias também. Pestanejei. Meio que combinava com as correntes de ouro e o cabelo louro, que tinha sido escovado até ficar tão farto que era capaz de botar medo em criancinhas. O rosto dele era mais liso que o meu, e eu quis pegar meus óculos enfeitiçados com armação de madeira para checar se ele estava usando um amuleto de terra para esconder sardas.

– Hum, oi? – tentei, e Takata abriu um sorriso largo, mostra de seu caráter impulsivo e de sua inteligência perversa, bem como de sua tendência de ver graça em tudo, mesmo que o mundo estivesse caindo ao redor. Na verdade, foi exatamente isso que aquele artista inovador tinha feito. Sua banda saltara para o estrelato durante a Virada, aproveitando a oportunidade para se estabelecer como o primeiro grupo musical abertamente impercebido. Takata era um garoto de Cincinnati que tinha feito sucesso e devolvia o favor doando os lucros de suas apresentações de solstício de inverno para instituições beneficentes da cidade. Isso era ainda mais importante naquele ano, já que uma série de incêndios criminosos tinha dizimado grande parte dos orfanatos e dos abrigos para sem-teto.

– Senhorita Morgan – o músico disse, tocando o nariz de tamanho avantajado. Depois voltou a atenção para a janela atrás de mim. – Espero não tê-la assustado.

Sua voz era grave e muito treinada. Era linda. Eu ficava boba com vozes bonitas.

– Ahn, não. – Depois de tirar os óculos, desenrolei o cachecol. – Como você anda? Seu cabelo está... ótimo.

Ele riu, aliviando meu nervosismo. Nós tínhamos nos conhecido cinco anos antes, ocasião em que conversamos sobre as dificuldades de se ter cabelo encaracolado. O fato de que, além de se lembrar de mim, ele queria conversar comigo era lisonjeiro.

– Está horrível – retrucou, tocando os cachos, que, na última vez em que nos vimos, estavam em *dreads*. – Mas minha assessora falou que aumenta as vendas em dois por cento. – Então estendeu as pernas longas, ocupando quase todo seu lado da limusine.

Sorri.

– Precisa de outro amuleto para domar o cabelo? – eu disse, pegando a bolsa. Então prendi a respiração, alarmada.

– Jenks! – exclamei, abrindo a bolsa com tudo.

O pixie saiu de lá furioso.

– Já era hora de se lembrar de mim! – resmungou. – Que Virada está acontecendo? Quase quebrei a asa quando caí em cima do seu celular. Você derrubou

M&M's em toda a bolsa e eu é que não vou catar tudo. Pelo jardim de Sininho, onde a gente está?

Abri um sorriso débil para o músico.

– Ah, Takata – comecei –, este é... Jenks.

Assim que viu o astro, ele soltou uma explosão de pó de pixie que iluminou o carro por um segundo e me deu um susto.

– Puta merda! – exclamou. – Você é o Takata! Achei que Rachel estava tirando sarro da minha asa quando falou que te conhecia! Pelo amor de Nossa Sininho! Espere só até eu contar para Matalina. Ela adora suas músicas. Caramba, é você mesmo!

Takata estendeu a mão e apertou um botão num painel complicado, fazendo entrar ar quente no carro.

– Sim, sou eu mesmo. Quer um autógrafo?

– Mas é claro! – o pixie disse. – Ninguém vai acreditar.

Abri um sorriso, sentando mais para o canto, menos constrangida com a euforia de Jenks. Takata tirou de uma pasta amarrotada uma foto dele com a banda na frente da Grande Muralha da China.

– Para quem eu autografo? – o músico perguntou, e Jenks congelou em pleno ar.

– Hum... – balbuciou, batendo as asas mais devagar. Estendi a mão para que pousasse nela com seu peso de pena. – Hum... – continuou, entrando em pânico.

– Autografe para o Jenks – decidi, e meu parceiro soltou um suspiro aliviado.

– Isso, Jenks – o pixie repetiu, encontrando coragem para voar para cima da foto enquanto Takata escrevia uma assinatura ilegível. – Meu nome é Jenks.

Takata me entregou a foto para carregá-la pelo pixie.

– É um prazer conhecê-lo, Jenks.

– É! – Jenks gritou. – É um prazer te conhecer também. – Depois de soltar outro som superagudo que fez minhas pálpebras arderem, começou a voar de um lado para o outro como um vaga-lume maluco.

– Pare quieto – sussurrei, sabendo que o pixie conseguiria me ouvir mesmo que Takata não conseguisse.

– Meu nome é Jenks – ele disse, aceso em cima do meu ombro, estremecendo enquanto eu guardava cuidadosamente a foto. Ele não conseguia manter as asas paradas, e a brisa de ar que emitia era gostosa, contrastando com o ar abafado da limusine.

Voltei o olhar para Takata, pega de surpresa por seu olhar inexpressivo.

– Que foi? – perguntei, imaginando se havia algum problema.

Ele logo se empertigou.

– Nada – respondeu. – É só que ouvi dizer que você saiu da SI para trabalhar por conta própria. – Respirou fundo. – Muita coragem.

– Foi idiotice – admiti, lembrando-me da ameaça de morte que meu antigo patrão fizera como vingança. – Mas, se eu pudesse voltar atrás, não mudaria nada.

Ele sorriu, parecendo satisfeito.

– Você gosta de trabalhar por conta própria?

– É difícil não ter uma corporação que me apoie – expliquei –, mas conheço algumas pessoas que podem me ajudar. Confio muito mais nelas do que na SI.

O músico inclinou a cabeça, fazendo seu longo cabelo cair para o lado.

– Pode crer. – Ele apoiou os pés no painel do carro, e comecei a me perguntar por que raios eu estava em sua limusine. Não que estivesse reclamando. Àquela altura nos encontrávamos na via expressa, dando voltas pela cidade, e meu conversível estava logo atrás de nós. – Já que você está aqui – ele disse de repente –, quero sua opinião sobre uma coisa.

– Pode falar – respondi, pensando que a mente dele pulava de um assunto para o outro mais rapidamente do que a de Nick. Abri um pouco o casaco. Estava começando a ficar com calor lá dentro.

– É importante – ele disse, abrindo o estojo de veludo verde a seu lado e tirando de lá um violão ornamentado. – Vou lançar uma faixa nova no *show* de solstício. – Hesitou. – Sabia que vou tocar no Coliseu?

– Claro, já comprei o ingresso! – exclamei, cada vez mais animada. Na verdade Nick tinha comprado. Eu andava com medo de que ele fosse me dar um fora e eu acabasse indo passar o solstício na Praça da Fonte como costumava fazer, colocando meu nome para fechar o círculo cerimonial ali. O grande círculo fixo era só para o "pessoal autorizado", exceto nos solstícios e no Dia das Bruxas. Mas agora eu tinha o pressentimento de que passaríamos o solstício juntos.

– Que ótimo! – Takata comemorou. – Estava torcendo para que você fosse. Então, a música é sobre um vampiro que está a fim de uma pessoa que ele não pode ter, e não sei que refrão fica melhor. Ripley gosta do mais sombrio, mas Arron acha que o outro combina mais.

Ele suspirou, mostrando uma tristeza rara. Ripley era a baterista lóbis, a única membra da banda que o acompanhava desde o começo da sua carreira. Diziam que ela era o motivo por que todos os outros só duravam um ou dois anos antes de partir para carreira solo.

– Eu tinha planejado cantar ao vivo pela primeira vez no solstício – Takata disse. – Mas quero lançar na rádio hoje à noite para que Cincinnati tenha a chance de ser a primeira cidade a ouvir. – Sorriu, parecendo anos mais jovem. – É mais gostoso quando as pessoas cantam junto.

Então o músico olhou para o violão estacionado no colo e dedilhou uma corda. A vibração encheu o carro. Relaxei os ombros, e Jenks soltou um soluço emocionado. Takata ergueu os olhos arregalados:

– Vai me dizer de qual você gosta mais? – perguntou, ao que respondi afirmativamente. Um *show* particular? Beleza, não via mal nenhum nisso. Jenks deu outro soluço emocionado. – Certo. A música se chama "Marcas vermelhas".

Depois de respirar fundo, ele relaxou. Com o olhar vago, trocou de nota, passando elegantemente os dedos pelas cordas, e, com a cabeça inclinada ao som da música, começou a cantar.

– Te ouço cantar pela cortina, te vejo sorrir pelo vidro. Penso em secar suas lágrimas, sem culpa pelo que passou. Não sabia que isso acabaria comigo, ninguém disse que doeria tanto. – Baixou a voz e assumiu o tom triste que o tinha alçado à fama. – Ninguém disse. Ninguém disse – terminou, quase sussurrando.

– Ah, que bonito – comentei, sem saber se ele realmente me julgava capaz de dar uma opinião de credibilidade.

Takata abriu um sorriso, assumindo presença de palco.

– Certo – ele disse, debruçando-se sobre o violão novamente. – Este é o outro refrão.

Em seguida, tocou uma nota mais sombria, que soava quase desafinada. Senti um calafrio subir pela espinha e me contive. A postura de Takata mudou, atormentada pelo sofrimento. As cordas vibradas pareciam ecoar pelo meu corpo e me afundei no banco de couro; o zumbido do motor levava a música direto para o meu peito.

– Você é minha – quase sussurrou – de um certo jeito. Você é minha, mesmo sem saber. Você é minha, por nossa paixão. Você é minha, mas toda sua. É o seu desejo, é o seu desejo, é o seu desejo.

Seus olhos estavam fechados, e apostava que ele nem devia lembrar que eu estava ao seu lado.

– Hum... – balbuciei. O músico abriu os olhos azuis, quase em pânico. – Acho que o primeiro? – respondi, hesitante, enquanto ele recuperava a compostura. O homem estava mais avoado do que um passarinho. – Gostei mais do segundo, mas o primeiro combina mais com um vampiro observando alguém que ela não pode ter. – Pisquei. – *Ele* não pode ter – corrigi, enrubescendo.

"Ai, meu Deus, devo estar parecendo uma idiota." Ele devia saber que eu morava com uma vampira. Já o fato de que nós duas não compartilhávamos sangue, ele não tinha como saber. A cicatriz no meu pescoço não tinha sido feita por Ivy, mas pelo Grande Al, e ergui o cachecol para escondê-la.

Ele pareceu inseguro enquanto guardava o violão.

– O primeiro? – perguntou, parecendo querer algo mais. Fiz que sim com a cabeça. – Está bem – disse, forçando um sorriso. – Então vai ser o primeiro.

Jenks soltou outro soluço emocionado. Não sabia se algum dia o pixie se recuperaria a ponto de emitir um som diferente daquele.

Takata fechou os trincos do estojo do violão, e percebi que o bate-papo à toa havia chegado ao fim.

– Senhorita Morgan – recomeçou; a luxuosa limusine pareceu subitamente vazia sem sua música. – Gostaria de dizer que a procurei para saber sua opinião sobre que refrão devo lançar, mas na verdade estou com um probleminha e um colega de confiança recomendou seus serviços. O senhor Felps disse que vocês já trabalharam juntos e que você é extremamente discreta.

– Pode me chamar de Rachel – pedi. O homem tinha o dobro da minha idade. Era ridículo me chamar de senhorita.

– Rachel – ele disse, enquanto Jenks soltava outro soluço emocionado. Takata abriu um sorriso hesitante que retribuí, sem saber o que estava acontecendo. Pelo jeito, ele tinha um serviço para mim. Algo que exigiria o anonimato que a SI e o FIB não garantiriam.

Enquanto Jenks pairava beliscando a ponta da minha orelha, corrigi a postura, cruzei os joelhos e tirei uma agenda da bolsa, tentando parecer profissional. Ivy a tinha comprado para mim dois meses antes em uma de suas tentativas de trazer ordem para o caos que era a minha vida. Eu só carregava a agenda para deixá-la contente, mas marcar uma hora para um astro famoso no país inteiro era um momento ótimo para começar a usá-la.

– Foi um senhor Felps que me recomendou para você? – perguntei, procurando na memória, sem encontrar nada.

Confuso, Takata ergueu a sobrancelha grossa e expressiva.

– Ele disse que a conhecia. Parecia bem encantado, inclusive.

Com um estalo, entendi.

– Ah, por acaso é um vamp vivo? Louro? Que se acha uma dádiva divina para os vivos e os mortos? – perguntei, torcendo para que estivesse errada.

Ele sorriu.

– Você conhece mesmo o moço. – Olhou para Jenks, que tremia sem conseguir abrir a boca. – Achei que estava tirando sarro da minha asa.

Fechei os olhos para juntar forças. Kisten. Bom, não era nenhuma surpresa.

– Sim, conheço – murmurei, abrindo os olhos, sem saber se deveria ficar furiosa ou lisonjeada pela indicação do vampiro vivo. – Não sabia que o sobrenome dele era Felps.

Revoltada, desisti de tentar ser profissional. Depois de jogar a agenda de volta na bolsa, relaxei no canto da limusine, com menos graciosidade do que o planejado, pois fui jogada para o canto pelo movimento súbito do carro ao mudar de via.

– Então, o que posso fazer por você? – perguntei.

O feiticeiro de meia-idade se ajeitou, esticando a calça laranja-claro. Eu não conhecia ninguém que ficasse bem de laranja, mas de alguma forma Takata conseguia a proeza.

– É sobre o *show* – ele disse. – Queria saber se sua firma está disponível para a segurança.

– Ah. – Mordi os lábios, sem entender nada. – Claro. Não tem nenhum problema, mas você não tem funcionários para isso? – perguntei, lembrando-me do forte esquema de segurança na apresentação em que eu o tinha conhecido. Os vamps precisavam tampar os caninos com capinhas e era proibido entrar com feitiços que não fossem de maquiagem. Claro que, depois de passada a segurança, as capinhas podiam ser retiradas e os amuletos escondidos eram invocados...

– Exatamente – respondeu, fazendo que sim com a cabeça. – E é esse o problema.

Takata se aproximou e aguardei, sentindo o cheiro de sequoia exalado por ele. Com as longas mãos de músico entrelaçadas, olhou para o chão.

– Preparei a segurança com o senhor Felps, como de praxe, antes de vir para a cidade – explicou, voltando a atenção para mim. – Mas um tal de senhor Saladan veio me ver, afirmando cuidar da segurança em Cincinnati agora e dizendo que todas as dívidas a Piscary devem ser pagas a ele.

Perdi o fôlego ao compreender. "Proteção. Ah, entendi." Kisten estava agindo como herdeiro de Piscary, já que poucas pessoas sabiam que Ivy o tinha substituído e que era ela quem detinha o cobiçado título. Assim, o vamp continuava cuidando dos negócios do vampiro morto-vivo, visto que Ivy se recusava. "Graças a Deus."

– Você está pagando por proteção? – perguntei. – Quer que eu converse com Kisten e o senhor Saladan para que parem de te chantagear?

Takata voltou a cabeça para trás, e sua bela e trágica voz ressoou em uma gargalhada abafada pelo carpete grosso e pelos bancos de couro.

– Não – ele disse. – Piscary faz um ótimo trabalho mantendo os impercebidos na linha. Meu medo é o senhor Saladan.

Horrorizada, mas nem um pouco surpresa, enfiei um dos meus cachos ruivos atrás da orelha, desejando ter dado um jeito neles naquela tarde. Sim, eu usava chantagem, mas era para me manter viva, não para ganhar dinheiro. Havia uma diferença entre as duas coisas.

– Mas é chantagem – afirmei, indignada.

Ele assumiu um ar solene.

– É um serviço como qualquer outro. – Ao notar minha reação, se aproximou, fazendo as correntes douradas balançarem, e fixou os olhos azuis em mim. – Meu *show* tem uma LPM, assim como um circo itinerante. Eu perderia a licença se não conseguisse proteção em todas as cidades em que tocamos. É o preço da fama.

LPM era a sigla para "Licença de Público Misto". Ela assegurava que haveria segurança posicionada para evitar derramamento de sangue no local, medida necessária quando impercebidos e humanos se misturavam. Se muitos vampiros se reunissem e um deles sucumbisse à sede de sangue, os outros eram pressionados a não fazer o mesmo. Nunca entendi como uma folha de papel bastava para manter a boca de vampiros famintos fechada, mas os estabelecimentos se esforçavam muito para manter uma pontuação máxima em suas LPMs, já que humanos e impercebidos vivos boicotavam qualquer lugar que não tivesse uma dessas. Era muito fácil acabar morto ou unido mentalmente a um vampiro que você nem conhecia. E, particularmente, eu preferia estar morta a virar brinquedinho nas mãos de um vamp, por mais que morasse com uma.

– É chantagem – repeti. Tínhamos acabado de passar pela ponte que cruzava o rio Ohio. Fiquei me perguntando para onde estávamos indo, já que não era para Hollows.

Takata encolheu os ombros magros.

– Quando estou em turnê, fico em um lugar só por uma noite, duas no máximo. Se alguém começar alguma confusão, não estaremos aqui por tempo suficiente para rastrear essa pessoa, e todo gótico sabe disso. Por que um vamp exaltado ou um lóbis se comportaria? Piscary dá a sua palavra de que qualquer arruaceiro vai obedecer a ele.

Ergui os olhos, sem gostar nem um pouco do fato de que ele tinha razão.

– Meu *show* não tem nenhuma ocorrência – o músico continuou, com um sorriso –, e Piscary ganha sete por cento da bilheteria. Todo mundo sai ganhando. Até agora, eu estava muito satisfeito com seus serviços. Nem liguei quando aumentou o preço para pagar o advogado.

Bufei e baixei os olhos.

– Por minha culpa – eu disse.

– Ouvi dizer – respondeu, irônico. – O senhor Felps está muito impressionado. Mas Saladan? – Takata pareceu preocupado enquanto tamborilava os dedos a um ritmo complicado, voltando os olhos para a paisagem. – Não posso me dar ao luxo de pagar os dois. Não sobraria nada para reconstruir os abrigos, e é este o objetivo do *show*.

– Você quer que eu cuide para que ele não tente nada? – sugeri, e Takata fez que sim. Voltei os olhos para a fábrica de cerveja na paisagem da via expressa enquanto absorvia tudo aquilo. Saladan estava tentando entrar à força na área de Piscary agora que o mestre morto-vivo estava preso por homicídio. Acusação, aliás, que eu o tinha responsabilizado.

Inclinei a cabeça para tentar ver Jenks no meu ombro, sem sucesso.

– Preciso conversar com minha outra parceira, mas não vejo mal nenhum – eu disse. – Vamos ser três. Eu, uma vampira viva e um humano. – Queria que Nick também fosse, por mais que, oficialmente, não fizesse parte da empresa.

– E eu – Jenks gritou. – Eu também. Eu também.

– Não queria incluí-lo, Jenks – eu disse. – Pode fazer frio.

Takata riu.

– Com todo aquele corpo a corpo e embaixo daquelas luzes? Aposto que não.

– Então está fechado – respondi, muito satisfeita. – Vamos ter crachás especiais?

– Sim. – O músico virou para pegar algo embaixo da pasta com as fotos da banda. – Com os crachás, vocês vão passar pelo Clifford. Depois disso, o caminho está liberado.

– Ótimo – comemorei, contente, buscando um dos meus cartõezinhos na bolsa. – Fique com meu contato caso queira conversar antes da apresentação.

As coisas estavam começando a avançar rápido, e peguei o pedaço de cartolina que ele me deu em troca do meu cartãozinho preto. Takata sorriu ao olhar para o cartão recebido e o guardou no bolso da camisa. Virando o rosto com o mesmo olhar tranquilo, deu uma batidinha no vidro grosso que nos separava do motorista. Eu me agarrei à bolsa com a freada brusca.

– Obrigado, Rachel – ele disse, quando o carro parou bem ali, na autoestrada. Vejo você no Coliseu, um pouco antes da meia-noite, para checar a segurança com a minha equipe.

– Por mim, t-t-tudo bem – gaguejei. Jenks praguejou e mergulhou na bolsa quando a porta se abriu, deixando entrar uma corrente de vento frio e o sol forte da tarde, que me fez estreitar os olhos. Meu carro estava logo atrás de nós. "Ele ia me deixar ali mesmo?"

– Rachel? Estou falando sério. Obrigado. – O músico estendeu a mão fina e ossuda, e a apertou firmemente contra a minha. Superprofissional. – Agradeço mesmo – disse ao soltar minha mão. Foi bom ter saído da SI. Você parece ótima.

Não consegui conter um sorriso.

– Obrigada – agradeci, deixando o motorista me ajudar a sair da limusine. O vamp que dirigia meu carro passou por mim e desapareceu no canto mais escuro da limusine enquanto eu ajeitava o casaco para me proteger do frio e colocava o cachecol. Takata se despediu e o motorista engomado fechou a porta, acenou com a cabeça e virou as costas. Fiquei ali, com os pés afundados na neve, enquanto a limusine entrava no tráfego rápido e desaparecia.

Com a bolsa na mão, pensei em como estaria o trânsito e entrei no carro. O aquecedor estava no máximo, e inspirei profundamente o cheiro do vamp que estava dirigindo antes de mim.

Eu estava com a música que Takata tocara para mim na cabeça. Iria trabalhar na segurança do seu *show* de solstício. Melhor, impossível.

Seis

Eu tinha atravessado o rio Ohio e entrado em Hollows, mas Jenks ainda não abrira a boca. Com ar melancólico, pousara no seu lugar de costume, em cima do retrovisor, e observava as nuvens que se acumulavam, tornando mais escura e deprimente a tarde antes iluminada. Não era o frio que tinha deixado suas asas azuis, já que o aquecedor estava ligado. Era a vergonha.

– Jenks? – chamei, e suas asas bateram tão rápido que mal dava para ver.

– Não precisa falar nada – ele murmurou, baixinho.

– Jenks, não foi tão ruim assim.

Ele voltou o rosto envergonhado para mim.

– Eu esqueci meu próprio nome, Rachel.

Não consegui conter um sorriso.

– Não vou contar para ninguém.

Suas asas coraram de novo.

– Jura? – perguntou. Fiz que sim com a cabeça. Não precisava ser nenhum gênio para entender que aquele pixie vaidoso achava importante parecer confiante e no controle da situação. Sem dúvida, era daí que vinha sua boca suja e seu pavio curto.

– Não conte para Ivy – eu disse –, mas fiquei caidinha pelo Takata quando o conheci. O cara poderia ter se aproveitado de mim, me usado como um pedaço de carne e me jogado fora, mas não fez isso. Em vez disso, ele fez com que eu me sentisse interessante e importante, por mais que eu estivesse cumprindo missões mixurucas para a SI na época. Ele é legal, sabe? Uma pessoa de verdade. Aposto que nem vai lembrar que você esqueceu o próprio nome.

Jenks suspirou, tremelicando o corpo todo.

– Você perdeu a saída.

Fiz que não com a cabeça, parando o carro no farol vermelho atrás de uma perua horrível, sem conseguir ver nada. No para-choque enferrujado, um adesivo com os dizeres: ALGUNS DOS MEUS MELHORES AMIGOS SÃO HUMANOS. DELÍCIA. Sorri. Só em Hollows mesmo.

– Quero ver se Nick ainda está acordado, aproveitando que estamos na rua – expliquei. Voltei o olhar para Jenks. – Você aguenta mais um pouco?

– Sim – respondeu. – Mas você está fazendo uma besteira.

O farol abriu, e o motor do carro quase morreu. Dei partida, e atravessamos o cruzamento, deslizando sobre a neve semiderretida.

– A gente conversou hoje no zoológico – contei, sentindo um calor no peito. – Acho que estamos bem. E quero mostrar a ele os crachás para os bastidores.

As asas do pixie zumbiram.

– Tem certeza, Rachel? Tipo, foi um puta susto quando você passou aquela linha de ley através dele. Acho que não deveria forçar. Dê um pouco de espaço para o cara.

– Já dei três meses de espaço – murmurei, sem ligar para o cara do carro de trás, que achava que eu o estava paquerando porque não tirava os olhos do retrovisor. – Se der mais espaço, ele vai parar na lua. Não vou me mudar para a casa dele, só vou mostrar os crachás.

Jenks não falou nada, e seu silêncio me deixou nervosa. Mas o nervosismo deu lugar à perplexidade quando entrei na garagem de Nick e parei ao lado da caminhonete velha. Havia uma mala no banco do passageiro, e ela não estava lá de manhã.

Com os lábios entreabertos, olhei de relance para Jenks, que encolheu os ombros, parecendo descontente. Lembrei-me da nossa conversa no zoológico. Nós iríamos ao cinema naquela noite. "E ele estava com as malas prontas? Ele iria a algum lugar?"

– Entre na bolsa – eu disse baixinho, recusando-me a acreditar no pior. Essa não era a primeira vez que eu passava na casa de Nick e não o encontrava ou o via saindo. Nos últimos três meses, ele vivia saindo da cidade, e só costumava me avisar quando voltava. E agora seu telefone estava desligado e ele tinha uma mala pronta na caminhonete. "Será que eu entendi tudo errado?" Eu preferia a morte a Nick marcar de me encontrar para me dar um fora.

– Rachel...

– Vou abrir a porta – eu disse enquanto colocava as chaves na bolsa. Você quer ficar aqui e esperar, torcendo para não ficar frio demais?

Jenks voou até ficar na minha frente. Ele parecia preocupado, embora estivesse com as mãos no quadril.

– Mas me deixe sair assim que a gente entrar lá – ordenou.

Senti um nó na garganta e fiz que sim com a cabeça. Relutante, o pixie entrou na bolsa. Fechei o trinco com cuidado e saí do conversível, mas uma mágoa cada vez maior me fez bater a porta, e todo o meu carrinho vermelho tremeu. Ao olhar para a plataforma de cargas da caminhonete, percebi que ela estava seca e sem neve. Era provável que Nick tivesse estado fora de Cincinnati nos últimos dias também. Era por isso que eu não o vira na semana anterior.

Com a cabeça a mil, apertei o passo pelo caminho escorregadio até a porta do prédio, que abri com tudo. Subi a escada, deixando pedaços cada vez menores de neve no carpete cinza. Ao chegar ao terceiro andar lembrei-me de soltar Jenks, que pairou em silêncio, notando minha raiva.

– A gente ia sair hoje – comecei a falar, enquanto tirava as luvas e as enfiava no bolso. – Faz semanas que está na cara, Jenks. Os telefonemas rápidos, as viagens para fora da cidade sem me avisar, a falta de contato íntimo desde sabe Deus quando.

– Dez semanas – Jenks disse, acompanhando meu ritmo com facilidade.

– Ah, jura? – respondi, cheia de ódio. – Obrigada por se manter atualizado.

– Calma, Rachel – ele disse, deixando um rastro de pó de pixie no caminho por causa da preocupação. – Pode não ser nada do que você está pensando.

Eu já tinha levado outros foras na vida. Não era idiota. Mas ficava magoada. Muito magoada.

Jenks não tinha onde pousar no corredor vazio e, relutante, sentou no meu ombro. Com os dentes muito cerrados, fechei o punho para bater à porta de Nick. Ele devia estar em casa, já que nunca saía sem a caminhonete, mas, antes que eu batesse, a porta se abriu.

Deixei cair o braço e fiquei olhando para Nick, que estava tão surpreso quanto eu. Seu casaco estava aberto e o gorro de lã azul-claro, enfiado até as orelhas. Ele tirou o gorro enquanto eu o olhava, passando-o junto com as chaves para a outra mão, com a qual já segurava uma mala lustrosa, na qual imaginei que estariam suas roupas mais desgrenhadas. Seu cabelo estava despenteado, e Nick o alisou com a mão livre enquanto recuperava a compostura. As botas estavam sujas de neve. "Mas não a caminhonete."

Tilintando as chaves, ele colocou a mala no chão. Inspirou fundo e expirou devagar. A culpa no seu olhar deixou claro que eu estava certa.

– Oi, Ray-ray.

– Oi, Nick – eu disse, pronunciando o *k* com força demais. – Presumo que você vá cancelar nosso encontro.

Jenks zumbiu a título de cumprimento, e odiei o olhar de desculpas que lançou para Nick. Com dez centímetros ou quase dois metros, os homens eram todos iguais. Nick não se moveu para me convidar a entrar.

– Você ia me dar um fora hoje? – perguntei de repente, querendo acabar logo com aquilo.

Ele arregalou os olhos.

– Não! – protestou, mas olhou rapidamente para a mala.

– Você tem outra pessoa? Porque já estou crescidinha. Eu aguento.

– Não – repetiu, mais baixo. Nick parecia frustrado. Estendeu a mão para tocar no meu ombro, mas desistiu no meio da ação. – Não.

Eu queria acreditar nele. Queria mesmo.

– Então o que é? – perguntei, furiosa. "Por que ele não me convidou para entrar? Por que a gente tem que fazer isso no maldito corredor?"

– Ray-ray – murmurou, franzindo a testa. – Não é você.

Fechei os olhos para juntar forças. "Quantas vezes eu tinha ouvido aquilo?"

Ele empurrou com o pé a mala lustrosa para o corredor, e o som rouco me fez abrir os olhos. Dei um passo para o lado enquanto ele saía, batendo a porta atrás de si.

– Não é você – repetiu, com a voz subitamente dura. – E eu não queria dar um fora em você hoje. Não quero terminar as coisas entre a gente. Mas surgiu um negócio que, sinceramente, não é da sua conta.

Abri a boca, surpresa. Lembrei-me das palavras de Jenks.

– Você ainda tem medo de mim – eu disse, irritada porque Nick não confiava que eu nunca mais puxaria uma linha de ley através dele.

– Não tenho – ele respondeu, com raiva. Com movimentos duros, trancou a porta pelo lado de fora e virou para me dar a chave. – Toma – disse, agressivo.

– Pegue minha chave. Vou ficar fora da cidade por um tempo. Eu ia te dá-la hoje à noite, mas já que está aqui vai me poupar o trabalho. Mandei interromper a correspondência e o aluguel já está pago até agosto.

– Agosto! – balbuciei, com um medo súbito.

Ele olhou de lado para Jenks.

– Jenks, o Jax pode passar aqui e cuidar das minhas plantas até eu voltar? Ele fez um bom trabalho da última vez. Pode ser só uma semana, mas o aquecedor e a eletricidade estão no automático caso eu fique fora por mais tempo.

– Nick... – protestei, baixinho. "Como as coisas tinham mudado tão rápido?"

– Claro – Jenks respondeu, submisso. – Sabe, acho que vou esperar lá embaixo.

– Não precisa, já estou descendo. – Nick pegou a mala. – Vou estar ocupado hoje à noite, mas depois passo na igreja para pegar o Jax antes de sair da cidade.

– Nick, espere! – pedi. Senti um frio na barriga e a cabeça zonza. Eu deveria ter ficado de boca fechada. Deveria ter ignorado a mala e fingido ser uma namorada idiota. Deveria ter ido jantar e comido lagosta. Ele era meu primeiro namorado de verdade em cinco anos e, logo agora que as coisas estavam voltando ao normal, eu estava afugentando o pobre coitado. Igual eu fazia com todo mundo.

Jenks soltou um zumbido constrangido.

– Hum, estarei ao lado da porta do prédio – ele disse, e desapareceu escada abaixo, deixando um rastro de pó de pixie reluzente até o andar inferior.

Com o longo rosto tenso e descontente, Nick enfiou a chave na minha mão. Seus dedos estavam frios.

– Não consigo... – Ele respirou fundo, olhando-me nos olhos. Esperei, com medo do que ele iria dizer. De repente, não queria mais ouvir. – Rachel, eu ia contar no jantar, mas... eu tentei. Juro que tentei. Mas não consigo ficar aqui agora – ele disse, mais calmo. – Não estou te largando – acrescentou rápido antes que eu pudesse abrir a boca. – Eu te amo, e quero que a gente fique junto. Acho que até o fim dos meus dias. Sei lá. Mas eu sinto sempre que você puxa uma linha, e é como se eu estivesse de novo no carro do FIB tendo um ataque epilético por causa da linha que você puxou através de mim. Não consigo respirar. Não consigo pensar. Não consigo fazer nada. Quando fico longe, é mais fácil. Eu preciso ficar fora da cidade por um tempo. Não contei porque não queria que se sentisse culpada.

Sem expressão, permaneci em silêncio. Nick nunca tinha me contado que tivera um ataque epilético por minha causa. Juro por Deus que eu não sabia. Jenks estava com ele. Por que não tinha me contado?

– Preciso recuperar o fôlego – murmurou, apertando minha mão. – Passar uns dias sem me lembrar daquilo.

– Vou parar – eu disse, entrando em pânico. – Não vou puxar mais nenhuma linha. Nick, você não precisa ir embora!

– Preciso, sim. – Ele soltou minhas mãos e tocou meu queixo, com um sorriso triste. – Quero que você libere uma linha. Quero que pratique. A magia das linhas de ley ainda vai salvar sua vida, e quero que você vire a melhor bruxa de linhas de ley de Cincinnati. – Respirou fundo. – Mas preciso ficar longe, só por um tempo. E tenho uns negócios fora do estado. Não tem nada a ver com você. Eu vou voltar.

"Mas ele tinha dito agosto."

– Você não vai voltar – retruquei, com um nó na garganta. – Vai vir buscar seus livros e depois vai sumir.

– Rachel...

– Não. – Virei a cara. Senti a chave gélida e cortante na palma da minha mão. "Respire", eu disse a mim mesma. – Pode ir. Eu trago Jax aqui amanhã. Vá de uma vez.

Fechei os olhos quando Nick colocou a mão no meu ombro, mas não me virei. Ele se aproximou e, sentindo o cheiro de livros mofados e eletrônicos modernos, reabri os olhos.

– Obrigado, Rachel – murmurou, e tocou meus lábios bem de leve. – Não vou te largar. Vou voltar.

Perdi a respiração e fiquei olhando fixamente para aquele carpete cinza horrível. "Eu prometi que não iria chorar, pô."

Ouvi sua hesitação, mas logo depois escutei as pegadas das suas botas nos degraus. Minha cabeça começou a doer quando o estrondo abafado da caminhonete ressoou pela janela no fim do corredor. Esperei até não conseguir ouvir mais nada antes de descer devagar, sem ver o caminho.

Eu tinha afastado Nick mais uma vez.

Sete

Estacionei o carro com cuidado na garagem minúscula e desliguei os faróis e o motor. Melancólica, fiquei olhando para a parede de massa corrida bem em frente à grade. Reinava o silêncio, quebrado apenas pelo estalido do motor esfriando. A moto de Ivy estava encostada na parede do lado, coberta por uma lona. Logo mais ficaria escuro. Eu sabia que deveria levar Jenks para dentro, mas era difícil encontrar forças para tirar o cinto e sair do carro.

O pixie pousou no volante, zumbindo para chamar minha atenção. Deixei as mãos caírem no colo, relaxando os ombros.

– Bom, pelo menos agora você sabe em que pé estão.

Fiquei muito frustrada, mas logo depois fui tomada por uma onda de apatia.

– Ele falou que vai voltar – afirmei, abatida, precisando acreditar naquela mentira até ser capaz de suportar a verdade.

Jenks envolveu os braços em torno do corpo, com as asas de libélula imóveis.

– Rachel, eu gosto do Nick, mas ele vai ligar duas vezes para você. Uma para dizer que sente sua falta e que está melhor, e outra para pedir desculpas e mandá-la entregar a chave dele para o proprietário do apartamento.

Olhei para a parede.

– Me deixa ser idiota e acreditar nele um pouco, tá?

O pixie fez que sim, contrariado. Encurvado e tremendo, parecia estar morrendo de frio; suas asinhas estavam quase pretas. Eu tinha forçado seus limites ao fazer o desvio até a casa de Nick. Não tinha escolha a não ser assar biscoitos naquela noite. Jenks não podia ir dormir com tanto frio. Senão, só acordaria na primavera.

– Pronto? – perguntei, abrindo a bolsa. Em vez de voar, ele pulou desajeitadamente para dentro dela. Preocupada, considerei enfiar a bolsa dentro do casaco. Acabei decidindo colocá-la dentro da sacola da loja de departamentos e enrolei as pontas do saco o máximo possível.

Só então abri a porta, com cuidado para não batê-la na parede da garagem. Com a sacola nas mãos, caminhei pela trilha aberta no meio da neve até a porta da frente. Um Corvette preto estava estacionado no meio-fio, parecendo deslocado e desprotegido nas ruas cobertas de neve. Reconheci-o como sendo de Kisten e fiquei tensa. Eu andava vendo Kisten demais para o meu gosto.

O vento bateu na minha pele exposta, e ergui os olhos para o campanário, que parecia perfurar as nuvens cinzentas. Andando devagar sobre o gelo, passei pelo carro de Kisten, seu símbolo de masculinidade, e subi os degraus de pedra que davam para as portas de madeira grossa. Ela não comportava uma fechadura convencional, mas do lado de dentro havia uma trava de carvalho que eu fechava todo nascer do sol antes de ir dormir. Abaixando-me desajeitadamente, peguei um pouco de descongelador do saco aberto ao lado da porta e espalhei nos degraus antes que a neve da tarde tivesse tempo de congelar.

Abri a porta, e meu cabelo esvoaçou com a brisa morna que soprava dentro da igreja. Com ela, vinha um som de *jazz*; entrei e cerrei a porta atrás de mim. Eu não estava muito a fim de ver Kisten – por mais bonito que o vamp fosse –, mas achei que deveria pelo menos agradecer por ter me recomendado a Takata.

O pequeno vestíbulo estava escuro; a luz difusa do anoitecer que entrava pelo santuário quase não iluminava nada. O ar cheirava a café e plantas, meio que uma mistura de horta com cafeteria. Era um cheiro bom. Joguei as coisas da Ceri em cima da mesinha antiga que Ivy tinha afanado da família, abri a bolsa e olhei para Jenks, que ergueu a cabeça.

– Graças a Deus – o pixie murmurou, levantando voo devagar. Então hesitou, inclinando a cabeça e encontrando silêncio. – Cadê todo mundo?

Encolhendo os ombros, tirei o casaco e pendurei no cabide.

– Vai ver Ivy gritou com seus filhos de novo e eles estão escondidos. Você está reclamando, é?

Ele abanou a cabeça. Mas tinha razão. Estava muito quieto. Quieto demais. Normalmente havia gritos agudíssimos dos filhotes de pixie brincando de pega-pega, o estrondo ocasional de algum utensílio pendurado caindo no piso da cozinha ou os gritos de Ivy expulsando-os da sala. A única paz que tínhamos eram as quatro horas em que eles dormiam depois do meio-dia, e as outras quatro depois da meia-noite.

Jenks já começava a se acostumar ao calor da igreja, e suas asas estavam transparentes e se movendo bem. Decidi deixar as coisas da Ceri onde estavam até conseguir levá-las à casa de Keasley do outro lado da rua. Depois de tirar a neve das botas ao lado das poças derretidas que Kisten deixara, eu e Jenks saímos do vestíbulo escuro e entramos no santuário silencioso.

Relaxei os ombros ao ser recebida pela luz fraca que entrava pelos vitrais na parede de pé-direito alto. O imponente piano de Ivy ocupava um dos cantos da entrada. O instrumento, limpo e bem cuidado, era tocado só quando eu não estava na igreja. Minha escrivaninha do século XIX, coberta de plantas, ficava de frente para ele, bem diante da entrada na plataforma elevada onde estava o altar. A enorme imagem de uma cruz, protetora e reconfortante, ainda sombreava a parede. Os bancos da igreja tinham sido retirados muito antes de nos mudarmos para lá, deixando um enorme ambiente de madeira e vidro que cheirava a paz, solidão, bênção e segurança. Ali eu estava segura.

Jenks se empertigou, despertando meus instintos.

– Agora! – gritou uma voz aguda.

Jenks disparou para cima da ameaça, deixando uma nuvem de pó de pixie onde estava, como um polvo ameaçado. Com o coração acelerado, caí e rolei no chão de madeira dura.

Sons cortantes de impacto atingiram as tábuas ao meu lado. Senti o medo crescer dentro de mim até encontrar um canto escondido. A força violenta da linha de ley do cemitério foi me atravessando enquanto eu a liberava.

– Rachel! São meus filhos! – Jenks gritou, quando uma chuva de bolinhas de neve minúsculas me atingiu.

Engasguei ao tentar dizer a palavra de invocação do círculo, soltando o poder violento, que me atingiu com tudo. Gemi quando o dobro da energia da linha de ley de repente ocupou o espaço. Cambaleante, caí de joelhos e respirei com dificuldade até o excesso voltar para a linha. Oh, Deus. Eu me sentia como se estivesse em chamas. Deveria ter feito o círculo e só.

– Pelas calcinhas de Sininho, o que pensam que estão fazendo? – Jenks gritou, voando até mim enquanto eu tentava me focar no chão. – Deveriam pensar duas vezes antes de atacar alguém como Rachel! Ela é uma profissional! Vocês vão acabar mortos, e vou deixar vocês apodrecerem onde caírem. Nós somos convidados aqui! Voltem para a escrivaninha. Todos vocês! Jax, estou *muito* desapontado com você.

Respirei fundo. Caramba. Aquilo tinha doído mesmo. "Nota mental: nunca parar uma linha de ley no meio do lançamento."

– Matalina! – Jenks gritou. – Você sabe o que seus filhos estão fazendo?

Passei a língua nos lábios.

– Está tudo bem – eu disse, erguendo os olhos sem encontrar ninguém no santuário. Até Jenks tinha saído. – Adoro a minha vida... – murmurei e, com esforço, consegui me levantar do chão. O formigamento ardente na minha pele se apaziguara e, com o coração batendo violentamente, soltei a linha por completo, sentindo o resto de energia fluir do meu *chi* e me deixar trêmula.

Com o som de uma abelha furiosa, Jenks saiu dos aposentos nos fundos.

– Rachel – ele disse, ao parar diante de mim. – Desculpe. Meus filhos encontraram a neve que Kist trouxe nos sapatos e o vamp contou a eles que costumava fazer guerras de bola de neve quando criança. Ai, olha só. Eles te deixaram toda molhada.

Matalina, a esposa de Jenks, entrou voando no santuário em sua roupa de seda azul e cinza. Depois de pedir desculpas com os olhos, adentrou a escrivaninha antiga por uma fresta. Minha cabeça começou a doer e meus olhos, a lacrimejar. Seu sermão era tão agudo que mal dava para ouvir.

Exausta, me recompus e arrumei o suéter. Havia pequenos pontos de água onde eu tinha sido atingida. Se fossem fadas assassinas com feitiços em vez de bolas de neve, eu estaria morta. Meu coração batia mais devagar, e recolhi a bolsa do chão.

– Tudo bem – eu disse, envergonhada e querendo que Jenks calasse a boca logo. – Não é nada de mais. Criança é assim mesmo.

Jenks pairou, parecendo indeciso.

– Sim, mas eles são meus filhos e nós somos convidados aqui. Eles vão pedir desculpas para você, entre outras coisas.

Consentindo, andei cambaleante pelo corredor escuro, seguindo o cheiro de café. "Pelo menos ninguém me viu rolando no chão para fugir de bolas de neve de pixie", pensei. Aquelas confusões tinham ficado comuns desde a primeira geada, quando a família de Jenks se mudou para casa. No entanto, agora não poderia fingir que eu não estava ali. Além disso, eles deviam ter sentido o ar fresco quando abri a porta.

Passei pelos banheiros feminino e masculino, que tínhamos transformado em um banheiro comum e numa mistura de banheiro com área de serviço. Este último era o meu. Meu quarto ficava do lado direito do corredor e o de Ivy, bem em frente. Logo depois vinha a cozinha e virei à esquerda para entrar nela, na esperança de pegar um pouco de café e ir me esconder no carro para evitar ver Kisten.

Eu tinha cometido o erro de beijá-lo no elevador do restaurante de Piscary, e ele nunca perdia a chance de me lembrar disso. Naquele momento, eu achava que não viveria para ver o dia seguinte, e por isso baixei a guarda e aproveitei, me entregando inteiramente à sedução da paixão vampírica. E o pior era que Kisten sabia que tinha me levado à loucura e que eu estive prestes a dizer "sim".

Exausta, liguei o interruptor com o ombro e deixei a bolsa no balcão. As luzes fluorescentes se acenderam, fazendo o Senhor Peixe começar a nadar freneticamente. Era possível ouvir *jazz* e uma conversa intercalada rolando na sala. O casaco de couro de Kisten estava dobrado em cima da cadeira que ficava em frente ao computador de Ivy. A garrafa de café estava pela metade e, depois de pensar por um instante, entornei o líquido na minha caneca gigante e comecei a fazer mais, tudo isso enquanto tentava não emitir nenhum som. Não queria escutar às escondidas, mas a voz de Kisten era terna e suave como um banho de espuma.

– Ivy, querida – ele pedia enquanto eu tirava o pó de café de dentro da geladeira. – É só por uma noite. Talvez uma hora. Entrar e sair.

– Não.

A voz dela era fria, um sinal óbvio de perigo. Kisten estava insistindo mais do que eu faria, mas os dois haviam sido criados juntos, filhos de pais ricos que esperavam que eles se unissem e tivessem pivetinhos vamps para dar continuidade à linhagem de vampiros vivos de Piscary antes de morrerem e se tornarem verdadeiros mortos-vivos. Mas isso não iria acontecer... o casamento, pelo menos; a parte da morte, sim. Os dois até tinham tentado morar juntos uma época e, embora nenhum deles admitisse, a relação tinha esfriado até que não sobrasse nada além de um carinho fraternal pervertido.

– Você não precisa fazer nada – Kisten insistiu, acentuando o falso sotaque britânico. – É só ficar lá. Eu falo tudo.

– Não.

Alguém desligou a música e, silenciosamente, abri a gaveta de talheres para pegar a colher de café. Três meninas pixie saíram voando e rindo alto. Mordi o lábio para não gritar, com o coração acelerado, enquanto elas desapareciam pelo corredor escuro. Com movimentos rápidos por causa da adrenalina, fiquei procurando a colher. Finalmente a encontrei na pia. Kisten devia ter feito o café. Se tivesse sido Ivy, com sua mania de arrumação, ela teria lavado, secado e guardado o talher.

– Por que não? – A voz do vamp havia assumido um tom petulante. – Ele não está pedindo muita coisa.

Tensa mas controlada, a voz de Ivy demonstrava raiva.

– Só não quero que aquele filho da mãe entre na minha cabeça. Por que ele quer ver através dos meus olhos? Sentir meus pensamentos?

A garrafa d'água quase caiu da minha mão na pia. Eu preferia não estar ouvindo aquilo.

– Mas ele te ama – Kisten murmurou, soando magoado e enciumado. – Você é sua herdeira.

– Ele não me ama. Ele ama que eu lute contra ele – Ivy respondeu com amargura, e quase pude ver seus traços perfeitos e levemente orientais ficarem tensos de raiva.

– Ivy – Kisten insistiu. – É bom, é inebriante. O poder que ele compartilha...

– É uma mentira, isso sim! – ela gritou, e levei um susto. – Você quer o prestígio? O poder? Quer administrar os interesses de Piscary? Fingir que ainda é herdeiro dele? Eu não dou a mínima! Mas não vou deixar que ele entre na minha mente nem para eu te acobertar!

Passei água na garrafa fazendo bastante barulho para que os dois soubessem que eu estava ouvindo. Não queria ouvir mais, e preferia que eles parassem de uma vez.

O suspiro de Kisten foi longo e carregado.

– Não é assim que funciona. Ivy querida, se ele realmente quiser entrar na sua mente, você não vai conseguir impedi-lo.

– Cale. A. Boca.

Essas palavras foram tão cheias de raiva contida que senti um arrepio. A garrafa estava cheia demais, e o excesso acabou vazando na minha mão. Fazendo uma careta, fechei a torneira.

Ouvi um rangido de madeira na sala que me deu frio na barriga. Alguém tinha empurrado alguém contra a cadeira.

– Vá em frente – Kisten murmurou mais alto do que o borbulhar da água na cafeteira. – Enfie esses dentes em mim. Você sabe que quer. Como nos velhos tempos. Piscary vai sentir tudo o que você fizer, queira ele ou não. Por que você acha que não está conseguindo ficar sem sangue ultimamente? Depois de três anos negando a realidade, não consegue passar três dias sem? Desista, Ivy. Piscary adoraria sentir que estamos nos divertindo de novo. E talvez sua colega de quarto finalmente entenda. Ela quase disse sim – se gabou. – Mas não para você. Para mim.

Empertiguei-me. Aquilo foi dirigido a mim. Eu não estava na sala, mas era como se estivesse.

Houve outro rangido de madeira.

– Se tocar no sangue dela, eu acabo com a sua raça, Kist. Juro para você.

Olhei ao redor para procurar uma saída, mas era tarde demais, pois Ivy havia parado no arco, arrastando as botas. Hesitou. Parecia mais aflita do que nunca enquanto notava meu nervosismo em menos de um segundo graças à sua habilidade sinistra de interpretar linguagem corporal. Era no mínimo arriscado guardar segredos perto dela. Sua sobrancelha estava franzida por causa da raiva contra Kist, e a frustração agressiva que demonstrava não era bom sinal, mesmo não sendo voltada contra mim. Sua pele pálida brilhava num tom de rosa-claro conforme ela se acalmava, aliviando por completo o tênue tecido cicatrizado no pescoço. Ivy tinha feito uma cirurgia para minimizar a marca física que Piscary deixara nela, mas a cicatriz aparecia quando ela ficava nervosa. E a vamp se recusava a aceitar meus talismãs de beleza. Eu ainda precisava dar um jeito naquilo.

Ao me ver imóvel em frente à pia, ela voltou os olhos castanhos da minha caneca de café quente para a garrafa vazia. Dei de ombros e apertei o botão para ligar a cafeteira. O que mais eu poderia fazer?

Ivy se moveu, colocando uma caneca vazia no balcão. Passou a mão no cabelo preto lisíssimo, conseguindo pelo menos parecer calma e controlada.

– Você está mal – ela disse, com a voz áspera pela raiva que estava sentindo de Kisten. – O que aconteceu?

Tirei da bolsa os crachás de camarim e os prendi na geladeira com um imã em forma de tomate. Pensei em Nick, depois em rolar no chão para fugir de bolas de neve de pixie. E, claro, não podia esquecer a alegria em ouvir Ivy ameaçar Kisten por causa do meu sangue, sendo que ela nunca nem sentiria o gosto dele. "'O que aconteceu?' Por onde eu começo?"

– Nada – respondi, baixinho.

Alta e magra, de calça jeans e camisa, ela cruzou os braços e se recostou no balcão ao lado da cafeteira para esperar. Pressionou os lábios finos e respirou fundo.

– Você andou chorando. O que foi?

Congelei. “Caramba, ela sabe até que eu chorei?” Tinham sido apenas três lágrimas. No farol. E eu as tinha limpado antes mesmo que tivessem tempo de cair. Olhei de lado para o corredor vazio, sem querer que Kisten soubesse.

– Depois eu conto, tá?

Ela seguiu meu olhar em direção ao arco e franziu a testa, intrigada. Então, de repente, entendeu: sabia que eu tinha levado um fora. Ivy pestanejou e fiquei observando, aliviada quando a sombra da sede de sangue por eu estar solteira passou depressa.

Vampiros vivos não precisavam de sangue para se manter sãos, como mortos--vivos. Mesmo assim, sentiam muito desejo, escolhendo com cuidado de quem bebiam, e em geral seguiam suas preferências sexuais, torcendo para que houvesse sexo no meio do processo. Mas a importância de beber o sangue de alguém podia variar desde a confirmação de uma forte amizade platônica até o vazio de uma mera noitada. Assim como muitos vamps vivos, Ivy dizia não igualar sangue a sexo, mas para mim eram a mesma coisa. Eu não conseguia pensar de outra maneira porque as sensações que um vampiro proporcionava me levavam quase ao êxtase sexual.

Depois de ser jogada duas vezes contra a parede pela energia da linha ley, Ivy entendeu a mensagem que, por mais que fosse sua amiga, eu nunca, nunca mesmo, diria sim a ela. A convivência também tinha ficado mais fácil depois que ela voltara a praticar – agora ela saciava sua sede em outro lugar e voltava para casa satisfeita, relaxada e com um ódio silencioso de si mesma por ter se entregado à tentação mais uma vez.

No último verão, ela parecia ter deixado de tentar me convencer que morder não era sexual e passou a garantir que nenhum outro vampiro daria em cima de mim. Se ela não pudesse ter meu sangue, ninguém mais o teria, e ela vinha se dedicando ao ímpeto perturbador, mas lisonjeiro, de impedir que outros vampiros se aproveitassem da minha cicatriz de demônio e me induzissem a me tornar a sombra deles. Morar com ela me protegia dos outros vamps, e eu não tinha vergonha de aceitar essa proteção; em troca, eu era sua amiga incondicional. E, por mais que essa amizade parecesse unilateral, isso não era verdade.

Ivy era uma amiga difícil e tinha ciúmes de qualquer pessoa que chamasse minha atenção, mas escondia bem. Ela quase não tolerava Nick. Kisten, porém, parecia isento de seu ciúme, o que me deixava perturbada e inflamada por dentro. Enquanto pegava meu café, torci para que ela saísse naquela noite e saciasse sua maldita sede de sangue para não ficar me olhando como uma pantera faminta pelo resto da semana.

Sentindo a tensão passar da raiva para a especulação, olhei para a cafeteira que ainda não tinha terminado de trabalhar, pensando apenas em dar um jeito de fugir da cozinha.

– Quer o meu? – perguntei. – Nem encostei nele.

Voltei a cabeça ao som da risada máscula de Kisten. Ele tinha aparecido inesperadamente no batente.

– Também não bebi nada – ele disse, sugestivo. – Mas adoraria beber já que está oferecendo.

Fui tomada pela lembrança de Kisten e eu naquele elevador: meus dedos brincando com os fios sedosos de seu cabelo louro na nuca; a barba por fazer, que conferia a seus traços delicados um ar mais rude, roçando na minha pele; seus lábios ao mesmo tempo doces e agressivos sugando o sal da minha pele; o toque das suas mãos nas minhas costas me puxando para si. "Droga."

Desviei o olhar, forçando-me a abaixar a mão do pescoço. Sem perceber, eu estava tocando minha cicatriz de demônio para senti-la formigar, estimulada pelos feromônios vamp que Kisten emitia também espontaneamente. "Droga de novo."

Feliz consigo mesmo, ele sentou na cadeira de Ivy, claramente adivinhando meus pensamentos. Mas era difícil pensar em outra coisa olhando para aquele corpo invejável.

Kisten também era um vamp vivo; sua linhagem era tão antiga quanto a de Ivy. Ele tinha sido herdeiro de Piscary, e o brilho por ter compartilhado sangue com o vampiro morto-vivo ainda era visível. Embora costumasse bancar o *bad boy* usando casacos de couro de motoqueiro e forçando um péssimo sotaque britânico, ele usava essa aparência para esconder seu faro para os negócios. Kisten era inteligente. E rápido. E, embora não fosse tão poderoso quanto um morto-vivo, era mais forte do que seu corpo pequeno e sua cintura fina indicavam.

Hoje ele estava vestido de maneira mais conservadora, com uma camisa de seda enfiada da calça escura. Tratava-se de uma tentativa clara de parecer mais profissional, já que estava assumindo os negócios de Piscary agora que o vampiro mestre definhava na prisão. Os únicos sinais do lado *bad boy* que tinham restado eram a corrente cinza de bronze no pescoço – igual à que Ivy usava no tornozelo – e dois brincos de diamante em cada orelha. Quer dizer, era para ter dois em cada orelha. Alguém havia arrancado um deles, deixando um rasgo medonho no lugar.

Kisten se espreguiçou na cadeira de Ivy, abrindo as pernas torneadas de maneira provocativa, e se recostou para absorver a atmosfera da cozinha. Notei que minha mão estava subindo de novo para o pescoço e fiz uma careta. Ele estava tentando me enfeitiçar, entrar dentro da minha cabeça para mudar meus pensamentos e decisões. Não daria certo. Só os mortos-vivos conseguiam enfeitiçar os relutantes, e ele não poderia mais depender da força de Piscary para ter as capacidades aperfeiçoadas de um vampiro morto-vivo.

Ivy tirou o café passado da cafeteira.

– Deixe Rachel em paz – disse, obviamente a dominadora entre os dois. – Nick acabou de terminar com ela.

Perdi o fôlego e olhei para ela, pasma. Não queria que ele soubesse!

– Bem... – Kisten murmurou, debruçando-se e apoiando os cotovelos nos joelhos. – Ele não era homem para você, querida.

Incomodada, fiquei atrás do balcão central.

– Meu nome é Rachel, não "querida".

– Rachel – ele disse com a voz suave, e meu coração acelerou com a compulsão que ele impeliu. Olhei pela janela em direção ao jardim cinzento coberto de neve e para as lápides além dele. Que Virada eu estava fazendo na cozinha com dois vamps famintos quando o sol estava prestes a se pôr? Eles não tinham outro lugar para ir? Pessoas para morder que não fossem eu?

– Ele não terminou comigo – declarei, dando ração para o Senhor Peixe. Podia ver o reflexo de Kisten me observando na janela escura. – Ele vai sair da cidade por alguns dias. Me deu a chave de casa para eu cuidar das suas coisas e pegar a correspondência.

– Ah. – Kisten olhou de soslaio para Ivy. – Uma viagem longa?

Com raiva, coloquei a ração de peixe no balcão e me virei.

– Ele disse que volta – argumentei, com o rosto tenso ao ouvir a terrível verdade por trás das minhas palavras. Por que Nick diria que voltaria se tinha passado pela cabeça dele *não* voltar?

Enquanto os dois vamps trocavam olhares em silêncio, peguei um livro de receitas culinárias que estava guardado na estante de feitiços e o coloquei com um estrondo no balcão central. Eu tinha prometido para Jenks um forno quentinho naquela noite.

– Nem tente me pegar porque acha que estou solteira, Kisten – avisei.

– Eu nem sonharia em fazer uma coisa dessas. – O tom lento e doce da sua voz dizia o contrário.

– Porque você não é metade do homem que Nick é – tive a burrice de dizer.

– Seu padrão é alto, hein? – Kisten ironizou.

Ivy sentou-se no balcão, ao lado do meu barril de dissolução de quarenta litros de água salgada, colocando os braços em torno dos joelhos. Sem perder o ar predador, continuou bebericando o café e observando Kisten brincar com minhas emoções.

O vamp olhou de relance para ela, como se pedisse permissão, e eu franzi a testa. Em seguida, se levantou com um leve som de tecido raspando, aproximando-se, para, enfim, se debruçar no balcão à minha frente. A corrente que usava balançou, atraindo minha atenção para seu pescoço, marcado por cicatrizes leves, quase invisíveis.

– Eu também gosto de filmes de ação – ele disse, e minha respiração ficou mais rápida. Dava para sentir o aroma de couro que ainda havia nele sob o cheiro ressecado da seda.

– E daí? – perguntei com raiva de Ivy, que provavelmente tinha lhe contado sobre os longos fins de semana em que eu e Nick assistíamos ao canal Adrenalina.

– E daí que eu posso te fazer rir.

Virei as páginas até encontrar a receita na folha mais amassada e manchada no livro que eu tinha roubado da minha mãe, sabendo que era de biscoitos doces.

– O Palhaço Bozo também, mas nem por isso eu sairia com ele.

Ivy lambeu o dedo, e, no ar, escreveu um ponto para mim num placar imaginário.

Kisten sorriu, mostrando de leve a presa, voltando-se para trás e sentindo a pancada.

– Vamos sair algum dia – propôs. – Um primeiro encontro platônico para provar que Nick não foi nada de especial.

– Ah, faça-me o favor – sorri de maneira afetada, sem conseguir acreditar que ele tinha falado aquilo.

Sorrindo de orelha a orelha, o vamp parecia um moleque mimado.

– Se você se divertir, vai poder admitir que Nick não foi nada de mais.

Eu me agachei para pegar a farinha.

– Não – respondi ao levantar e colocar o pote no tampo do balcão com um baque.

Ele fingiu um ar magoado, encrespando a barba.

– Por que não?

Olhei para trás e vi Ivy observando em silêncio.

– Você tem dinheiro. Qualquer cara consegue divertir uma mulher quando tem dinheiro – argumentei.

A vamp deu mais um ponto para mim no placar.

– Dois pontos para ela – Ivy disse, e ele franziu a testa.

– Nick era um pão-duro filho da puta, não era? – Kisten sugeriu, tentando esconder a raiva.

– Olhe a boca! – disparei.

– Sim, senhorita Morgan.

A submissão provocante em sua voz me transportou de volta ao elevador. Ivy tinha me contado que Kisten sentia prazer em se fazer de submisso. O que vim a descobrir, porém, foi que um vampiro submisso ainda exibia mais agressividade do que a maioria das pessoas conseguiria aguentar. Mas eu não era como a maioria das pessoas. Eu era uma bruxa.

Fixei os olhos nos dele, notando seu lindo e homogêneo tom de azul. Ao contrário de Ivy, Kisten cedia livremente à sua sede de sangue até que ela deixasse de ser o fator primordial de sua vida.

– Cento e setenta e cinco dólares? – ele chutou, e me agachei para pegar o açúcar.

"Ele acha que um encontro barato custa quase duzentos dólares?"

– Cem? – arriscou, e olhei para ele, que estava sinceramente surpreso.

– A gente costumava gastar uns sessenta – eu disse.

– Caramba! – exclamou, antes de hesitar. – Posso dizer "caramba", não?

– Claro, pô!

Empoleirada no balcão, Ivy riu baixinho. Kisten franziu a sobrancelha, parecendo realmente preocupado.

– Certo – ele disse, pensando muito. – Um encontro de sessenta dólares.

Disparei um olhar cortante.

– Eu ainda não disse sim.

Ele respirou fundo e devagar, captando meu humor no ar.

– Mas também não disse não.

– Não.

Kisten caiu, dramático, arrancando-me um sorriso contra minha vontade.

– Não vou te morder – argumentou, com um sorriso afetado de inocência.

Tirei meu grande pote de feitiços de cobre da parte do balcão central para misturar a massa. Não podia mais usá-lo para fazer feitiços, já que tinha uma rachadura por tê-lo batido na cabeça de Ivy. A arma de *paintball* que eu guardava ali fez um barulho reconfortante contra o metal quando a mudei de lugar, depositando-a embaixo no balcão, na altura do tornozelo.

– E por que eu acreditaria em você?

Os olhos de Kisten se voltaram para Ivy.

– Se eu morder, ela vai me matar duas vezes.

Fui até a geladeira e peguei ovos, leite e manteiga, torcendo para que nenhum dos dois sentisse meu coração acelerado. Mas eu sabia que a tentação não vinha dos feromônios que eles naturalmente emitiam. Eu sentia falta de ser desejada, cobiçada. E Kisten tinha talento para seduzir as mulheres, embora suas motivações fossem falsas e unilaterais. Pelo jeito, ele tomava sangue de desconhecidas assim como alguns homens praticam sexo casual. E eu não queria me tornar uma das sombras que ele arrastava para todo lado, aprisionada pela saliva em sua mordida, levada a ansiar seu toque, sentir seus dentes perfurando minha pele e me enchendo de euforia. "Merda, estou fazendo isso de novo."

– Por que eu aceitaria o convite? – questionei, sentindo um calor subindo pelo corpo. – Nem gosto de você.

Quando me voltei para ele, Kisten estava debruçado no balcão. O azul perfeito de seus olhos se fixou nos meus. Seu sorriso pervertido deixou claro que ele sabia que eu estava perdendo as forças.

– E essa é a melhor razão para você sair comigo – retrucou. – Se conseguir se divertir comigo com míseros sessenta paus, imagina só o que alguém de quem você goste seria capaz de fazer. Só preciso de uma promessa.

Eu ainda estava segurando o ovo, e o coloquei no balcão.

– O que disse?

Ivy se agitou, mas o sorriso dele se abriu ainda mais.

– Não fuja do assunto.

– Desculpe, não ouvi.

Ele abriu o pote de manteiga e enfiou o dedo nele; depois, lambeu-o devagar.

– Não vou conseguir fazê-la se sentir atraente se você resistir a todos os meus toques.

– Eu já deixei de resistir uma vez – eu disse, lembrando-me do episódio no elevador. Valha-me Deus, eu quase tinha pegado Kisten lá mesmo contra a parede.

– Dessa vez é diferente – ele disse. – É um encontro. Os homens mudam quando estão em um encontro.

– Pode até parecer que vocês mudam, mas no fundo continuam os mesmos... – respondi.

Ele ergueu a sobrancelha para Ivy. Empertigando-se, estendeu o braço para tocar no meu queixo. Recuei com tudo, franzindo a testa.

– De jeito nenhum – ele disse, tirando a mão. – Não vou acabar com a minha reputação levando-a para um encontro de sessenta dólares por nada. Se não puder tocar em você, eu não vou.

Encarei Kisten, sentindo meu coração acelerar.

– Que bom.

Surpreso, ele pestanejou.

– Que bom? – perguntou enquanto Ivy ria de escárnio.

– É – respondi, puxando a manteiga e enchendo mais ou menos metade da colher de pau com ela. – Não queria sair com você mesmo. Você é muito cheio de si. Pensa que pode manipular todo mundo para fazer o que quer. Acha que o mundo gira em torno de você, e essa atitude me dá nojo.

Ivy riu enquanto desdobrava as pernas e pulava de leve no chão sem fazer um barulho sequer.

– Não disse? – ela se exibiu. – Pode me pagar.

Erguendo os ombros num suspiro, Kisten pegou a carteira no bolso de trás da calça e tirou uma nota de cinquenta, que enfiou na mão dela. Ivy ergueu a sobrancelha fina e escreveu no ar com o dedo, como se estivesse contabilizando pontos. Tinha um raro sorriso estampado no rosto enquanto se esticava para colocar a nota no pote de biscoitos em cima da geladeira.

– Típico – Kisten disse, com o olhar dramático. – Tento fazer uma coisa legal por ela, dar uma animada na menina e o que eu ganho com isso? Roubo e humilhação.

Ivy deu três passos longos, chegando a seu lado. Envolvendo o braço ao redor do peito dele, murmurou em sua orelha rasgada:

– Coitadinho.

Os dois ficavam bem juntos; a tentação sedosa dela combinava com a masculinidade confiante dele.

Kisten não reagiu quando os dedos dela desceram por entre os botões de sua camisa.

– Você teria se divertido – ele me disse.

Sentindo que tinha passado em uma espécie de teste, tirei a manteiga da colher e lambi o dedo até ficar limpo.

– Como você sabe?

– Porque você estava se divertindo agora – respondeu. – Você esqueceu aquele humano sem graça e egoísta que só reclama quando você morde o... – Olhou para Ivy. – Que parte do corpo dele a Rachel morde, Ivy querida?

– O pulso. – Ivy se empertigou e virou de costas para mim para pegar mais café.

– Que só reclama quando você morde o... pulso dele – Kisten completou.

Meu rosto estava vermelho de raiva.

– É a última vez que conto alguma coisa para você! – exclamei para Ivy. E eu nem tinha tirado sangue do Nick. Meu Deus!

– Admita – Kisten pediu. – Você gostou de conversar comigo, de disputar sua vontade contra a minha. Seria divertido – disse, olhando por mim por trás da franja. – Seria bom para você se divertir um pouco. Enfiada nessa igreja há sei lá quanto tempo. Quando foi a última vez que você se arrumou? Que se sentiu bonita? Desejada?

Fiquei imóvel, sentindo o ar entrar e sair de mim de maneira equilibrada. Pensei em Nick saindo da cidade sem me avisar, em nossas carícias e nossa proximidade que acabaram tão subitamente. Fazia tanto tempo. Eu sentia falta do seu toque fazendo com que me sentisse desejada, acendendo paixões e me trazendo à vida. Queria ter essa sensação de novo, mesmo se fosse uma mentira. Só por uma noite, para que não a esquecesse até reencontrá-la de verdade.

– Sem morder – decretei, já achando que estava cometendo um erro.

Ivy ergueu a cabeça de súbito, com o rosto inexpressivo.

Kisten não pareceu surpreso. Em seu olhar havia uma forte compreensão.

– Sem se esquivar – ele retrucou, tranquilo, com os olhos vívidos e reluzentes. Eu não conseguia esconder nada dele.

– Sessenta dólares no máximo – rebati.

Kisten se levantou, pegando o casaco, que repousava no assento da cadeira.

– Pego você a uma da madrugada depois de amanhã. Use uma roupa bonita.

– E sem brincar com a minha cicatriz – eu disse, sem fôlego, incapaz de encontrar ar por algum motivo. "Que diabos eu estava fazendo?"

Com um charme predador, o vamp vestiu o casaco e hesitou, pensativo.

– Nem vou soprar nela – concordou. Então assumiu um ar de ansiedade ardilosa quando parou sob o arco no corredor e estendeu a mão para Ivy.

Com movimentos duros, ela pegou a nota de cinquenta do pote de biscoitos e a entregou para ele. Kisten ficou parado, esperando, e ela pegou mais uma nota e jogou em sua mão.

– Obrigado, Ivy querida – disse. – Agora tenho o suficiente para o encontro e para um corte de cabelo também. – Ele me fitou até eu perder a respiração. – Te vejo depois, Rachel.

O som de seus sapatos sociais batendo no piso parecia alto na igreja, que estava ficando escura. Ouvi-o falar alguma coisa para Jenks, e depois veio o leve estrondo da porta da frente se fechando.

Ivy não estava nada contente.

– Você fez uma coisa idiota – ela disse.

– Eu sei. – Não consegui olhar para ela enquanto misturava o açúcar e a manteiga com uma rapidez violenta.

– Então por que fez?

Continuei misturando.

– Talvez porque, ao contrário de você, eu goste de ser tocada – respondi, com a voz cansada. – Talvez porque sinta falta de Nick. Talvez porque faça três meses que ele foi embora e eu tenha sido idiota demais para perceber. Desista, Ivy. Não sou sua sombra.

– Não – concordou, com menos raiva do que eu esperava. – Eu só moro com você, e Kist é mais perigoso do que parece. Já o vi fazer isso antes. Ele quer caçá-la. E caçá-la devagar.

Diminui a velocidade dos meus movimentos e olhei para ela.

– Mais devagar do que você? – questionei, com amargura.

Ela fixou o olhar em mim.

– Não estou te caçando – respondeu, parecendo magoada. – Você não deixa.

Soltando a colher, coloquei as mãos em torno da tigela e abaixei a cabeça. Nós éramos opostos. Uma morria de medo de sentir alguma coisa porque não queria perder o controle ferrenho de suas emoções, e a outra tinha tanta sede de qualquer sensação que arriscaria o próprio livre-arbítrio por uma noite de diversão. Era um milagre eu não ser escrava de um vampiro àquela altura.

– Ele está esperando por você – comentei, ouvindo o carro de Kisten ligar do outro lado das paredes isoladas da igreja. – Vá se saciar. Não gosto quando você deixa de beber.

Ivy começou a se mover. Sem dizer uma palavra, saiu a passos duros, batendo as botas no piso de madeira. O som da porta da igreja se fechando foi baixo. Devagar, o tique-taque do relógio sobre a pia ficou distinto. Respirando fundo, ergui a cabeça, sem saber como eu tinha virado a carcereira dela.

Oito

Eu sentia as batidas ritmadas dos meus pés correndo subirem até a espinha; era uma distração bem-vinda, uma alternativa a ficar pensando em Nick. O céu estava claro e o sol reluzia sobre a neve, me fazendo estreitar os olhos por trás dos óculos escuros novos. Eu tinha esquecido meu velho par na limusine de Takata e esse novo não estava bem ajustado. Aquele era o segundo dia seguido que eu tinha acordado bem cedo, às dez da manhã, para sair e correr e, pela Virada, dessa vez eu iria correr. Caminhar depois da meia-noite não era tão divertido – sempre tinha muita gente estranha. Além disso, eu teria um encontro com Kisten naquela noite.

Assim que me lembrei disso, apertei o passo. Cada respiração sonora era acompanhada por uma pisada, criando um ritmo hipnotizante que fazia aumentar meu prazer na corrida. Acelerei ainda mais, aproveitando a onda. Um casal de bruxos velhos caminhava rápido à minha frente quando passei pela jaula de ursos. Eles olhavam com um interesse faminto. Os ursos, não os bruxos. Acho que era por isso que a direção nos deixava entrar. Dava aos grandes predadores algo com o qual se distrair, além de crianças e pais cansados.

Na verdade, nosso coletivo de corredores havia assumido a responsabilidade de adotar a jaula dos tigres-da-indochina com isso em mente. Os fundos para a manutenção e os cuidados da espécie vinham inteiramente de nossas entradas especiais. Eles comiam muito bem.

– Passando! – exclamei, ofegante pelo ritmo das passadas, e os dois bruxos abriram caminho para mim. – Obrigada – agradeci, sentindo o forte cheiro de sequoia no ar encrespado e dolorosamente seco.

O som da conversa amigável entre o casal logo ficou para trás. Dispensei um pensamento confuso e raivoso contra Nick. Eu não precisava dele para correr;

podia muito bem correr sozinha. Ele não andava correndo muito comigo ultimamente. Não desde que eu tinha ganhado meu carro e não precisava mais de suas caronas.

"Até parece", pensei, cerrando os dentes. O problema não era o carro. Era outra coisa. Algo que ele não queria me contar. Algo que "sinceramente, não era da minha conta".

– Passando! – ouvi alguém gritar não muito longe de mim.

Era uma voz baixa e controlada. Quem quer que fosse, conseguia acompanhar meu ritmo. Todos os meus alarmes acionaram. "Vamos ver se você consegue mesmo correr", pensei, respirando fundo.

Meus músculos foram se retesando à medida que eu acelerava, com o coração disparado, inspirando e expirando o ar gélido e cortante. Já tinha atingido uma boa marca; meu ritmo normalmente ficava entre o de uma maratona e o de uma corrida de velocidade. Eu era uma das favoritas na corrida de oitocentos metros no colégio, uma vantagem quando trabalhava para a SI e precisava correr em alguma missão. Agora, minhas panturrilhas doíam por causa da rapidez e meus pulmões tinham começado a arder. Quando passei pelos rinocerontes e virei à esquerda, prometi voltar a correr com mais frequência. Eu estava ficando mole.

Não havia ninguém à minha frente. Nem os guardas estavam lá. Prestei atenção, ouvindo o passo do outro corredor aumentar para se igualar ao meu. Olhei rapidamente para trás enquanto virava à esquerda.

Era um lóbis, meio baixo e magro, com a calça de corrida combinando com a blusa cinza. Seu longo cabelo preto estava preso com uma faixa de exercício, e seu rosto sereno estava totalmente relaxado enquanto me acompanhava.

"Merda." Meu coração acelerou ainda mais. Mesmo sem o chapéu de caubói e o macacão de lã, eu o reconhecia. "Merda, merda, merda."

Acelerei o ritmo com a injeção de adrenalina. Era o mesmo lóbis. Por que estava me seguindo? Comecei a repassar mentalmente os dias e as semanas anteriores. Eu já o tinha visto antes. Várias vezes, na verdade. Ele estava no balcão de espera na semana anterior quando Ivy e eu compramos um perfume novo para esconder meu aroma natural misturado ao dela. Ele estava enchendo os pneus três semanas antes, quando eu coloquei gasolina e me tranquei para fora do carro. E três meses antes eu o tinha visto encostado em uma árvore quando conversava com Trent no Parque Éden.

Cerrei os dentes. "Talvez seja hora de termos uma conversinha", pensei, passando pela casinha dos gatos.

Havia um declive mais à frente, perto das águias. Virei à direita, inclinando-me para trás enquanto descia. O lóbis me seguiu. Pisando com força ao lado da jaula das aves, fiz um balanço do que tinha comigo. Na pochete eu tinha chaves, telefone, um amuleto leve de dor já invocado e a arma de *paintball* carregada com poções de sono. Nada que me ajudasse; eu queria conversar com ele, não fazê-lo dormir.

A trilha se abria para uma área ampla e deserta. Ninguém corria até ali porque era terrível subir a colina. Perfeito. Com o coração batendo forte, virei à esquerda para pegar a subida em vez de seguir para a entrada da rua da Videira. Abri um sorriso ao ouvir os passos dele hesitarem. Por essa o lóbis não esperava. Inclinando-me na colina, subi com tudo, parecendo estar em câmera lenta. A trilha era estreita e coberta de neve. Ele me seguiu.

"Aqui", pensei, chegando ao topo. Ofegante, dei uma olhada rápida para trás e saí da trilha, entrando nos arbustos densos. Meus pulmões ardiam enquanto eu prendia a respiração.

Com passos determinados e a respiração pesada, o lóbis passou por mim. Ao chegar ao topo, hesitou, olhando ao redor para descobrir aonde eu tinha ido. Seus olhos escuros estavam estreitados e os primeiros sinais de cansaço físico franziram sua testa.

Respirando fundo, dei um salto.

O lóbis me ouviu, mas era tarde demais. Assim que se virou, caí sobre ele, jogando-o contra um velho carvalho. Ele expirou ao bater as costas, arregalando os olhos de surpresa. Envolvi os dedos com força em torno do seu queixo para mantê-lo parado e dei um soco em seu estômago.

Abafando um grito, ele se inclinou para a frente. Então o soltei, e ele se ajoelhou ao pé da árvore, com a mão na barriga. Uma mochila fina quase caiu em cima de sua cabeça.

– Quem é você e por que está me seguindo há três meses? – gritei, confiando que o horário incomum e o fato de o zoológico estar fechado manteriam nossa conversa privada.

Com a cabeça caída no peito, o lóbis ergueu a mão. Era pequena para um homem, mas grossa, com dedos de aparência forte. O suor tinha deixado escura sua camisa cinza de elastano e, devagar, ele foi movendo as pernas musculosas para uma posição menos desajeitada.

Dei um passo para trás, com a mão no quadril e os pulmões cansados enquanto me recuperava da subida. Furiosa, tirei os óculos escuros, pendurei-os na cintura e fiquei esperando.

– David – ele disse, com a voz áspera, erguendo os olhos para mim. Em seguida, abaixou a cabeça para recuperar o fôlego. A dor e certo constrangimento tinham torcido seus olhos castanhos. Seu rosto grosseiro estava coberto de suor e trazia uma barba negra que combinava com o cabelo longo. – Bendito seja Deus – ele disse, voltado para o chão. – Por que precisava me bater? Aliás, qual é o problema de vocês, ruivas, que sempre saem batendo nas coisas?

– Por que estava me seguindo? – disparei.

Ainda com a cabeça baixa, ele ergueu a mão de novo, me pedindo para esperar. Fiquei me remexendo, nervosa, enquanto ele respirava uma, duas vezes. Depois desceu a mão e ergueu os olhos.

– Meu nome é David Hue – se apresentou. – Sou analista de seguros. Posso me levantar? Estou ficando todo molhado.

Meu queixo caiu. Dei alguns passos para trás, entrando na trilha, enquanto ele se levantava e limpava a neve das costas.

– Analista de seguros? – balbuciei. A surpresa varreu a adrenalina que restava em mim. Eu me envolvi em meus braços e desejei ter um casaco comigo agora que o ar de repente parecia mais frio, já que eu tinha parado de me movimentar. – Eu paguei a conta – disse, começando a ficar com raiva. – Não deixei de pagar uma única vez. Achei que com seiscentos dólares por mês...

– Seiscentos por mês! – ele disse, com o rosto surpreso. – Ah, querida, a gente precisa conversar.

Afrontada, dei mais alguns passos para trás. Calculei que ele estava na casa dos trinta pela maturidade do seu maxilar e pelo peitoral forte que sua camisa de elastano não conseguia esconder. Seus ombros eram endurecidos pelos músculos que a camisa também não escondia. E as pernas eram incríveis. Algumas pessoas não podiam usar elastano. David não era uma delas – embora fosse mais velho do que os homens que costumavam me atrair.

– É por isso que está aqui? – perguntei, ao mesmo tempo irritada e aliviada. – É assim que consegue clientes? Perseguindo as pessoas? – Franzi a testa e virei de lado. – Isso é ridículo. Até para um lóbis.

– Espere – ele disse e avançou para a trilha atrás de mim, pisando em alguns galhos. – Não. Na verdade estou aqui por causa do peixe.

Parei de repente, com os pés ao sol. Lembrei-me do peixe que tinha roubado do escritório do senhor Ray no último mês de setembro. "Bosta."

– Hum – balbuciei, com os joelhos subitamente fracos pela corrida. – Que peixe? – Com os dedos atrapalhados, abri as hastes dos óculos e os coloquei no rosto antes de começar a caminhar em direção à saída.

David apalpou o estômago para ver se tinha quebrado alguma coisa e me seguiu, acompanhando meu ritmo acelerado.

– Olha – começou, quase para si mesmo. – É exatamente por isso que estou te seguindo. Agora é que eu nunca vou ter uma resposta direta, nunca vou fechar esse caso.

Senti uma dor na barriga e me obriguei a andar mais rápido.

– Foi um engano – expliquei, com o rosto ruborizado. – Achei que fosse o peixe dos Uivadores.

David tirou a faixa, arrumou o cabelo e a colocou de volta.

– Dizem que o peixe foi destruído. Acho muito improvável. Se você verificar isso, poderei escrever meu relatório, mandar um cheque para a pessoa de quem o senhor Ray roubou o peixe e você nunca mais vai me ver de novo.

Olhei de soslaio para ele, aliviada porque não me daria uma intimação ou algo mais sério. Eu tinha imaginado que o senhor Ray roubara o peixe, já que ninguém viera reclamá-lo. Mas por aquela eu não esperava.

– Alguém colocou o peixe no seguro? – ironizei, sem conseguir acreditar, mas então percebi que David estava sério. – Você só pode estar de brincadeira.

Ele fez que não.

– Estou te seguindo para tentar descobrir se está ou não com o peixe.

Tínhamos chegado à entrada do zoológico e parei, não querendo que ele me seguisse até o carro. Não que ele já não soubesse qual era.

– Por que simplesmente não me perguntou, senhor Analista de Seguros?

Incomodado, David abriu as pernas em uma postura agressiva. Ele tinha exatamente a minha altura, o que fazia dele baixo para um homem, mas em geral os lóbis não eram muito grandes.

– Como se eu fosse realmente acreditar que você não sabe...

Olhei para ele, inexpressiva.

– Não sei do quê?

Passando a mão por seus pelos eriçados, o lóbis olhou para o céu.

– A maioria das pessoas não para de mentir quando põe as mãos em um peixe dos desejos. Só me diga se está com ele ou não. Não me importo. Tudo o que quero é tirar esse processo da minha mesa.

Meu queixo caiu.

– Um... um peixe dos...

Ele fez que sim.

– Um peixe dos desejos, sim. – Ergueu as sobrancelhas grossas. – Você realmente não sabia? Ainda está com ele?

Eu me sentei em um dos bancos frios.

– Jenks comeu.

O lóbis levou um susto.

– Como assim?

Não consegui erguer os olhos. Comecei a pensar no último verão, e meu olhar seguiu para além do portão, na direção do conversível vermelho reluzente esperando por mim no estacionamento. Eu tinha desejado um carro... Caramba, eu tinha desejado um carro e consegui um. "Foi um peixe dos desejos que Jenks comeu?"

A sombra de David pairou sobre mim e ergui os olhos estreitados para a sua silhueta, negra contra o azul impecável do meio-dia.

– Meu sócio e a família dele comeram.

David me encarou.

– Você só pode estar brincando.

Passando mal, baixei o rosto.

– A gente não sabia. Jenks o cozinhou numa fogueira e a família dele comeu.

Seus pés pequenos se moveram rápido. O lóbis se virou e pegou um papel e uma caneta na mochila. Eu estava sentada com os cotovelos nos joelhos olhando fixamente para o nada, e David se agachou a meu lado e começou a escrever, usando a superfície lisa do concreto como mesa.

– Senhorita Morgan, pode assinar aqui? – pediu, estendendo a caneta.

Respirei fundo. Peguei a caneta e o papel. Sua letra era precisa e firme, denunciando um caráter meticuloso e organizado. Ivy adoraria David. Ao examinar o papel, percebi que era um documento legal e o anexo escrito à mão que ele acabara de redigir afirmava que eu tinha presenciado a destruição do peixe, sem saber de suas habilidades. Franzindo a testa, escrevi meu nome e devolvi o papel.

David estava com uma expressão incrédula e sorriu ao pegar a caneta da minha mão e assinar também. Contive um bufo de escárnio quando o lóbis tirou um material de tabelionato da mochila e tornou o documento oficial. Ele não pediu minha identificação, mas, também, fazia três meses que ele me seguia.

– Você também é tabelião? – perguntei, ao que ele fez que sim, colocando tudo de volta na mochila e fechando o zíper.

– Todo mundo nessa profissão precisa ser. – Levantou-se e sorriu. – Obrigado, senhorita Morgan.

– De nada. – Minha cabeça estava uma bagunça. Não conseguia decidir se contaria ou não para Jenks. Voltei o olhar para David e percebi que ele estava me dando seu cartão. Peguei, desconfiada.

– Já que está aqui – ele disse, movendo-se de maneira que eu não ficasse voltada para o sol e, assim, conseguisse ver seu rosto –, se estiver interessada em conseguir um preço melhor para o seu seguro...

Suspirei e deixei o cartão cair. "Que babaca."

Ele riu, abaixando-se para pegar o cartão.

– Pago duzentos por mês pelo meu plano de saúde por causa do sindicato.

De repente, fiquei interessada.

– Caçadores de recompensa quase não são cobertos por planos de saúde.

– Verdade. – Ele tirou um casaco de náilon preto da mochila e o vestiu. – E analistas de seguros que trabalham em campo também. Mas, como somos poucos comparados com os burocratas que compõem a maior parte da empresa, conseguimos um bom preço. As contribuições para o sindicato são de cinquenta por ano. Em troca, recebemos um bom desconto em preços do seguro e aluguéis de carro, além de todos os bifes que conseguirmos comer no piquenique anual.

Era bom demais para ser verdade.

– Por quê? – perguntei, pegando o cartão de volta.

Ele ergueu os ombros.

– Meu parceiro se aposentou no ano passado. Eu preciso de uma pessoa.

Abri a boca ao entender. "Ele achou que eu queria ser analista de seguros? Ah, faça-me o favor."

– Desculpe. Já tenho um trabalho – respondi, com um riso de desprezo.

David bufou, exasperado.

– Não, você entendeu tudo errado. Não quero um parceiro. Afugentei todos os estagiários de que fui encarregado, e todo mundo sabe que é melhor nem tentar. Tenho dois meses para encontrar alguém ou vão raspar meu rabo. Gosto do meu trabalho e sou bom nisso, mas não quero um parceiro. – Hesitou, observando a área atrás de mim com a atenção de um profissional. – Eu trabalho sozinho. Você assina o papel, faz parte do sindicato, ganha desconto no plano de saúde e nunca vai me ver de novo, exceto no piquenique anual, quando a gente finge que é íntimo e participa da corrida de três pernas. Eu te ajudo e você me ajuda.

Não consegui deixar de erguer a sobrancelha, e prestei atenção no cartão que eu segurava nas mãos. Menos quatrocentos dólares por mês parecia ótimo. E podia apostar que conseguiria um desconto no seguro do carro também. Tentada, perguntei:

– Que plano de saúde você tem?

Ele sorriu, mostrando os dentes pequenos.

– Cruz Prateada.

Virei a cabeça. Era um plano destinado a lóbis, mas era bastante flexível. Afinal, um osso quebrado era um osso quebrado.

– Então – eu disse, com a voz arrastada, encostando no banco –, qual é a pegadinha?

Ele abriu ainda mais o sorriso.

– Seu salário é transferido para mim, já que sou eu que vou fazer todo o trabalho.

"Ahhh", pensei. O lóbis receberia dois salários. Era uma bela de uma fraude, isso sim. Com um sorriso afetado, devolvi o cartão.

– Obrigada, mas vou ter que recusar.

David suspirou, desapontado, pegando-o de volta.

– Bem, eu tinha de tentar. Foi ideia do meu antigo parceiro, na verdade. Eu devia saber que você não aceitaria. – Estacou. – Seu parceiro comeu mesmo aquele peixe?

Fiz que sim, ficando triste ao lembrar. Pelo menos consegui o carro antes.

– Então... – Ele colocou o cartão no concreto ao meu lado – ... me dê um toque se mudar de ideia. O ramal no cartão cai direto no meu telefone.

Quando não estou em campo, fico no escritório das três à meia-noite. Posso considerá-la como uma aprendiz de verdade. Meu último parceiro era bruxo, e você parece ser corajosa.

– Obrigada – eu disse, irônica.

– Não é tão chato quanto parece. E é mais seguro do que sua profissão atual. Talvez, depois de apanhar mais algumas vezes, você mude de ideia.

Não sabia se aquele cara estava falando sério ou não.

– Não trabalho para ninguém. Sou minha própria chefe.

David fez que sim e tocou a cabeça casualmente como se estivesse batendo continência antes de se virar e ir embora. Eu me ajeitei enquanto sua sombra asseada passava pelo portão. Ele entrou em um cupê cinza estacionado em frente ao meu carrinho vermelho e saiu. Senti um arrepio, reconhecendo o carro e me dando conta de que o sujeito tinha escutado a conversa entre mim e Nick no dia anterior.

Quando levantei, minha bunda estava gelada de ficar sentada no concreto por tanto tempo. Peguei o cartão e o rasguei no meio, caminhando em direção à lata de lixo mais próxima. Porém, ao segurar os pedaços rasgados sobre a boca da lixeira, hesitei e, devagar, guardei-os no bolso.

"Analista de seguros?", ironizou uma voz na minha cabeça. Com uma careta, tirei os pedaços do bolso e os joguei na lata. Trabalhar para outra pessoa de novo? Não. Nunca.

Nove

Senti uma paz interior ao jogar o açúcar amarelo sobre o biscoito em forma de sol. Tudo bem, na verdade ele era só um círculo, mas, depois que eu colocasse o açúcar brilhante, poderia ser um sol. As noites longas tinham me deixado cansada, e a mudança de estação sempre me enchia de uma força muda. Ainda mais no solstício de inverno.

Reservei o biscoito pronto sobre o papel-toalha e peguei outro. O silêncio reinava no ambiente, exceto pela música que vinha da sala. Takata tinha lançado "Marcas vermelhas" em uma estação de rádio, que a estava tocando sem parar. Não era nada ruim. O refrão era aquele que eu escolhera, e fiquei contente de saber que tinha representado um pequeno papel na criação da música.

Fazia pelo menos duas horas que todos os pixies estavam dormindo na minha escrivaninha. Era provável que Ivy não acordasse tão cedo, cambaleante em busca de café. Ela tinha chegado antes do nascer do sol, parecendo calma e relaxada, acanhada e buscando minha aprovação por ter saciado sua sede de sangue em alguma pobre vítima ingênua. Depois caiu na cama, feito uma viciada em Enxofre. Eu estava com a igreja só para mim, e aproveitaria todos os segundos de solidão a que tinha direito.

Dançando ao som pesado da bateria como nunca dançaria se alguém estivesse vendo, abri um sorriso. Era bom ficar sozinha por um tempo.

Jenks não só tinha obrigado os filhos a me pedir desculpas, mas também – como descobri ao acordar naquela tarde – os fizera me preparar uma garrafa de café e deixar a cozinha brilhando de tão limpa. Tudo estava lustroso. Eles tinham até esfregado a poeira acumulada do círculo que eu queimara no linóleo ao redor do balcão central. Não havia pó nem teia de aranha marcando as paredes ou o forro e, enquanto eu passava a faca no glacê verde, prometi tentar manter a cozinha limpa dessa vez.

"Até parece", pensei enquanto punha o glacê na guirlanda. Eu adiaria a limpeza até que a cozinha chegasse ao mesmo nível de caos de que os pixies me tiraram. Isso demoraria duas semanas, no máximo.

Em sincronia com a batida da música, coloquei três docinhos para imitar frutinhas. Soltei um suspiro fundo e deixei a guirlanda descansando. Depois peguei o biscoito em forma de vela, tentando decidir se o pintava de púrpura, símbolo de sabedoria, ou verde, de mudança.

Eu estava quase me decidindo pelo púrpura quando o telefone tocou na sala. Levei um susto, coloquei o tubo de glacê de volta no balcão e saí correndo para atendê-lo antes que o toque acordasse os pixies. Era como ter um bebê em casa. Peguei o controle no sofá e o apontei em direção ao som para colocá-lo no mudo.

– Encantos Vampirescos – eu disse depois de pegar o fone, torcendo para não parecer ofegante. – Aqui é a Rachel.

– Quanto custa uma acompanhante no dia vinte e três? – perguntou uma voz jovem, que alternava entre grossa e aguda.

– Depende da situação – respondi, procurando freneticamente o calendário e a caneta. Não estavam onde eu os tinha deixado e acabei vasculhando minha bolsa e encontrando a agenda. Eu achava que vinte e três caía num sábado. – Há alguma ameaça de morte envolvida ou é uma proteção comum?

– Ameaça de morte? – a voz exclamou. – Só quero uma menina bonita para os meus amigos não me chamarem de *nerd*.

Fechei os olhos, juntando forças. "Tarde demais", pensei, fechando a caneta.

– Este é um serviço de caçadores de recompensa particulares – respondi, exausta –, não um bordel. E, garoto? Faça um favor a si mesmo e fique com a menina tímida da classe. Ela é mais legal do que você pensa e não vai ficar mandando em você no dia seguinte.

Ele desligou o telefone e eu franzi a testa. Era a terceira ligação do tipo só naquele mês. Talvez eu devesse dar uma olhada no anúncio dos classificados que Ivy tinha comprado.

Limpei o resto de açúcar das mãos e arrastei os pés até o armário no qual guardávamos a secretária eletrônica e a lista telefônica. Peguei a última e a coloquei na mesa de centro. A luz vermelha da secretária estava piscando, e apertei o botão enquanto folheava o livro pesado até a parte de detetives particulares. Estaquei ao ouvir a voz de Nick sair do aparelho, carregada de culpa e constrangimento, dizendo que tinha passado umas seis da manhã para pegar Jax e que me ligaria dali a alguns dias.

– Covarde – murmurei, pensando que aquele era mais um crucifixo atado no caixão. Ele sabia que apenas os pixies estariam acordados àquela hora. Prometi a mim mesma que me divertiria no encontro com Kisten, independentemente de Ivy acabar com ele ou não depois. Bati com força no botão para apagar a mensagem e voltei a atenção para a lista.

Estávamos entre os últimos e, ao encontrar o nome "Encontros Vampirescos" com uma letra bonita, franzi a testa. Era um belo anúncio – mais atraente do que os de página inteira perto dele –, com uma silhueta de uma mulher misteriosa de chapéu e casaco em segundo plano.

– "Rápido. Discreto. Sem fazer perguntas" – li em voz alta. – "Preços a combinar. Opções de pagamento. Assegurado. Valores semanais, diários ou por hora. – Embaixo, havia nossos três nomes, endereço e número de telefone. Não entendi. Não havia nada ali que levasse alguém a pensar num bordel ou mesmo em um serviço de encontros. Então, vi as letras menores embaixo que recomendavam checar as outras entradas daquele anúncio.

Folheei as páginas finas até a primeira entrada da lista, encontrando o mesmo anúncio. Então, olhei mais de perto, não para a nossa propaganda, mas para as outras ao redor. Puta merda, aquela mulher estava quase pelada e tinha o corpo arrebitado de uma personagem de animê. Voltei os olhos para o título.

– Serviço de acompanhantes? – li, corando diante dos classificados sensuais e sugestivos.

Voltei os olhos para nosso anúncio e as palavras assumiram um sentido completamente diferente. Sem fazer perguntas? Valores semanais, diários ou por hora? *Opções de pagamento?* Com os lábios tensos, fechei a lista, deixando-a à vista para conversar com Ivy sobre aquilo. Era óbvio por que estávamos recebendo aquelas ligações.

Com bastante raiva, tirei o som do mudo, e voltei para a cozinha. "Magic Carpet Ride", de Steppenwolf, tentava melhorar meu humor.

Foi o levíssimo aroma do chão úmido que fez meu passo hesitar, e por isso a mão que avançava contra meu queixo errou o soco.

– Puta que pariu! – xinguei enquanto desviava para dentro da cozinha em vez de cair para trás no corredor.

Ao me lembrar dos filhos de Jenks, soltei a linha de ley liberada, mas acabei caindo em uma postura defensiva entre a pia e o balcão central. Quase engasguei ao ver quem estava parado no arco.

– Quen? – gaguejei, sem sair da postura enquanto o homem musculoso e levemente enrugado me encarava, inexpressivo. O chefe de segurança de Trent Kalamack estava usando uma roupa preta ajustada ao corpo que lembrava um uniforme. – O que está fazendo aqui? – perguntei. – Vou ligar para a SI e mandar te tirarem daqui por invasão de propriedade! Se Trent quer me ver, ele pode aparecer aqui como uma pessoa normal. Vou mandar aquele filho da mãe lamber sabão, mas ele precisa ter a dignidade de vir aqui pessoalmente!

Quen meneou a cabeça.

– Estou com um problema, mas acho que você não vai conseguir resolver.

Fiz uma careta.

– Não venha me testar, Quen – quase rosnei. – Não vai conseguir.

– É o que vamos ver.

Foi o único aviso que ele me deu antes de pegar impulso na parede e avançar contra mim.

Abafando um grito, passei por baixo dele em vez de recuar como eu gostaria. Mas Quen era um especialista em segurança e recuar só me faria ser pega. Com o coração acelerado, peguei o pote de feitiços de cobre com glacê branco e o empunhei.

Quen agarrou o pote, me puxando para a frente. Minha cabeça doeu por causa da adrenalina e soltei o pote, que ele atirou para o corredor, causando um baque surdo.

Agarrei a cafeteira e a lancei contra o chefe de segurança. Ainda ligada à tomada, a máquina voltou com um solavanco, e a garrafa d'água caiu no chão, se estilhaçando. Quen desviou, com o olhar irritado ao me encarar, como se perguntasse o que diabos eu estava fazendo. Mas, se ele conseguisse pôr as mãos em mim, eu estava perdida. Meu armário cheio de talismãs estava ao alcance da mão, mas não havia tempo para eu invocar nenhum.

Quen se preparou para pular. Lembrando-me de como o sujeito tinha conseguido fugir de Piscary com saltos incríveis, corri na direção do barril de dissolução e, com os dentes cerrados pelo esforço, o entornei.

O agente de segurança gritou de repulsa quando cerca de quarenta litros de água salgada inundaram o chão, misturando-se ao café e aos cacos de vidro. O piso ficou escorregadio e, girando os braços, ele escorregou.

Subi no balcão central, pisando em biscoitos com glacê e derrubando alguns potes de açúcar colorido. Agachada para não bater nos utensílios dependurados, dei uma voadora quando ele se levantou.

Meu pé atingiu o peito de Quen com tudo, e nós dois caímos.

"Cadê todo mundo?", pensei, resmungando ao sentir o quadril doendo por causa da queda. O barulho era tão alto que teria acordado até os mortos-vivos. Mas, como a confusão andava sendo mais comum do que a quietude, Ivy e Jenks deviam estar ignorando o caos e torcendo para que acabasse logo.

Entre um escorregão e outro, me afastei de Quen. Estendi as mãos para trás e tateei até encontrar a arma de *paintball*, guardada propositalmente quase ao nível do chão. Tirei a arma num arranque, fazendo os potes de cobre armazenados rolarem ruidosamente.

– Chega! – gritei, sentada com a bunda na água salgada e os braços tensos apontando a arma para ele. Ela estava carregada com bolas cheias de água para praticar, mas ele não sabia disso. – O que você quer?

Quen hesitou. A água tinha deixado manchas escuras em suas calças pretas. Ele contraiu os olhos.

Uma onda de adrenalina cresceu no ambiente. O cara ia arriscar.

O instinto e a prática com Ivy me fizeram apertar o gatilho assim que ele saltou na mesa, caindo feito um gato. Eu o segui, disparando todas as bolinhas.

Seu rosto assumiu um ar de afronta quando se deteve, agachado, voltando a atenção para as seis novas manchas de água em sua camisa justa. Merda. Eu tinha errado uma vez. Ele cerrou os dentes e estreitou os olhos, enfurecido.

– Água? – perguntou. – Você carrega sua arma de feitiços com água?

– Sorte a sua – retruquei. – O que você quer? – Ele meneou a cabeça e soltei a respiração, furiosa, ao sentir a queda dentro de mim. Ele estava liberando a linha de ley.

O pânico me fez levantar, e tirei o cabelo da frente dos olhos. Quen tinha vantagem estando em cima e ficou de pé, enquanto murmurava em latim.

– Vai liberar a linha o caramba! – gritei, lançando a arma em sua direção. Ele desviou, e fui pegando tudo que podia ser atirado, desesperada para impedir que ele terminasse a invocação.

Quen desviou do tubo de glacê, que bateu com tudo na parede, deixando nela uma mancha esverdeada. Depois de pegar a lata de biscoito, dei a volta correndo em torno do balcão e a atirei com força. Ele saltou da mesa para desviar, me xingando. Fragmentos de biscoitos se espalharam por toda parte.

Eu o segui e o puxei pelos joelhos, jogando nós dois no chão encharcado. Quen se virou, me segurando pelo pulso até que seus olhos, de um verde pálido, encarassem os meus. Tateando, enfiei um monte de biscoitos empapados de água salgada na sua boca para que não conseguisse fazer nenhuma invocação.

Ele cuspiu na minha direção, com ardor no rosto bronzeado e marcado pela varíola.

– Sua caniculazinha... – conseguiu dizer, antes que eu enfiasse mais biscoitos.

Quen cerrou os dentes no meu dedo e soltei um grito, me jogando para trás.

– Você me mordeu! – gritei, com raiva. Preparei um soco, mas ele foi rolando para trás, batendo contra as cadeiras.

O chefe de segurança se levantou, ofegante. Estava encharcado, coberto de água e açúcar colorido. Depois de resmungar uma palavra incompreensível, deu um pulo.

Cambaleante, me levantei para fugir, mas ele me agarrou pelo cabelo e me puxou, de costas, fazendo meu couro cabeludo doer. Em seguida, colocou um braço em torno do meu pescoço, me deixando sem ar, e com o outro me fez ficar em um pé só.

Furiosa, dei uma cotovelada no seu intestino com o braço livre.

– Tire suas mãos... – grunhi, pulando para trás em um pé só – ... do meu cabelo! – Cheguei à parede e o esmaguei contra ela, dando uma batida em suas costelas. Quen perdeu o ar e soltou o braço em torno do meu pescoço.

Eu me virei para dar um soco no rosto dele, mas dei de cara com a parede amarela. O sujeito tinha desaparecido. Com um grito agudo, fui jogada no chão quando ele puxou minhas pernas. Logo depois, jogou o peso em cima de mim, me prendendo ao chão, com meus braços na cabeça.

– Ganhei – concluiu, ofegante, sentando em cima de mim com os olhos verdes desvairados sob o cabelo curto.

Eu me debati, sem conseguir sair do lugar, irritada porque o que decidiria nossa luta seria algo tão idiota quanto massa corporal.

– Você se esqueceu de uma coisa, Quen – falei, com um ar petulante. – Moro com cinquenta e sete pessoas.

Sua testa ligeiramente enrugada se franziu.

Depois de respirar fundo, assobiei. Os olhos de Quen se arregalaram. Grunhindo devido ao esforço, puxei minha mão direita, que estava livre, e dei um tapa em seu nariz.

Ele se voltou para trás com tudo e o puxei contra mim, rolando no chão. De quatro, joguei os cachos encharcados para trás.

Quen tinha conseguido ficar em pé, mas não se moveu. Ele estava parado com uma cara de horror e as mãos sujas de biscoito para o alto, em um gesto de submissão. Jenks pairava diante dele, com a espada que guardava para lutar contra fadas invasoras apontada contra seu olho direito. Jenks parecia puto, soltando pó de pixie de modo a formar um raio de luz constante que jorrava dele até o chão.

– Só respire – Jenks ameaçou. – Pisque, para ver o que acontece com você, sua maldita aberração da natureza.

Levantei, cambaleante, quando Ivy entrou correndo na sala, mais rápido do que eu julgava possível. Com o robe frouxo ondulando, a vamp agarrou Quen pela garganta.

As luzes tremularam e os utensílios pendurados balançaram quando ela o jogou contra a parede ao lado do batente.

– O que está fazendo aqui? – Ivy gritou, com os dedos esbranquiçados pela pressão. Jenks a acompanhou, com a espada ainda apontada para o olho de Quen.

– Espere! – exclamei, com medo de que eles pudessem matá-lo. Não que eu me importasse com o sujeito, mas, se isso acontecesse, apareceria gente da SI na minha cozinha, sem contar com toda a burocracia que eu teria que aguentar. Muita burocracia mesmo. – Calma – apaziguei.

Voltei os olhos para Ivy, que ainda o segurava. Minhas mãos estavam sujas de glacê, e as limpei na calça úmida enquanto recuperava o fôlego. Eu tinha manchas de água salgada na roupa, e farelos e açúcar no cabelo. Parecia que um bolo gigante tinha explodido na cozinha. Olhei para o glacê púrpura no forro. "Quando foi que isso aconteceu?"

– Senhorita Morgan – Quen disse antes de quase sufocar com o aperto de Ivy. A música da sala de estar mitigava sua voz.

Senti dor nas costelas e pestanejei. Com raiva, caminhei até os três.

– "Senhorita Morgan"? – gritei, a quinze centímetros do seu rosto rubro. – Agora você me chama de senhorita Morgan? Qual é o seu problema? – berrei.

– Entrando na minha casa, destruindo meus biscoitos. Sabe quanto tempo vai demorar para limpar essa bagunça?

Ele quase sufocou de novo, e minha raiva começou a passar. Ivy encarava o rosto dele com uma intensidade chocante. O cheiro de medo que Quen exalava tinha feito com que ela passasse dos limites. Ela estava agindo como uma vamp em plena luz do dia. Aquilo não era nada bom, e dei um passo para trás, mais calma.

– Hum, Ivy? – chamei.

– Estou bem – afirmou, ligeira, mas seus olhos diziam outra coisa. – Quer que eu faça esse cara sangrar até calar a boca?

– Não! – exclamei, e senti outra queda. Quen estava liberando uma linha. Respirei fundo, alarmada. As coisas estavam saindo do controle. Alguém acabaria se machucando. Eu poderia montar um círculo, mas seria em torno de mim, não dele. – Solte esse cara! – mandei. – Jenks, você também! – Nenhum dos dois se moveu. – Agora!

Depois de jogar Quen mais alto contra a parede, Ivy o largou e deu um passo para trás. Ele caiu estatelado no chão e levou as mãos ao pescoço, tossindo violentamente. Devagar, foi movendo as pernas e assumindo uma posição normal. Depois de afastar o cabelo preto dos olhos, ergueu a cabeça e sentou com as pernas cruzadas, descalço.

– Morgan – ele disse, rouco, com a mão na garganta –, preciso da sua ajuda.

Olhei de soslaio para Ivy, que apertava o robe de seda preto em torno do corpo. "Quen precisava da minha ajuda? Seeei."

– Você está bem? – perguntei para Ivy, que respondeu afirmativamente. A íris castanha restante em seus olhos era fina demais para o meu gosto, mas o sol estava a pino e a tensão na cozinha começava a diminuir. Ao notar minha preocupação, ela pressionou os lábios.

– Estou bem – reiterou. – Quer que eu ligue para a SI agora ou depois de matar esse cara?

Olhei ao redor na cozinha. Meus biscoitos estavam arruinados, jogados no meio da água. O glacê nas paredes começava a escorrer. A água salgada ultrapassava os limites da cozinha, ameaçando chegar ao tapete da sala. Deixar Ivy dar um fim no sujeito parecia uma excelente ideia.

– Quero ouvir o que ele tem a dizer – declarei, enquanto abria uma gaveta e pegava três panos de prato para barrar a água. Os filhos de Jenks nos espiavam do canto da porta. Furioso, o pai esfregou uma asa na outra para emitir um som agudo, e eles desapareceram com um trinado.

Peguei mais um pano de prato e limpei o glacê no meu cotovelo antes de parar diante de Quen. Com as pernas bem abertas e as mãos no quadril, fiquei esperando. Devia ser algo importante se estava disposto a arriscar que Jenks descobrisse que ele era um elfo. Lembrei-me de Ceri, que estava do outro lado da rua, e fiquei ainda mais preocupada. Eu não permitiria que Trent descobrisse sua existência, ou então ele a usaria de alguma maneira... uma maneira bem horrível.

O elfo apalpou as costelas por baixo da camisa negra.

– Acho que você quebrou minhas costelas – acusou.

– Passei no teste? – ironizei.

– Não. Mas você é a melhor chance que tenho.

Ivy emitiu um som de incredulidade, e Jenks ficou suspenso em sua frente, mantendo-se cuidadosamente fora do alcance.

– Babaca – o homenzinho xingou. – A gente poderia ter acabado com você.

Quen franziu a testa.

– "A gente." Era *ela* que me interessava. Não "a gente". Rachel falhou.

– E isso significa que você vai embora – eu disse, sabendo que não teria tanta sorte assim. Notei sua roupa discreta e soltei um suspiro. Tinha acabado de passar do meio-dia. Os elfos dormiam quando o sol estava a pino e também no meio da noite, assim como os pixies. Quen estava na igreja sem o conhecimento de Trent.

Mais confiante, puxei uma cadeira e me sentei antes que Quen percebesse que minhas pernas estavam tremendo.

– Trent não sabe que você está aqui – comentei, ao que ele assentiu, solene.

– O problema é meu, não dele – respondeu. – Sou eu quem vai te pagar.

Pisquei, tentando disfarçar a tensão. Trent não sabia. Interessante.

– Você tem um serviço para mim sem que ele saiba... O que é?

O olhar de Quen se alternou entre Ivy e Jenks.

Irritada, cruzei as pernas e balancei a cabeça.

– Nós somos uma equipe. Não vou pedir que saíam para você contar o probleminha de merda em que se meteu.

O velho elfo franziu a testa. Então respirou fundo, nervoso.

– Olha – eu disse, apontando o dedo para ele. – Eu não vou com a sua cara. Jenks também não. E Ivy quer te comer vivo. Fale logo.

Quen ficou imóvel. Foi então que notei seu desespero, luzindo por trás de seus olhos como luz na água.

– Estou com um problema – começou, com o medo desafinando sua voz usualmente baixa e controlada.

Olhei de relance para Ivy. Ela tinha a respiração acelerada e estava em pé com os braços em torno de si, segurando o robe rente ao corpo. Parecia nervosa, com o rosto branco ainda mais pálido do que o normal.

– O senhor Kalamack vai a uma reunião e...

Fiz uma careta.

– Já recusei uma proposta de acompanhante hoje.

Os olhos de Quen se inflamaram.

– Cale a boca – ele disse com frieza. – Tem alguém interferindo nos empreendimentos secundários do senhor Kalamack. A reunião visa chegar a um acordo mútuo. Quero que você esteja presente para garantir que não aconteça nada além disso.

Acordo mútuo? Era mais algo como: sou mais forte que você, então dá o fora da minha cidade.

– Saladan? – sugeri.

Ele foi tomado de uma surpresa genuína.

– Você o conhece?

Jenks voava sobre Quen, tentando descobrir o que ele era. O pixie estava ficando cada vez mais frustrado, voando rapidamente de um lado para o outro e batendo as asas de libélula violentamente.

– Já ouvi falar dele – respondi, pensando em Takata. Franzi a testa. – Por que eu deveria me importar se ele assumir os empreendimentos *secundários* de Trent? A gente está falando de Enxofre, não é? – perguntei. – Por mim, vocês podem arder no inferno. Trent está matando as pessoas. Não que ele nunca tenha feito isso antes, mas agora está matando sem motivo nenhum. – Revoltada, me levantei. – Seu chefinho não passa de bosta de mariposa. Eu deveria delatá-lo, não protegê-lo. E você – falei mais alto, apontando o dedo – é pior do que bosta de mariposa por não fazer nada para evitar isso!

Quen ficou vermelho, fazendo com que eu me sentisse muito melhor comigo mesma.

– Você é idiota? – o chefe de segurança perguntou, me deixando tensa. – O Enxofre ruim não pertence ao senhor Kalamack, e sim a Saladan. É por isso que os dois vão se encontrar. O senhor Kalamack está tentando tirar essa merda das ruas e, a menos que você queira que Saladan domine a cidade, é melhor manter o senhor Kalamack tão vivo quanto nós. Vai pegar o serviço ou não? Pago dez mil.

Surpreso, Jenks emitiu um pulso ultrassônico de arder os ouvidos.

– Pagamento adiantado – Quen acrescentou, tirando um maço apertado de notas da roupa e atirando-o aos meus pés.

Olhei para o dinheiro. Não era o bastante. Nem um milhão de dólares seria o bastante. Chutei o maço, que deslizou pelo chão úmido até Quen.

– Não.

– Pegue o dinheiro e deixe Trent morrer, Rachel – Jenks sugeriu, do peitoril da janela iluminada pelo sol.

O elfo sorriu.

– Não é assim que a senhorita Morgan trabalha. – Seu rosto marcado pela varíola estava seguro de si, e eu odiava aquele brilho confiante em seus olhos verdes. – Se ela pegar o dinheiro, vai proteger o senhor Kalamack até o último suspiro. Não é mesmo?

– Não – respondi, sabendo que iria. Mas eu é que não pegaria aqueles dez mil nojentos.

– E você vai aceitar o dinheiro e o trabalho – Quen continuou –, senão vou contar para todo mundo sobre seus verões naquele acampamento. Você é a única pessoa com a mínima chance de proteger a vida de Trent.

Meu rosto ficou gelado.

– Filho da mãe – murmurei, recusando-me a sentir medo. – Por que não me deixa em paz? Por que eu? Você acabou de me esfregar no chão.

O chefe de segurança baixou os olhos.

– Vai ter vampiros lá – revelou, com a voz baixa. – Vampiros poderosos. Existe a chance de... – Respirou e me encarou. – Não sei se...

Fiz que não, um tanto mais confiante. Quen não contaria nada. Trent ficaria um bocado incomodado se eu fizesse as malas e fugisse para a Antártica, pois ainda tinha esperanças de que eu aceitasse trabalhar para ele.

– Se você tem medinho de vampiros, o problema é seu – eu disse. – Não vou deixar que transforme isso num problema meu. Ivy, tire esse cara da minha cozinha.

A vamp não se moveu e eu me virei, perdendo a ira ao notar o olhar vazio em seu rosto.

– Ele foi mordido – ela sussurrou, com uma hesitação desejosa na voz que me surpreendeu. Curvada, encostou na parede, fechou os olhos e inspirou devagar para sentir o cheiro dele.

Fiquei boquiaberta ao entender. Piscary tinha mordido Quen, pouco antes de eu deixar o vampiro morto-vivo inconsciente. Quen era um impercebido e, por isso, não poderia contrair o vírus vamp e ser transformado, mas estava ligado mentalmente ao vampiro mestre. Eu me vi cobrindo o pescoço com as mãos, e senti o rosto frio.

O Grande Al tinha assumido a forma e as habilidades de um vampiro quando marcou meu pescoço e tentou me matar. Enchera minhas veias com o mesmo coquetel poderoso de neurotransmissores que agora corriam pelo corpo de Quen. Era uma estratégia de sobrevivência, pois ajudava os vampiros a ter um fornecedor de sangue voluntário. O coquetel transformava dor em prazer sob o estímulo dos feromônios do vampiro. Se o vamp tivesse bastante experiência, poderia sensibilizar a reação para que apenas ele conseguisse fazer com que a mordida fosse agradável, ligando a vítima apenas a si e evitando que seu fornecedor exclusivo fosse roubado.

Algaliarept não tinha se dado ao trabalho de sensibilizar os neurotransmissores, afinal estava tentando me matar. Fui deixada com uma cicatriz com que qualquer vampiro podia brincar. Eu não pertencia a ninguém e, enquanto mantivesse dentes de vampiros longe do lado direito do meu pescoço, continuaria assim. No mundo dos vampiros, uma pessoa mordida não ligada a alguém não possuía critérios; era uma regalia em festas, um resquício patético tão indigno de atenção do qual qualquer vampiro poderia se aproveitar como bem entendesse. Propriedades sem dono não duravam muito. Essas pessoas passavam de vamp em vamp até terem a vitalidade e o desejo drenados, quando, então, eram abandonadas para apodrecer numa solidão confusa, momento em que o horror de sua vida ficava claro para elas. Eu seria uma delas se não fosse pela proteção de Ivy.

Ou Quen tinha sido mordido e não ligado como eu, ou tinha sido mordido e ligado a Piscary. Olhando-o com pena, achei que ele tinha o direito de ter medo.

Ao notar minha compreensão, Quen se levantou devagar. Ivy ficou tensa, e ergui a mão sinalizando que estava tudo bem.

– Não sei se a mordida me ligou a Piscary ou não – Quen disse, sem conseguir esconder o medo por trás da voz firme. – Não posso correr o risco de permitir que o senhor Kalamack confie em mim. Posso... ser distraído num momento delicado.

A onda de felicidade e as promessas de prazer vindas dessa mordida realmente poderiam ser uma grande distração, ainda mais no meio de uma luta. Acabei agindo por pena. Gotas de suor escorriam por seu rosto levemente enrugado. Ele tinha a idade que meu pai teria se ainda estivesse vivo, com a força de um homem de vinte anos e uma robustez que só a maturidade oferecia.

– Algum outro vamp fez sua cicatriz formigar? – questionei, pensando que, embora fosse uma pergunta muito pessoal, era ele que tinha me procurado.

Sem deixar de me encarar, ele disse:

– Ainda não estive em uma situação em que isso pudesse acontecer.

– Rachel? – Jenks chamou, agitando as asinhas ao voar até mim.

– Então não sei se Piscary ligou você ou não – respondi e congelei ao perceber que minha cicatriz estava formigando, enviando ondas de sensações profundas que me deixaram em alerta e me fizeram arregalar os olhos. Quen ficou rígido. Nós nos encaramos, e percebi pelo seu olhar assustado que ele sentia a mesma coisa.

– Rachel! – Jenks gritou, com as asas vermelhas ao entrar na minha frente e me fazer recuar. – Quen não é o único com problemas aqui!

Segui seu olhar aterrorizado e encontrei Ivy atrás de mim.

– Ai... merda – murmurei.

A vamp estava encostada em um canto. Seu robe estava aberto, revelando a camisola preta de seda. Ela estava inconsciente, com os olhos negros vazios enquanto abria a boca. Fiquei imóvel, sem saber o que estava acontecendo.

– Tire Quen daqui – ela sussurrou, com uma gota de saliva escorrendo pelos dentes. – Ai, meu Deus, Rachel. Ele não está ligado a ninguém. Piscary... está na minha cabeça. – Ela puxou o ar com dificuldade. – Ele quer que eu pegue Quen para mim. Não sei se consigo me controlar. Tire Quen daqui!

Olhei fixamente, sem ter ideia do que fazer.

– Tire o Piscary da minha cabeça! – gemeu. – Tire! – Horrorizada, fiquei olhando enquanto ela escorregava pela parede e se agachava com as mãos na cabeça. – Tire!

Com o coração acelerado, me virei para Quen. Meu pescoço era uma massa flamejante de expectativa. Conseguia ver pelo rosto dele que sua cicatriz estava incandescente. Meu Deus, como a sensação era boa!

– Vá para a porta – ordenei a Jenks. Puxando Quen pelo braço, o trouxe para o corredor. Ouvi um gemido gutural aterrorizante atrás de nós e comecei a correr, arrastando Quen atrás de mim. O chefe de segurança se ajeitou ao entrarmos no santuário, soltando meu braço.

– Você vai embora! – gritei, estendendo o braço. – Agora!

O mestre das artes marciais estava encurvado e trêmulo, com uma aparência vulnerável. Rugas surgiram em seu rosto, mostrando que estava lutando consigo mesmo. Seus olhos mostravam uma coragem destruída.

– Você vai acompanhar o senhor Kalamack no meu lugar – ele disse, ríspido.

– Não, não vou. – Estendi o braço de novo para segurá-lo.

Ganhando vida, ele recuou.

– Você vai acompanhar o senhor Kalamack no meu lugar – Quen repetiu, com desespero nos olhos. – Ou eu não vou resistir e vou voltar para aquela cozinha. – Diante do seu rosto desfigurado, entrei em pânico com medo de que ele fosse mesmo capaz disso. – Piscary está sussurrando para mim, Morgan. Consigo ouvir através dela...

Minha boca ficou seca e pensei em Kisten. Se eu deixasse ser ligada a ele, eu poderia acabar daquele jeito.

– Por que eu? – perguntei. – A universidade está cheia de gente melhor em magia do que eu.

– Todos os outros dependem da magia – ele disse, ofegante, completamente curvado. – Já você a usa como último recurso. Isso lhe dá... uma vantagem. – Deu um grito sufocado. – Ela está ficando mais fraca. Consigo sentir.

– Certo! – exclamei. – Droga, eu vou! Mas dê o fora daqui!

Quen deixou escapar um som de agonia, suave como uma brisa.

– Me ajude – murmurou. – Não consigo mais me mexer.

Com o coração acelerado, o peguei pelo braço e o arrastei até a porta. Atrás de nós, ouvi o grito perturbado de agonia de Ivy. Senti um frio na barriga. O que eu estava fazendo, saindo com Kisten?

O forte clarão da luz refletida na neve iluminou a igreja quando Jenks e seus filhos abriram o complicado sistema de polias que montamos para que conseguissem abrir a porta. Quen vacilou diante da rajada de ar frio que fez os pixies se esconderem.

– Saia! – gritei, frustrada e com medo, empurrando-o escada abaixo.

A grande limusine Fantasma Cinza esperava no meio-fio. Suspirei aliviada quando Jonathan, o braço direito de Trent, saiu pela porta do motorista. Nunca pensei que ficaria contente ao ver aquele homem surpreendentemente alto e desagradável. Os dois estavam naquela juntos, trabalhando pelas costas de Trent. Eu tinha o pressentimento de que aquilo era um erro grande.

Quen ofegava enquanto eu o ajudava a descer os degraus.

– Tire-o daqui – mandei.

Jonathan abriu a porta do passageiro.

– Você aceitou? – perguntou, tensionando os lábios finos ao ver meu cabelo sujo de biscoito e minha calça molhada.

– Sim! – Empurrei Quen, que caiu no banco de couro do carro com tudo, como se estivesse bêbado. – Vá!

O elfo alto bateu a porta e ficou olhando para mim.

– O que você fez com ele? – perguntou, com frieza.

– Não fiz nada! Foi o Piscary! Tire-o daqui!

Com ar satisfeito, ele caminhou até o lado do motorista e o carro acelerou de maneira estranhamente silenciosa. Fiquei parada na calçada gélida, tremendo incessantemente enquanto observava o veículo avançar e desaparecer na curva.

Mais calma, envolvi os braços ao redor do corpo. O sol de inverno era frio. Devagar, virei para entrar, sem saber o que encontraria agachada no chão da cozinha.

Dez

Eu me olhei no espelho sobre a nova penteadeira de freixo sólido enquanto colocava brincos de argola grandes o bastante para que Jenks se sentasse neles. O vestidinho preto tinha ficado bem em mim, e as botas acima do joelho combinando me manteriam aquecida. Não achava que Kisten tivesse planejado uma guerra de bolinhas de neve no parque, por mais cafona e barata que a atividade fosse. O vamp tinha me pedido para usar uma roupa bonita. Fiquei de lado e encarei meu reflexo. Aquela roupa era bonita. Bem bonita.

Satisfeita, sentei na cama e enfiei as botas, deixando-as um pouco folgadas para poder caminhar com mais facilidade. Não queria ficar animada por sair com Kisten, mas a chance de me vestir e me divertir andava tão rara nos últimos tempos que era difícil evitar. Tentei me convencer de que poderia sair com minhas amigas e me sentir assim. A questão não era Kisten, mas, sim, sair de casa e passear.

Querendo uma segunda opinião, saí para o corredor batendo o salto das botas em busca de Ivy. A lembrança de sua luta interna contra Piscary ainda estava muito vívida. O vampiro morto-vivo tinha desistido assim que Quen fora embora, mas ela passara o resto do dia com um ar derrotado, recusando-se a falar sobre o assunto enquanto me ajudava a limpar a cozinha. Ivy não queria que eu saísse com Kisten agora, e eu estava inclinada a concordar que era uma ideia idiota. Mas eu não podia recusar o convite dele. O cara tinha prometido que não me morderia, e eu não deixaria que um momento de paixão me fizesse mudar de ideia. Nem agora nem nunca.

Passei a mão pelo vestido de festa cintilante enquanto entrava na sala, insegura quanto à opinião de Ivy, que, enrolada no sofá, ergueu os olhos da revista.

Não pude deixar de notar que ela estava na mesma página desde quando eu tinha saído para me trocar trinta minutos antes.

– E aí, o que acha? – perguntei, dando uma voltinha e me sentindo alta nas botas de salto agulha.

Ela suspirou e fechou a revista, marcando a página com o dedo.

– Acho que é um erro.

Franzi a testa e baixei o olhar.

– É, você tem razão – eu disse, pensando no resto das minhas roupas. – Vou usar outra coisa.

Eu me virei para sair e a vamp atirou a revista, que bateu na parede à minha frente.

– Não foi isso que eu quis dizer! – exclamou, e dei meia-volta, assustada.

Ivy se sentou na poltrona, inquieta, com o rosto oval encrespado e as sobrancelhas franzidas.

– Rachel... – começou, e eu soube aonde ela queria chegar com aquela conversa.

– Não vou deixar que ele me morda – eu disse, já começando a ficar nervosa. – Já sou bem crescidinha. Sei cuidar de mim mesma. E, depois de hoje, pode ter certeza que os dentes dele não vão chegar nem perto de mim.

Seus olhos castanhos mostraram preocupação quando sentou em cima das pernas, insegura. Eu não costumava vê-la assim. Em seguida, fechou os olhos e respirou fundo para se recompor.

– Você está bonita – ela disse, e quase pude sentir a pressão cair. – Não deixe que Kist te morda – acrescentou, com a voz suave. – Não quero ter que matá-lo caso ele queira uni-la a si.

– Pode deixar – respondi, tentando aliviar o clima enquanto saía, sabendo que a vamp era bem capaz de matar Kisten. Seria a única maneira confiável de me livrar da dominação dele. O tempo e a distância também acabariam funcionando, mas ela preferia não correr riscos. E me unir a Kisten depois de dizer não para a Ivy talvez fosse mais do que ela seria capaz de aguentar. Caminhei devagar até o quarto para vestir algo mais discreto. Aquela roupa era sinônimo de confusão.

Em pé diante do guarda-roupa aberto, fiquei remexendo os cabides na esperança de que algo pulasse e pedisse para ser usado. Já olhara todas as roupas e estava começando a achar que não tinha nada que fosse bonito o suficiente para usar em um encontro e que, ao mesmo tempo, não fosse *sexy* demais. Com todo o dinheiro que eu tinha gastado para encher o guarda-roupa no último mês, deveria haver alguma coisa. Senti um frio na barriga ao lembrar do meu saldo bancário cada vez menor, mas Quen deixara seus dez mil no chão da cozinha. E eu *tinha* aceitado cuidar de Trent...

A batida leve na porta me assustou, e me virei, com a mão no peito.

– Hum – Ivy disse, com um sorriso tímido, deixando claro que achava graça em ter me pegado de surpresa. – Desculpe. Sei que não vai deixar Kisten te morder. – Ela ergueu a mão de dedos longos num gesto exasperado. – É uma coisa de vamp. Só isso.

Assenti, compreensiva. Fazia tanto tempo que morávamos juntas que os instintos vampíricos inconscientes de Ivy pensavam em mim como sua propriedade, por mais que racionalmente ela soubesse que isso não era verdade. Era por isso que não lutávamos mais juntas e que eu não lavava minhas roupas com as dela, não falava de laços familiares ou consanguíneos, nem a seguia caso ela saísse de repente no meio da conversa sem motivo aparente. Tudo isso ativava seus instintos vampíricos, e nos colocaria de volta à circunstância em que nos encontrávamos sete meses antes, buscando, aos trancos e barrancos, uma maneira de conseguirmos morar juntas.

– Tome – Ivy disse, entrando no quarto e oferecendo um pequeno embrulho verde com laço púrpura. – É um presente de solstício adiantado. Achei que gostaria de usar no encontro com o Kisten.

– Ah, Ivy! – exclamei, pegando a caixinha com um embrulho tão bem-feito que era óbvio que tinha sido feito na loja. – Obrigada. Eu, bem, não embrulhei o seu ainda... – "Não embrulhei? Eu ainda nem tinha comprado."

– Tudo bem – ela respondeu, visivelmente embaraçada. – Eu ia esperar, mas achei que você poderia usar hoje. No encontro – repetiu, atrapalhada. Ansiosa, olhou para a caixa na minha mão. – Abra logo.

– Tudo bem. – Eu me sentei na cama, abrindo o papel e a etiqueta laminada com cuidado, já que poderia reutilizá-los no ano seguinte. O papel era enfeitado pelo símbolo da Beijo Negro, e desembrulhei a caixa devagar, querendo prolongar o suspense. A Beijo Negro era uma loja exclusiva dedicada a vamps na qual eu nunca tinha entrado. Só de olhar os vendedores saberiam que eu não tinha dinheiro nem para comprar um lenço.

Tirei o papel, que revelou uma caixinha de madeira, dentro da qual, sobre uma almofada de couro vermelho, havia um vidro de perfume.

– Ahhh – suspirei. – Obrigada. – Desde que tínhamos começado a morar juntas, Ivy vinha me dando perfumes, buscando o aroma que esconderia o cheiro dela que permanecia em mim, a ajudando a controlar seus instintos vampíricos. Não era um presente romântico, como alguém poderia pensar, mas um tipo de antiafrodisíaco para vampiros. Minha penteadeira estava cheia de outros perfumes de eficácias variadas. Na verdade, o presente era mais para ela do que para mim.

– É muito difícil de achar – ela comentou, começando a parecer desanimada. É preciso fazer uma encomenda especial. Foi meu pai quem me falou dele. Tomara que goste.

– Hummm. – Abrindo o frasco, esfreguei um pouco da fragrância atrás da orelha e nos punhos. Inspirei fundo, pensando que cheirava a matas verdes com notas cítricas: leve e refrescante, com um quê mais obscuro. Delicioso. – Uau, é maravilhoso – elogiei, me levantando para dar um abraço rápido e repentino nela.

Ivy ficou dura, e comecei a mexer na penteadeira, fingindo não notar sua surpresa.

– Olha só – ela disse. Eu me virei, encontrando-a com ar pensativo. – Funciona.

– O quê...? – perguntei, desconfiada, sem saber o que eu tinha passado.

Ela fungou e me encarou.

– Bloqueia o olfato dos vampiros – continuou. – Pelo menos os aromas mais sensíveis que vão para o inconsciente. – Então sorriu com o canto dos lábios, parecendo inofensiva. – Nem consigo sentir seu cheiro.

– Que ótimo – comentei, impressionada. – Vou usar sempre.

Ivy assumiu um ar ligeiramente culpado.

– Claro, você pode fazer isso, mas eu comprei o último frasco, e não sei se vou conseguir encontrar outro.

Assenti com a cabeça. Ela estava tentando dizer que o perfume era mais caro do que um galão de água na lua.

– Obrigada – agradeci, sinceramente.

– De nada. – Seu sorriso era verdadeiro. – Feliz solstício adiantado. – Então sua atenção se voltou para a frente da igreja. – Ele chegou.

O ronco do carro parado entrou pelo vitral fino do meu quarto. Respirei fundo e olhei para o despertador.

– Bem na hora. – Virei-me para Ivy, pedindo com os olhos que atendesse a porta.

– Não. – Sorriu, mostrando os dentes sem querer. – Você atende.

Ela deu meia-volta e saiu. Olhei para minha roupa, pensando que estava indecente demais e que eu precisaria atender a porta daquele jeito.

– Ivy... – resmunguei enquanto a seguia.

Ela não diminuiu a velocidade, erguendo a mão em sinal de recusa ao entrar na cozinha.

– Tudo bem – murmurei, e saí batendo os saltos até a frente da igreja. Apertei o interruptor no caminho, mas as luzes altas e difusas mal iluminaram a escuridão. Tinha passado da uma da manhã, e os pixies estariam seguros e aconchegados na escrivaninha até as quatro, quando acordariam. Não havia luz no vestíbulo, e pensei se não dava para reverter isso enquanto abria um lado da porta pesada de madeira.

Com o som de sapatos pisando em cristais de sal, Kisten deu um passo para trás.

– Oi, Rachel – ele disse, prestando uma atenção exagerada às minhas roupas. A leve tensão na pele em torno dos seus olhos confirmou o que eu já tinha adivinhado: eu não estava vestida para o que ele tinha planejado. Queria saber o que ele vestia sob o lindo casaco de lã cinza que estava usando. O casaco descia até os sapatos e caía bem nele. O vamp também tinha feito a barba, que costumava manter, resultando em uma aparência refinada que era rara nele.

– Não é isso que eu vou vestir – esclareci, a título de cumprimento. – Entre. Só preciso de um minuto para me trocar.

– Claro. – Atrás dele, no meio-fio, estava seu Corvette preto; a neve fina derretia sobre o carro assim que caía. Kisten entrou, passando por mim, e bati a porta atrás dele.

– Ivy está na cozinha – anunciei, voltando para o quarto; seus passos suaves seguiram logo atrás de mim. – Ela teve uma tarde péssima. Não quer conversar comigo sobre isso, mas talvez fale com você.

– Ela me ligou – o vamp disse, e o tom cauteloso de sua voz deixou claro que sabia sobre Piscary fazendo valer seu domínio sobre ela. – Você vai trocar essas botas, não vai?

Parei de repente na porta do quarto.

– Qual é o problema com elas? – perguntei, pensando que eram a única coisa que eu pretendia manter. Quer dizer... a única coisa naquele *look*, não a única coisa e acabou.

Kisten olhou para o calçado, erguendo a sobrancelha descolorida.

– O salto delas tem o quê? Doze centímetros?

– É.

– O chão está congelado. Você vai escorregar e quebrar a bunda. – Ele arregalou os olhos azuis. – Quer dizer, o quadril.

Um sorriso perpassou meus lábios ao pensar que ele estava tentando moderar a linguagem por minha causa.

– Elas me deixam da sua altura também – eu disse, com o ar petulante.

– Percebi. – Hesitou e então passou rapidamente por mim e entrou no meu quarto.

– Ei! – reclamei enquanto o vamp seguia direto para o guarda-roupa. – Saia do meu quarto!

Kisten me ignorou e vasculhou todas as roupas até chegar ao fundo das gavetas, onde eu guardava as peças de que não gostava.

– Eu vi uma coisa aqui um dia desses – comentou, soltando uma exclamação rápida ao se debruçar para puxar algo. – Aqui – disse, segurando um par de botas pretas sem graça. – Use estas.

– Estas? – resmunguei enquanto ele colocava as botas na cama e voltava a enfiar os braços no meu guarda-roupa. – Elas nem têm salto. E são de quatro anos atrás, estão fora de moda. E o que você está fazendo no meu guarda-roupa?

– Elas são um clássico – Kisten retrucou. – Nunca saem de moda. Ponha logo as botas. – Voltou a remexer no guarda-roupa, puxando algumas peças pelo tato, como se conseguisse ver o que havia lá no fundo. Eu me animei ao notar um terninho antigo que tinha esquecido que possuía. – Ah, esse é feio – ele disse, e eu o tirei das suas mãos.

– É o terno que eu usava para entrevistas de emprego – expliquei. – É para ser feio.

– Jogue fora. Mas fique com a calça. Você vai usá-las hoje.

– Não! – protestei. – Kisten, eu sou perfeitamente capaz de escolher minhas próprias roupas.

Em silêncio, o vamp arqueou a sobrancelha e pegou, na seção proibida do meu guarda-roupa, uma camisa preta de manga longa que minha mãe tinha comprado para mim três anos antes. Eu não tivera coragem de doar porque era de seda, embora fosse tão longa que chegava no meio da minha coxa. Ela quase não tinha decote e fazia meu peito, que já era pequeno, parecer ainda mais reto.

– Isso também – ele disse. Meneei a cabeça.

– Não – respondi com firmeza. – É grande demais e é uma roupa que minha mãe usaria.

– Então sua mãe tem mais bom gosto que você – brincou. – Use uma regata por baixo e, pelo amor de Deus, não arrume a camisa por dentro da calça.

– Kisten, saia do meu guarda-roupa!

Mas ele estendeu a mão lá dentro de novo, inclinando a cabeça para olhar um objeto pequeno que estava segurando enquanto voltava. Pensei que poderia ser a bolsa feia com lantejoulas que eu desejava nunca ter comprado, mas fiquei apavorada quando descobri que era um livro. Não tinha título e estava encadernado com uma capa maleável de couro marrom. O brilho dos olhos de Kisten deixou claro que ele sabia do que se tratava.

– Devolva isso – eu disse, estendendo a mão para pegá-lo.

Com um sorriso perverso, Kisten ergueu o livro acima da cabeça. Eu ainda conseguiria pegá-lo, mas teria que escalar o corpo dele para isso.

– Ora, ora, ora... – comentou com a voz arrastada. – Que surpresa agradável, senhorita Morgan. Onde conseguiu uma cópia do guia para namorar mortos--vivos, de Rynn Cormel?

Pressionei os lábios e bufei, sem conseguir fazer nada. Com o quadril empinado, não havia nada que eu pudesse fazer enquanto ele dava um passo para trás e folheava o livro.

– Você já leu? – ele perguntou e então soltou um "Hummm" enquanto parava em uma página. – Tinha esquecido esse. Será que ainda consigo fazer?

– Sim, eu li. – Estendi a mão. – Agora devolva.

Kisten olhou para mim, segurando o livro com as mãos grandes e másculas. Seus olhos ficaram um pouco mais pretos, e praguejei ao sentir o frêmito de euforia em meu corpo. Malditos feromônios vamps!

– Ah, é importante para você – Kisten disse, olhando para a porta quando Ivy fez um barulho na cozinha. – Rachel... – continuou, com a voz mais suave ao se aproximar um passo. – Você sabe todos os meus segredos. – Sem olhar, marcou uma página com os dedos. – E isso me deixa louco. Isso me deixa à beira... do... precipício...

Ele disse a última palavra com cuidado, e contive um arrepio delicioso.

– Você sabe... me manipular – murmurou, ainda com o livro nas mãos desatentas. – Existe um manual sobre bruxas?

Não sei como, mas o vamp veio parar a meio metro de mim, sem que eu sequer o tivesse visto se mover. O cheiro do seu casaco de lã era forte e, sob ele, senti o aroma inebriante de couro. Desconcertada, tirei o livro das mãos de Kisten e ele recuou um passo.

– Bem que você queria, não é? – murmurei. – Ivy me deu para eu não a provocar sem querer. Só isso. – Enfiei o livro embaixo do travesseiro, e o sorriso dele se abriu ainda mais. Filho da mãe. Se ele encostasse a mão em mim, eu daria uma surra nele.

– É aí que tem que ficar – ele disse. – Não no guarda-roupa. Deixe perto para poder olhar sempre.

– Sai daqui – ordenei, apontando com o dedo.

Com o longo casaco flutuando acima do sapato, ele se virou em direção à porta. Cada movimento seu continha um charme sedutor e confiante.

– Prenda o cabelo – ele disse, enquanto passava saracoteando sob o batente, então mostrou os dentes em um sorriso largo. – Gosto do seu pescoço. Página vinte, terceiro parágrafo. – Ele lambeu os lábios, escondendo o brilho da presa assim que a vi.

– Saia! – gritei, dando dois passos e batendo a porta.

Furiosa, me voltei para o que estava em cima da cama, satisfeita por ter arrumado os lençóis naquela tarde. O leve formigamento no meu pescoço me fez erguer a mão, e pressionei a palma na cicatriz, desejando que a sensação fosse embora. Fiquei olhando para o travesseiro e então, hesitante, peguei o livro. Rynn Cormel era o autor? Caramba, ele tinha governado o país sozinho durante a Virada *e* tido tempo de escrever um manual de sexo com vampiros?

Um cheiro de lilases subiu quando abri na página marcada. Eu estava preparada para qualquer coisa, pois tinha lido o livro duas vezes, ficando mais horrorizada do que excitada, mas a página falava sobre o uso de colares para mandar mensagens para o namorado. Pelo jeito, quanto mais coberto estava o pescoço, maior era o convite para que fosse mordido. Usar o cordão metálico gótico que andava na moda era como sair por aí seminua. Não usar absolutamente nada era tão perigoso quanto: uma deliciosa declaração de virgindade vampírica, algo absolutamente excitante.

– Hum – murmurei, fechando o livro e deixando-o na mesa de cabeceira. Talvez eu devesse dar uma relida. Voltei os olhos para a roupa que Kisten tinha escolhido para mim. Parecia antiquada, mas eu daria uma chance a ela e, quando Ivy dissesse que eu parecia ter quarenta anos, ele poderia esperar mais dez minutos para eu me trocar de novo.

Com movimentos rápidos, tirei as botas e as joguei com um baque surdo no chão. Eu tinha esquecido que aquela calça cinza era forrada de seda e dava uma sensação agradável nas pernas. Escolhi uma regata preta e coloquei a camisa longa que Kisten separara por cima. Ela não mostrava em nada minhas curvas, e me virei para o espelho, com a testa franzida.

Estaquei ao ver meu reflexo, chocada.

– Caramba – sussurrei. Eu tinha ficado bem de vestido preto e botas. Mas com aquela roupa? Com aquela roupa eu parecia... sofisticada. Ao me lembrar da página vinte, vasculhei a penteadeira em busca da corrente dourada mais longa que tinha e a coloquei no pescoço. – Caramba mesmo – murmurei, virando para me ver de outro ângulo.

Minhas curvas tinham desaparecido, escondidas sob as linhas retas e simples da roupa, mas o conjunto singelo formado pela calça modesta, pela camisa de seda e pela corrente de ouro denotavam confiança e certa riqueza informal. Minha pele branca tinha ganhado um tom suave de alabastro em vez de um pálido doentio, e meu corpo atlético parecia mais delicado. Era um visual novo para mim. Não sabia que conseguia me vestir como uma mulher rica.

Relutante, juntei o cabelo com as mãos e fiz que ia prender.

– Uau – exclamei. Aquilo me deixava não apenas sofisticada, mas também elegante. Ficar tão bonita quase me fez esquecer a vergonhar de deixar Kisten saber que era capaz de escolher minhas roupas melhor do que eu mesma.

Depois de procurar na gaveta, encontrei e invoquei meu último amuleto para domar fios rebeldes; em seguida, prendi o cabelo, deixando alguns fios soltos cuidadosamente na frente das orelhas. Passei um pouco mais do perfume novo, dei uma conferida na maquiagem, escondi o amuleto de domar cabelo por baixo da blusa e, em seguida, peguei uma bolsinha de mão, já que minha bolsa a tiracolo estragaria tudo. A ausência dos amuletos de costume me fez hesitar por um instante, mas aquele era um encontro, não uma missão. E, se eu tivesse que lutar contra Kisten, usaria magia de linhas de ley mesmo.

Minhas botas sem salto não fizeram barulho quando saí do quarto e segui os murmúrios trocados entre Kisten e Ivy no santuário coberto pela luz amarelada. Hesitei no batente e fiquei observando.

Eles haviam acordado os pixies, que esvoaçavam de um lado para outro, brincando de pega-pega em meio às cordas e aos ferrolhos do grande piano de Ivy. Havia um tênue zumbido no ar, e percebi que as vibrações de suas asas faziam as cordas ressoarem.

Os dois vamps estavam parados sob o arco do vestíbulo. Ivy trazia o mesmo ar tenso e hostil que exibira mais cedo, quando se recusou a falar comigo. Kisten estava curvado diante dela, claramente preocupado, com a mão em seu ombro.

Pigarreei para chamar a atenção dos dois, e Kisten desceu a mão. Ivy voltou a assumir a postura serena de sempre, mas eu podia ver sua confiança abalada por baixo da fachada que assumia.

– Ah, assim está melhor – Kisten disse ao virar o rosto, passando os olhos rapidamente pelo meu colar.

Ele estava com o casaco desabotoado, e olhei sua roupa, apreciando-a. Não era nenhuma surpresa ele querer me vestir. O vamp estava lindo: um terno italiano de risca de giz, sapatos lustrosos, cabelo penteado para trás e um cheiro leve de sabonete... além disso, sorria para mim de forma confiante e sedutora. Mal se notava a corrente que ele sempre usava, escondida sob o colarinho da camisa branca engomada. No pescoço, estava pendurada uma gravata fina, e uma corrente de relógio descia de um dos bolsos do terno, passava por uma casa de botão e chegava ao outro bolso. Ao olhar para sua cintura fina, seus ombros largos e seu quadril esbelto, não havia nada em que botar defeito. Absolutamente nada.

Ivy pestanejou ao olhar para mim.

– Quando você comprou essa roupa? – perguntou. Abri um sorriso largo.

– Kist a escolheu no meu guarda roupa-roupa – respondi, alegre. Aquela seria a única vez que eu admitiria diante dele que não sabia me vestir tão bem.

Era um encontro, então caminhei até o lado de Kisten; Nick teria ganhado um beijo, mas, como Ivy estava na nossa frente e Jenks literalmente pairava sobre nós, era melhor manter certo grau de discrição. Além disso, o mais importante era que ele não era Nick.

Jenks pousou no ombro de Ivy.

– Preciso dizer alguma coisa? – o pixie perguntou a Kisten, com as mãos no quadril de modo a parecer um pai superprotetor.

– Não, senhor – o vamp disse, completamente sério, e me esforcei para não rir. A imagem de um pixie de dez centímetros ameaçando um vampiro vivo de um metro e oitenta seria ridícula se o vamp não estivesse levando Jenks a sério. A ameaça era real e bem que poderia ser cumprida. A única coisa mais invencível do que fadas mercenárias eram pixies. Eles poderiam dominar o mundo se quisessem.

– Que bom – Jenks disse, parecendo satisfeito.

Fiquei parada ao lado de Kisten e balancei nas botas sem salto duas vezes, para a frente e para trás, desviando o olhar das pessoas. Ninguém disse nada. Aquilo era bem esquisito.

– Pronto para ir? – perguntei, finalmente.

Jenks soltou um riso de escárnio e levantou voo para levar os filhotes de volta à escrivaninha. Ivy lançou um último e lento olhar para Kisten e saiu do santuário. Antes do que eu esperava, a TV foi ligada no máximo. Passei os olhos por Kisten, pensando que a diferença entre sua aparência naquele momento e sua imagem habitual de motoqueiro era maior do que a diferença entre uma cabra e uma árvore.

– Kisten – eu disse, pousando a mão no meu colar. – O que isso... diz?

Ele se aproximou.

– Confiança. Alguém que não está procurando nada, mas é safada entre quatro paredes.

Contive um arrepio quando ele se afastou. "Certo. Isso é... bom."

– Posso ajudá-la a colocar o casaco? – ofereceu. Soltei um suspiro de desalento ao segui-lo para o vestíbulo. Meu casaco. Meu casaco feio, horrível, com pele falsa na gola.

– Ai – Kisten disse, franzindo o cenho sob a luz difusa que vinha do santuário ao ver a peça. – Quer saber? – O vamp tirou seu próprio casaco. – Use o meu. É unissex.

– Espere aí – protestei, dando um passo para trás antes que ele pudesse colocar o casaco em mim. – Não sou tão inocente assim, dentucinho. Vou acabar ficando com seu cheiro. Esse é um encontro platônico, e eu é que não vou quebrar a regra número um misturando nossos aromas antes mesmo de sair da igreja.

Ele abriu um sorriso largo, mostrando os dentes brilhantes sob a luz que se propagava.

– Fui pego no flagra – admitiu. – Mas o que você vai usar? Isso?

Fiz uma careta ao olhar para o casaco com gola de pele falsa.

– Certo – concordei, sem querer destruir a aparência elegante com pele falsa e náilon. Além disso, podia confiar no meu novo perfume... – Mas não vou colocar isso para misturar nossos cheiros de propósito. Entendido?

Ele assentiu com a cabeça, mas seu sorriso me fez pensar o contrário, e deixei que me ajudasse a vestir o casaco. Meu olhar ficou distante quando o peso da vestimenta se acomodou sobre meus ombros, cálida e aconchegante. Kisten podia não conseguir sentir meu cheiro, mas eu sentia o dele, e o calor do seu corpo ainda presente na roupa penetrou em minha pele. Couro, seda e uma tênue nota de loção pós-barba formavam uma mistura diante da qual era difícil não suspirar.

– Você não vai ficar com frio? – perguntei, notando que ele estava só com o paletó.

– Dentro do carro está quente. – Ele abriu a porta antes que eu tivesse tempo de fazê-lo, pousando a mão sobre a minha na maçaneta. – Por favor – disse, com ar galanteador. – É um encontro. Tenho que agir do jeito certo.

Mesmo achando bobagem, deixei que abrisse a porta e segurasse meu braço para me ajudar a descer os degraus cobertos por um pouco de neve. Tinha começado a nevar logo depois do pôr do sol, e as feias manchas cinzentas deixadas pelos limpadores de neve estavam cobertas por um branco virginal. O ar era gelado e cristalino, e não ventava.

Foi sem surpresa que tive a porta do carro aberta para mim, e não pude deixar de me sentir especial enquanto me sentava. Kisten bateu a porta e deu a volta a passos rápidos. Os bancos de couro eram quentes e não havia nenhum penduricalho no retrovisor. Dei uma olhadinha nos CDs no painel enquanto ele entrava. Variavam de Korn a Jeff Beck, e tinha até um de canto gregoriano. *Ele* ouvia canto gregoriano?

Kisten se sentou e, assim que deu partida no carro, ligou o aquecedor no máximo. Afundei-me no banco, apreciando o ronco surdo do motor. Era bem mais forte do que o do meu carrinho, vibrando através do meu corpo como um trovão. O couro também era de melhor qualidade, e o mogno no painel era verdadeiro, não falso. Eu era uma bruxa, portanto, sabia a diferença.

Tentei não comparar o carro de Kisten com a caminhonete feia e tosca de Nick, mas era difícil evitar. E eu gostava de ser tratada como uma pessoa especial. Não que Nick não me fizesse sentir especial, mas aquilo era diferente. Tinha sido divertido me arrumar, mesmo que acabássemos comendo no McDonald's. O que era uma possibilidade bem real, já que Kisten só tinha sessenta dólares para gastar.

Ao olhar para ele ao meu lado, percebi que não me importava com isso.

Onze

– Então... – eu disse devagar, lutando contra o instinto de segurar a maçaneta da porta para que ela não abrisse quando passamos sobre a linha do trem. – ... para onde estamos indo?

Kisten sorriu com o canto dos lábios, iluminado pelos faróis do carro atrás de nós.

– Você vai ver.

Arqueei a sobrancelha e fiz menção de insistir por detalhes quando ouvi um apito no seu bolso. Meu bom humor vacilou e deu lugar à exasperação quando ele me olhou como se pedisse desculpas e pegou o celular.

– Espero que isso não aconteça a noite toda – murmurei, enquanto colocava o cotovelo na maçaneta da porta e olhava fixamente para a escuridão. – Se for, é melhor dar meia-volta e me levar para casa. Nick nunca atendia o celular quando a gente saía.

– Nick também não estava tentando controlar metade da cidade. – Kisten atendeu a ligação. – Alô – disse, com uma irritação cortante que me fez tirar o cotovelo da porta e voltar a atenção para ele. Pude ouvir o som longínquo e abafado de um pedido e, ao fundo, uma música ensurdecedora. – Você só pode estar brincando. – Voltou a atenção da estrada para mim e então de volta para a estrada. Seus olhos mostravam um misto de confusão e incredulidade. – Então dê o fora daí e abra logo a pista.

– Eu tentei! – gritou a voz ao longe. – Elas são uns animais, Kist. Malditas selvagens! – A voz aguda pareceu entrar em pânico e foi ficando incompreensível.

O vamp suspirou e olhou para mim.

– Certo, certo. Vamos dar uma passada aí. Deixe que eu cuido disso.

A voz do outro lado da linha se derramou em agradecimentos, mas Kisten não se deu ao trabalho de ouvir: desligou o celular e o guardou no bolso.

– Desculpe, querida – ele disse, com um sotaque ridículo. – Uma paradinha rápida. Cinco minutos. Prometo.

"E a noite tinha começado tão bem..."

– Cinco minutos? – indaguei. – Você precisa parar com alguma coisa – ameacei, meio séria. – Ou para de atender o celular ou de forçar esse sotaque.

– Ah! – ele disse, colocando a mão no peito, com o ar dramático. – Que dor no coração. – Olhou de viés para mim, visivelmente aliviado por eu estar levando aquilo tão bem quanto ele. – Não posso ficar sem o celular. Vou parar com o sotaque... – Sorriu. – ... querida.

– Ah, faça-me o favor! – resmunguei, gostando da brincadeira. Fazia tanto tempo que eu pisava em ovos perto de Nick, com medo de dizer algo que piorasse a situação. Aparentemente, eu não precisava mais me preocupar com isso.

Não fiquei surpresa quando Kisten virou na beira do rio. Eu já tinha imaginado que o problema era na Pizzaria Piscary's. Desde que perdera sua Licença de Público Misto no último outono, a pizzaria tinha uma clientela estritamente vamp, e, pelo que ouvi dizer, Kisten estava até lucrando. Era o único lugar conceituado em Cincinnati sem LPM.

– Selvagens? – questionei quando ele entrou no estacionamento do restaurante de dois andares.

– Mike está sendo dramático – Kisten disse, estacionando numa vaga reservada. – É só um bando de mulheres.

Fiquei sentada quietinha, com as mãos no colo, enquanto o vamp saía do carro e fechava a porta. Eu tinha imaginado que ele deixaria o carro ligado para mim. Ergui a cabeça quando abriu minha porta e o encarei, perplexa.

– Você não vai entrar? – perguntou, encurvado com a brisa fria do rio soprando em sua franja. – Está muito frio aqui fora.

– Posso ficar aqui? – balbuciei. – Vocês perderam a LPM.

Kisten estendeu a mão em minha direção.

– Não acho que você precise se preocupar.

A calçada estava congelada, e fiquei contente por estar usando botas sem salto quando saí do carro.

– Mas vocês não têm LPM – repeti. O estacionamento estava lotado, e assistir a vampiros bebendo sangue uns dos outros não deveria ser uma imagem agradável. E, se eu entrasse ali de livre e espontânea vontade sabendo que o lugar não tinha LPM, a lei não ficaria ao meu lado se algo de ruim acontecesse.

O casaco de Kisten era longo e arrastava no chão enquanto ele me segurava pelo braço e me guiava para a entrada coberta.

– Todo mundo lá dentro sabe que você espancou Piscary até ele desmaiar – ele disse, com a voz suave, a poucos centímetros da minha orelha, deixando-me bem ciente do seu hálito na minha bochecha. – Ninguém nem ousaria pensar em fazer uma coisa dessas. E você poderia ter matado Piscary, mas não matou. É preciso mais coragem para manter vivo um vampiro do que para matar um. Ninguém vai mexer com você. – Ele abriu a porta da pizzaria, fazendo sair a luz e a música. – Ou é com o sangue que está preocupada? – perguntou, percebendo que eu ainda me recusava a entrar.

Fixei os olhos em Kisten e fiz que sim com a cabeça, sem temer que ele notasse minha apreensão.

Com o olhar distante, o vamp me guiou para dentro com gentileza.

– Você não vai ver sangue – assegurou. – As pessoas vêm aqui para relaxar, não para encher a cara. Esse é o único ambiente público em Cincinnati para o qual os vampiros podem vir e ser eles mesmos, sem ter que corresponder à ideia de humanos, bruxos ou lóbis de como deveriam ser e de como deveriam agir. Não vai haver sangue nenhum, a menos que alguém se corte abrindo uma cerveja.

Ainda insegura, deixei que ele me guiasse para dentro da pizzaria, parando logo depois da entrada enquanto Kisten tirava a neve dos sapatos sociais. O calor do lugar foi a primeira coisa que notei, e não imaginei que vinha da lareira do outro lado do salão. Devia estar uns vinte e sete graus, e junto com o calor subia o cheiro agradável de incenso e coisas obscuras. Inspirei fundo enquanto abria o casaco de Kisten, e o aroma se acomodou nos meus pulmões, relaxando-me como um banho quente ou uma boa refeição fariam.

Essa sensação foi arruinada por uma apreensão súbita quando um vamp vivo avançou rápida e perturbadoramente em nossa direção. Com ombros anormalmente largos e pesando cerca de cento e trinta quilos, o sujeito parecia uma onça. Mas seu olhar era penetrante, revelando uma inteligência rápida, e ele movia os músculos com o charme *sexy* que a maioria dos vamps vivos tinha.

– Sinto muito – ele disse ao se aproximar, com jeito de marombeiro. Estendeu o braço, não para me tocar, mas sim para indicar claramente que eu deveria ir embora. – Piscary perdeu a LPM. Esse lugar é exclusivo para vamps.

Kisten chegou por trás de mim e me ajudou a tirar o casaco.

– Oi, Steve. Algum problema hoje?

– Senhor Felps! – o grandalhão exclamou, mais submisso, assumindo um tom educado que combinava com a inteligência que seus olhos não conseguiam esconder. – Não estava esperando o senhor tão cedo. Não, nenhum problema; só o Mike lá em cima. Aqui embaixo está tudo tranquilo. – Voltou os olhos castanhos arrependidos para mim. – Desculpe, não sabia que a senhorita estava com o senhor Felps.

Sorri ao descobrir uma excelente chance de saber mais sobre Kisten.

– O senhor Felps sempre traz mulheres não vampiras para cá? – perguntei.

– Não, senhora – ele disse, com tanta naturalidade que era impossível não acreditar na resposta. Suas palavras e ações eram tão inofensivas e pouco vampíricas que precisei farejar duas vezes para ter certeza de que ele era um. Eu nunca tinha notado como a identidade dos vampiros era formada pela atitude deles. E, enquanto passava os olhos pelo andar térreo, percebi que a Piscary's era igual a qualquer outro restaurante chique, só que mais mundano do que quando tinha LPM.

Os funcionários se vestiam com trajes apropriados, estavam com a maior parte das cicatrizes escondidas e se moviam com uma rapidez eficiente e nada provocante. Meu olhar vagou pelas fotografias penduradas na parede sobre o bar. Hesitei ao ver uma foto desfocada de Ivy em sua roupa de couro de motoqueira, montada na moto com um rato e uma marta empoleirados no tanque de gasolina. "Ai, meu Deus. Alguém tinha nos visto."

Kisten me lançou um olhar irônico quando percebeu o que eu estava olhando.

– Steve, esta é a senhorita Morgan – apresentou, entregando o casaco emprestado para o segurança. – Não vamos ficar por muito tempo.

– Está bem, senhor – o segurança respondeu. Em seguida, parou o que estava fazendo e deu meia-volta. – Rachel Morgan?

Meu sorriso se abriu ainda mais.

– É um prazer conhecê-lo, Steve – eu disse.

Uma agitação perpassou o rosto do segurança enquanto ele pegava minha mão e a beijava.

– O prazer é meu, senhorita Morgan. – O vampirão hesitou, com gratidão nos olhos expressivos. – Obrigado por não matar Piscary. Isso teria feito de Cincinnati um inferno.

Dei uma risada.

– Ah, não fui só eu. Algumas pessoas me ajudaram a entregar Piscary para a polícia. E não me agradeça ainda – acrescentei, sem saber se ele falava sério. – Piscary e eu temos um velho desentendimento, e ainda não decidi se vale a pena matar aquele vampiro ou não.

Kisten deu uma risada, que pareceu um tanto forçada.

– Certo, certo – o vamp disse, tirando minha mão da mão do segurança. – Já chega. Steve, pode mandar alguém pegar meu casacão de couro lá embaixo? Vamos sair assim que eu abrir a pista.

– Sim, senhor.

Não pude conter o sorriso quando Kisten pousou a mão no meu cotovelo e me guiou devagar para a escada. Embora o vamp não parasse de me tocar, achei que sua aproximação não tinha segundas intenções – não até aquele momento, pelo menos –, e eu conseguia tolerar o fato de ele me levar de um lado para o outro como se lidasse com uma boneca. A atitude combinava com minha aparência sofisticada naquela noite e me fazia sentir especial.

– Meu Deus, Rachel. – Seu sussurro no meu ouvido me deu um calafrio. – Não acha que já parece assustadora demais sem derramar sangue no chão?

Steve já estava cochichando com os funcionários, e as pessoas se voltaram para olhar enquanto Kisten me guiava para o segundo piso.

– Como assim? – perguntei, sorrindo com confiança para qualquer pessoa que me encarasse. Eu estava bonita e me sentia bem. Todos podiam ver isso.

Kisten me puxou para perto de si, colocando a mão nas minhas costas.

– Acha mesmo que foi uma boa ideia falar para Steve que Piscary só está vivo porque você ainda não decidiu se quer ou não acabar com a vida dele? Que tipo de imagem quer passar desse jeito?

Abri um sorriso. Eu me sentia bem e tranquila, como se tivesse bebido vinho a tarde toda. Talvez fossem os feromônios vamps, mas minha cicatriz do demônio ainda nem tinha pulsado. Não, aquilo era outra coisa. Pelo jeito, não havia nada mais tranquilo e agradável do que um vampiro saciado, e aparentemente eles gostavam de compartilhar esse sentimento. Por que Ivy nunca se sentia assim?

– Bom, eu também disse que precisei de ajuda – admiti, sem saber se estava enrolando a língua. – Mas matar Piscary vai ser minha prioridade número um se ele sair da prisão.

Kisten não disse nada, examinando-me sob a sobrancelha franzida, e eu me perguntei se tinha falado algo de errado. Mas na noite da luta ele tinha me dado fluido egípcio de embalsamamento, achando que a substância acabaria com Piscary. Kisten queria a morte de Piscary. Será que mudara de ideia?

A música que vinha do segundo andar foi ficando cada vez mais alta à medida que subíamos os degraus. Era uma batida dançante ininterrupta e, conforme o som surdo percorria meu corpo, me peguei querendo dançar ao som da música. Podia sentir o zumbido do meu sangue, e oscilei quando Kisten me fez parar no alto da escada.

Estava mais quente lá em cima, e me abanei. As enormes vidraças que antes davam para o rio Ohio tinham sido substituídas por paredes, diferentemente das situadas no andar de baixo, que continuavam abertas. No lugar das mesas de jantar agora havia um salão amplo e aberto de pé direito elevado cercado por mesas altas de coquetel encostadas nas paredes. Não havia cadeiras. Do outro lado, encontra-va-se um bar, também sem cadeiras. Todos permaneciam em pé.

Acima do bar, havia um piso elevado no qual ficavam o DJ e um painel de luzes. Atrás deles, parecia haver uma mesa de bilhar. Um homem alto com ar arrasado estava parado no meio da pista de dança com um microfone sem fio, falando com o público heterogêneo de vampiros: vivos e mortos, homens e mu-lheres, todos vestidos de maneira parecida com o que eu já tinha visto antes. Era uma balada vamp, concluí, querendo cobrir os ouvidos para não escutar as cantadas barulhentas.

O homem com o microfone avistou Kisten e ergueu o rosto alongado em alívio.

– Kisten! – gritou. Sua voz no microfone fez várias pessoas virarem a cabeça e algumas mulheres de vestido curto gritarem. – Graças a Deus!

O homem fez sinal para chamar Kisten, que me pegou pelo ombro.

– Rachel? – ele disse. – Rachel! – exclamou, tirando minha atenção das luzes bonitas que giravam sobre a pista. Seus olhos azuis estavam preocupados. – Você está bem?

Respondi afirmativamente, balançando a cabeça para cima e para baixo.

– Sim, sim, sim. – Ri baixinho. Eu me sentia tão quente e relaxada. Gostava da balada do Kisten.

Ele franziu a testa, olhou para o homem engomadinho de quem todos riam e se voltou para mim.

– Rachel, isso vai levar só um segundo. Tudo bem?

Eu tinha voltado a olhar para as luzes, e o vamp puxou meu queixo para que eu me voltasse para ele.

– Sim – respondi, articulando a palavra devagar para que ela saísse corretamente. – Vou esperar aqui. Pode abrir a pista. – Alguém esbarrou em mim e quase caí nele. – Gostei da sua balada. É incrível.

Kisten ficou parado feito um poste, esperando que eu recuperasse o equilíbrio antes de me soltar. A multidão tinha começado a gritar seu nome, e ele ergueu a mão em reconhecimento. As pessoas gritaram ainda mais, e cobri os ouvidos. Conseguia sentir a música em meu corpo.

Ele chamou alguém embaixo da escada e observei conforme Steve subia dois degraus de cada vez, movendo o corpo musculoso com leveza.

– Ela está como eu acho que está? – Kisten perguntou para o grandalhão quando este se aproximou.

– Siiim – Steve confirmou, com a voz arrastada, enquanto os dois me examinavam. – Está com muito açúcar no sangue. Mas ela é uma bruxa. – Voltou os olhos para Kisten. – Não é?

– Sim – Kisten respondeu, quase tendo de gritar por cima do barulho das pessoas que pediam que ele pegasse o microfone. – Ela foi mordida, mas não foi unida a ninguém. Talvez seja por isso.

– Fer... hum... fer... – mordi os lábios, franzindo a testa. – Feromônios vamp – eu disse, com os olhos arregalados. – Hummm, legal. Por que Ivy nunca se sente assim?

– Porque ela é metida a durona. – Kisten franziu a testa. Em seguida, soltou um suspiro, e coloquei a mão em seus ombros. Ele tinha lindos ombros, com músculos rijos que prometiam muitas coisas...

Ele tirou minhas mãos de si e as segurou diante de mim.

– Steve, cuide dela.

– Claro, chefe – o vampirão disse, movendo-se para ficar um pouco atrás de mim.

– Obrigado. – Kisten olhou nos meus olhos. – Desculpe, Rachel. Isso não é culpa sua. Não sabia que isso iria acontecer. Já volto.

Ele se afastou e estendi o braço para tocá-lo, pestanejando diante do tumulto que surgiu quando chegou ao centro do salão. Kisten ficou parado por um momento, *sexy* em seu terno italiano enquanto organizava os pensamentos com a cabeça para baixo, esperando. Ele agia sobre a multidão antes mesmo de dizer uma palavra; era impossível não ficar impressionada. Quando ergueu a cabeça, estava com um sorriso malicioso nos lábios cerrados, olhando para o público sob a franja loura.

– Puta merda – murmurou no microfone, e a multidão gritou. – O que vocês estão fazendo aqui, caramba?

– Esperando você! – gritou uma voz feminina.

Kisten sorriu, movendo o corpo sugestivamente ao apontar na direção da voz.

– Ei, Mandy. Você está aqui hoje? Quando a soltaram?

Ela soltou um grito animado, e ele sorriu.

– Quer saber, vocês são um bando de vadias cruéis! Dificultando a vida do Mickey... O problema dele é ser bonzinho com vocês.

A mulher gritou e eu cobri os ouvidos, quase caindo ao perder o equilíbrio. Steve me segurou pelo ombro.

– Bom, eu estava tentando ter um encontro – Kisten disse, deixando a cabeça cair, dramático. – Meu primeiro encontro em sei lá quanto tempo. Estão vendo a garota ali, do lado da escada?

Um enorme holofote virou em minha direção. Fiz uma careta, estreitando os olhos. O calor da luz fez minha pele formigar, e me endireitei, quase caindo para trás com o movimento. Steve segurou meu braço, e sorri para ele. Encostei-me no segurança, que balançou a cabeça, bem-humorado, passando o dedo pelo meu queixo antes de, delicadamente, me fazer ficar em pé.

– Ela está meio desligada agora – Kisten continuou. – Vocês todas estão se divertindo *demais* e isso está passando para ela. Quem imaginaria que bruxas caça-recompensas precisam se divertir como a gente?

O barulho redobrou e o ritmo das luzes acelerou, correndo pelo chão, pelas paredes e pelo teto. Minha respiração ficou mais rápida à medida que a batida da música aumentava.

– Mas sabem o que dizem – Kisten disse, ao ritmo da música. – Quanto maior elas são...

– Melhor! – alguém gritou.

– ... mais precisam se divertir! – Kisten gritou mais alto do que as risadas. – Então peguem leve com ela, certo? A garota só quer relaxar e se divertir um pouco. Sem desculpas. Sem joguinhos. Acho que qualquer bruxa com coragem suficiente para acabar com Piscary e deixar aquele vampiro vivo tem presas grandes o bastante para se divertir com a gente. Vocês todos estão A positivos com isso?

O segundo andar explodiu em gritos, lançando-me contra Steve. Senti os olhos se umedecerem conforme minhas emoções oscilavam de um extremo a outro. As vampiras gostavam de mim. Não era legal?

– Então vamos começar essa festa! – Kisten gritou, girando na direção do DJ atrás dele. – Mickey, coloque aquela música que eu gosto.

As mulheres gritaram em aprovação, e continuei olhando, boquiaberta, quando o andar de repente ficou coberto de mulheres com olhar intempestivo e movimentos velozes. Vestidinhos curtos, saltos altos e maquiagem extravagante eram a regra, embora houvesse algumas vampiras mais velhas com roupas elegantes como a minha. Havia um pouco mais de vivas que de mortas-vivas.

A música fluiu das caixas de som no teto, alta e insistente. Uma batida pesada, uma bateria ressonante, um sintetizador brega e uma voz rouca. Era "Living Dead Girl", do Rob Zombie, e, incrédula, acompanhei os movimentos variados das vamps de pouca roupa que, com braços e pernas nuas, entraram no ritmo simultâneo de uma dança coreografada.

Elas estavam dançando em grupo. Ai. Meu. Deus. As vampiras estavam dançando em grupo.

Como um cardume, elas dançavam e se moviam em conjunto, batendo os pés com uma força que fazia cair pó do teto. Ninguém cometia um erro ou dava um passo errado. Pestanejei quando vi Kisten fazer um movimento à Michael Jackson para chegar na frente delas, indescritivelmente sedutor com sua confiança e seus movimentos suaves, antes de soltar "Stayin' Alive". As mulheres o imitaram logo depois do primeiro gesto. Não soube dizer se elas tinham treinado ou se suas reações mais rápidas lhes permitiam uma improvisação tão impecável. Piscando, percebi que não me importava.

Mergulhado no poder e na intensidade da música, Kisten estava radiante, comandando a sequência combinada das vampiras atrás de si. Entorpecida pela sobrecarga de feromônios, música e luzes, senti que estava ficando tonta. Todos os movimentos possuíam uma graça fluida, e todos os gestos eram precisos e cadenciados.

Eu sentia a batida no meu peito e, enquanto as observava dançar com uma entrega irrefletida, percebi que era devido à oportunidade de serem como queriam, sem medo de que alguém as lembrasse de que eram vampiras e elas *precisassem* ser sombrias, deprimidas e ostentar um quê de perigo e mistério. Eu me senti privilegiada de ser respeitada o bastante para vê-las como gostariam de ser.

Oscilante, encostei em Steve quando a batida da música fez minha mente entrar em estupor. Meus olhos se recusavam a ficar abertos. Senti um estrondo repercutir pelo corpo antes de perder força e virar a batida mais agitada de outra música. Alguém tocou em meu braço, e abri os olhos.

– Rachel?

Era Kisten. Dei um sorriso bobo.

– Você dança bem – comentei. – Dança comigo?

Ele abanou a cabeça, olhando de soslaio para o vampiro que estava me segurando para que eu ficasse em pé.

– Tire Rachel daqui. Essa merda está muita estranha.

– Boca suja, suja – balbuciei, fechando os olhos de novo. – Olhe a boca...

Sem perceber, soltei uma risadinha, que se transformou em um grito agudo ao me erguerem nos braços. Senti um calafrio quando o barulho diminuiu e bati a cabeça no peito de quem me carregava. Estava quentinho, e me aconcheguei. A batida ensurdecedora foi se transformando no som de conversas casuais e no tilintar de louças. Senti me cobrirem com um cobertor pesado, e protestei quando a porta se abriu e fui atingida pelo ar frio.

A música e os risos foram deixados para trás. No lugar, instalou-se um silêncio gélido, quebrado por dois pares de passos esmagando a neve granulosa e pelo alarme de um carro.

– Quer que eu ligue para alguém? – ouvi um homem perguntar quando uma rajada desagradavelmente fria de ar me fez estremecer.

– Não. Acho que ela só precisa de um pouco de ar. Se não estiver bem quando chegarmos lá, dou uma ligada para Ivy.

– Pegue leve, chefe – concluiu a primeira voz.

Percebi que estavam me descendo e, então, senti a frieza do banco de couro contra minha bochecha. Com um suspiro, me aconcheguei sob o cobertor que cheirava a Kisten e a couro. Meus dedos zumbiam, e eu conseguia ouvir a batida do meu peito e sentir o movimento do meu sangue. Nem o baque da porta sendo fechada me fez ficar alerta. O ronco repentino do motor era reconfortante e, enquanto o movimento do carro me fazia dormir, podia jurar ter ouvido monges cantando.

Doze

Acordei com o conhecido barulho de quando se atravessava a linha do trem, e logo estendi a mão para segurar a maçaneta antes que a porta se abrisse. Abri os olhos ao dar com os dedos na porta desconhecida. Ah, sim. Eu não estava na caminhonete de Nick, mas no Corvette de Kisten.

Congelei, olhando fixamente para a porta e sentindo o casacão de couro do vamp estendido sobre mim como um cobertor. Ele inspirou fundo e abaixou o volume da música. Sabia que eu estava acordada. Meu rosto corou, e quis poder fingir que ainda estava desmaiada.

Abatida, me sentei e vesti seu casacão da melhor maneira possível no carro apertado. Recusei-me a olhá-lo, desviando minha atenção para a janela, tentando descobrir em que parte de Hollows nos encontrávamos. As ruas estavam movimentadas, e o relógio no painel dizia que eram quase duas da manhã. Eu tinha desmaiado feito uma bêbada na frente de boa parte das vampiras ricassas de Cincinnati, viajando em seus feromônios. Elas deviam ter achado que eu não passava de uma bruxa magricela com pouca força de vontade que não era capaz de se manter em pé.

Kisten se remexeu no assento ao desacelerar para parar no farol.

– Bem-vinda de volta – ele disse, gentil.

Com os lábios tensos, passei a mão discretamente no pescoço para garantir que tudo estava como eu tinha deixado.

– Por quanto tempo fiquei desmaiada? – perguntei. "Minha reputação vai melhorar muito depois dessa..."

Kisten moveu o câmbio para a primeira marcha.

– Você não desmaiou. Você dormiu. – O farol se abriu e ele avançou alguns centímetros em direção ao carro da frente para que se movesse. – Desmaiar implica em falta de controle. Dormir é o que se faz quando se está cansado. – Ele olhou para mim enquanto passava pelo acostamento. – Todo mundo fica cansado.

– Mas ninguém dorme numa balada – retruquei. – Eu desmaiei. – Fui repassando as lembranças, que infelizmente estavam tão claras quanto água benta, e fiquei vermelha. "Açúcar no sangue", ele tinha dito. Eu estava com o sangue açucarado. Queria ir para casa. Queria ir para casa e me arrastar para dentro da câmara secreta que os pixies encontraram na escadaria do campanário e me esconder lá até morrer.

Kisten ficou em silêncio. A tensão em seu corpo deixou claro que estava prestes a dizer alguma coisa assim que chegasse à conclusão de que não estava sendo condescendente.

– Desculpe – ele disse, me pegando de surpresa, mas a admissão de culpa fez minha raiva crescer em vez de se apaziguar. – Foi idiotice levá-la para a Piscary's antes de descobrir se bruxas podiam ficar com sangue açucarado. Nunca passou pela minha cabeça. – Cerrou os dentes. – E não é tão ruim quanto você pensa.

– Sei... – murmurei, estendendo o braço sob o banco até encontrar minha bolsa de mão. – Aposto que metade da cidade já está sabendo a esta altura. Devem estar falando: "Ei, alguém quer passar na casa da Morgan hoje e ver aquela bruxa ficar com o sangue açucarado? A gente só precisa se divertir bastante que ela desaba! Uhul!"

Kisten olhou para a rua.

– Não é bem assim. E havia mais de duzentas vamps lá. Boa parte delas era morta-viva.

– Devo me sentir melhor por causa disso?

Com movimentos duros, o vamp tirou o celular do bolso, apertou um botão e entregou o aparelho para mim.

– Alô? – perguntei no telefone, quase ríspida. – Quem é?

– Rachel? Meu Deus, você está bem? Juro que vou matar Kist por tê-la levado na Piscary's. Ele disse que você ficou com o sangue açucarado. Ele te mordeu?

– Ivy! – balbuciei, então voltei o olhar penetrante contra Kisten. – Você contou para Ivy? Pô, valeu. Quer ligar para minha mãe também?

– Acha que Ivy não descobriria? – perguntou. – Queria que ela ouvisse da minha boca. Além disso, estava preocupado com você – acrescentou, impedindo que eu ficasse com raiva dele.

– Ele te mordeu? – Ivy repetiu, tirando minha atenção das últimas palavras dele. – Mordeu?

Voltei-me para o telefone.

– Não – respondi, apalpando o pescoço. "Mas não sei por quê. Sou muito idiota mesmo."

– Venha para casa – ela disse, e minha raiva deu lugar à rebeldia. – Consigo saber se alguém te mordeu. Venha para casa para eu te cheirar.

Soltei um som de repulsa.

– Não vou voltar para casa para você me cheirar! Todo mundo lá foi muito legal. E foi gostoso relaxar por uns míseros cinco minutos. – Fiz uma careta para Kisten, entendendo por que ele tinha me dado o celular para falar com Ivy. Aquele filho da mãe manipulador sorriu. Como eu conseguia ficar brava com ele se o estava defendendo?

– Você ficou com o sangue açucarado por cinco minutos? – Ivy pareceu horrorizada.

– Sim – respondi, seca. – Acho que você deveria experimentar. Vai lá se afundar nos ferômonios da Piscary's. Mas é possível que eles não a deixem entrar. Pode estragar a diversão de todo mundo.

Ela prendeu a respiração, e imediatamente eu quis retirar o que disse. "Bosta."

– Ivy... desculpe – me retratei rápido. – Não deveria ter falado isso.

– Posso falar com o Kisten? – ela disse, baixinho.

Lambi os lábios, me sentindo péssima.

– Claro.

Com os dedos frios, devolvi o celular para o vamp. Seus olhos indecifráveis encontraram os meus por um segundo. Ele ouviu por um momento, murmurou alguma coisa que não entendi e desligou o celular. Continuei o encarando para tentar entender em que ele estava pensando enquanto enfiava o celular prateado no bolso sob o casaco, que agora ele estava vestindo.

– Sangue açucarado? – indaguei, achando que deveria saber o que aconteceu. – O que isso significa exatamente?

Kisten mudou as mãos de posição no volante e assumiu uma postura mais relaxada. As luzes dos postes pelos quais passávamos projetavam sombras sinistras sobre o vamp.

– É uma espécie de calmante leve que os vampiros soltam quando estão saciados e relaxados. Tipo aquele prazer depois do sexo, sabe? – respondeu. – Foi uma surpresa na primeira vez que os mortos-vivos mais novos ficaram açucarados logo depois que a Piscary's passou a atender uma clientela exclusivamente vamp. Fez muito bem para eles, então eu tirei as mesas do andar de cima, instalei um esquema de luzes e contratei um DJ. Transformei numa balada. Todo mundo ficou açucarado depois disso.

Ele hesitou enquanto fazia uma curva fechada na direção de um estacionamento enorme à beira do rio. Amontoados de neve de quase dois metros se assomavam nos cantos do estacionamento.

– É uma droga natural – continuou, enquanto diminuía a marcha e dirigia devagar até a pequena concentração de carros estacionados ao lado de um barco fortemente iluminado no cais. – E dentro da lei. Todo mundo curte, e os vamps começaram a se policiar também, expulsando todo mundo que ia à Piscary's só para tomar um sangue rápido e protegendo quem aparecia ferido e caía no sono como você caiu. Está fazendo uma grande diferença. Pode perguntar para aquele seu comandante do FIB. Os crimes violentos cometidos por vamps jovens solteiros caíram.

– Jura? – eu disse, pensando que parecia um grupo informal de apoio para vampiros. "Talvez Ivy devesse ir. Não. Ela acabaria com a diversão de todo mundo."

– Você não teria sido tão receptiva à droga se não precisasse tanto dela – explicou, estacionando nos arredores.

– Ah, então a culpa é minha? – perguntei, sarcástica.

– Não – respondeu com rispidez, enquanto puxava o freio de mão. – Eu já deixei que você gritasse comigo uma vez hoje. Não venha botar a culpa em mim. Quanto mais a pessoa precisa, mais forte a droga bate. Não tem nada de mais nisso. É por esse motivo que ninguém riu da sua cara. Aliás, talvez até a admirem mais agora.

Pega de surpresa, assumi um ar arrependido.

– Desculpe. – Parte de mim gostava que ele fosse inteligente demais para ser manipulado por uma lógica feminina perversa. Deixava as coisas mais interessantes. Aos poucos, Kisten foi relaxando e desligou o aquecedor e a música leve que tocava.

– Você estava magoada – o vamp disse ao tirar o CD de canto gregoriano e guardá-lo. – Por causa do Nick. Eu a vi sofrendo desde que você liberou aquela linha pelo corpo do seu namorado e ele ficou com medo. E as vampiras ficaram felizes de ver você relaxada. – Sorriu, com o olhar distante. – Elas se sentiram bem porque a grande bruxa má que espancou Piscary confiava nelas. Confiança não é um sentimento que as pessoas costumam ter por nós, Rachel. Os vampiros vivos sentem tanta falta de confiança quanto sentem de sangue. É por isso que Ivy está disposta a matar qualquer um que ameace a amizade de vocês.

Fiquei quieta, olhando, enquanto tudo começava a fazer sentido.

– Você não sabia, não é? – Kisten disse. Meneei a cabeça, incomodada por escavar os porquês de minha relação com Ivy. O carro estava ficando frio, e estremeci. – E ter mostrado que é vulnerável deve ter melhorado sua reputação também – acrescentou. – Deixando claro que você não se sente ameaçada por eles e só deixando rolar.

Olhei para o barco atracado à nossa frente, decorado com pisca-piscas de fim de ano.

– Não tive escolha.

Ele estendeu o braço e arrumou a gola do casaco sobre meus ombros.

– Teve sim.

Tirou a mão de mim e eu abri um sorriso fraco. Ainda não estava convencida, mas pelo menos não me sentia tão idiota. Fui repassando os acontecimentos na minha cabeça, a descida lenta do relaxamento até o sono, a atitude das pessoas ao meu redor. Ninguém tinha rido da minha cara. Pelo contrário: tinham me confortado e cuidado de mim. Tinham sido compreensivos. Além disso, não houvera sequer um rastro de sede de sangue em nenhum deles. Não sabia que vampiros podiam ser daquele jeito.

– Dança coreografada, Kisten? – eu disse, abrindo os lábios em um sorriso irônico.

Ele deu uma risada constrangida e abaixou a cabeça.

– Ei, você não pode contar isso para ninguém, hein – pediu, ficando com a ponta da orelha vermelha. – O que acontece na Piscary's fica na Piscary's. É uma regra tácita.

De brincadeira, estendi a mão e toquei a borda da sua orelha vermelha. Ele sorriu, virando-se para pegar minha mão e roçar meus dedos em seus lábios.

– A menos que você queira ser expulsa de lá também – concluiu.

Um calafrio perpassou meu corpo com o sopro da sua voz nos meus dedos, e puxei a mão. Seu olhar contemplativo se focou direto no meu peito, fazendo meu estômago se revirar em antecipação.

– Você estava bonito lá – elogiei, sem ligar se estava cometendo um erro ou não. – Tem uma noite de karaokê?

– Hummm – murmurou, mudando de posição para encostar na porta, assumindo uma postura relaxada de *bad boy*. – Karaokê. Boa ideia. Na terça-feira o movimento é meio fraco. Nunca tem gente o suficiente para rolar uma brisa legal. Talvez seja exatamente isso que esteja faltando.

Voltei a atenção para a embarcação, tentando esconder o sorriso. A imagem de Ivy no palco cantando "Round Midnight" passou pela minha cabeça por um momento. Kisten seguiu meu olhar em direção ao barco. Era uma daquelas embarcações fluviais reformuladas, com dois andares e quase toda fechada.

– Se quiser, posso levá-la para casa.

Fiz que não e apertei o laço do casaco, que exalou um cheiro de couro.

– Não, quero ver como você vai pagar um jantar em um barco sobre um rio congelado com apenas sessenta dólares.

– Essa não é a parte do jantar, é a do entretenimento. – Jogou o cabelo para trás, sem perder o charme, e parou no meio do movimento.

As peças na minha cabeça começaram a se encaixar.

– É um barco-cassino – eu disse. – Não é justo. Todos os barcos-cassinos são do Piscary. Você não vai ter que pagar nada.

– Esse não é do Piscary. – Kisten saiu do carro e deu a volta até o meu lado. Bonito em seu casaco de lã, abriu a porta e esperou que eu saísse.

– Ah... – respondi, encaixando mais peças na cabeça. – A gente vai sondar a concorrência?

– Mais ou menos isso. – Ele se debruçou para olhar para mim. – Você vem? Ou a gente vai embora?

Se ele não conseguisse as fichas de graça, estaria dentro das regras do nosso acordo. E eu nunca tinha apostado antes. Poderia ser divertido. Tomando sua mão, deixei que me ajudasse a sair do carro.

Seu ritmo era rápido enquanto descíamos pela passarela de embarque. Um homem de parca e luvas esperava ao pé da rampa e, enquanto Kisten conversava com ele, olhei para a linha de água do barco. Fileiras de bolhinhas impediam que o barco ficasse preso no gelo. Devia ser mais caro do que tirar o barco do rio no inverno, mas os regulamentos municipais estipulavam que jogos de azar só eram permitidos no rio. E, embora ficasse preso à doca, estava oficialmente na água.

Depois de falar algo num rádio, o grandalhão de parca nos deixou passar. Kisten pousou a mão nas minhas costas e me guiou para a frente.

– Obrigada por me emprestar o casaco – agradeci, subindo a passos sonoros para a passarela coberta. A neve daquela noite tinha formado uma camada de gelo branco sobre a balaustrada, e empurrei alguns pedaços para a superfície da água.

– Não precisa agradecer – respondeu, apontando para uma porta de madeira e vidro, na qual estavam gravados dois S maiúsculos entrelaçados. Senti um calafrio ao ser atravessada pelo vislumbre da força de uma linha de ley quando Kisten abriu a porta e passamos pelo batente. Devia ter sido o amuleto antirroubo do cassino que me deu tontura, como se eu estivesse respirando um ar coberto de óleo.

Outro grandalhão de smoking – um bruxo, exalando o aroma típico de sequoia – estava do lado de dentro para nos receber, e pegou meu casaco e o de Kisten. O vamp assinou o livro de visitas, colocando-me como "acompanhante". Irritada, escrevi meu nome abaixo do dele, com uma letra grande e cheia de floreios, ocupando três linhas inteiras. A caneta fez meus dedos formigarem, e olhei para o cilindro metálico antes de colocá-la de volta à mesa. Um sentimento de alerta foi acionado dentro de mim e, enquanto Kisten comprava uma única ficha com a maior parte do dinheiro para nosso encontro, tracei uma linha precisa sobre nossos nomes para que as assinaturas não fossem usadas como objeto de foco de um amuleto de linha de ley.

– Por que fez isso? – Kisten questionou ao pegar meu braço.

– Confie em mim. – Sorri para o bruxo de smoking que cuidava do livro de visitas. Havia maneiras mais sutis de impedir roubos de objetos de foco, mas eu não conhecia nenhuma. E o fato de ter acabado de insultar o proprietário não me incomodava. Não havia motivos para eu voltar àquele lugar.

Kisten segurava meu braço de modo a me dar a liberdade de cumprimentar com a cabeça, como se eu fosse alguém importante, quem quer que levantasse os olhos de seus jogos. Fiquei contente por tê-lo deixado me vestir; com a roupa que eu tinha escolhido, teria parecido uma prostituta ali. O apainelamento de teca e carvalho era reconfortante, e era gostoso pisar no carpete verde-escuro, que eu sentia claramente através das botas. As poucas janelas estavam envoltas por cortinas pretas e vinho, entreabertas para mostrar as luzes de Cincinnati. O ar estava quente com o cheiro das pessoas e da animação. Os gritos e o som de fichas sendo apostadas fizeram meu coração bater mais forte.

O forro baixo poderia ser claustrofóbico, mas não era o caso. Havia duas mesas de vinte e um, uma de dados, uma roleta e uma fileira inteira de caça-níqueis. No canto, ficava um pequeno bar. A maior parte dos funcionários era composta de bruxos e feiticeiros, se meus instintos estivessem corretos. Queria saber onde estava a mesa de pôquer. Talvez no andar de cima? Era a única coisa que eu sabia jogar. Bom, também sabia jogar vinte e um, mas aquele jogo era para os fracos.

– Que tal vinte e um? – Kisten sugeriu, guiando-me delicadamente naquela direção.

– Claro – respondi, com um sorriso.

– Quer beber alguma coisa?

Olhei para as pessoas ao redor. Coquetéis eram a regra, com a exceção de um único homem segurando uma cerveja. Ele estava bebendo direto da garrafa, o que arruinava todo o visual clássico formado pelo smoking que vestia.

– Vaca Morta? – pedi, enquanto o vamp me ajudava a sentar no banquinho. – Com o dobro de sorvete?

A garçonete que estava perto, uma bruxa mais velha do que eu, fez que sim com a cabeça e, depois de anotar o pedido de Kisten, saiu.

– Kisten? – Levantei o olhar, atraída por um enorme disco de metal cinza pendurado no teto. Linhas de um metal prateado irradiavam dele como raios de sol, correndo até a beira do teto. Poderia ser uma decoração, mas eu podia apostar que o metal continuava sob o apainelamento de madeira e até sob o piso. – O que é aquilo? – murmurei depois de cutucá-lo.

Ele ergueu os olhos para o disco.

– Deve ser um sistema de segurança. – Olhou para mim e sorriu. – Sardas. Mesmo sem seus feitiços, você é a mulher mais bonita deste cassino.

Corei com o elogio – certa agora de que o enorme disco era mais do que uma decoração artística –, mas, depois que ele se voltou para o carteador, olhei rapidamente para o espelho na parede ao lado da escada. Meus ombros caíram em decepção quando me vi naquela roupa sofisticada com sardas e *frizz* no cabelo.

Todo o barco era uma zona antifeitiço – pelo menos para bruxas de terra como eu, que usavam amuletos –, e suspeitei que o grande disco cinza detivesse bruxas de linhas de ley também.

O simples fato de estar sobre a água era uma espécie de proteção contra golpes de linhas de ley, visto que não era possível liberar uma linha sobre a água a menos que se usasse um familiar. O mais provável era que o sistema de segurança do barco suspendesse feitiços de linhas de ley já invocados e detectasse quem quer que liberasse uma linha através de um familiar para invocar um novo. Eu carregava uma versão menor daquele artifício nas minhas antigas algemas da SI.

Enquanto Kisten conversava com o carteador sobre sua ficha insignificante de cinquenta dólares, me recostei no banco e examinei as pessoas. Havia umas trinta, todas bem-vestidas e a maioria mais velha do que Kisten e eu. Franzi a testa ao me dar conta de que Kisten era o único vamp ali: havia bruxos, lóbis e alguns humanos com os olhos vermelhos, já tendo passado da hora de dormir, mas nenhum vampiro.

Algo não me cheirava bem ali, então, enquanto Kisten dobrava seu dinheiro com algumas mãos, desfoquei a atenção, querendo ver o convés com a minha segunda visão. Não gostava de usá-la, muito menos à noite, quando podia ver uma camada de todo-sempre, mas preferia sofrer com calafrios a não saber o que estava acontecendo. Considerei por um momento se Algaliarept saberia o que eu estava fazendo, mas concluí que isso só aconteceria se eu liberasse uma linha – o que não iria fazer.

Acomodei-me, fechei os olhos para que minha segunda visão, pouco usada, não precisasse competir com a visão mundana e, com um impulso mental, abri minha visão interior. Imediatamente, os cachos do meu cabelo que tinham se soltado foram movidos pela brisa que sempre soprava no todo-sempre. A lembrança do navio se dissolveu, e a paisagem destruída da cidade dos demônios tomou seu lugar.

Deixei escapar um barulhinho de repulsa, e lembrei exatamente por que nunca fazia aquilo tão perto do centro de Cincinnati: a cidade dos demônios era horrível e devastada. A lua minguante devia estar alta agora, e havia um brilho avermelhado distinto nas nuvens que parecia iluminar o amontoado de prédios derrocados e as ruínas cobertas de vegetação com uma névoa que a tudo engolfava e que me causava certa repulsa. Diziam que os demônios viviam embaixo da terra – e, ao ver o que tinham feito com sua própria cidade, construída sobre as mesmas linhas de ley que Cincinnati, não ficava surpresa com isso. Eu já tinha visto o todo-sempre uma vez durante o dia. Não era muito melhor.

Eu não me encontrava no todo-sempre, só estava vendo sua paisagem, mas mesmo assim senti um mal-estar, especialmente quando me dei conta de que o motivo por que tudo parecia mais claro do que de costume era que eu estava coberta pela aura negra de Algaliarept. Ao me lembrar do acordo de que havia escapado, abri os olhos, torcendo para que o demônio não descobrisse um meio de me encontrar através das linhas, como ameaçara.

O barco-cassino estava exatamente como eu o tinha deixado, e os sons que vinham me mantendo em contato mental com a realidade voltaram a fazer sentido. Eu estava usando as duas visões e, antes que a segunda fosse sufocada e se perdesse, olhei rapidamente ao redor.

Logo focalizei o disco metálico no teto e contorci os lábios com repugnância. Ele pulsava com um denso brilho púrpura, cobrindo tudo. Eu poderia apostar que era isso que eu sentira quando tinha passado pelo batente.

Mas o que mais me interessava era a aura das pessoas. Não conseguia ver a minha própria aura, nem quando me olhava no espelho. Certa vez, Nick me dissera que era amarela e dourada – mas ninguém a poderia ver agora, sob a de Al. A de Kisten era de um brilho vermelho-alaranjado, saudável e cálido. Apareciam porções amareladas em torno de sua cabeça, e um sorriso cruzou meus lábios. Ele usava a cabeça para tomar decisões, não o coração; não era nenhuma surpresa. Não havia preto nela, embora a aura de quase todo mundo no convés estivesse riscada de trevas, como percebi ao examinar o salão.

Contive um susto ao notar, no canto, um rapaz me observando. Ele vestia smoking, mas tinha um ar tranquilo, não a postura tensa e rígida do segurança ou o comportamento apático e profissional dos carteadores. Além disso, o copo cheio na sua mão indicava se tratar de um cliente, não de um funcionário. O sujeito tinha uma aura tão sombria que eu não conseguia definir se era azul-escura ou verde-escura. Havia algo de preto demoníaco nela, e senti um enorme embaraço ao pensar que, se ele estivesse me olhando com sua segunda visão – e eu tinha certeza de que estava –, poderia me ver coberta pelo lamaçal negro de Algaliarept.

Do outro lado do salão, o homem pousou o queixo no punho cerrado e fixou os olhos em mim, me avaliando. Ele era muito bronzeado, algo raro em pleno inverno. Combinado às tênues luzes em seu cabelo liso e preto, isso me fez supor que ele vinha de um estado de clima quente. Com um corpo normal e traços comuns, o sujeito não era especialmente atraente, mas seu ar confiante chamava a atenção. Ele também parecia rico, mas quem não pareceria trajando um smoking?

Olhei para o rapaz bebendo cerveja e concluí que o smoking não fazia tanto assim pela aparência das pessoas. Sorrindo com a ideia, voltei de novo para o surfista.

Ele ainda estava me observando e, ao notar meu sorriso, sorriu em retorno, inclinando a cabeça e me convidando para conversar. Pensei em recusar, mas me contive. Por que não aceitar? Era uma ilusão achar que Nick voltaria. E meu caso com Kisten não passaria daquela noite.

Em dúvida se o traço de preto que ele carregava era uma marca de demônio, me concentrei ainda mais para tentar ver além de sua aura excepcionalmente escura. Como resultado, o brilho púrpura que vinha do disco no teto reluziu e assumiu matizes amarelas.

O homem levou um susto, voltando a atenção para o teto. A surpresa perpassou seu rosto barbeado. Ouvi um alarme súbito vindo de três lugares diferentes, e Kisten praguejou a meu lado após o carteador informar que tinham adulterado sua mão e que todos os jogos estavam suspensos até que ele pudesse embaralhar outras cartas.

Perdi minha visão quando o bruxo que cuidava do livro de visitas apontou em minha direção para um segundo homem, obviamente um segurança, julgando por sua total falta de expressão facial.

– Ai, droga – eu disse, virando de costas para o salão e pegando minha Vaca Morta.

– Que foi? – Kisten perguntou, com raiva, enquanto empilhava os ganhos segundo a cor da ficha.

Pisquei, olhando para ele sobre a borda do copo.

– Acho que fiz besteira.

Treze

– O que você fez, Rachel? – Kisten perguntou, estupefato, empertigando-se ao olhar por cima do meu ombro.

– Nada! – respondi. O carteador me lançou um olhar exasperado e abriu um novo baralho. Decidi não me virar quando senti uma presença opressiva atrás de mim.

– Algum problema? – o vamp questionou, com a atenção voltada a quase um metro acima da minha cabeça. Fui me virando devagar e encontrei um homem muito, muito grande em um smoking também muito, muito grande.

– É com a moça que eu preciso conversar – o segurança disse, com a voz retumbante.

– Não fiz nada – argumentei, ligeira. – Estava só dando uma verificada, hum, na segurança... – completei com a voz débil. – É um interesse profissional. Aqui, este é meu cartão. Também trabalho com segurança. – Vasculhei a bolsa em busca de um cartão e o entreguei. – Sério, não queria dar golpe em ninguém. Não liberei uma linha. Juro.

"Juro? Que argumento péssimo!" Meu cartãozinho preto parecia minúsculo nas mãos grossas do homem, que deu uma conferida rápida, lendo o texto impresso. Em seguida, olhou para uma mulher ao pé da escada, que deu de ombros, fazendo, com os lábios, "Ela não liberou uma linha". Ele se voltou para mim.

– Obrigado, senhorita Morgan – o segurança disse, ao que eu relaxei os ombros. – Por favor, não imponha sua aura sobre os feitiços da casa. – Ele não sorriu em nenhum momento. – Se houver mais alguma interferência, vamos pedir para a senhorita se retirar.

– Claro, sem problema – respondi, voltando a respirar.

O homenzarrão se afastou, e os jogos foram retomados a nossa volta. Kisten parecia bravo.

– Não tem nenhum lugar aonde eu possa te levar? – ele disse, cáustico, colocando as fichas em um baldinho e o entregando para mim. – Segure isto. Preciso usar o banheiro.

Fiquei encarando, inexpressiva, enquanto ele me lançava um olhar de advertência antes de sair a passos lentos, deixando-me sozinha no cassino com um balde de fichas e sem ideia do que fazer com elas. Voltei-me para o carteador de vinte e um, que arqueou a sobrancelha.

– Acho que vou jogar outra coisa – comentei, descendo do banco, e ele assentiu com a cabeça.

Com a bolsa enfiada sob o braço, olhei ao redor do salão com as fichas em uma mão e o copo na outra. O surfistinha tinha ido embora, e contive um suspiro de decepção. De cabeça baixa, olhei para as fichas, notando que nelas estavam gravados os mesmos dois S entrelaçados. Sem nem saber o valor monetário que carregava no balde, segui o alvoroço da mesa de dados.

Sorri para os dois homens que abriram espaço para mim, colocando o copo e as fichas na beirada da mesa enquanto tentava entender por que algumas pessoas ficavam felizes com o cinco que tinha saído e outras ficavam chateadas. Um dos bruxos que tinha aberto espaço estava se mantendo perto demais, e fiquei me perguntando quando ele daria a cantada. Dito e feito: depois da segunda jogada, o sujeito abriu um sorriso sacana e disse:

– Pronto, aqui estou. Quais são seus outros dois desejos?

Minhas mãos tremeram e me forcei a ficar imóvel.

– Faça-me o favor – eu disse. – Pare.

– Mas que falta de educação, gatinha – o sujeito respondeu, em alto e bom som, tentando me deixar envergonhada. Mal sabia ele que eu era capaz de me envergonhar sozinha com muito mais facilidade.

As conversas sobre o jogo pareceram se silenciar enquanto eu o encarava fixamente. Estava disposta a deixar que ele vencesse, perdendo meu respeito próprio, quando o surfistinha apareceu.

– Senhor – ele disse, com calma –, essa foi a pior cantada que já ouvi na vida: não foi só ofensiva como completamente mal formulada. É óbvio que o senhor está incomodando a moça e que deveria dar o fora daqui antes que ela esfole sua pele.

O surfista conseguiu ser protetor e, ao mesmo tempo, deixar claro que eu era capaz de me cuidar sozinha, algo raro de se fazer em uma conversa, que dirá em uma sentença. Fiquei impressionada.

Com ar presunçoso, o homem da cantada respirou fundo, parou e, ao voltar os olhos por sob meu ombro, mudou de ideia. Resmungando, pegou sua bebida, puxou o amigo que estava ao meu lado e foi para longe.

Relaxei os ombros e suspirei enquanto me voltava para o surfista.

– Obrigada – agradeci, dando uma olhada melhor nele. Ele tinha olhos castanhos e lábios finos, que emolduravam um sorriso sincero, abrangendo todo o rosto. Seus traços revelavam uma ascendência asiática não muito distante, da qual herdara o cabelo liso e preto – sem contar as luzes –, e um nariz e uma boca pequenos.

O surfista abaixou a cabeça, parecendo envergonhado.

– Não precisa agradecer. Eu precisava fazer isso para redimir todos os homens dessa cantada. – Seu rosto másculo assumiu um ar irônico. – Quais são seus outros dois desejos? – imitou, rindo.

Também soltei uma gargalhada, parando de rir com um olhar para a mesa de dados, ficando insegura ao lembrar que eu tinha dentes grandes demais.

– Meu nome é Lee – ele disse, quebrando o silêncio antes que ficasse constrangedor.

– Rachel – me apresentei, aliviada quando ele estendeu a mão. Lee cheirava a areia e sequoia, e apertamos as mãos com a mesma força um do outro. Logo depois separamos as mãos com tudo, e olhei para a dele quando uma faísca de energia de linha de ley equalizou entre nós.

– Desculpe – ele disse, colocando a mão nas costas. – Um de nós deve estar fraco.

– Deve ser eu – afirmei, recusando-me a limpar a mão. – Não guardo energia num familiar.

Lee ergueu a sobrancelha.

– Sério? Não pude deixar de notá-la olhando para a segurança.

O comentário me fez ficar muito envergonhada. Tomei um gole da bebida e me virei para pousar o cotovelo na grade mais alta ao redor da mesa.

– Foi um acidente – expliquei, enquanto o dado amarelo passava por mim. – Não queria ativar os alarmes. Estava só tentando dar uma olhada melhor em...

hum... você – completei, certamente tão vermelha quanto meu cabelo. "Ai, meu Deus, estou estragando tudo."

Mas Lee pareceu achar graça, mostrando os dentes brancos, que contrastavam com o rosto bronzeado.

– Eu também.

Seu sotaque era legal. Da Costa Oeste, talvez? Era impossível não gostar de seu ar tranquilo, mas, quando ele deu um gole de seu vinho branco, fixei os olhos em seu punho, espreitando logo acima da abotoadura, e meu coração quase parou. Lee tinha uma cicatriz. Tinha uma cicatriz igual à minha.

– Você tem uma cicatriz de dem... – Ele voltou os olhos para mim, e interrompi o que estava dizendo. – Desculpe.

Sua atenção se voltou para os clientes ao redor. Ninguém parecia ter ouvido.

– Tudo bem – ele disse, com a voz branda e os olhos castanhos semicerrados. – Ganhei por acidente.

Recostei-me contra a grade, entendendo por que minha aura tingida por um demônio não o havia assustado.

– Não é o que acontece com todos nós? – comentei, surpresa quando ele meneou a cabeça. Minha mente se voltou para Nick, e mordi o lábio inferior.

– Como conseguiu a sua? – ele perguntou. Era minha vez de ficar nervosa.

– Eu estava morrendo. O demônio me salvou. Devo uma a ele por me levar com segurança pelas linhas. – Achei que não precisava contar que eu era familiar de um demônio. – E você?

– Curiosidade. – Com os olhos semicerrados, Lee franziu a testa com uma lembrança distante.

Curiosa, olhei para ele de cima a baixo. Não podia dizer o verdadeiro nome de Al e quebrar o pacto que tínhamos feito quando eu comprara seu nome invocatório, mas queria saber se tínhamos sido marcados pelo mesmo demônio.

– Ei, o seu usa veludo verde? – perguntei.

Lee levou um susto. Seus olhos castanhos se arregalaram sob as franjas bem cortadas, e ele abriu um sorriso por nossa dor compartilhada.

– Sim. Fala com um sotaque britânico...

– E tem uma coisa por glacê e batata frita? – interrompi.

Lee abaixou a cabeça e riu.

– Sim, quando não está na forma do meu pai.

– Que coisa! – exclamei, sentindo uma estranha afinidade entre nós. – É o mesmo demônio.

Puxando a manga para cobrir a marca, Lee encostou o quadril na mesa de dados.

– Você parece ter jeito com linhas de ley – comentou. – Está aprendendo com ele?

– Não! – respondi, com força. – Sou uma bruxa de terra. – Meus dedos brincaram com meu amuleto em forma de anel, e toquei no cordão do amuleto que deveria tirar o frizz do meu cabelo.

Sua atenção se voltou da cicatriz no meu punho para o teto.

– Mas você... – começou, com a voz arrastada.

Fiz que não com a cabeça e dei um gole do meu drinque, de costas para o jogo.

– Falei que foi um acidente. Não sou uma bruxa de ley. Fiz um curso só. A professora morreu antes do fim das aulas.

Ele pestanejou, incrédulo.

– A doutora Anders? – deixou escapar. – Você fez um curso com a doutora Anders?

– Você a conhecia? – Eu me empertiguei.

– Ouvi falar dela. – Ele se aproximou. – Era a melhor bruxa de linhas de ley a leste do Mississippi. Eu vim para cá para ter aulas com ela. Diziam que era a melhor.

– Ela era – confirmei, entristecida. A doutora Anders iria ajudar Nick a deixar de ser meu familiar. Agora, o livro de feitiços tinha desaparecido e ela estava morta, levando consigo todo seu conhecimento. Endireitei-me ao perceber que estava divagando. – Então, você é um estudante? – perguntei.

Lee pousou os cotovelos na grade, observando o dado rolar atrás de mim.

– Viajo para estudar – respondeu, em poucas palavras. – Faz alguns anos que me formei na Berkeley.

– Ah, eu adoraria conhecer a Costa Oeste algum dia – comentei, brincando com a corrente e me perguntando o quanto daquele papo era inventado. – O sal não deixa tudo mais difícil?

Ele encolheu os ombros.

– Não para bruxos de linhas de ley. Fico com pena dos bruxos da terra, presos em um caminho sem poder.

Meu queixo caiu. Sem poder? Acho que não, hein. A força da magia de terra vinha de linhas de ley, assim como a dos feitiços de bruxos de linhas de ley. O fato de que ela era filtrada por plantas a tornava mais suave e, talvez, mais lenta, mas não menos poderosa. Não havia nenhum amuleto de linhas de ley capaz de mudar a forma física de uma pessoa. Isso, sim, era poder. Supondo que Lee tinha falado aquilo por ignorância sobre o assunto, deixei passar para não afugentar o moço antes de ter a chance de descobrir se ele realmente era um babaca.

– Olha só – ele disse, claramente reconhecendo que tinha me enchido o saco. – Aqui estou eu, incomodando você, sendo que deve estar louca para jogar um pouco antes de o seu namorado voltar.

– Ele não é meu namorado – respondi, não tão animada quanto poderia estar por Lee sondar meu estado civil. – Eu disse que ele não conseguiria me levar num encontro decente com sessenta dólares e ele aceitou o desafio.

Lee passou os olhos pelo cassino.

– E como está indo?

Dei um gole no drinque, desejando que o sorvete não tivesse derretido. Ouvi gritos de alegria atrás de mim quando algo bom aconteceu.

– Bem, até agora fiquei açucarada e desmaiei numa balada vamp, xinguei minha amiga e ativei o sistema de segurança de um barco-cassino. – Ergui um ombro. – Nada mal, acho.

– Ainda está cedo. – O olhar de Lee seguiu o dado rolando atrás de mim. – Posso te pagar uma bebida? Ouvi dizer que o vinho da casa é bom. Merlot, acho.

Perguntei-me aonde aquilo estava indo.

– Não, obrigada. Vinho tinto... não me cai bem.

Ele riu, baixinho.

– Também não gosto muito, me dá dor de cabeça.

– Em mim também! – exclamei baixinho, surpresa de verdade.

Lee afastou uma das franjas do olho.

– Se eu tivesse dito isso, você teria me acusado de passar uma cantada. – Sorri, sentindo-me acanhada de repente, e ele se voltou para a mesa. – Você não joga, né?

Olhei de soslaio para trás e então de novo para ele.

– É tão óbvio assim?

Lee pôs a mão no meu ombro e me voltou para a mesa.

– Saíram três quatros seguidos e você nem notou – disse, com a voz suave, quase no meu ouvido.

Fiquei neutra, sem fazer nada que o encorajasse ou desencorajasse, pois o batimento acelerado do meu coração não me dizia como agir.

– Isso não é comum? – perguntei, tentando manter um tom de voz leve.

– Olhe – ele disse, fazendo sinal para o homem que cuidava dos dados. – Nova jogadora – anunciou.

– Ei, espere – protestei. – Nem sei apostar.

Sem se deixar intimidar, Lee pegou meu baldinho de fichas e me guiou para a ponta da mesa.

– Você joga e eu aposto. – Hesitou, com inocência nos olhos castanhos. – Algum... problema?

– Nenhum – respondi, sorrindo. Por que eu me importaria? Kisten havia me dado as fichas. O fato de que o vamp não estava ali para gastá-las comigo não era problema meu. Era ele quem deveria estar me ensinando a jogar dados, não um desconhecido. Onde o sujeito estava metido, aliás?

Olhei para os rostos reunidos em torno da mesa enquanto pegava os dados, que pareciam escorregadios como ossos na palma da minha mão, e os chacoalhei.

– Espere... – Lee estendeu o braço e segurou minha mão. – Você precisa beijá-los antes. Mas só uma vez – declarou, com a voz séria, mas com um brilho nos olhos. – Se os dados acharem que você vai ser sempre carinhosa assim, não vão se esforçar pra valer.

– Certo – assenti. Ele tirou as mãos enquanto eu puxava os dados para perto dos lábios mas me recusava a beijá-los de fato. Porque, sério, que nojo! As pessoas colocaram as fichas nos lugares e, com o coração mais acelerado do que a situação pedia, lancei os dados. Olhei para Lee, e não para eles, que saltitavam sobre a mesa.

Lee assistiu com uma atenção extasiada, e pensei que, embora o sujeito não fosse tão bonito quanto Kisten, tinha mais chances de ser capa de revista do que Nick. Lee era um cara normal, um bruxo graduado. Minha mãe adoraria que eu o levasse para casa. Mas o surfista devia ter algum defeito. "Além da marca de demônio?", pensei, sarcástica. Deus, me salve de mim mesma!

As pessoas ao redor tiveram reações mistas com o oito que saiu no jogo.

– Não é bom? – perguntei.

Lee deu de ombros enquanto pegava os dados que o funcionário empurrou para ele.

– É bom, sim – respondeu. – Mas você precisa rolar outro oito antes que apareça um sete que ganhe.

– Ah – eu disse, fingindo ter entendido, e lancei os dados. Dessa vez, saiu um nove. – Continuo? – perguntei, e ele fez que sim com a cabeça.

– Vou colocar umas apostas de *one-roll* para você – Lee disse, e então hesitou. – Se não tiver problema.

Todos estavam esperando, então eu concordei:

– Claro, seria ótimo.

Lee assentiu. Franziu a sobrancelha por um momento e então pôs uma pilha de fichas vermelhas num quadrado. Alguém soltou um riso de escárnio, inclinando-se para murmurar na orelha do vizinho:

– Massacre de inocente.

Os dados estavam quentes na minha mão quando os lancei. Eles bateram na parede e pararam. A soma dos dois deu onze, e todos na mesa resmungaram. Lee, porém, estava sorrindo.

– Você ganhou – declarou, pousando a mão no meu ombro. – Está vendo? – apontou. – As chances são de quinze para um de dar um onze. Imaginei que você fosse uma zebra mesmo.

Arregalei os olhos quando a cor predominante da minha pilha de fichas passou de vermelho para azul quando o funcionário as empilhou.

– Não entendi.

– Quando você ouve o som de cascos, procura cavalos. Essa seria a aposta comum. Eu sabia que com você daria uma coisa estranha. Uma zebra.

Sorri de orelha a orelha, gostando da ideia, e os dados voaram da minha mão assim que ele mudou minhas fichas para outro quadrado. Meu coração acelerou e, enquanto Lee me explicava as probabilidades do jogo, lancei de novo e de novo e de novo, e a mesa foi ficando cada vez mais barulhenta e alvoroçada. Logo comecei a entender tudo. O risco, a dúvida do que estava por vir e a espera angustiante até que os dados parassem eram como estar em uma missão – na verdade, ainda melhor, porque ali o que estava em jogo eram fichas de plástico, e não minha vida. Lee passou a me explicar as formas de aposta e, quando tomei coragem de dar uma sugestão, ele sorriu, dizendo que a mesa era minha.

Rindo sem parar, passei a apostar por conta própria, deixando rolar enquanto Lee colocava a mão no meu ombro e sussurrava as chances de dar isso ou aquilo. O surfista exalava um cheiro de areia. Podia sentir a animação dele através do tecido fino de sua camisa de seda, e o calor de seus dedos continuava me aquecendo mesmo quando ele tirava a mão de mim para me entregar os dados.

Levantei os olhos quando a mesa gritou de alegria com minha última jogada, surpresa ao notar que quase todo mundo estava amontoado ao nosso redor e que, de algum modo, tínhamos virado o centro das atenções.

– Parece que você pegou o jeito. – Lee sorriu e deu um passo para trás.

Meu rosto logo ficou desanimado.

– Você está indo embora? – perguntei, enquanto o rapaz de bochecha rosada que bebia cerveja colocava os dados na minha mão insistindo para que eu os lançasse.

– Preciso ir – ele respondeu. – Mas não pude resistir a conhecê-la. – Aproximando-se, continuou. – Adorei te ensinar a jogar. Você é uma mulher muito especial, Rachel.

– Lee? – Confusa, coloquei os dados na mesa e as pessoas ao redor resmungaram.

Ele pegou os dados e os colocou na minha mão.

– Você é um sucesso. Não vai parar agora.

– Quer meu telefone? – perguntei. "Ai, meu Deus, eu estava parecendo desesperada."

Mas Lee sorriu, sem mostrar os dentes.

– Você é Rachel Morgan, caça-recompensas da SI que largou o emprego com a última vampira viva da família Tamwood. Você está na lista telefônica... em nada menos do que quatro lugares.

Meu rosto ficou vermelho, mas consegui me conter antes que dissesse a todos que não era uma garota de programa.

– Até a próxima – Lee disse, erguendo a mão e inclinando a cabeça antes de sair.

Depois de colocar os dados na mesa, recuei alguns passos para vê-lo desaparecer pelas escadas no fundo do barco, elegante em seu smoking com uma faixa roxa. Percebi que combinava com sua aura. Outro jogador assumiu meu lugar e o alvoroço foi retomado.

Perdi o bom humor e me sentei numa mesa perto da janela. Um dos funcionários trouxe meus três baldes de fichas. Outro colocou uma nova Vaca Morta sobre um guardanapo de linho. Um terceiro acendeu a vela vermelha e perguntou se eu precisava de alguma coisa. Fiz que não com a cabeça e ele saiu a passos lentos.

– Qual é o problema desse cenário? – murmurei, esfregando os dedos na testa. Ali estava eu, vestida como uma jovem viúva rica, sentada sozinha num cassino segurando três baldes de fichas. Lee sabia quem eu era e não falou isso em momento algum? E onde diabos estava Kisten?

A euforia da mesa de dados diminuiu de repente e as pessoas começaram a sair aos poucos. Contei até cem, depois até duzentos. Furiosa, levantei, pronta para trocar as fichas e encontrar Kisten. Banheiro é o caralho. Ele devia estar no andar de cima jogando pôquer sozinho.

Com os baldes de ficha nas mãos, parei no meio do caminho. Kisten estava descendo as escadas, com movimentos rápidos e rígidos, e a velocidade de um vampiro vivo.

– Onde você estava? – perguntei, furiosa, quando ele chegou à minha frente. Seu rosto estava tenso e pude ver uma gota de suor escorrendo em sua testa.

– A gente está indo embora – ele disse, apenas. – Vamos.

– Espere um pouco. – Eu me soltei da mão que ele tinha colocado no meu cotovelo. – Onde você estava? Você me deixou completamente sozinha. Um cara teve que me ensinar a jogar dados. Está vendo o que eu ganhei?

Kisten olhou para os meus baldes, nem um pouco impressionado.

– Os ganhos são fixos – contou, pegando-me de surpresa. – Estavam te entretendo enquanto eu falava com o chefe.

Senti que tinha levado um soco no estômago. Afastei-me com tudo quando ele tentou segurar meu braço de novo.

– Pare de tentar me arrastar de um lado para o outro! – exclamei, sem ligar para as pessoas que estavam olhando. – E o que você quis dizer quando falou que estava conversando com o chefe?

Kisten me lançou um olhar exasperado, com os primeiros fios de barba começando a aparecer em seu queixo.

– A gente pode ter essa conversa lá fora? – ele disse, obviamente apressado.

Olhei de soslaio para o grandalhão que estava descendo a escada. Aquele era um barco-cassino. Não era do Piscary. Kisten estava cuidando dos negócios do vampiro morto-vivo. Ele estava negociando com o cara novo da cidade, e tinha me levado junto para o caso de haver problemas. Senti uma pontada de raiva no peito quando tudo começou a fazer sentido, mas era melhor manter a discrição.

– Certo – eu disse. Minhas botas bateram abafadas no ritmo do meu coração ao caminhar para a porta. Deixei os baldes de fichas no balcão e abri um sorriso forçado para a moça que cuidava do dinheiro. – Quero que meus ganhos sejam doados para o fundo de reconstrução dos orfanatos incendiados da cidade – ordenei, com firmeza.

– Sim, senhora – a mulher assentiu, com educação, contando as fichas.

Kisten pegou uma da pilha.

– A gente vai trocar essa por dinheiro.

Tirei a ficha dos seus dedos, furiosa por ele me usar daquele jeito. Era até lá que Kisten pedira que Ivy o acompanhasse. E eu tinha me deixado levar. Assobiando, joguei a ficha para o carteador dos dados, que a agarrou e inclinou a cabeça em agradecimento.

– Era uma ficha de cem dólares! – Kisten protestou.

– Jura? – Irritada, peguei outra e a lancei para o mesmo carteador. – Não quero ser pão-dura – murmurei. A mulher me deu um recibo de oito mil setecentos e cinquenta dólares, doados para o fundo da cidade. Encarei o papel por um momento e o enfiei na bolsa.

– Rachel... – Kisten resmungou, com o rosto vermelho sob o cabelo louro.

– A gente não vai ficar com nada. – Ignorando o casaco de Kisten que o porteiro me oferecia, saí pela porta com o SS gravado. Um S era de Saladan talvez? "Meu Deus, como sou idiota."

– Rachel... – Sua voz firme já estava esvaziada de raiva quando ele saiu pela porta atrás de mim. – Volte aqui e mande ela trocar uma ficha por dinheiro.

– Você me deu as primeiras e o resto eu ganhei! – gritei, ao pé da rampa, com os braços em torno do corpo sob a neve que caía. – Vou doar todas as fichas. E estou puta com você, seu covarde bebedor de sangue.

O homem na base da rampa sorriu, tornando-se sério e impassível depois que o encarei. Kisten hesitou, depois fechou a porta e veio atrás de mim, com meu casaco emprestado no braço. Saí batendo os pés até seu carro, esperando que ele destravasse o alarme para mim ou me dissesse para chamar um táxi.

Ainda colocando o casaco, Kisten parou ao meu lado.

– Por que você está brava comigo? – ele disse, inexpressivo, com os olhos azuis começando a ficar negros sob a luz difusa.

– Esse barco é do Saladan, não é? – perguntei, furiosa, apontando para a embarcação. – Eu posso ser lenta, mas uma hora acabo entendendo as coisas. Piscary manda nos jogos de azar de Cincinnati. Você veio aqui para buscar a parte dele, mas Saladan te mandou embora, não foi? Ele está entrando no terreno do Piscary, e você me trouxe como reforço sabendo que eu salvaria sua pele se essa merda saísse do controle!

Inflamada, ignorei seus dentes e sua força, e coloquei o rosto a poucos centímetros do dele.

– Não tente me enganar de novo para ser seu reforço. Você poderia ter me matado nesse seu joguinho. E lembre-se de que eu não tenho uma segunda chance. Pra mim morte é morte, e acabou!

Minha voz ecoou pelos prédios ao redor. Pensei nas pessoas que estariam ouvindo no barco e fiquei vermelha. Mas que droga, eu estava com raiva, e aquilo precisava ser resolvido antes que eu entrasse no carro de Kisten.

– Você me veste para que eu me sinta especial – gritei, com um nó na garganta e muito ódio no coração. – Age como se me levar para sair fosse algo que você quisesse genuinamente fazer, mesmo sabendo que não poderia enfiar os dentes no meu pescoço, e depois eu descubro que na verdade seu interesse era, sim, em *negócios*? Eu nem fui sua primeira opção. Você queria que Ivy viesse com você! Eu sou o resto. Você fez com que eu me sentisse desprezível!

Ele abriu a boca, mas logo depois fechou.

– Consigo entender que eu tenha sido sua segunda opção no quesito mulheres, porque você é um canalha como todos os homens! – exclamei. – Mas você me trouxe de propósito para uma situação potencialmente perigosa, sem meus feitiços nem meus amuletos. Você disse que íamos ter um encontro, então deixei tudo em casa. Pô, Kisten, se você queria reforço, era só pedir!

– Além disso – continuei, com a raiva diminuindo aos poucos, já que ele parecia estar ouvindo atentamente em vez de passar o tempo formulando desculpas –, teria sido divertido vir sabendo em que eu estava me metendo. Eu poderia ter arrancado informações das pessoas, por exemplo.

Ele me encarou, com surpresa nos olhos.

– Jura?

– Sim, claro. Você acha que virei caçadora de recompensas por causa do plano odontológico? Teria sido mais divertido do que ter um cara me ensinando a jogar dados. E esse trabalho era seu, aliás.

Kisten parou diante de mim. Uma camada de neve começava a se acumular no seu casaco. Seu rosto longo parecia triste sob a luz difusa do poste, e ele respirou fundo. Estreitei os olhos quando ele deixou escapar um suspiro de derrota. Pude sentir meu coração batendo forte, e meu corpo estava ao mesmo tempo quente e frio. Quente pela raiva e frio pelo vento cortante que soprava do rio. Mas pior que isso era o fato de que Kisten devia ser capaz de entender meus sentimentos melhor do que eu.

Seus olhos cada vez mais azuis se voltaram para o barco atrás de mim e, enquanto eu observava, ficaram pretos novamente, me causando um calafrio.

– Você tem razão – o vamp disse, rápido, com a voz tensa. – Entre no carro.

Minha raiva voltou. "Filho da puta..."

– Não seja condescendente comigo – censurei, com firmeza.

Ele estendeu o braço e recuei antes que pudesse me tocar. Com os olhos negros parecendo desalmados sob a luz mortiça, desistiu de me tocar e abriu a porta.

– Não estou sendo condescendente – respondeu, com os movimentos beirando uma rapidez assustadora e típica dos vamps. – Há três homens saindo do barco. Consigo sentir o cheiro de pólvora. Você estava certa, eu não. Agora entre na droga do carro.

Catorze

Senti o medo surgir no meu corpo e, ao notá-lo, Kisten inspirou fundo, como se tivesse recebido um tapa na cara. Fiquei paralisada, percebendo, por sua fome crescente, que havia outras coisas com que me preocupar além dos passos que ressoavam na passarela de desembarque. Com o coração a mil, entrei no carro. Kisten me deu o casaco e as chaves, bateu a porta com força e, enquanto passava pela frente do veículo, enfiei a chave na ignição. Kisten entrou, e o motor começou a roncar no mesmo segundo em que ele bateu a porta.

Os três homens tinham mudado de direção, acelerando o passo para entrar em um modelo novo de BMW.

– Eles nunca vão nos alcançar naquele carro – Kisten desdenhou. Enquanto o limpador de para-brisa tentava remover a neve, o vamp mudou a marcha do carro e pisou no acelerador, fazendo com que eu me segurasse contra o painel. Entramos na rua cantando pneu e atravessamos um sinal amarelo. Não olhei para trás.

O vamp diminuiu a velocidade quando o trânsito aumentou. Meu coração bateu com mais força e, me ajeitando no banco, coloquei o cinto de segurança. Kisten pôs o aquecedor no máximo, mas o carro continuava frio. Eu me sentia nua sem meus amuletos. Deveria ter trazido algum, mas eu achava que aquilo era um encontro!

– Desculpe – ele disse, fazendo uma curva súbita à esquerda. – Você tinha razão.

– Idiota! – gritei, com a voz rouca ressoando no carro pequeno. – *Nunca mais* tome decisões por mim, Kisten. Aqueles homens estavam armados e eu estava despreparada! – O resto de adrenalina fez com que eu gritasse ainda mais alto do que pretendia, e olhei de esguelha para ele. Fiquei subitamente mais tensa ao lembrar do negrume de seus olhos quando notou meu pavor. O vamp podia parecer seguro, vestindo um terno italiano e penteando o cabelo para trás, mas não era. Ele podia mudar de uma hora para outra. "Meu Deus, o que estou fazendo aqui?"

– Já pedi desculpas – Kisten argumentou, sem tirar os olhos da pista enquanto os prédios luminosos, esfumaçados pela neve, ficavam para trás. O tom de sua voz estava bem irritado, e achei melhor parar de gritar, por mais que estivesse tremendo de raiva. Além do mais, ele não estava se curvando e implorando perdão, e aquela admissão confiante de culpa era algo bom para variar.

– Deixa pra lá – eu disse, com a cara fechada. Ainda não estava disposta a perdoá-lo, mas também não queria conversar mais sobre o assunto.

– Merda – ele disse, cerrando os dentes ao olhar para o retrovisor. – Eles ainda estão nos seguindo.

Eu me contorci, evitando virar para olhar e me bastando com o que o retrovisor mostrava. Kisten fez uma curva fechada para a direita e meu queixo caiu. A pista à nossa frente era um túnel vazio e escuro, sem nenhum resquício das luzes e da segurança que o comércio trazia atrás de nós.

– O que está fazendo? – perguntei, ouvindo o medo na minha própria voz.

Seus olhos estavam no retrovisor quando um Cadillac preto entrou abruptamente à nossa frente, bloqueando a estrada ao virar e parar de lado.

– Kisten! – exclamei, colocando os braços no painel. Dei um grito agudo enquanto ele soltava um palavrão e virava o volante. Minha cabeça bateu contra a janela e contive um berro de dor. Segurando a respiração, senti os pneus perderem contato com o asfalto e deslizarem sobre o gelo. Sem parar de xingar, Kisten usou seus reflexos vamps para reagir contra o carro. O pequeno Corvette fez um último movimento subindo o meio-fio, e paramos com um solavanco.

– Fique no carro. – Ele começou a abrir a porta. Quatro homens de terno escuro saíam do Cadillac à nossa frente. Três estavam na BMW atrás de nós. Todos eram bruxos, provavelmente, e ali estava eu, contando apenas com meia-dúzia de amuletos estéticos. "Isso vai ficar ótimo no meu obituário."

– Kisten, espere! – eu disse.

Com a mão na porta, ele se virou. Senti um aperto no peito ao notar a escuridão em seus olhos. "Ai, meu Deus, ele está todo vampirão."

– Vai ficar tudo bem – afirmou. Sua voz, agora retumbante, foi como um estrondo forte que seguiu direto para meu peito e apertou meu coração.

– Como você sabe? – murmurei.

Ele ergueu a sobrancelha oxigenada, tão de leve que não soube ao certo se ela tinha se movido.

– Porque, se eles me assassinarem, vou virar um vamp morto-vivo e caçá-los em busca de vingança. Eles só querem... conversar. Fique no carro.

Kisten saiu e bateu a porta. O carro permanecia ligado, e o ronco do motor foi tensionando meus músculos um a um. A neve caía no para-brisa, e desliguei os limpadores.

– "Fique no carro" – imitei, irritada. Olhei para trás e vi os três homens da BMW se aproximando. Kisten estava rijo e soturno ao passar na frente dos faróis, aproximando-se dos quatro homens do Cadillac. Tinha as palmas voltadas para a frente e levava uma tranquilidade que eu sabia ser fingida. – O diabo que vou ficar no carro – eu disse, abrindo a porta e sentindo o vento frio.

Kisten se virou.

– Falei para você ficar no carro – o vamp disse, e contive o medo que a severidade da sua expressão me causou. Ele estava preparado para o que estava prestes a acontecer.

– Sim, falou – retruquei, obrigando-me a descer os braços. Estava frio e eu não parava de tremer.

Ele hesitou, claramente dividido. Os homens que se aproximavam foram se espalhando. Estávamos cercados. Os rostos estavam encobertos pelas sombras, mas pareciam confiantes. Só faltava um bastão ou um pé de cabra na mão de cada um para completar a cena. Mas aqueles sujeitos eram bruxos. A força deles se encontrava na magia.

Acalmei minha respiração e avancei sobre a bota rasteira. Sentindo a onda de adrenalina, fiquei sob a luz do farol, de costas para Kisten.

A fome negra em seus olhos pareceu diminuir.

– Rachel, por favor, espere no carro – ele disse, com uma voz que me causou arrepios. – Não vai demorar muito e não quero que fique com frio.

"Ele não queria que eu ficasse com frio?", pensei, observando os homens da BMW se posicionando de maneira a cercar o oponente.

– Tem sete bruxos ali – eu disse, baixinho. – Bastam três para fazer uma rede e um para mantê-la depois de feita.

– Sim, mas eu só preciso de três segundos para nocautear um deles.

Os homens à minha frente vacilaram. Havia um motivo por que a SI não mandava bruxos prenderem um vampiro. Sete contra um poderia ser o bastante, mas não sem que alguém saísse gravemente ferido.

Arrisquei olhar por sobre o ombro, e vi os quatro do Cadillac olhando para o homem de casaco longo que tinha saído da BMW. "O chefão", pensei, o julgando confiante demais ao ajeitar o casaco longo e acenar para os homens ao nosso redor. Os dois à frente de Kisten avançaram e três recuaram. Seus lábios se moveram e eles gesticularam. Os pelos da minha nuca se arrepiaram por causa do aumento súbito de poder.

"Há pelo menos três bruxos de linhas de ley", pensei, e então gelei quando um dos homens que avançavam sacou uma arma. Merda. Kisten poderia voltar dos mortos, mas eu não.

– Kisten – adverti, erguendo a voz, enquanto mantinha os olhos fixos na arma.

O vamp se moveu, e dei um salto. Em um momento ele estava do meu lado, no outro se encontrava entre os bruxos. Ouvi um disparo e, sem fôlego, desviei, ficando cega com os faróis do Corvette. Agachada, avistei um homem no chão. Ele não portava a arma.

Cercando-nos, quase invisíveis no clarão, os bruxos de linhas de ley murmuram e gesticularam mais, apertando a rede ao avançarem um passo. Minha pele formigou quando um véu caiu sobre nós.

Movendo-se rápido demais para ser seguido, Kisten agarrou o punho do homem armado. No ar seco e frio, pude ouvir claramente o som de um osso se partindo. Senti um frio na barriga quando o homem gritou e caiu de joelhos. Kisten completou o ataque com um forte golpe na cabeça. Alguém gritou. A arma caiu, sendo pega por Kisten antes que batesse na neve.

Estalando o punho, o vamp lançou a arma para mim. O metal pesado refletiu sob os faróis conforme avancei para pegá-la, caindo na minha palma. Estava quente, o que me pegou de surpresa. Ouvi outro disparo e fui tomada por um sobressalto, deixando o metal cair na neve.

– Pegue aquela arma! – gritou o homem de casaco longo, perto de mim.

Olhei por sobre o capô do Corvette de Kisten, vendo que ele também estava armado. Meus olhos se arregalaram ao ver o vulto de um homem vindo na minha direção e segurando uma esfera de todo-sempre laranja. Perdi o ar quando ele sorriu e a lançou contra mim.

Caí na calçada, numa queda endurecida pelo gelo coberto por neve. A esfera explodiu numa chuva de faíscas cheirando a enxofre ao bater no carro de Kisten e ricochetear para longe. A neve semiderretida entrou em contato com a minha pele, causando um choque que me clareou a mente.

Coloquei a palma das mãos contra a calçada fria e me ergui. Minhas roupas... Minhas roupas! A calça forrada de seda que eu vestia estava coberta por uma neve nojenta de coloração cinza.

– Olhe só o que você me fez fazer! – gritei, furiosa, ao tirar a gosma das calças.

– Filho da puta! – Kisten gritou. Girei nos calcanhares, me deparando com três bruxos num círculo confuso ao redor do vamp. O homem que tinha lançado a esfera de todo-sempre fez um movimento infeliz, e Kisten deu um chute violento nele. "Como ele chegou lá tão rápido?" – Você estragou a pintura do meu carro, seu filho da...

Enquanto eu assistia, Kisten se deteve por um segundo angustiante. Com os olhos negros, avançou contra o bruxo de linha de ley mais próximo, que gesticulava. O homem arregalou os olhos, mas não teve tempo de fazer nada além disso.

Kisten acertou um soco nele, fazendo sua cabeça ir para trás com toda a força. Ouvi um terrível estalo. O bruxo se encolheu e, com os braços abertos, fez um arco no ar, caindo e deslizando sob os faróis do Cadillac.

Dando um giro antes que o primeiro alvo parasse de se mexer, Kisten acertou o segundo. Seu sapato social acertou a parte traseira dos joelhos do outro bruxo, que, pego de surpresa, berrou ao dobrar as pernas. O grito foi interrompido de forma assustadoramente brusca quando Kisten deu uma gravata nele. Senti um nó na barriga com o som gorgolejante e o estalido característico da cartilagem.

O terceiro bruxo se virou e começou a correr. "É um erro. Um erro terrível."

Kisten atravessou os três metros de distância entre os dois numa fração de segundo. Puxando o bruxo em fuga, ele o girou em círculos pelo braço. O estalo do membro sendo deslocado me atingiu como um tapa na cara. Pus a mão no estômago, enjoada. Não foi preciso mais que um segundo.

Kisten parou diante do último bruxo em pé, um gigante de quase dois metros e meio. Tremi ao lembrar que Ivy já tinha me olhado daquela forma. O bruxo tinha uma pistola, mas minha intuição dizia que ela não seria de grande ajuda.

– Você vai atirar em mim? – Kisten gritou.

O homem sorriu. Senti uma linha sendo liberada por ele e abri a boca, querendo avisar.

Kisten avançou, pegando o homem pela garganta. Os olhos do bruxo se arregalaram de medo enquanto se debatia em pleno ar. A pistola caiu e as mãos dele ficaram balançando inutilmente. Os ombros de Kisten estavam tensionados, e a agressividade era visível. Eu não conseguia ver seus olhos, mas o homem que ele segurava conseguia, e parecia aterrorizado.

– Kisten! – gritei, com medo demais para interferir. "Ai, meu Deus. Por favor, não. Não quero ver isso."

O vamp hesitou, e me perguntei se ele conseguia ouvir o batimento acelerado em meu peito. Devagar, como se lutando contra si mesmo, Kisten puxou o homem para mais perto. O bruxo sofria quase sem ar, incapaz de respirar. Os faróis iluminaram a espuma que saía pelo canto da sua boca, e o rosto dele estava vermelho.

– Diga para Saladan que vou me encontrar com ele – Kisten ordenou, com um rosnado.

Levei um susto quando Kisten puxou o braço, fazendo o bruxo sair voando e cair em um poste de luz apagado. O choque reverberou por ele e acendeu a luz. Tive medo de me mexer quando o vamp se virou. Ao me ver parada sob a neve que caía, iluminada pelos faróis do carro, ele vacilou e, com os olhos tomados por um preto assustador, tirou uma mancha de neve do casaco.

Imóvel e tensa, acompanhei seu olhar de soslaio para o massacre, fortemente iluminado pelos três pares de faróis e pelo poste. Os homens estavam espalhados por toda parte. O bruxo com o braço deslocado tinha vomitado e estava tentando entrar no carro. Mais abaixo na rua, um cachorro latia e uma cortina ondulava contra uma janela acesa.

Coloquei a mão no estômago, nauseada. Eu tinha ficado paralisada. Meu Deus, eu tinha mesmo ficado paralisada, incapaz de fazer qualquer coisa. Eu me tornara uma idiota depois de me livrar das ameaças de morte. Mas, por causa do que fiz, eu sempre seria um alvo.

Kisten avançou, com a borda azul de suas pupilas negras ainda fina.

– Falei para ficar no carro – resmungou. Eu me empertiguei quando o vamp me puxou pelo cotovelo e me guiou para o veículo.

Aturdida, não ofereci resistência. Kisten não estava bravo comigo, e eu não queria que ele se tornasse ainda mais ciente do meu coração acelerado ou do medo que eu estava sentindo. Mas um sinal de perigo me fez endurecer. Com os olhos arregalados, me virei de costas para Kisten e me soltei do seu braço, procurando por algo.

Sob o poste, o homem estatelado estreitou os olhos, com o rosto desfigurado pela dor.

– Perdeu, vadia – ele disse, antes de murmurar uma palavra encolerizada em latim.

– Cuidado! – gritei, empurrando Kisten para longe.

Ele caiu para trás, recuperando o equilíbrio com uma elegância vampiresca. Minhas botas deslizaram, me fazendo ir de costas ao chão. Um grito brutal me aterrorizou. Com o coração acelerado, me ergui com dificuldade, voltando os olhos primeiro para Kisten. Ele estava bem. O grito vinha do bruxo.

Coloquei a mão na boca, horrorizada ao ver seu corpo manchado de todo-sempre se contorcer sobre a calçada coberta de neve. Fiquei com medo quando a neve remexida assumiu um tom vermelho. Ele estava sangrando pelos poros.

– Deus o salve – sussurrei.

O bruxo soltou um grito agudo, depois mais um, e o som áspero acendeu algum instinto primitivo em mim. Kisten caminhou rapidamente até ele. Eu não podia detê-lo. O bruxo estava sangrando, gritando de medo e de dor – a cena ativava todos os instintos do vamp. Eu me virei, pousando a mão trêmula no capô quente e retumbante do Corvette. Eu estava prestes a passar mal, tinha certeza disso.

Ergui a cabeça quando o terror e a dor do homem findaram com um estalo úmido. Kisten se levantou, trazendo um olhar de fúria horripilante no rosto. O cachorro voltou a latir, enchendo a noite gelada com o sinal de alerta. Um par de dados saiu rolando das mãos frouxas do homem, e Kisten os apanhou.

Não conseguia pensar em mais nada. De repente, o vamp se juntou a mim, pousando a mão no meu cotovelo, guiando-me para o carro. Deixei que ele me levasse, contente por não ter sucumbido a seus instintos vampíricos e sem saber por que não o fizera. Sua aura de vampiro já estava completamente apagada, os olhos voltaram ao normal e as reações eram só ligeiramente rápidas.

– Ele não morreu – ele disse, dando-me os dados. – Nenhum deles morreu. Não matei ninguém, Rachel.

Não sabia por que se importava com a minha opinião. Agarrando os pedaços de plástico, eu os apertei até que meus dedos doessem.

– Pegue a arma – sussurrei. – Minhas digitais estão nela.

Sem dar sinal de que tinha me ouvido, Kisten colocou a ponta do meu casaco para dentro do carro e fechou a porta.

O cheiro penetrante de sangue chamou minha atenção para baixo, e abri a mão. Os dados estavam grudentos. Fiquei gelada e levei a outra mão à boca. Eram os dados que eu usara no cassino. O salão inteiro tinha me visto beijá-los; o bruxo tentou usá-los como objeto focal. Mas eu não tinha feito a conexão e, por isso, a magia negra se voltou contra seu criador.

Fiquei olhando pela janela, me esforçando para não hiperventilar. Era para ser eu ali, estatelada, com os membros contorcidos em uma poça de sangue e neve derretida. Fui um elemento-surpresa no jogo de Saladan, e ele se preparou para me derrubar, a fim de fazer seus homens recuperarem a vantagem. E eu não tinha feito nada contra isso. Minha falta de amuletos e o choque da situação me deixaram paralisada demais para sequer criar um círculo.

Fez-se um clarão quando Kisten entrou na frente dos faróis do carro, agachando-se para pegar a arma. Seus olhos encontraram os meus, cansados e esgotados, até que um leve movimento atrás dele o fez virar para trás. Alguém estava tentando ir embora.

Soltei um resmungo baixo quando Kisten deu passos incrivelmente longos e rápidos, e puxou o homem para cima. O bruxo soltou um lamento que me atingiu no fundo do peito conforme ele implorava por sua vida. Disse a mim mesma que sentir pena era idiotice, que eles tinham planejado coisas muito piores para mim e para Kisten. Mas tudo que o vamp fez foi conversar, sussurrando no ouvido do bruxo, suas faces se tocando.

Com um movimento veloz, Kisten o lançou sobre o capô do Cadillac, tirando a arma da bainha do casaco do oponente. Ao fim, soltou a arma e virou as costas.

Ao voltar para o carro, o vamp tinha as costas curvadas, num misto de raiva e preocupação. Não falei nada quando ele entrou e ligou o limpador de para-brisa. Ainda em silêncio, moveu a marcha para a frente e para trás, manobrando o carro para sair do espaço em que os dois carros nos tinham fechado.

Eu me segurei na maçaneta da porta e continuei em silêncio enquanto o carro se movia, parava e tornava a se mover. Havia apenas uma estrada vazia à nossa frente, e Kisten pisou no acelerador. Arregalei os olhos quando os pneus cantaram e começamos a deslizar para a esquerda, mas logo as rodas se ajeitaram e nós avançamos. Saímos por onde tínhamos chegado, com o ronco surdo do motor.

Permaneci quieta enquanto Kisten dirigia, com movimentos rápidos e súbitos. As luzes brilhavam abruptamente ao nosso redor, iluminando seu rosto enrugado pelo nervosismo. Meu estômago estava contorcido e minhas costas doíam. Ele sabia que eu estava tentando descobrir como reagir a tudo aquilo.

Por mais emocionante que fosse ver Kisten em ação, eu tinha morrido de medo. Morando com Ivy aprendi que os vamps eram tão inconstantes quanto um *serial killer*; em um momento eram divertidos e cativantes, mas, no outro, se tornavam agressivos e perigosos. Eu sabia disso, mas assistir àquela cena fora um lembrete chocante.

Engolindo em seco, observei minha própria postura, notando que estava mais tensa do que um esquilo depois de cheirar cocaína. Na mesma hora me obriguei a abrir a palma das mãos e abaixar os ombros. Olhei para os dados ensanguentados, e Kisten murmurou:

– Eu não faria aquilo com você, Rachel. Não faria.

O ritmo dos limpadores de para-brisa era lento e constante. "Talvez eu devesse ter ficado no carro."

– Há um pacote de lenços umedecidos no porta-luvas.

A voz dele era suave como um pedido de desculpas. Baixando os olhos para que ele não os visse, abri o compartimento e encontrei alguns lenços de papel. Meus dedos tremiam enquanto eu envolvia os dados no lenço e, depois de um momento de hesitação, os guardei na minha bolsa.

Depois de vasculhar mais, encontrei os lenços umedecidos. Acabrunhada, entreguei o primeiro para Kisten e limpei as mãos com o segundo. O vamp não teve dificuldade para dirigir pelas ruas movimentadas e cheias de neve ao mesmo tempo que limpava as cutículas. Ao terminar, estendeu a mão para pegar meu lenço e o entreguei. Havia um saquinho de lixo pendurado atrás do meu banco e, sem nenhum esforço, ele jogou os lenços ali. Suas mãos eram tão precisas quanto as de um cirurgião, e cerrei os punhos para esconder o tremor das minhas.

Kisten voltou a se acomodar, e seu esforço para ficar calmo era quase visível quando ele expirou. Estávamos no meio do caminho para Hollows, deixando as fortes luzes de Cincinnati para trás.

– Quem bate? É o frio – ele disse, em tom leve.

Desconcertada, olhei para ele.

– Como assim? – perguntei, contente por estar com a voz firme. Sim, eu tinha visto Kisten acabar com um clã de bruxos de magia negra quase sem esforço e com o charme de um predador, mas se agora ele queria conversar sobre comerciais de loja de departamentos eu não via mal nenhum.

O vamp sorriu com o canto dos lábios, como a título de desculpas, trazendo um pouco de culpa no fundo dos olhos azuis.

– Quem bate? É o frio – repetiu. – Bater neles no inverno me lembrou daquela propaganda.

Ergui a sobrancelha e abri um sorriso torto. Com um pequeno movimento, estendi os pés sobre a entrada de ar no piso do carro. Era rir para não chorar. E eu não queria chorar.

– Não causei uma impressão muito boa hoje, né? – perguntou, com os olhos de volta na estrada.

Não respondi, sem saber ao certo como me sentia.

– Rachel – ele disse, com delicadeza. – Desculpe por fazê-la ver aquilo.

– Não quero falar sobre isso – eu disse, lembrando dos gritos apavorados de agonia do bruxo. Sabia que Kisten fazia coisas terríveis por causa do que ele era e de para quem trabalhava, mas vê-lo em ação tinha me causado ao mesmo tempo aversão e fascínio. Eu era uma caçadora de recompensas; a violência fazia parte da minha vida. Não podia simplesmente classificar o que aconteceu como algo ruim sem considerar minha profissão em meio às trevas.

Embora seus olhos estivessem negros e seus instintos fossem precisos, ele agiu de maneira rápida e decisiva. Sua graça e seus movimentos breves tinham me causado inveja. Além disso, apesar de tudo, tive a ligeira sensação de que a atenção de Kisten estava voltada para mim, sempre sabendo onde eu estava e quem estava me ameaçando.

Eu ficara paralisada, e ele tinha me protegido.

Kisten acelerou suavemente para entrar no cruzamento à nossa frente quando o sinal ficou verde. Ele suspirou, deixando claro não saber em que eu estava pensando enquanto fazia a curva em direção à igreja. O relógio luminoso no painel dizia que eram três e meia. Sair não parecia mais tão divertido, mas eu ainda estava tremendo e, se não comesse algo decente, acabaria jantando bolachas e sobras de arroz. Eca.

– McDonald's? – sugeri. "Era só um encontro, pelo amor de Deus. Um... encontro platônico."

Kisten ergueu a cabeça de repente. Com a boca entreaberta, surpreso, quase bateu no carro da frente, freando no último segundo. Acostumada com a maneira como Ivy dirigia, me segurei firme e balancei para a frente e para trás.

– Você ainda quer jantar? – perguntou, enquanto o motorista à frente gritava insultos inaudíveis pelo espelho retrovisor.

Ergui os ombros. Eu estava suja e cheia de neve, meu cabelo estava bagunçado e meus nervos se encontravam à flor da pele. Se eu não colocasse alguma coisa no estômago, ficaria mal-humorada. Ou doente. Ou coisa pior.

Kisten se acomodou no banco, com um ar pensativo que aliviou o franzido de seu rosto. Um quê da sua arrogância costumeira transpareceu naquela postura relaxada.

– Só consigo pagar fast-food... agora – resmungou de brincadeira, mas pude notar seu alívio por eu não estar exigindo que ele me levasse direto para casa. – O plano era usar parte do que eu ganhei para levá-la à Torre Carew para jantar e ver o nascer do sol.

– Os órfãos precisam mais do dinheiro do que eu preciso de um jantar caro no alto de Cincinnati – respondi. Kisten deu uma risada, deixando mais fácil abafar o resquício de desconfiança que eu alimentava. Ele salvou minha vida quando fiquei paralisada. Aquilo não aconteceria de novo. Nunca.

– Ei, hum, tem algum jeito de você não contar para Ivy sobre... aquilo? – perguntou.

Sorri com a apreensão em sua voz.

– Isso tem um preço, dentucinho.

O vamp soltou um barulhinho e se voltou para mim, fingindo preocupação.

– Posso oferecer um *milk-shake* grande em troca do seu silêncio – entoou. Contive um calafrio com a sugestão de brincadeira que Kisten tinha colocado na frase. Isso, me faça de tonta. Mas eu estava viva graças a ele.

– Se for de chocolate – eu disse –, fecho o acordo.

Seu sorriso se alargou, e ele agarrou o volante com mais segurança.

Eu me acomodei no assento de couro aquecido, contendo a leve, muito leve, preocupação. "Até parece que eu falaria alguma coisa para a Ivy, com ou sem acordo."

Quinze

Dava para ouvir o barulho da neve e do sal sendo pisados enquanto Kisten me guiava até a porta. Seu carro estava parado no meio-fio sob a luz esmaecida pela neve que caía. Subi os degraus, sem saber o que aconteceria nos próximos cinco minutos. Era um encontro platônico, mas ainda assim era um encontro. A ideia de nos beijarmos me deixou nervosa.

Eu me virei com um sorriso no rosto quando cheguei à porta. Bonito, Kisten estava parado ao meu lado com seu longo casaco de lã, sapatos engraxados e o cabelo caindo sobre os olhos. A neve estava linda e se acumulava sobre seus ombros. O terror da confusão noturna ia e voltava à minha mente.

– Eu me diverti – comentei, querendo esquecer o medo. – Foi engraçado lá no McDonald's.

Kisten abaixou a cabeça e soltou uma risadinha.

– Eu nunca tinha fingido ser um inspetor de saúde para ganhar comida de graça antes. Como você sabia o que fazer?

Fiz uma careta.

– Eu, hum, fritava hambúrgueres na época do colégio até derrubar um amuleto na fritadeira. – Ele ergueu as sobrancelhas. Continuei: – Fui demitida. Não sei direito por quê. Ninguém se machucou e a mulher ficou melhor de cabelo liso.

Ele deu uma gargalhada e então tossiu.

– Você derrubou uma poção na fritadeira?

– Foi um acidente. O gerente precisou pagar um dia de spa para ela e eu fui jogada da vassoura. Ela só precisava de um banho de sais para quebrar o feitiço, mas disse que iria processar a lanchonete.

– Não imagino o motivo... – Kisten balançou para a frente e para trás, com as mãos nas costas enquanto olhava para a neve no campanário. – Que bom que você se divertiu. Eu também gostei. – Ele deu um passo para trás, e eu gelei. – Amanhã à noite eu dou uma passadinha aqui para pegar o casaco.

– Ei, hum, Kisten? – chamei, sem saber por quê. – Quer... tomar um café?

Ele se deteve graciosamente, já com um pé no degrau debaixo. Voltando-se para mim, sorriu com uma expressão contente que chegava até os olhos.

– Só se você me deixar fazer.

– Fechado. – Meu coração bateu só um pouco mais rápido enquanto eu abria a porta e entrava antes dele. Fomos recebidos pelo suave som de *jazz* que vinha da sala. Ivy estava em casa, e torci para que ela já tivesse saído para uma das suas duas bebidas semanais. A voz comovente de "Lilac Wine" criava um clima suave, acentuado pela escuridão no santuário.

Tirei o casaco de Kisten e ouvi o som da seda roçar nele. O santuário estava escuro e silencioso, com os pixies aconchegados na minha escrivaninha, embora já devessem estar acordados àquela altura. Querendo preservar meu bom humor, tirei as botas em silêncio enquanto Kisten pendurava o casaco ao lado do que tinha me emprestado.

– Venha para os fundos – sussurrei, não querendo acordar os pixies.

Kisten abriu um sorriso estreito enquanto me seguia até a cozinha. Não fizemos barulho, mas percebi que Ivy tinha nos ouvido quando abaixou um pouco o volume da música. Depois de jogar a bolsa no meu lado da mesa, senti que era outra pessoa caminhando até a geladeira de meias. Vi meu reflexo de relance na janela. Se ignorasse as manchas de neve e o cabelo caído, até que eu não estava tão mal.

– Vou pegar o café – eu disse, vasculhando a geladeira enquanto o som da água jorrando atrapalhava o *jazz*. Com o pó na mão, me virei e o encontrei relaxado e confortável em seu terno de risca de giz, parado diante da pia, limpando a nova garrafa de café. Estava totalmente concentrado na tarefa, e nem parecia notar que eu estava na cozinha enquanto jogava o pó velho fora e pegava um filtro no armário com um movimento rápido e automático.

Depois de quatro horas com ele, sem nenhum comentário sedutor ou insinuações sexuais ou sanguíneas, eu estava me sentindo confortável. Não sabia que ele era capaz de ser assim: normal. Observei enquanto ele se movia, vendo-o não pensar em nada. Gostei da cena, e me perguntei como seria se fosse assim sempre.

Como se sentisse meu olhar sobre ele, Kisten se virou.

– Que foi? – perguntou, com um sorriso no rosto.

– Nada. – Olhei para o corredor escuro. – Vou dar um oi para Ivy.

Kisten entreabriu os lábios, mostrando um pouco dos dentes enquanto alargava o sorriso.

– Está bem.

Sem saber por que o vamp parecia contente com isso, lancei um último olhar para ele, arqueando a sobrancelha, e entrei na sala iluminada por velas. Ivy estava esparramada em sua confortável poltrona de camurça, com a cabeça sobre um braço e uma perna em cima da outra. Ela voltou os olhos para mim quando entrei, analisando as curvas suaves e elegantes da minha roupa até os meus pés em meias de náilon.

– Você está cheia de neve – comentou, sem mudar a expressão ou a posição.

– Eu, hum, escorreguei – menti, e ela acreditou, tomando meu nervosismo como embaraço. – Por que os pixies ainda estão dormindo?

Ivy bufou, sentando-se de modo a colocar os pés no chão, e sentei no sofá de camurça de frente para ela, atrás da mesa de centro.

– Jenks fez todos ficarem acordados quando você saiu para que estivessem dormindo quando voltasse.

Abri um sorriso grato.

– Me lembre de dar uns bolinhos de mel a ele como agradecimento – comentei, recostando-me no sofá e cruzando as pernas.

Ivy se afundou na poltrona, imitando minha postura.

– Então... como foi o encontro?

Ela me olhou nos olhos. Sabendo muito bem que Kisten ouvia da cozinha, dei de ombros. Ivy muitas vezes agia como um ex-namorado irritante, o que era muito, muito estranho. Mas, agora que eu sabia que isso era causado por sua necessidade de manter minha confiança, era um pouco mais fácil de entender, por mais que ainda fosse esquisito.

Ela inspirou devagar, e eu sabia que estava farejando o ar para ter certeza de que ninguém tinha me mordido na Piscary's. Tranquilizada, abaixou os ombros, e revirei os olhos em exasperação.

– Ei, hum – comecei. – Desculpa mesmo pelo que falei mais cedo. Sobre a Piscary's. – Ela voltou os olhos para mim de repente e acrescentei rápido: –

Quer ir lá algum dia? Comigo, quer dizer? Acho que, se eu ficar embaixo, não desmaio. – Semicerrei os olhos, sem saber por que estava fazendo aquilo, exceto pelo fato de que, se ela não encontrasse logo uma maneira de relaxar, ficaria maluca. Eu não queria estar por perto quando isso acontecesse, e me sentiria melhor acompanhando-a na pizzaria para cuidar dela. Tinha a impressão de que ela desmaiaria antes do que eu.

Ivy se remexeu na poltrona, voltando para a posição em que se encontrava quando eu entrei.

– Claro – ela concordou, sem dar uma pista do que estava pensando enquanto voltava a cabeça para o teto e cerrava os olhos. – Faz tempo que não saímos juntas.

– Ótimo.

Eu me acomodei nas almofadas para esperar por Kisten. Do rádio, veio uma voz extremamente sexual quando a canção mudou. O cheiro de café sendo passado ficou nítido. Abri um sorriso quando a música nova de Takata começou. Estava tocando nas estações de *jazz*. Ivy abriu os olhos.

– Crachás de bastidores – ela disse, sorrindo.

– Atééé os bastidores – respondi. Ela tinha aceitado trabalhar no *show* comigo, e eu estava ansiosa para apresentá-la a Takata. Mas então me lembrei de Nick. Agora que ele não iria mesmo. Talvez eu pudesse pedir para Kisten nos ajudar. Como estava fingindo ser herdeiro de Piscary, ele seria duplamente intimidador. Meio que como um segurança no meio da pista. Olhei para o arco escuro, sem saber se ele aceitaria caso eu pedisse – e se eu realmente queria que ele estivesse lá.

– Ouça. – Ivy ergueu o dedo. – Esta é a minha parte favorita. Essa nota vai direto para o meu peito. Consegue ouvir a dor na voz dela? Acho que esse é o melhor CD do Takata até hoje.

"Voz dela?", pensei. Takata era o único que estava cantando.

– "Você é minha de um certo jeito" – Ivy murmurou de olhos fechados. O sofrimento que transparecia em sua testa me deixou incomodada. – "Você é minha, mesmo sem saber. Você é minha, por nossa paixão."

Arregalei os olhos. Ela não estava cantando o mesmo que Takata. Suas palavras estavam entrelaçadas às dele, como um fundo fantasmagórico que me causou arrepios. Este era o refrão que ele tinha preterido.

– "Você é minha, mas toda sua" – sussurrou. – "É o seu desejo..."

– Ivy! – exclamei, e ela abriu os olhos. – Onde você ouviu isso?

Ela olhou inexpressivamente para mim enquanto Takata continuou cantando sobre pactos feitos sem saber.

– Este é o refrão alternativo! – eu disse, sentando na beira do sofá. – Ele não ia lançar este refrão.

– Refrão alternativo? – ela perguntou enquanto Kisten entrava, pousando a bandeja com três xícaras de café na mesa, ao lado das grossas velas vermelhas, e sentando de propósito perto de mim.

– A letra! – Apontei para o rádio. – Você estava cantando. Takata não ia lançar esta versão. Ele me falou. Ele ia lançar a outra.

Ivy ficou olhando para mim como se eu tivesse ficado maluca, mas Kisten suspirou, debruçando-se de modo a colocar os cotovelos nos joelhos e a cabeça entre as mãos.

– É a faixa vamp – ele disse, com a voz inexpressiva. – Droga. Sabia que estava faltando alguma coisa.

Confusa, peguei o café. Ivy se sentou e fez o mesmo.

– Faixa vamp? – perguntei.

Kisten ergueu a cabeça, com a expressão resignada, enquanto jogava a franja loura para trás.

– Takata põe uma faixa nas músicas dele que só os mortos-vivos conseguem ouvir – explicou. Gelei, com a caneca a caminho dos lábios. – Ivy consegue ouvir porque é herdeira do Piscary.

A vamp ficou pálida.

– Vocês não conseguem ouvir a voz dela? – Ivy inquiriu. – Agora – ela disse, olhando para o rádio quando o refrão voltou. – Não ouvem a mulher cantando como voz secundária à do Takata?

Fiz que não, tensa.

– Eu só ouço a voz dele.

– O tambor? – perguntou. – Vocês ouvem o tambor?

Kisten fez que sim, recostando-se com seu café com uma expressão abatida.

– Sim, mas você está ouvindo *muito* mais do que a gente. – Colocou a xícara na mesa. – Que droga – praguejou. – Agora vou ter que esperar até morrer e torcer para encontrar uma cópia antiga por aí. – Suspirou, desapontado. – É bom, Ivy? A voz dessa mulher é a coisa mais surreal que já ouvi. Ela está em todos os

CDs, mas nunca aparece nos créditos. – Afundou no sofá. – Não sei por que ela não grava um CD solo.

– Vocês não conseguem ouvir? – Ivy perguntou, com a voz muito fina. Então, colocou a xícara com tanta força na mesa que um pouco do líquido foi derramado. Encarei, surpresa.

Kisten abriu um sorriso irônico e meneou a cabeça.

– Parabéns – ele disse, com amargura. – Bem-vinda ao clube. Gostaria de ainda estar nele.

Meu coração acelerou quando uma fúria se acendeu nos olhos de Ivy.

– Não! – ela exclamou, levantando-se.

Kisten ergueu os olhos arregalados, só percebendo agora que a vamp não estava contente.

Ivy balançou a cabeça, tensa.

– Não – insistiu. – Não quero!

Ao entender, me aprumei. O fato de Ivy conseguir ouvir significava que o domínio de Piscary sobre ela estava mais forte. Olhei para Kisten, que agora trazia uma expressão preocupada.

– Ivy, espere – ele a tranquilizou enquanto o rosto normalmente plácido dela se enchia de fúria.

– Nada mais é meu! – a vamp exclamou, com os olhos enegrecidos. – Era bonito, mas agora é terrível por causa dele. Piscary está levando tudo, Kist! – gritou. – Tudo!

Kisten se levantou, me fazendo gelar ao dar a volta na mesa para se aproximar dela.

– Ivy...

– Vou pôr um fim nisso – ela disse, afastando a mão dele antes que o vamp pudesse tocá-la. – Agora mesmo.

Meu queixo caiu quando ela saiu a passos largos da sala com a velocidade de um vampiro. As velas tremeluziram e então se estabilizaram.

– Ivy? – Coloquei meu café na mesa e me levantei, mas a sala estava vazia. Kisten tinha saído em disparada atrás dela. Eu estava sozinha.

– Aonde vocês vão...? – murmurei.

Ouvi o ronco abafado da partida do sedã que Ivy pegara emprestado da mãe durante o inverno. Em um segundo, o som desapareceu. Segui para o corredor, ouvindo Kisten fechar a porta e seus passos ecoando pelo piso de madeira.

– Onde ela está indo? – perguntei quando ele se aproximou no fim do corredor.

O vamp pousou a mão no meu ombro, como uma sugestão silenciosa de que eu voltasse para a sala. Descalça, sentia a grande diferença entre nossa altura.

– Falar com Piscary.

– Piscary! – O choque me deixou paralisada. Tirei sua mão de mim e estaquei. – Ivy não pode falar com ele sozinha!

Kisten abriu um sorriso melancólico.

– Ela vai ficar bem. Já está na hora de os dois conversarem. Quanto antes Ivy falar com ele, mais cedo ele desiste. É por isso que Piscary a tem incomodado. Essa decisão é uma coisa boa.

Pouco convencida, voltei para a sala. Eu sentia Kisten caminhando atrás de mim, em silêncio, tão perto que poderia me tocar. Estávamos sozinhos, com a exceção dos cinquenta e seis pixies na escrivaninha.

– Ela vai ficar bem – repetiu bem baixinho, seguindo-me com passos silenciosos no carpete cinza.

Eu queria que ele fosse embora. Estava abalada emocionalmente, e queria que fosse embora. Sentindo seus olhos em mim, apaguei as velas. Na recém-escuridão, coloquei as xícaras de café na bandeja na esperança de que entendesse a indireta. Mas, ao voltar os olhos para o corredor, um pensamento me deixou paralisada.

– Você acha que Piscary pode obrigar Ivy a me morder? Ele quase fez com que mordesse Quen.

Kisten se moveu rapidamente, passando os dedos nos meus enquanto tomava a bandeja da minha mão; o ar cheirava a fumaça.

– Não – respondeu, claramente esperando que o seguisse até a cozinha.

– Por que não? – Caminhei a passos surdos para a cozinha bem iluminada.

Estreitando os olhos diante do clarão, o vamp pousou a bandeja ao lado da pia e jogou o café fora, deixando poças marrons no porcelanato branco.

– Piscary conseguiu exercer sua influência sobre Ivy porque a pegou desprevenida. Além disso, ela não estava acostumada a lutar contra aquilo, mas vem lutando contra os instintos de te morder desde que vocês eram parceiras na SI. Tornou-se mais fácil dizer não. Piscary não vai conseguir obrigá-la a te morder a menos que ela ceda antes, o que não vai acontecer. Ela te respeita demais para isso.

Abri a lava-louças, e Kisten empilhou as xícaras na prateleira de cima.

– Tem certeza? – perguntei baixinho, querendo acreditar.

– Sim. – Seu sorriso astuto o fez parecer um *bad boy* vestindo um terno caro. – Ivy se orgulha da abstinência. Valoriza a independência dela mais do que eu, e é por isso que resiste a ele. Seria mais fácil se ela se entregasse. Piscary pararia de forçar seu domínio próprio. Não é degradante deixá-lo ver através de seus olhos, canalizar suas emoções e seus desejos. Eu achava enriquecedor.

– Enriquecedor. – Eu me recostei no balcão, incrédula. – Ter Piscary exercendo sua vontade sobre ela e a obrigando a fazer coisas que ela não quer fazer é "enriquecedor"?

– Não quando você coloca a situação nesses termos. – Ele abriu o armário embaixo da pia e pegou o detergente. Por um momento, me perguntei como ele sabia que estava ali. – Mas Piscary só é um pé no saco porque ela está resistindo. Ele gosta disso.

Peguei o frasco de sua mão e enchi o copinho no compartimento da lava-louça.

– Vivo falando para ela que ser herdeira de Piscary não faz dela menos, e sim mais – ele disse. – Ela não perde nada de si mesma, e tem muito a ganhar, como a faixa vamp e quase toda a força de um morto-vivo sem nenhuma das desvantagens de ser um.

– Como a desvantagem de não ter uma alma dizendo que é errado ver as pessoas como barrinhas de cereal ambulantes – retruquei, batendo a porta da lava-louça.

Ele soltou um suspiro, enrugando o tecido fino do paletó na altura dos ombros ao pegar o detergente da minha mão e colocá-lo no balcão.

– Não é bem assim – replicou. – Ovelhas são tratadas como ovelhas, aqueles que usam são usados, e aqueles que merecem mais recebem tudo.

Com os braços cruzados diante do peito, eu disse:

– E quem são vocês para tomar essa decisão?

– Rachel – ele começou com a voz cansada, segurando meus ombros. – Eles mesmos tomam essas decisões.

– Não acredito nisso. – Mas não recuei nem tirei as mãos dele de mim. – E, mesmo que tomassem, vocês estariam se aproveitando disso.

O olhar de Kisten parecia distante quando ele abaixou a cabeça e, gentilmente, puxou meus braços para uma postura menos agressiva.

– A maioria das pessoas – ele disse – deseja desesperadamente ser necessária. E, se uma delas não se sentir bem consigo mesma ou achar que não merece ser amada, ela vai se jogar na primeira chance de satisfazer sua necessidade de se punir. Essas pessoas são as viciadas, as sombras com ou sem dono, passadas de um vampiro para outro como as ovelhas obedientes em que se deixam se transformar na busca por algum valor, sabendo que esse valor é falso mesmo quando estão implorando por ele. Sim, é terrível. E, sim, nós nos aproveitamos de quem permite. Mas o que é pior: beber de alguém que está de acordo, mesmo sabendo no fundo do seu coração que você é um mostro, ou beber de alguém que não está de acordo e provar que você é, de fato, um?

Com o coração acelerado, queria argumentar contra Kisten, mas concordava com tudo que ele tinha dito.

– Há também aqueles que gostam do poder que exercem sobre nós. – Seus lábios se afinaram por uma raiva antiga e ele abaixou as mãos. – Aqueles que são cientes de que nossa necessidade de aceitação e confiança é tão profunda que pode acabar nos destruindo. Aqueles que brincam com nossos sentimentos, sabendo que fazemos tudo para sermos convidados a beber o sangue que tão desesperadamente ansiamos. Aqueles que sentem prazer no domínio oculto que um amante pode exercer, achando que isso os eleva a uma condição quase divina. São eles que desejam ser como nós, julgando que ficarão poderosos. E nós também os usamos, mas depois os jogamos fora com menos arrependimento do que temos em relação às ovelhas. A menos que tenhamos começado a odiá-los; neste caso, os transformamos em vampiros como um tipo cruel de vingança.

Ele segurou meu queixo com a mão quente, e eu não me afastei.

– E há também aqueles mais raros, que sabem e entendem o que é o amor. Que se entregam livremente, exigindo apenas a reciprocidade desse amor, dessa confiança. – Seus olhos, de um azul impecável, não piscaram em nenhum momento, e eu prendi a respiração. – Pode ser bonito, Rachel, quando há confiança e amor. Ninguém é ligado. Ninguém perde arbítrio. Ninguém se torna menor. Os dois se tornam mais do que seriam sozinhos. Mas é tão raro, e tão bonito, quando isso acontece.

Senti um calafrio, sem saber se ele estava mentindo.

O toque suave de sua mão descendo pelo meu queixo enquanto ele a afastava fez meu sangue vibrar. Mas ele não percebeu, pois sua atenção estava voltada para o alvorecer que se via pela janela.

– Eu fico com pena da Ivy – murmurou. – Ela não quer aceitar que precisa encontrar alguém, por mais que isso dite todos os seus passos. Ela deseja esse amor perfeito, mas acha que não é digna dele.

– Ela não ama o Piscary – sussurrei. – Você falou que não existe beleza sem confiança e amor.

Kisten me olhou nos olhos.

– Eu não estava falando do Piscary.

Ele voltou a atenção para o relógio sobre a pia e, quando deu um passo para trás, percebi que iria embora.

– Está ficando tarde – ele comentou numa voz distante, que mostrava que sua mente já estava em outro lugar. Então, seus olhos ficaram mais claros e ele voltou para onde estávamos. – Gostei do nosso encontro – ele disse, afastando-se. – Mas, da próxima vez, poderei gastar quanto quiser, sem limites.

– Então você acha que vai haver uma próxima vez? – eu disse, tentando aliviar o clima.

Ele retribuiu meu sorriso. Os pelos da barba que começava a crescer rebrilhavam sob a luz.

– Talvez...

Kisten começou a sair para a porta e, automaticamente, o segui. De meias, meus pés eram tão silenciosos quanto os dele sobre o piso de madeira. O santuário estava sereno, sem nenhum pio vindo da minha escrivaninha. Ainda em silêncio, Kisten vestiu o seu casaco de lã.

– Obrigada – agradeci, devolvendo o longo casaco de couro que ele tinha me emprestado.

Seu sorriso cintilou no vestíbulo escuro.

– O prazer foi meu.

– Pela noite, não pelo casaco – acrescentei, sentindo a meia ficar úmida por causa da neve derretida. – Enfim, obrigada por me deixar usar o casaco também – balbuciei.

Ele se aproximou.

– O prazer foi meu também – ele disse, com a luz tênue reverberando em seus olhos. Fiquei encarando, tentando descobrir se seus olhos estavam escuros pelo desejo ou pela sombra. – Eu *vou* beijar você – declarou, com a voz sombria, e meus músculos tensionaram. – Nada de se desvencilhar.

– Nada de morder – respondi, muito séria. Senti a ansiedade aumentar por dentro. Mas ela vinha de mim, não da cicatriz de demônio, e aceitar isso me causava, ao mesmo tempo, alívio e medo. Eu não poderia fingir que era culpa da cicatriz. Não dessa vez.

Ele envolveu meu queixo em suas mãos fortes e quentes. Inspirei fundo quando se aproximou, cerrando os olhos. O cheiro de couro e seda era forte, com um aroma de algo mais fundo e primitivo, acendendo meus instintos e me deixando sem saber o que sentir. De olhos abertos, eu o vi se aproximar; meu coração estava acelerado pela ideia dos seus lábios nos meus.

Seus dedos desceram pela curva do meu queixo. Entreabri os lábios, mas o ângulo estava errado para um beijo de verdade, e relaxei os ombros ao perceber que ele iria beijar o canto da minha boca.

Mais tranquila, avancei para encontrar seus lábios, mas quase entrei em pânico quando os dedos dele foram ainda mais para trás, enfiando-se no meu cabelo. A adrenalina disparou pelo meu corpo como um banho de água fria quando me dei conta de que ele não estava descendo na direção da minha boca.

"Ele vai beijar meu pescoço!", pensei, paralisada.

Kisten parou no meio do caminho, exalando quando seus lábios encontraram a leve curva entre minha orelha e meu queixo. Sentindo aquele misto de alívio e medo, era incapaz de me mover. O resquício da adrenalina correndo pelo corpo fez meu coração retumbar. Seus lábios eram suaves, mas as mãos no meu rosto eram firmes, com uma ânsia contida.

Um frescor morno ocupou o lugar dos seus lábios quando ele se afastou, mas se manteve perto por um momento, e depois mais outro. Meu coração bateu descontroladamente, e, eu sabia, Kisten podia senti-lo como se fosse seu próprio coração. Ele exalou devagar, e eu também.

Com o roçar da lã, Kisten deu um passo para trás. Seus olhos encontraram os meus, e percebi que eu tinha erguido as mãos, que estavam agora na cintura dele. Abaixei-as com relutância e engoli em seco, surpresa. Embora ele não tivesse tocado meus lábios ou meu pescoço, aquele foi um dos beijos mais excitantes que eu já tinha recebido. O frêmito de não saber o que ele faria me deixou em um estado de agitação que nenhum beijo na boca teria me deixado.

– Isso é o pior – Kisten disse, baixinho, com as sobrancelhas arqueadas em confusão.

– O quê? – questionei ofegante, ainda com aquela sensação.

O vamp balançou a cabeça.

– Não consigo sentir seu cheiro de jeito nenhum. É meio excitante.

Pestanejei, sem conseguir dizer nada.

– Boa noite, Rachel. – Um sorriso surgiu em seus lábios quando ele deu outro passo para trás.

– Boa noite – sussurrei.

Ele se virou e abriu a porta. O ar frio me tirou do torpor. Dormente, minha cicatriz de demônio não tinha dado nenhuma pontada. "Isso", pensei, "foi assustador. Ele conseguir fazer isso comigo sem nem mexer com a minha cicatriz. Qual era o meu problema, caramba?"

Do patamar, Kisten abriu um último sorriso; a noite cheia de neve formava um cenário bonito. Depois de se virar, desceu pelos degraus congelados, esmagando o sal.

Desconcertada, fechei a porta atrás dele, sem saber o que tinha acontecido. Ainda achando tudo muito surreal, abaixei a trava, mas depois ergui de novo lembrando que Ivy estava fora.

Com os braços em volta do corpo, segui para o meu quarto. Minha mente estava cheia do que Kisten dissera sobre como as pessoas ditavam seus próprios destinos ao se deixarem unir a um vampiro. O fato de as pessoas pagarem pelo êxtase da paixão vampírica com diferentes níveis de dependência, desde meros alimentos até iguais. "E se ele estivesse mentindo?", pensei. "Mentindo para me enganar e me deixar me unir a ele?" Mas então um pensamento ainda mais apavorante me fez parar e sentir o rosto ficar gelado.

"E se ele estivesse falando a verdade?"

Dezesseis

A passos sonoros no corredor, segui Ivy até a porta da frente. Seu corpo alto movia-se com a graça absorta e predatória de sempre em sua elegante calça de couro. Ela conseguia sair durante o solstício vestindo couro, mas eu tinha escolhido uma calça jeans e um suéter vermelho. Mesmo assim, ficávamos bem juntas. Era divertido fazer compras com Ivy. Ela adorava parar para comer, e fugir de cantadas assumia um ar delicioso de perigo, já que ela atraía *todo* tipo de gente.

– Preciso voltar antes das onze – ela disse quando entramos no santuário, jogando o longo cabelo para trás. – Tenho uma missão hoje. A filha menor de idade de alguém foi levada para uma casa de sangue sem saber e vou tentar tirar a menina de lá.

– Quer ajuda? – perguntei, abotoando o casaco e ajeitando a bolsa no ombro enquanto caminhava.

Os pixies estavam agrupados nos vitrais, parados diante das cores mais claras e soltando gritos agudos para alguma coisa lá fora. Um sorriso cruel perpassou o rosto de Ivy.

– Não. Não precisa de muita coisa.

A ânsia inclemente em seu rosto oval e pálido me deixou preocupada. Ivy voltara da visita a Piscary de péssimo humor. Estava claro que não tinha ido bem, e eu achava que ela pretendia descontar a frustração nas pessoas que sequestraram a tal menina. Ivy pegava pesado com vampiros que se alimentavam de menores. Alguém estava prestes a passar o feriado no hospital.

O telefone tocou. Nós duas paramos e olhamos uma para a outra.

– Deixe que eu atendo – eu disse. – Mas, se não for sobre trabalho, vou deixar cair na secretária eletrônica.

A vamp assentiu, seguindo para a porta com a bolsa.

– Vou esquentando o carro.

Com a respiração rápida, corri para os fundos da igreja. No terceiro toque, caiu na secretária eletrônica. A gravação mandou deixar recado, e meu rosto ficou tenso. Nick gravara a mensagem para mim; eu achara bacana, pois parecia que tínhamos contratado um secretário. Embora agora, considerando que estávamos listados como profissionais de outra categoria, isso só fosse aumentar a confusão.

Franzi ainda mais a testa quando a gravação terminou e a voz de Nick voltou.

– Oi, Rachel? – ele disse, hesitante. – Você está aí? Atenda se estiver. Eu... estava torcendo para que você estivesse em casa. São o quê? Umas seis aí?

Obriguei minha mão a atender o telefone. "Ele estava em outro fuso-horário?"

– Oi, Nick.

– Rachel. – O alívio em sua voz era claro, em grande contraste com meu tom duro. – Que bom que te peguei em casa.

"Me pegou. Pois é."

– Como você está? – perguntei, tentando não ser sarcástica. Eu ainda estava sofrendo, me sentia magoada e confusa.

Ele respirou fundo. Dava para ouvir o som de água no fundo e o silvo de alguma coisa cozinhando. Então entrou o som suave de copos e o murmúrio de uma conversa.

– Estou bem – respondeu. – Está tudo certo. Dormi muito bem essa noite.

– Que ótimo. – "Por que diabos você não me falou que meu treino de linha de ley estava te acordando? Você poderia estar dormindo bem aqui também."

– Como você está? – perguntou.

Com o maxilar doendo, me obriguei a abrir a boca. "Estou confusa. Estou magoada. Não sei o que você quer. Não sei o que eu quero."

– Bem – respondi, pensando em Kisten. Pelo menos eu sabia o que *ele* queria. – Estou bem. – Minha garganta ardia. – Quer que eu pegue sua correspondência ou você vai voltar logo?

– Obrigado, mas tem um vizinho pegando para mim.

"Você não respondeu à minha pergunta."

– Está bem. Você sabe se vai voltar para o solstício ou devo dar seu ingresso para... outra pessoa? – Não queria hesitar. Mas aconteceu. Ficou claro pelo silêncio de Nick que ele percebeu. Uma gaivota grasnou ao fundo. Ele estava na praia? Ele estava num bar na praia enquanto eu desviava de magia negra no meio da neve suja?

– Acho uma boa ideia – deu, finalmente, o veredito, e pareceu que eu tinha levado um soco no estômago. – Não sei por quanto tempo vou ficar aqui.

– Certo – murmurei.

– Estou com saudades, Rachel – ele disse, e eu fechei os olhos.

"Por favor, não fale", pensei. "Por favor."

– Mas estou me sentindo bem melhor. Logo mais volto para casa.

Não era exatamente o que Jenks tinha dito que ele falaria, mas senti um nó na garganta.

– Também estou com saudades – eu disse, sentindo-me traída e completamente perdida de novo. Ele não falou nada e, depois de alguns instantes, aproveitei a deixa. – Bom, vou fazer compras com a Ivy. Ela já está no carro.

– Ah. – O filho da mãe parecia aliviado. – Não quero te atrasar. Hum, depois a gente se fala.

"Mentiroso."

– Tudo bem. Tchau.

– Eu te amo, Rachel – ele murmurou, mas desliguei como se não tivesse ouvido. Não sabia se conseguiria responder. Angustiada, tirei a mão do fone. Meu esmalte vermelho parecia brilhar contra o plástico preto. Meus dedos estavam tremendo e minha cabeça doía.

– Então por que você foi embora em vez de me falar qual era o problema? – perguntei para a sala vazia.

Respirei fundo, com uma lentidão calculada para tentar me livrar da tensão. Eu ia fazer compras com Ivy. Não queria arruinar o passeio me lamentando por causa de Nick. Ele tinha ido embora e não iria voltar. Ele se sentia melhor quando estava em outro fuso-horário; por que voltaria?

Depois de ajeitar a bolsa no ombro, segui em direção à entrada. Os pixies ainda estavam amontoados nas janelas em grupos pequenos. Jenks estava em outro lugar, e fiquei grata por isso. Ele só diria "eu avisei" se tivesse ouvido minha conversa com Nick.

– Jenks! O comando do navio é seu! – gritei ao escancarar a porta de entrada, abrindo um sorriso leve, mas sincero, quando um assovio agudo saiu da escrivaninha.

Ivy já estava no carro, e meus olhos se voltaram para a casa de Keasley, do outro lado da rua, atraídos pelo som de crianças e pelos latidos de um cachorro. Diminuí o ritmo dos meus passos. Ceri estava no quintal, usando a calça jeans que eu deixara lá mais cedo e um casaco velho de Ivy. Luvinhas de um vermelho--vivo e um gorro da mesma cor criavam um contraste fulgurante com a neve enquanto ela e uns seis garotos de dez a dezoito anos faziam bolas de neve. Uma montanha estava se formando no canto do pequeno terreno de Keasley. Na casa ao lado, outras quatro crianças faziam o mesmo. Pelo jeito, haveria uma guerra de bolas de neve em breve.

Acenei para Ceri e Keasley, que estava no pórtico observando-os de maneira concentrada, claramente querendo estar no quintal. Os dois acenaram de volta e senti uma ternura no peito. Eu tinha feito uma coisa boa.

Abri o trinco da porta da Mercedes emprestada de Ivy e entrei, dando de cara com o vento ainda frio que soprava das entradas de ar. O grande sedã de quatro portas levava uma eternidade para aquecer. Eu sabia que a vamp não gostava de dirigi-lo, mas a mãe dela não queria emprestar nenhum outro carro, e uma moto sobre a neve semiderretida era um perigo.

– Quem era? – Ivy perguntou enquanto eu virava as saídas de ar para o outro lado e colocava o cinto. Ivy dirigia como se não fosse capaz de morrer, o que eu achava um tanto irônico.

– Ninguém.

Ela me lançou um olhar incisivo.

– Nick?

Com os lábios pressionados, coloquei a bolsa no colo.

– Já falei. Ninguém.

Sem olhar para trás, ela tirou o carro do meio-fio.

– Rachel, eu sinto muito.

A sinceridade em sua voz sedosa e triste me fez erguer a cabeça.

– Pensei que você odiava o Nick.

– E eu odeio – ela confirmou, nem um pouco arrependida. – Acho que o sujeito é manipulador e esconde informações que podem te magoar. Mas você gostava dele. Talvez... – Hesitou, tensionando e relaxando a boca. – Talvez ele volte. Ele... te ama. – Fez um som de nojo. – Ai, meu Deus, você me obrigou a falar isso.

Dei uma risada.

– Nick não é tão ruim – eu disse, e Ivy se virou em minha direção. Olhei para o caminhão parado em que estávamos quase batendo no farol fechado, e me segurei contra o painel.

– Eu disse que ele te ama. Não disse que confia em você – Ivy acentuou, me fitando enquanto pisava de leve no freio, deixando nosso para-choque a uns quinze centímetros do caminhão.

Senti um frio na barriga.

– Você acha que ele não confia em mim?

– Rachel – Ivy começou, avançando quando o farol mudou, mesmo antes do caminhão se mover. – Ele sai da cidade sem te contar e depois não fala quando vai voltar. Não acho que exista *alguém* entre vocês dois, mas *alguma coisa*. Você matou o cara de medo e ele não é homem o suficiente para admitir isso, lidar com o problema e superar.

Não respondi, contente por termos voltado a nos mover. Não tinha apenas assustado Nick, como também o feito engolir aquilo. Deve ter sido horrível. Não era de admirar que ele tivesse ido embora. Que ótimo, agora eu ficaria me sentindo culpada pelo resto do dia.

Ivy virou o volante bruscamente e mudou de pista. Uma buzina soou e ela conferiu o retrovisor. Aos poucos, o carro foi se distanciando, impulsionado pela força do olhar fixo da vamp.

– Você se importa de a gente parar na casa da minha família por um minuto? É no caminho.

– Sem problema. – Contive um grito quando ela cortou um caminhão que tínhamos acabado de ultrapassar. – Ivy, você pode ter reflexos-relâmpago, mas o caminhoneiro ali acabou de se cagar de medo.

Ela bufou, recuando meio metro do para-choque do carro à nossa frente.

Em seguida, começou a se esforçar para dirigir como uma pessoa normal pelas áreas mais movimentadas de Hollows, e aos poucos fui soltando a bolsa a que, preocupada, vinha me segurando. Era a primeira vez que ficávamos juntas sem Jenks em quase uma semana e nenhuma de nós sabia o que dar para ele de solstício. Ivy estava inclinada a presenteá-lo com uma casinha de cachorro aquecida que ela vira em um catálogo; qualquer coisa para tirar a família dele da igreja. Eu tinha pensado em um cofre que pudéssemos cobrir com uma toalha e fingir que era uma mesa de canto.

Em nosso percurso, aos poucos os quintais foram ficando mais amplos e as árvores, mais altas. As casas começavam a se afastar da rua até que era possível apenas avistar seus telhados atrás de várias sempre-vivas. Estávamos quase nos limites da cidade, muito perto do rio. Não era nem perto do caminho para o shopping, mas a interestadual não ficava longe e, por isso, era fácil de chegar a qualquer parte da cidade.

Sem hesitar, Ivy entrou numa garagem com portão. A pista formava duas faixas pretas na pouca neve que caíra desde que a anterior tinha sido removida. Eu me debrucei para olhar pela janela, pois nunca tinha visto a casa dos pais dela. Devagar, Ivy foi estacionando o carro diante da casa antiga de três andares com decoração romântica, pintada de branco e com janelas verde-musgo. Um carro vermelho de dois lugares estava parado na frente, seco e sem neve.

– Você cresceu aqui? – perguntei ao sair do sedã. Hesitei diante dos dois nomes na caixa de correio, mas lembrei que os vampiros mantinham o sobrenome depois do casamento para manter suas linhagens vivas intactas. Ivy era uma Tamwood, enquanto sua irmã era uma Randal.

Ivy bateu a porta e guardou as chaves na bolsa preta.

– Sim. – Ela olhou para as luzinhas de Natal que faziam um espetáculo elegante e singelo. Estava escurecendo. Faltava só uma hora para o pôr do sol, e torci para que fôssemos embora antes disso. Não tinha muita vontade de conhecer a mãe dela.

– Entre – ela disse, subindo nos degraus varridos, enquanto eu a seguia até o pórtico coberto. Abriu a porta e gritou: – Oi! Estou em casa!

Um sorriso perpassou meus lábios quando parei do lado de fora para tirar a neve das botas. Eu gostava de ouvir a voz dela tão relaxada. Depois de entrar, fechei a porta e inspirei fundo. Cravo e canela... alguém estava assando alguma coisa.

A entrada era grande e toda de madeira envernizada, com tons sutis de branco e creme. Era tão bem-acabada e elegante quanto nossa sala era aconchegante e casual. Um filete de cedro subia, dando voltas pela balaustrada da escada. Estava quente, então desabotoei o casaco e coloquei as luvas no bolso.

– O carro lá fora pertence à Erica. Ela deve estar na cozinha – Ivy disse, pousando a bolsa na mesinha ao lado da porta. Era tão bem polida que parecia feita de plástico preto.

Depois de tirar o casaco, ela o pendurou no braço e caminhou até o arco à esquerda, parando ao ouvir o som de passos na escada. Ergueu os olhos, e seu rosto plácido mudou de expressão. Demorei um instante para perceber que ela estava feliz. Meu olhar seguiu o dela até uma jovem que descia as escadas.

Ela parecia ter uns dezessete anos, vestia uma saia gótica muito curta que deixava a barriga à mostra, e usava unhas pretas e batom. Correntes e pulseiras balançavam por todo lado enquanto descia as escadas saltitante, me fazendo lembrar daquela página marcada. Seu cabelo preto estava curto e modelado em espinhos rebeldes. A maturidade ainda não tinha terminado de dar forma ao seu corpo, mas já dava para ver que ela ficaria muito parecida com a irmã mais velha, apesar dos quinze centímetros a menos: magra, de pele macia e ar predador, com um tantinho de ascendência oriental que tornava sua aparência exótica. Interessante saber que estava nos genes da família. Mas, claro, agora ela parecia uma vamp adolescente descontrolada.

– Oi, Erica – Ivy disse, virando no meio do passo e esperando por ela na frente da escada.

– Meu Deus – Erica disse, com um jeito de patricinha. – Você *precisa* falar com o papai. Ele não para de me vigiar. Tipo, acha que eu não sei a diferença entre Enxofre bom e ruim? Se você ouvir o papai falando, vai pensar que eu ainda tenho dois anos, engatinhando por aí de fralda e tentando morder o cachorro. Meu Deus! Ele estava na cozinha – continuou, tagarelando enquanto me olhava de cima a baixo – fazendo aquele chá orgânico, ecológico, politicamente correto, *nojento*, e eu não posso sair com os meus amigos. É *muito* injusto! Você vai ficar? Ela já vai acordar e abrir as janelas.

– Não. – Ivy recuou. – Estou aqui para falar com o papai. Ele está na cozinha?

– Não, agora está no porão – Erica disse. Quando finalmente parou de falar, me olhou outra vez, me descobrindo atônita e surpresa com a velocidade do seu discurso. – Quem é sua amiga?

Um sorriso curvou o canto dos lábios de Ivy.

– Erica, esta é a Rachel.

– Ah! – exclamou a menina, com os olhos castanhos quase escondidos atrás do rímel pesado. Ela deu um passo à frente e pegou minha mão, balançando-a para cima e para baixo entusiasmadamente, chacoalhando seus braceletes. – Eu devia saber! Ei, eu te vi na Piscary's – comentou, dando-me um tapa nas costas que me jogou um passo para a frente. – Caramba, você açucarou muito. Chapou legal. Não aguenta, bebe leite. Não te reconheci. – Olhou para minha calça e meu casaco de inverno. – Você teve um encontro com Kisten? Ele te mordeu?

Hesitei, e Ivy deu um riso nervoso.

– Acho difícil. Rachel não deixa ninguém enfiar os dentes nela. – Aproximou-se da irmã e deu um abraço nela, e me senti bem quando a menina retribuiu com uma atenção despreocupada, aparentemente desconhecendo o fato de que era uma raridade Ivy tocar em outras pessoas. As duas se separaram, e o rosto de Ivy ficou tranquilo. Ela respirou fundo, alargando as narinas.

Erica sorriu como um pinto no lixo.

– Adivinhe quem eu busquei no aeroporto?

Minha amiga se empertigou e disse quase num sussurro:

– Skimmer está aqui?

Erica praticamente dançou ao recuar um passo.

– Chegou num voo de manhã – contou, tão orgulhosa como se ela própria tivesse pilotado o avião.

Arregalei os olhos e Ivy ficou dura. Prendendo a respiração, se virou para o arco ao ouvir uma porta se fechando. Uma voz feminina ecoou:

– Erica? É o meu táxi?

– Skimmer! – Ivy deu um passo para o arco e depois voltou. Ela olhou para mim, mais vivaz do que eu não a via em muito tempo. O arrastar de pés no arco chamou sua atenção. Ela começou a ficar emocionada e deixou a felicidade se instalar, mostrando que Skimmer era uma das poucas pessoas com quem se sentia à vontade para ser ela mesma.

"Então somos duas", pensei, me virando para seguir seu olhar até a jovem no batente. Senti a sobrancelha erguer em especulação enquanto analisava o que era a tal Skimmer. Ela estava vestindo uma calça jeans desbotada e uma camisa branca de botão, que formavam um conjunto bonito de sofisticação casual. Botas pretas baixas a deixavam na minha altura. Magra e dotada de boas proporções, a mulher parou com a graça confiante dos vampiros vivos.

Skimmer usava uma única corrente prateada no pescoço, e trazia o cabelo louro amarrado em um rabo de cavalo simples, acentuando uma estrutura óssea que muitas modelos gastariam uma pequena fortuna em cirurgias plásticas para obter. Contemplei seus olhos, sem saber se eram mesmo tão azuis daquele jeito ou se pareciam ser por causa dos cílios excepcionalmente longos. Seu nariz era pequeno e arrebitado, o que conferia a seu sorriso um ar de confiança tímida.

– O que está fazendo aqui? – Ivy perguntou, com o rosto iluminado ao ir cumprimentá-la. As duas trocaram um longo abraço. Fiquei boquiaberta e paralisada com o beijo demorado antes de elas se separarem. "Certo..."

Ivy olhou de viés para mim, mas estava sorrindo ao se voltar para Skimmer, sorrindo, sorrindo sem parar, com as mãos nos braços da moça.

– Não acredito que está aqui! – disse, entusiasmada.

Skimmer me dirigiu uma olhadela antes de se focar em Ivy. Ela parecia ter confiança e inteligência suficientes para domar um cavalo, ensinar crianças aborígenes e jantar num restaurante cinco estrelas no mesmo dia. "E elas se beijaram? Não só um selinho, mas um beijo... de verdade?"

– Estou aqui a trabalho – ela explicou. – Trabalho a longo prazo – acrescentou, com a voz doce embargada por uma alegria emotiva. – Um ano, eu acho.

– Um ano! Por que não me ligou? Eu poderia ter te buscado!

A mulher deu um passo para trás e Ivy abaixou as mãos.

– Eu queria te pegar de surpresa – ela disse, abrindo um sorriso sincero que chegava até os olhos azuis. – Além disso, não tinha certeza sobre nossa situação. Faz tanto tempo – completou, baixinho.

Seus olhos voltaram a recair sobre mim, e meu rosto se inflamou ao entender. "Ai, merda. Há quanto tempo eu moro com Ivy? Como eu podia não saber? Sou cega ou só idiota?"

– Caramba! – Ivy exclamou, ainda muito animada. – É bom te ver. O que você vai fazer aqui? Precisa de um lugar para ficar?

Meu coração acelerou e tentei esconder a preocupação. Duas vampiras juntas na igreja? Nada bom. Ainda mais perturbador era que Skimmer pareceu relaxar com a oferta, perdendo o interesse em mim e se concentrando apenas em Ivy.

Erica parou ao meu lado, abrindo um sorriso malicioso.

– Skimmer veio trabalhar para o Piscary – ela disse, visivelmente louca para contar o que achava ser uma boa notícia, mas meu rosto gelou. – Está tudo preparado. Ela vai cuidar dele agora. – Retorcendo as correntes, a jovem vampira parecia radiante. – Sempre achei que ela deveria fazer isso.

Ivy respirou fundo e segurou o ar. Seu rosto ficou surpreso e ela estendeu o braço para tocar no ombro de Skimmer como se não acreditasse que ela realmente estava lá.

– Você vai cuidar do Piscary? – murmurou, e me perguntei o que isso significava. – O que, ou quem, ele deu para você?

Skimmer encolheu os ombros finos.

– Por enquanto, nada. Faz cerca de seis anos que eu tento entrar para a camarilha dele e, se eu trabalhar direito, vai ser permanente. – Baixou a cabeça por um instante e, ao levantar de novo, seus olhos estavam brilhando de entusiasmo. – Vou ficar na casa do Piscary por enquanto – disse –, mas obrigada por me oferecer um lugar.

"Na casa do Piscary", pensei, ainda mais aflita. Era onde Kisten estava morando. Aquilo estava ficando cada vez melhor. Ivy pareceu ter pensado a mesma coisa.

– Você deixou a casa e a Natalie para administrar o restaurante do Piscary? – ela perguntou, e Skimmer riu. Era uma risada tranquila e agradável, mas o muito que ficou por dizer ainda me incomodava.

– Não. Kist pode ficar com esse trabalho – respondeu, contente. – Estou aqui para tirar Piscary da cadeia. Minha inclusão permanente na camarilha depende disso. Se ganhar a causa, eu fico. Se perder, volto para casa.

Fiquei paralisada. "Ai, meu Deus. Ela era advogada do Piscary."

Skimmer hesitou quando Ivy não disse nada; em vez disso, ela se voltou para mim, com o rosto em pânico. Vi a muralha se fechar, trancafiando todos os seus sentimentos. Sua felicidade, sua alegria, sua animação pelo encontro com a velha amiga; tudo estava para trás. Algo se postava entre nós, e senti um aperto no peito. Os badulaques da Erica ressoaram quando ela percebeu que havia alguma coisa errada, mas não entendeu o quê. Pô, acho que nem eu tinha entendido.

Subitamente desconfiada, Skimmer olhou de mim para Ivy.

– Então, quem é a sua amiga? – perguntou, quebrando o silêncio constrangedor.

Ivy lambeu os lábios e voltou o rosto para me olhar de frente. Dei um passo adiante, sem saber como reagir.

– Rachel – Ivy disse –, quero que você conheça Skimmer. Nós moramos juntas por dois anos na Costa Oeste, durante o colégio. Skimmer, esta é Rachel, minha parceira.

Respirei fundo, tentando decidir como deveria lidar com aquilo. Estendi a mão para apertar a dela, mas Skimmer a ignorou, puxando-me para um abraço expansivo.

Tentei relaxar, determinada a deixar rolar até ter a chance de discutir com Ivy o que faríamos sobre aquela situação. Piscary não poderia sair da cadeia, caso contrário eu nunca mais dormiria em paz. Coloquei os braços em torno de Skimmer em um abraço frouxo, e congelei quando ela aproximou os lábios da minha orelha e murmurou:

– Prazer em conhecê-la.

A cicatriz do demônio soltou ondas de calor, fazendo a adrenalina disparar pelo meu corpo. Pega de surpresa, empurrei Skimmer e caí para trás em uma postura defensiva. A vampira viva recuou, com uma surpresa que arregalou seus olhos azuis sob os longos cílios. Ela recuperou o equilíbrio a quase dois metros de distância. Erica levou um susto, e Ivy surgiu como um vulto negro entre nós.

– Skimmer! – Ivy gritou, de costas para mim, com a voz quase em pânico.

Meu coração batia com rapidez, e comecei a suar. A promessa ardente no meu pescoço doía muito, e coloquei a mão nele, sentindo-me traída e apavorada.

– Ela é minha parceira de trabalho! – exclamou. – Não minha parceira de sangue.

A mulher magra ficou olhando fixamente para nós, com o rosto vermelho de vergonha.

– Ai, meu Deus – balbuciou, assumindo uma postura ligeiramente submissa. – Desculpa. – Tapou a boca com a mão. – Desculpa mesmo. – Olhou para Ivy, que tinha começado a relaxar lentamente. – Ivy, achei que era sua sombra. Ela tem seu cheiro. Só estava sendo educada. – Então se voltou para mim enquanto eu tentava acalmar meu coração. – Você me convidou para ficar na sua casa. Pensei... meu Deus, me desculpa. Pensei que ela fosse sua sombra. Não achei que fosse sua... amiga.

– Tudo bem – menti, aprumando-me com dificuldade. Não gostei da maneira como ela falou "amiga", implicando que havia mais do que uma simples amizade. Mas eu não estava no clima de explicar para a antiga colega de quarto de Ivy que não dividíamos nem o sangue nem a cama. Ivy não ajudou muito, parada, com os olhos esbugalhados. E eu estava com a estranha sensação de que não estava entendendo alguma coisa ali. "Meu Deus, onde é que eu vim parar?"

Erica congelara na base da escada, boquiaberta e com o olhar arregalado. Skimmer parecia angustiada tentando consertar o erro; passava as mãos na calça e mexia no cabelo. Então inspirou fundo e, ainda ruborizada, estendeu a mão com rigidez em uma demonstração clara de propósito e deu um passo à frente.

– Meu nome é Dorothy Claymor. Pode me chamar assim se quiser. Acho que eu mereço.

Consegui abrir um sorriso frouxo.

– Rachel Morgan – eu disse, apertando a mão dela.

Skimmer congelou e eu recuei. Ela olhou para Ivy, encaixando as peças.

– A mesma que colocou o Piscary na cadeia – acrescentei, só para ter certeza de que ela sabia em que lado eu estava.

Ivy abriu um sorriso perverso. Depois de dar um passo para trás, Skimmer olhou de mim para ela. A confusão deixou suas bochechas vermelhas. Aquilo estava uma bagunça. Uma bagunça de bosta fedorenta e grudenta que não parava de piorar.

A advogada engoliu em seco.

– É um prazer conhecê-la. – Depois de hesitar, acrescentou: – Caramba, que situação constrangedora.

Meus ombros relaxaram com aquela admissão. Ela faria o que precisava fazer, e eu também. Quanto a Ivy? Ah, Ivy ficaria maluca.

Erica deu um passo à frente, fazendo tilintar as joias.

– Ei, alguém quer um biscoitinho ou alguma coisa?

"Ah, claro. Um biscoitinho. Isso melhoraria tudo. Mergulhado numa dose de tequila, talvez? Ou melhor ainda: só a garrafa? É, só a garrafa seria ótimo."

Skimmer forçou um sorriso. Seu ar decidido deu uma vacilada, mas até que ela se manteve controlada, considerando que largara seu emprego e sua casa para reacender a chama da paixão com a antiga namorada de colégio – a qual, por sua vez, agora morava com a mulher que tinha colocado seu novo chefe atrás das grades. "Não perca o próximo episódio de Dias dos Mortos-Vivos, no qual Rachel descobre que seu irmão há muito tempo perdido é, na verdade, um príncipe herdeiro do espaço sideral." Minha vida era tão confusa.

Skimmer olhou para o relógio, que, não pude deixar de notar, tinha diamantes no lugar de números.

– Preciso sair. Vou encontrar... uma pessoa em mais ou menos uma hora.

Ela ia encontrar uma pessoa em mais ou menos uma hora. Logo depois do pôr do sol. Por que não falou simplesmente que era o Piscary?

– Quer uma carona? – Ivy ofereceu, quase com desejo, se um dia ela se permitisse demonstrar tal sentimento.

Skimmer olhou para Ivy, então para mim e de volta para Ivy, com mágoa e decepção no fundo dos olhos.

– Não – respondeu baixinho. – Um táxi vem me buscar. – Engoliu em seco, tentando se recompor. – Aliás, acho que ele acabou de chegar.

Eu não tinha ouvido nada, mas não possuía a audição de um vampiro vivo.

A advogada avançou, constrangida.

– Foi um prazer conhecê-la – ela me disse e depois se voltou para Ivy. – Depois a gente se fala, docinho – se despediu, fechando os olhos enquanto dava um longo abraço em Ivy.

Ivy ainda estava espantada e dividida, e, meio tonta, retribuiu o abraço.

– Skimmer – chamei, depois que ela se separou de Ivy e, trêmula e em silêncio, pegou a jaqueta que estava no armário do corredor e a vestiu. – Não é nada disso que você está pensando.

Ela parou com a mão na maçaneta, olhando longamente para Ivy com um arrependimento profundo.

– O que importa não é o que eu estou pensando – disse, ao abrir a porta. – E sim o que a Ivy quer.

Abri a boca para protestar, mas ela saiu, trancando a porta delicadamente atrás de si.

Dezessete

A saída de Skimmer deixou um silêncio constrangedor. Quando ouvimos o táxi dar partida, olhei para Ivy, parada na entrada branca, em cuja decoração elegante faltava um sinal de vida. Dava para ver a culpa em seus olhos. Ela estava daquele jeito porque tinha sido lembrada de seu desejo, ainda alimentado, de que um dia eu viria a ser sua herdeira – talvez com algumas vantagens além disso. Era uma posição que, eu pensava, Skimmer tinha esperança de assumir, por isso se mudara para cá.

Sem entender o que eu estava sentindo, encarei Ivy.

– Por que você deixou que ela pensasse que a gente namora? – perguntei, tremendo por dentro. – Meu Deus, Ivy. A gente nem divide sangue e ela acha que a gente namora.

Ivy ficou inexpressiva, exceto pela leve tensão em sua mandíbula, que denunciava sua emoção.

– Ela não pensa isso – Ivy disse, saindo da sala a passos largos. – Quer um suco? – perguntou.

– Não – respondi baixinho enquanto a seguia para dentro da casa. Sabia que, se insistisse no assunto naquele momento, era bem provável que ela se fechasse ainda mais. A conversa não tinha acabado, mas tê-la na frente de Erica não era uma boa ideia. Eu estava com dor de cabeça. Talvez conseguisse fazer com que ela falasse durante uma paradinha para tomar café e comer cheesecake entre uma loja e outra. Talvez eu devesse me mudar para Tombuctu ou para as montanhas do Tennessee, ou para qualquer outro lugar onde não houvesse vampiros. (Não pergunte. É estranho até para os impercebidos – o que quer dizer muito, aliás.)

Erica me seguiu de perto, falando sem parar numa tentativa óbvia de encobrir os problemas levantados por Skimmer. Sua voz radiante encheu de vida a casa estéril enquanto nos seguia pelos quartos mal-iluminados cheios de móveis de madeira e correntes de ar frio. Fiz uma nota mental para nunca deixar Erica e Jenks no mesmo ambiente. Não era de se admirar que Ivy não se incomodava com ele. Sua irmã era igualzinha.

As botas de Ivy bateram devagar no piso encerado quando saímos de uma sala de jantar formal azul-escura e entramos em uma cozinha espaçosa e iluminada. Pestanejei. Ivy viu meu olhar chocado e encolheu os ombros. Eu sabia que ela tinha reformado a cozinha da igreja antes de eu me mudar e, ao olhar ao redor, percebi que ela usara a da casa dos pais como modelo.

A cozinha de lá era quase tão espaçosa quanto a nossa, e possuía um balcão central exatamente igual. Acima dele, panelas de ferro fundido e utensílios de metal ficavam pendurados, em vez das minhas colheres de cerâmica e dos meus caldeirões de cobre. Ainda assim, o balcão proporcionava o mesmo lugar confortável em que se recostar. Havia uma mesa pesada e antiga, igual à nossa, encostada à parede, bem onde eu achei que estaria. Até os armários tinham o mesmo estilo, e a cor dos outros balcões era idêntica. O piso, porém, era de ladrilhos, em vez de linóleo.

Atrás da pia, onde na igreja só havia uma janela de frente para o cemitério, um conjunto de janelas dava para um longo campo nevado que chegava até a margem cinzenta do rio Ohio. Os pais de Ivy eram donos de todo aquele terreno. Dava para criar gado ali.

Uma chaleira estava apitando no fogão e, enquanto Ivy desligava o fogo, coloquei minha bolsa no lado da mesa em que ficaria minha cadeira se eu estivesse em casa.

– Que bonita – eu disse, com um humor seco.

Ivy me lançou um olhar desconfiado, claramente aliviada por eu ter adiado a conversa sobre Skimmer.

– Ficava mais barato fazer as duas cozinhas de uma vez – ela explicou, e eu concordei com a cabeça. Estava calor e tirei o casaco, pousando-o no assento da cadeira.

Esticando-se de modo a mostrar a parte inferior das costas, Erica ficou em um pé só para alcançar um pote de vidro que parecia estar cheio até a metade de biscoitos doces. Depois de se recostar no balcão, comeu um e ofereceu outro para Ivy, mas não para mim. Tive a impressão que não eram biscoitos, mas aqueles disquinhos horríveis com gosto de papelão que Ivy tinha enfiado pela minha garganta na última primavera quando eu estava me recuperando de uma grande perda de sangue. Um tipo de estimulante vampírico para ajudar a sustentar o, hum, estilo de vida deles.

Ouvi passos cada vez mais altos, e me voltei para o que achava ser a porta da despensa. Ela se abriu com um rangido, mostrando uma escada que levava para o andar de baixo. Um homem alto e magro estava subindo e, conforme o fazia, saía das sombras.

– Oi, pai – ela disse, e me endireitei, sorrindo com a doçura em sua voz.

– Ivy... – O homem estava radiante ao deixar a bandeja com duas xicarazinhas vazias na mesa. A voz grave combinava com sua pele: áspera e pétrea. Reconheci a origem daquela textura: eram cicatrizes da Virada, que afetara alguns mais do que outros, embora bruxos, pixies e fadas não tivessem tomado parte do grupo afetado. – Skimmer está aqui – ele disse, com carinho.

– Falei com ela – Ivy disse, e ele hesitou diante das poucas palavras da filha.

O pai parecia cansado, mas seus olhos castanhos brilharam quando deu um abraço rápido em Ivy. O cabelo preto levemente ondulado emoldurava o rosto sério, enrugado mais por preocupação do que pela idade. Ficou claro de quem Ivy tinha herdado a altura. O vampiro vivo era alto, dotado de um refinamento que tornava seu corpo esquelético mais elegante do que pouco atraente. Ele vestia uma calça jeans e uma camisa informal. Por pouco era possível ver as cicatrizes pequenas em seu pescoço, também presentes nos antebraços nus, visto que suas mangas estavam arregaçadas. Devia ser difícil ser casado com uma morta-viva.

– Que bom que você está em casa – ele disse, passando os olhos rapidamente por mim e pela cruz no meu bracelete de amuletos antes de voltar para a filha com um carinho nítido. – Sua mãe vai acordar daqui a pouco. Ela quer conversar com você. Ela está feliz por causa da Skimmer.

– Não – Ivy recuou ao toque do pai. – Quero perguntar uma coisa para você, só isso.

Ele assentiu, demonstrando decepção nos lábios finos. Senti o leve formigar de minha cicatriz de demônio quando ele colocou água quente num segundo bule. O barulho do líquido batendo contra a porcelana era alto. Com os braços cruzados diante do peito, me recostei na mesa, numa tentativa de distanciamento. Torci para que o formigamento fosse uma sensação remanescente causada por Skimmer, e não pelo pai de Ivy. Não achava que era ele. O homem parecia calmo demais para estar lutando contra a vontade de saciar a fome.

– Pai – ela disse, notando meu desconforto. – Esta é Rachel. Rachel, este é meu pai.

Como se soubesse que minha cicatriz estava formigando, o pai de Ivy continuou do outro lado da cozinha, pegando os biscoitos da mão de Erica e colocando-os de volta no pote. A menina bufou, depois fez uma careta diante da sobrancelha erguida do pai.

– É um prazer conhecê-la – ele disse, voltando os olhos para mim.

– Oi, senhor Randal – eu disse, sem gostar da maneira como ele olhava para Ivy e eu, que estávamos uma ao lado da outra. De repente, senti que estava num encontro, conhecendo os pais do pretendente, e enrubesci. Não gostei do sorriso sabichão dele. Pelo jeito, Ivy também não.

– Para, pai. – Ela puxou uma cadeira e se sentou. – Rachel é minha colega de quarto, não minha namorada.

– É melhor você deixar isso claro para Skimmer. – Seu peito exíguo inchou quando inspirou fundo para sacar as emoções no ar. – Ela veio até aqui por sua causa. Largou tudo. Pense bem antes de ignorar a menina. Ela tem uma excelente origem. Sua linhagem pura e milenar é difícil de encontrar hoje em dia.

Voltei a ficar tensa, e me senti enrijecer.

– Ai, meu Deus – Erica resmungou, pegando novamente o pote de biscoitos. – Não começa, pai. A situação já ficou preta lá na entrada.

Sorrindo para mostrar os dentes, ele estendeu o braço, tirou o biscoito da mão dela e deu uma mordida.

– Você não tem que trabalhar, não? – ele disse, enquanto engolia.

A jovem vampira abanou a cabeça.

– Pai, eu quero ir ao *show*. Todos os meus amigos vão.

Ergui a sobrancelha. Ivy balançou a cabeça discretamente, em resposta à minha pergunta muda se deveríamos contar que também iríamos e que poderíamos ficar de olho nela.

– Não – o pai dela recusou, limpando os farelos da roupa ao terminar o biscoito.

– Mas, pai...

Ele abriu o pote e tirou mais três.

– Você não tem controle suficiente...

Erica bufou e se recostou no balcão com uma péssima postura.

– Meu controle está ótimo – ela disse, mal-humorada.

Ele se endireitou, exibindo no rosto os primeiros sinais de severidade.

– Erica, os seus hormônios estão desvairados agora. Em uma noite você tem controle durante uma situação estressante, na outra você perde as estribeiras assistindo a TV. Você não está usando as capinhas como deveria, e eu não quero que una alguém a si mesma sem querer.

– Pai! – ela gritou, com o rosto vermelho-pálido de vergonha.

Ivy deu uma risadinha enquanto pegava dois copos do armário. Meu nervosismo diminuiu um pouco.

– Eu sei... – disse o pai dela, com a cabeça baixa e a mão erguida. – Vários amigos seus têm sombras e parece divertido ter alguém te seguindo, querendo sua atenção, sempre presente. Você é o centro do mundo deles, e eles só têm olhos para você. Mas, Erica, sombras unidas dão muito trabalho. Não são bichinhos de estimação que você pode dar para um amigo quando se cansar. Elas precisam de segurança e atenção, e você é muito jovem para esse tipo de responsabilidade.

– Pai, chega! – Erica disse, claramente envergonhada. Eu me sentei enquanto Ivy pegava uma garrafa de suco de laranja da geladeira. Não soube dizer quanto daquele discurso era direcionado à Erica e quanto era para me afastar da sua filha mais velha. Estava funcionando. Não que eu precisasse de muito estímulo.

O rosto do vampiro vivo ficou severo.

– Você está sendo descuidada – ele disse, com firmeza na voz grave. – Assumindo riscos que podem te levar a uma situação em que ainda não quer estar. Não pense que não sei que você tira as capinhas assim que sai de casa. Você não vai para aquele *show*.

– Não é justo! – a jovem gritou, balançando o cabelo espetado. – Só tiro notas máximas e ainda trabalho meio período. É só um *show*! Não vai nem ter Enxofre lá.

Ele abanou a cabeça enquanto ela bufava.

– Até aquele Enxofre nocivo sair das ruas, você vai ficar em casa a noite inteira, mocinha. Eu é que não vou descer até as catacumbas da cidade para trazer um membro da família para casa. Já fiz isso uma vez e não estou disposto a fazer de novo.

– Pai!

Ivy deu um copo de suco para o pai e, em seguida, se sentou com o seu na cadeira ao meu lado. Depois de cruzar as pernas, disse:

– Eu vou para o *show*.

Erica abafou um grito emocionado e deu um pulo, chacoalhando as joias.

– Pai! – ela berrou. – Ivy vai. Não vou tomar Enxofre nenhum e não vou morder ninguém. Prometo! Ai, meu Deus! Por favor, me deixa ir!

Com a sobrancelha erguida, o pai olhou para ela. Ivy deu de ombros e Erica prendeu a respiração.

– Se sua mãe deixar, por mim tudo bem – ele disse, finalmente.

– Obrigada! – Erica gritou com a voz fina. Deu um abraço nele, quase derrubando o pai no chão. Batendo as botas, abriu a porta e desceu as escadas correndo. A porta se fechou, e seus gritos foram abafados.

Ele suspirou, erguendo os ombros magros.

– Por quanto tempo você pretendia deixar que ela ficasse implorando até me dizer que também iria? – perguntou, com um sorriso irônico.

Mirando o suco, Ivy sorriu.

– Até ela me obedecer quando eu falar para usar as capinhas, senão eu mudo de ideia.

Ele riu.

– Você aprendeu bem, jovem gafanhoto – ele disse, fingindo um sotaque forte.

Ouvi passos na escada e Erica surgiu com os olhos negros de felicidade e balançando as correntes.

– Ela disse sim! Preciso ir! Te amo, pai! Obrigada, Ivy! – Ela fez um par de orelhas de coelho com as mãos e dobrou os dedos ao dizer: – Beijo, beijo! – E saiu correndo da cozinha.

– Você está com as capinhas? – o pai gritou para ela.

– Sim! – Erica respondeu, com a voz longínqua.

– Tire alguns desses colares, mocinha! – acrescentou, mas a porta bateu. O silêncio foi um alívio, e, surpresa, me deparei com o sorriso de Ivy. Erica realmente enchia a casa de vida.

O pai de Ivy pôs o copo na mesa. Seu rosto pareceu se enrugar mais e pude notar o esforço que seu corpo precisava suportar para fornecer o sangue de que sua mulher necessitava para se manter sã.

Observei enquanto Ivy revezava os dedos no copo para girá-lo sobre a mesa. Devagar, seu sorriso foi se desfazendo.

– A Erica foi ver o Piscary? – ela perguntou, baixinho. O receio súbito em sua voz chamou a minha atenção. Era por isso que ela queria conversar com o pai e, ao pensar na inocência despreocupada e selvagem de Erica nas mãos manipuladoras de Piscary, eu também ficaria apreensiva.

O pai de Ivy, porém, não parecia ter problema com isso, tomando um gole lento de seu suco antes de responder:

– Sim. Ela visita Piscary a cada duas semanas. Como manda o costume. – Franzi a testa com a pergunta implicada e não fiquei surpresa quando continuou com: – E você?

Ivy parou de girar o copo. Incomodada, procurei uma desculpa para poder me esconder no carro. Ela olhou para mim, depois para o pai, que se recostou, esperando. De fora, surgiu o ronco do carro de Erica, que logo desapareceu, deixando apenas o tique-taque do relógio sobre o fogão. Ivy respirou fundo.

– Pai, eu cometi um erro.

Senti os olhos dele recaírem sobre mim, embora eu estivesse olhando fixamente para a janela, tentando ignorar a conversa.

– A gente deveria conversar sobre isso quando sua mãe estiver disponível – ele disse, e eu tomei fôlego.

– Quer saber – comecei, levantando-me. – Acho que vou esperar no carro.

– Não quero falar sobre isso com minha mãe, quero falar com você – Ivy disse, mal-humorada. – E não tem por que Rachel não ouvir a conversa.

O pedido oculto na voz de Ivy me deteve. Sentei, apesar da desaprovação óbvia do seu pai. Aquilo não seria nem um pouco divertido. Talvez ela quisesse minha opinião sobre a conversa para se contrapor à sua. Eu poderia fazer esse favor.

– Cometi um erro – ela repetiu, baixinho. – Não quero ser herdeira do Piscary.

– Ivy... – Havia uma demonstração de cansaço nessa única palavra. – Está na hora de começar a assumir suas responsabilidades. Sua mãe era a herdeira dele antes de morrer. As vantagens...

– Eu não quero! – Ivy exclamou, e observei seus olhos de perto, sem conseguir distinguir se o círculo castanho em torno das pupilas estava diminuindo. – Talvez, se ele não estivesse na minha cabeça o tempo todo – acrescentou, colocando o suco de lado. – Mas eu não aguento mais. Ele não para de me pressionar.

– Ele não te pressionaria se você o visitasse.

Ivy se empertigou, com os olhos grudados na mesa.

– Eu o visitei. Falei que não queria ser herdeira e o mandei sair da minha cabeça. Ele riu da minha cara. Disse que eu tinha feito minha escolha e que agora precisava viver e morrer de acordo com ela.

– Você realmente fez a sua escolha.

– E agora estou fazendo outra – ela retrucou, baixando os olhos de um jeito submisso, mas com determinação na voz. – Eu não vou. Não quero, e não vou, administrar o submundo de Cincinnati. – Respirou fundo, erguendo os olhos para ele. – Não sei mais dizer se gosto das coisas porque gosto ou porque o Piscary gosta. Pai, você pode conversar com ele por mim?

Meus olhos se arregalaram diante do tom de súplica. A única vez que eu tinha ouvido aquele tom antes foi quando ela pensou que estava morta e implorou para que eu a mantivesse a salvo. Cerrei os dentes ao lembrar. Meu Deus, tinha sido horrível. Quando olhei para o pai dela, que permanecia em silêncio, fui pega de surpresa ao encontrar seus olhos sobre mim. Ele pressionou os lábios, com o olhar furioso, como se a culpa fosse minha.

– Você é herdeira dele – respondeu, com o olhar acusador ainda contra mim. – Pare de fugir das suas responsabilidades.

As narinas de Ivy se alargaram. Eu realmente não queria estar ali, mas, se fosse embora, só chamaria mais a atenção para mim.

– Cometi um erro – ela disse, com raiva. – E estou disposta a pagar o preço para me livrar disso, mas Piscary vai começar a machucar as pessoas para me obrigar a fazer o que ele quer. Não é justo.

Ele deu uma risada de escárnio e se levantou.

– E você esperava alguma outra coisa dele? Piscary vai usar tudo e todos que puder para te manipular. Ele é um vampiro mestre. – O pai de Ivy colocou as mãos na mesa e se debruçou na direção da filha. – É isso que eles fazem.

Gelada, voltei o olhar para o rio ao longe. Não importava se Piscary estava ou não na prisão. Bastava ele dizer uma palavra que seus capangas não só fariam com que Ivy entrasse na linha como também me fariam largar do pé dele. Seria caro, mas eficiente.

Ivy, porém, ergueu a cabeça e fez que não com firmeza antes de voltar os olhos acabrunhados para o pai.

– Pai, ele falou que vai começar a pressionar a Erica.

O homem empalideceu, o que destacou por completo suas pequenas rugas de inquietação. Senti um alívio por Piscary não estar me alvejando e depois me senti culpada por pensar isso.

– Vou conversar com ele – murmurou, deixando clara na voz a preocupação pela filha inocente e cheia de vida.

Eu me senti mal. Naquela conversa estavam as sombras terríveis e lúgubres de pactos ocultos que crianças mais velhas fazem entre si para proteger o irmão mais novo e inocente de um pai abusivo. A sensação ficou mais forte quando o pai repetiu baixinho:

– Vou conversar com ele.

– Obrigada.

Reinou um silêncio incômodo. Era hora de ir embora. Ivy se levantou primeiro, e fiz o mesmo na sequência. Peguei meu casaco, que ainda estava na cadeira, e o vesti. O pai de Ivy se levantou devagar, parecendo duas vezes mais cansado do que quando chegamos.

– Ivy – ele disse, aproximando-se. – Estou orgulhoso de você. Não concordo com o que está fazendo, mas estou orgulhoso.

– Obrigada. – Com um semissorriso aliviado, ela o abraçou. – A gente precisa ir. Tenho uma missão hoje.

– A menina Darvan? – o pai perguntou, e ela assentiu, ainda com culpa e medo nos olhos. – Que bom. Continue fazendo isso. Vou falar com Piscary e ver o que consigo fazer.

– Obrigada.

Ele se voltou para mim.

– Foi um prazer te conhecer, Rachel.

– Igualmente, senhor Randal. – Eu estava feliz pela conversa vamp ter chegado ao fim. Podíamos voltar a fingir que éramos normais e varrer os horrores para debaixo do tapete de cinco mil dólares.

– Espere, Ivy. Tome. – Ele colocou a mão no bolso e tirou uma carteira velha, voltando a parecer um pai como qualquer outro.

– Pai – Ivy protestou. – Tenho meu próprio dinheiro.

Ele sorriu com o canto dos lábios.

– Veja isso como um agradecimento por cuidar da Erica no *show*. O almoço é por minha conta.

Eu fiquei calada enquanto ele enfiava uma nota de cem dólares na mão de Ivy, empurrando-a para a frente com um abraço frouxo.

– Amanhã eu te ligo – ele disse, com carinho.

Os ombros da vamp perderam a tensão costumeira.

– Eu dou uma passada aqui. Não quero conversar por telefone. – Ele abriu um sorriso forçado. – Pronta para ir? – ela me perguntou.

Fiz que sim, e dirigi um cumprimento de cabeça para o pai de Ivy conforme a seguia pela sala de jantar até a porta da frente. Sabendo como a audição vamp era boa, fiquei de boca fechada até bater a porta elegantemente entalhada atrás de nós e voltar a afundar os pés na neve. O pôr do sol estava mais intenso, e a neve parecia brilhar sob a luz refletida do céu.

O carro de Erica não estava mais lá. Com as chaves na mão, Ivy hesitou.

– Espere – a vamp disse, remexendo na neve com as botas e andando até o ponto onde o carro vermelho estava antes. – Acho que ela tirou as capinhas.

Esperei, parada ao lado da minha porta aberta, enquanto Ivy se detinha ao lado das marcas de pneu. Com os olhos fechados, jogou a mão para o lado como se estivesse lançando alguma coisa no ar e, em seguida, andou até o outro lado da pista. Observei, atônita, conforme a vamp vasculhava a neve. Então, se agachou e pegou alguma coisa no chão. Voltou e entrou no carro sem tecer nenhum comentário.

Fiz o mesmo e apertei o cinto, querendo que estivesse mais escuro porque, assim, eu não teria que ver Ivy dirigindo. Diante do meu silêncio questionador, Ivy colocou dois pedacinhos de plástico oco na minha mão. Ela deu partida, e apontei a saída de ar para mim, torcendo para que ainda estivesse quente.

– Capinhas? – perguntei, olhando para as capas pequenas e brancas na minha mão enquanto Ivy saía com o carro. "Como ela foi encontrar aquilo no meio da neve?"

– Elas impedem o rompimento da pele – Ivy disse, pressionando os lábios finos. – Quando está com elas, Erica não pode unir ninguém a si mesma sem querer. Ela deveria usar até nosso pai falar que não precisa mais. Mas, pelo jeito como as coisas estão indo, Erica vai chegar aos trinta anos antes disso acontecer. Eu sei onde ela trabalha. Tudo bem se a gente der uma passadinha lá?

Fiz que sim, devolvendo as capinhas. Ivy olhou para os dois lados da via antes de sair pelo portão e parar atrás de uma caminhonete azul, girando os pneus na neve semiderretida.

– Tenho um estojo de capinhas vazio na bolsa. Pode colocar dentro dele para mim?

– Claro. – Eu não gostava de mexer na bolsa da Ivy, mas a alternativa seria Ivy fazer isso *enquanto* dirigia, e senti um frio na barriga só de pensar nessa possibilidade. Era esquisito abrir a bolsa dela. Era tão arrumada que dava nojo. Não tinha nenhum lenço de papel usado ou doce mofado.

– A minha é a que tem um vidro colorido – Ivy disse, olhando a estrada distraidamente. Deve ter uma de plástico aí em algum lugar. O desinfetante ainda deve estar bom. O papai vai matar Erica se descobrir que ela jogou as capinhas no meio da neve. Elas custam o mesmo que o acampamento de verão nos Andes para o qual ela foi no ano passado.

– Ah. – De repente, meus três verões no acampamento Make a Wish, do Kalamack, para crianças moribundas, pareceram sem graça. Atrás de um frasco de vidro que parecia uma caixinha de remédios com uma decoração elaborada estava um frasco branco do tamanho do meu polegar. Abri a tampa e encontrei um líquido azulado.

– É esse – Ivy disse, e coloquei as duas lá dentro. Elas flutuaram e, quando eu estava prestes a colocar o dedo mindinho para afundar as duas, ela acrescentou: – Só feche a tampa e chacoalhe. Elas vão afundar.

Fiz o que ela pediu, guardando o frasco na bolsa e colocando-a ao seu lado.

– Obrigada – Ivy disse. – Quando eu "perdi" as minhas, ele me deixou de castigo por um mês.

Abri um sorriso fraco, pensando que era algo como perder os óculos ou o aparelho... ou talvez o diafragma. "Ai, meu Deus. Eu realmente queria saber essas coisas?"

– Você ainda usa? – perguntei, vencida pela curiosidade. Ela não parecia envergonhada. Talvez eu devesse deixar rolar.

Ivy abanou a cabeça, dando seta por um segundo antes de cruzar duas vias de trânsito para entrar na rampa da via expressa.

– Não – respondeu, enquanto eu me segurava ao trinco da porta. – Desde os dezessete. Mas eu guardo para quando... – Parou a frase no meio. – Por via das dúvidas.

"Para quando o quê?", me perguntei, mas logo depois achei melhor não saber.

– Hum, Ivy? – eu disse ao mesmo tempo que tentava não pensar onde ela estava se metendo no trânsito. Prendi a respiração quando passamos para a outra pista e, atrás de nós, soaram buzinas. – O que diabos quer dizer as orelhas de coelho e o "beijo, beijo"?

Ela me encarou. Fiz o sinal de paz e amor e dobrei os dedos duas vezes. Um estranho sorriso perpassou o canto de seus lábios.

– Não são orelhas de coelho – respondeu. – São presas.

Pensei a respeito e então fiquei vermelha.

– Ah.

Ivy riu. Eu a olhei por um segundo e, pensando que não haveria hora melhor, respirei fundo.

– E quanto à Skimmer...

O bom humor em seu rosto desapareceu. Ela me disparou um olhar, depois se voltou para a estrada.

– Nós éramos colegas de quarto. – Um leve rubor passou por seu rosto, dizendo-me que eram mais do que isso. – E éramos bem próximas – acrescentou, com cautela, como se eu não tivesse me dado conta disso ainda. Ivy pisou no freio com força para evitar uma BMW preta que queria encurralá-la atrás de uma minivan. Acelerando rápido, virou para a direita em disparada, deixando o outro carro para trás.

– Skimmer veio até aqui por sua causa – eu disse, sentindo o coração acelerar. – Por que você não disse que não éramos...?

A vamp segurou no volante com mais força.

– Porque... – Ela respirou devagar e arrumou o cabelo atrás da orelha. Era um tique nervoso que eu não via com muita frequência. – Porque eu não quis – concluiu, parando atrás de um carro Trans-Am que rodava a mais de vinte quilômetros por hora acima do limite de velocidade.

Com o olhar preocupado, se voltou para mim, ignorando a minivan verde de que nós e o Trans-Am estávamos nos aproximando.

– Não vou pedir desculpa, Rachel. Na noite em que você concluir que dar e receber sangue não é sexo, eu vou estar lá. Vou aceitar o que puder até esse momento chegar.

Terrivelmente constrangida, eu me remexi no banco.

– Ivy...

– Não começa – ela disse, tranquila, enquanto virava o carro para a direita, pisando fundo para ultrapassar os dois veículos. – Sei o que acha disso. Não posso fazer com que mude de ideia. Você vai ter que chegar a essa conclusão sozinha. O fato de Skimmer estar aqui não muda nada. – Entrou na frente da minivan, abrindo um sorriso carinhoso que me convenceu ainda mais de que sangue era o mesmo que sexo. – E então você vai passar o resto da vida se culpando por ter demorado tanto para assumir esse risco.

Dezoito

Entrou o comercial, e o volume alto me assustou quando sentei no sofá. Com um suspiro, puxei os joelhos para perto do queixo e abracei as pernas. Estava cedo ainda, mal tinha passado das duas da madrugada, e eu estava tentando criar coragem para preparar alguma coisa para comer. Ivy ainda estava em sua missão e, apesar da conversa estranha no carro, eu estava torcendo para que ela voltasse logo para podermos jantar fora. Esquentar o empadão de carne e comê-lo sozinha parecia tão divertido quanto arrancar minha própria pele.

Peguei o controle remoto e coloquei a TV no mudo. Aquilo era deprimente. Eu estava sentada no sofá numa sexta à noite assistindo a *Duro de matar* sozinha. Nick deveria estar ali comigo. Eu sentia falta dele. Bem, eu achava que sentia falta dele. A questão era que eu sentia falta de alguma coisa. Talvez só de ser abraçada. Será que eu era tão superficial assim?

Joguei o controle remoto para o lado e notei uma voz vindo da frente da igreja. Eu me endireitei no sofá; era uma voz masculina. Pega de surpresa, liberei uma linha de ley e, entre uma respiração e outra, meu centro foi se enchendo. Com a força da linha correndo pelo meu corpo, me preparei para me levantar, mas voltei a afundar no sofá quando Jenks entrou na sala, voando na altura da minha cabeça. O leve zumbido das suas asas me disse que, fosse lá o que estivesse na entrada, não me mataria nem me faria ganhar dinheiro.

Com os olhos arregalados, o pixie pousou no abajur. O pó que saía dele voou com o calor ascendente do bulbo. Normalmente ele estaria dormindo àquela hora, aconchegado dentro da escrivaninha, e era por isso que eu estava tendo meu momento de autopiedade agora, para poder sofrer sem nenhuma interferência.

– Oi, Jenks – cumprimentei, soltando a linha, e a magia desfocada foi embora. – Quem está aí?

O rosto dele ficou preocupado.

– Rachel, acho que a gente tem um problema.

Olhei para ele com amargura. Eu estava sentada, assistindo a *Duro de matar* sozinha. Esse era o problema, não quem tinha entrado pela porta.

– Quem é? – perguntei, inexpressiva. – Já cansei das Testemunhas de Jeová. Eu achava que, morando numa igreja, eles se tocariam, mas nããão.

Jenks franziu a testa.

– É um lóbis com chapéu de caubói. Ele quer que eu assine um papel dizendo que comi o peixe que a gente roubou dos Uivadores.

– David? – Eu me levantei de um salto e segui para o santuário.

As asas do pixie zumbiram alto atrás de mim.

– Quem é David?

– Um analista de seguros. – Franzi a testa. – Conheci o sujeito ontem.

Dito e feito: lá estava David parado no meio do salão vazio, usando um casaco longo e um chapéu enfiado na cabeça, com um ar constrangido. Os filhotes de pixie observavam a cena pela rachadura da escrivaninha antiga, com os rostos alinhados. Ele estava no celular e, ao me ver, murmurou algumas palavras, desligou o aparelho e guardou-o no bolso.

– Oi, Rachel – ele disse, recolhendo-se ao ouvir a sua voz ecoar.

Ele olhou para minha calça jeans informal e meu suéter vermelho, e depois para o teto, passando o peso de um pé para o outro. Estava claro que ele não se sentia à vontade na igreja, mas era algo mais psicológico do que biológico.

– Desculpe te incomodar – ele disse, tirando o chapéu e se agarrando a ele com firmeza. – Mas rumores não vão bastar para fechar esse caso. Preciso que seu parceiro confirme que comeu o peixe dos desejos.

– Puta merda! Era um peixe dos desejos! – Houve um coro de gritos agudos na escrivaninha. Jenks dirigiu um chiado ameaçador aos filhos, e os rostos alinhados na rachadura voltaram para as sombras.

David tirou um papel dobrado do bolso do casaco e desdobrou-o em cima do piano de Ivy.

– Pode assinar aqui? – pediu, antes de se ajeitar, com o olhar desconfiado. – Você *realmente* comeu o peixe?

Jenks estava assustado, com as asas de um azul tão escuro que parecia roxo.

– Sim. Nós comemos. Vai ficar tudo bem?

Tentei esconder um riso discreto, mas David abriu um sorriso largo, mostrando os dentes muito brancos sob a pouca luz do santuário.

– Acho que sim, senhor Jenks – ele disse, tirando a tampa da caneta e oferecendo-a para Jenks.

Ergui a sobrancelha. David hesitou, olhando da caneta para o pixie. A caneta era maior do que ele.

– Hummm – ele disse, mudando de posição.

– Eu cuido disso. – Jenks voou até a escrivaninha, voltando com a ponta de um lápis. Observei enquanto ele escrevia seu nome cuidadosamente, e o zumbido ultrassônico vindo da escrivaninha fez meus olhos arderem. Jenks levantou voo, soltando pó de pixie. – Ei, a gente não vai ficar encrencado, vai?

O cheiro pungente de tinta atacou minhas narinas, e David ergueu os olhos do carimbo de tabelionato.

– Não por nossa causa. Obrigado, senhor Jenks. – Ele olhou para mim. – Rachel.

Ouvimos a agitação das janelas devido à mudança na pressão do ar e erguemos a cabeça. Alguém tinha aberto a porta dos fundos da igreja.

– Rachel? – chamou uma voz fina. Pestanejei.

"É minha mãe?" Pega de surpresa, olhei para David.

– Ah, é a minha mãe. Talvez seja melhor você ir. A menos que queira ser obrigado a me levar para um encontro.

O lóbis pareceu espantado enquanto guardava o papel.

– Não. Já terminei. Obrigado. Acho que eu deveria ter ligado antes, mas como é horário comercial...

Meu rosto se inflamou. Eu acabara de depositar dez mil na minha conta bancária, graças a Quen e seu "probleminha". Eu tinha o direito de ficar sentada choramingando durante uma noite se quisesse. E não iria preparar os amuletos que usaria na tal missão naquela noite. Fazer feitiços depois da meia-noite na lua minguante era pedir por problemas. Além disso, a forma como eu organizava meu dia não era da conta dele.

Incomodada, olhei para o fundo da igreja, sem querer ser mal-educada, mas também sem querer que minha mãe enchesse o lóbis de perguntas.

– Já vou, mãe! – gritei antes de me voltar para Jenks. – Pode acompanhar David até a saída?

– Claro, Rachel. – Jenks levantou voo até a altura da nossa cabeça para levá-lo até o vestíbulo.

– Tchau, David – eu disse. Ele acenou em despedida e pôs o chapéu na cabeça.

"Por que tudo tem que acontecer na mesma hora?", pensei, correndo até a cozinha. Uma visita surpresa da minha mãe fecharia um dia quase perfeito. Cansada, entrei na cozinha e a encontrei com a cabeça enfiada na geladeira. Do santuário, veio o estrondo da porta da frente sendo fechada.

– Mãe – eu disse, tentando manter a voz agradável – Que bom te ver. Mas ainda é horário comercial. – Pensei no banheiro, tentando lembrar se minhas calcinhas ainda estavam em cima da secadora.

Sorrindo, ela se aprumou, olhando para mim por cima da porta da geladeira. Ela estava usando um par de óculos escuros, que ficava muito estranho com seu chapéu de palha e seu vestido. "Vestido? Ela estava de vestido? Fazia cinco graus negativos lá fora."

– Rachel! – Com um sorriso, fechou a porta e abriu os braços. – Venha me dar um abraço, minha filha.

Com a cabeça a mil, retribuí o abraço distraidamente. Talvez eu devesse ligar para o psicólogo da minha mãe para ter certeza de que continuava indo às consultas. Ela estava com um cheiro estranho e, quando me afastei, perguntei:

– O que você está usando? Está com cheiro de âmbar queimado.

– É porque é âmbar queimado, querida.

Horrorizada, voltei os olhos para o rosto dela. Sua voz tinha ficado bem mais grossa. A adrenalina disparou pelo meu corpo. Dei um pulo para trás, encontrando uma luva branca segurando meu ombro. Fiquei paralisada e não consegui me mover quando uma reverberação de todo-sempre caiu sobre mim, revelando Algaliarept. "Ai, droga. Estou morta."

– Boa noite, familiar – o demônio disse, sorrindo para mostrar os dentes nivelados. – Vamos encontrar uma linha de ley e te levar para casa?

– Jenks! – gritei, ouvindo minha voz dissonante de pavor. Tentando recuar, ergui os pés, dando um chute no saco dele.

Al gritou, arregalando os olhos vermelhos de cabra.

– Sua vadia – xingou, abaixando-se e me segurando pelo tornozelo.

Sem ar, caí de bunda quando ele me puxou. Entrei em pânico. Enquanto eu esperneava inutilmente, ele foi me arrastando da cozinha até o corredor.

– Rachel! – Jenks gritou, soltando pó preto de pixie.

– Traga um amuleto! – gritei, segurando no arco da porta. "Ai, meu Deus. Ele me pegou. Se chegar a uma linha, poderá me arrastar fisicamente até o todo-sempre mesmo que eu recuse."

Tensionando os braços, fiz força para me segurar na parede por tempo suficiente para que Jenks abrisse o armário de amuletos e pegasse um. Eu não precisava furar o dedo; meu lábio já estava sangrando por causa da queda.

– Segure – Jenks gritou, voando na altura do tornozelo para me olhar nos olhos. Ele trazia o cordão de um amuleto de sono nas mãos. Seus olhos estavam apavorados e suas asas, vermelhas.

– Nem pense, bruxa – disse Al, dando-me um puxão.

Senti a dor no meu ombro e não consegui mais me segurar.

– Rachel! – Jenks exclamou enquanto minhas unhas raspavam o piso de madeira e depois o carpete da sala.

Al murmurou em latim e gritei quando uma explosão arrancou a porta dos fundos.

– Jenks! Saia! Tire seus filhos daqui! – berrei quando o ar frio entrou pelo vão causado pela explosão. Cachorros latiram enquanto eu escorregava pela escada de barriga para baixo. Gelo, neve e cristais de sal rasparam minha barriga e minha canela. Ergui o olhar para o batente despedaçado e vi surgir a silhueta de David contra a luz. Apontei para o amuleto que Jenks tinha derrubado. – O amuleto! – gritei, quando ficou claro que ele não fazia ideia do que eu queria. – Jogue o amuleto para mim!

Al se deteve. Deixando pegadas com suas botas pretas de montaria na trilha cheia de neve, o demônio se virou.

– *Detrudo* – ele disse. Claramente era a palavra de comando de uma maldição que sabia de cor.

Soltei um grito quando uma sombra vermelha e preta de todo-sempre atingiu o lóbis, jogando-o para longe do meu campo de visão.

– David! – gritei, enquanto Al voltava a me puxar.

Contorcendo-me, consegui me virar para ficar de barriga para cima. Sem parar de espernear, arranquei um matinho sob a neve atrás de Al conforme ele me puxava até o portão de madeira na entrada do jardim que levava para a rua. O demônio não poderia usar a linha de ley no cemitério para me arrastar para o todo-sempre, pois ela era inteiramente cercada por solo sagrado, um solo que ele não poderia cruzar. A linha de ley mais próxima ficava a oito quarteirões de distância. "Tenho uma chance", pensei, com a neve fria encharcando minha calça.

– Me solte! – mandei, chutando a parte de trás do joelho dele com o pé livre.

Sua perna se dobrou e ele parou; seu olhar irado estava claro sob a luz do poste. Ele não poderia ficar nebuloso para se livrar dos chutes, porque eu conseguiria escapar das suas mãos.

– Que *canicula* você é – ele disse, agarrando meus tornozelos com uma mão e seguindo em frente.

– Não quero ir! – berrei, agarrando-me à beirada do portão quando passamos por ele. Paramos com um solavanco, e Al suspirou.

– Solte a grade – ordenou, com ar cansado.

– Não! – Meus músculos estavam começando a tremer enquanto me esforçava para continuar imóvel por mais que Al me puxasse. Eu tinha memorizado apenas uma magia de linha de ley, mas prender nós dois em um círculo não me levaria a lugar nenhum. Ele poderia quebrar o círculo com a mesma facilidade que eu, agora que sua aura o cobriria.

Soltei um grito quando o demônio desistiu de me arrastar pelo portão e me jogou sob seu ombro musculoso. Perdi o ar quando dei de barriga. Al fedia a âmbar queimado, e me debati para me libertar.

– Seria muito mais fácil – ele disse, enquanto eu acotovelava suas escápulas –, se você aceitasse que é minha. Basta dizer que vai comigo de livre e espontânea vontade que levo a gente para uma linha com um piscar de olhos e te poupo da vergonha que está passando.

– Não estou preocupada em passar vergonha! – Estendi o braço, tentando alcançar algum dos galhos da árvore por que passamos. Aliviada, expirei ao me segurei em um. Al foi puxado para trás, perdendo o equilíbrio.

– Ah, veja só – ele disse, soltando-me, e as minhas mãos escaparam, arranhadas e ensanguentadas. – Seu amigo lobo quer brincar.

"David", pensei, virando-me para olhar por sobre o ombro de Al. Respirando com esforço, avistei uma sombra enorme no meio da rua iluminada pelo poste e cheia de neve. Fiquei boquiaberta. Ele tinha se transformado. Ele tinha se transformado em menos de três minutos. Meu Deus, aquilo devia doer.

E ele era enorme, mantendo toda a massa humana. Sua cabeça devia chegar no meu ombro. O pelo preto e sedoso, que mais parecia fios de cabelo, ondulava sob o vento frio. As orelhas estavam voltadas para o chão, e ele soltou um rosnado incrivelmente baixo de aviso. As patas eram do tamanho das minhas mãos espalmadas e afundaram na neve enquanto ele barrava nosso caminho. O lóbis uivou com indescritível profundidade, e Al riu. Nas casas vizinhas, luzes começaram a se acender e pessoas olhavam pelas janelas.

– Legalmente, ela é minha – o demônio disse, com tranquilidade. – Vou levar Rachel para casa. Nem pense em impedir.

Al começou a descer a rua, deixando-me dividida entre gritar por ajuda e admitir que eu era um caso perdido. Um carro vinha em nossa direção, iluminando a cena com os faróis.

– Bom garoto – Al murmurou assim que passamos por David com uns três metros de distância entre nós. Visível sob a luz dos postes, o lóbis abaixou a cabeça e pensei que ele tinha desistido, ciente de que não poderia fazer nada. Mas então ele ergueu a cabeça e avançou atrás de nós.

– David, não há nada que você possa fazer! David, não! – gritei quando seu trote virou uma corrida decidida. Com o olhar absorto num frenesi assassino, ele correu na minha direção. Claro que eu não queria ser levada para o todo-sempre, mas também não queria morrer.

Xingando, Al deu meia-volta.

– *Vacuefacio* – ele disse, com a mão enluvada erguida.

Eu me virei sobre seu ombro para assistir. Uma bola de força negra saiu de sua mão e foi de encontro ao ataque silencioso de David a meio metro de nós. As patas enormes do lóbis escorregaram, mas ele acabou correndo na direção da bola. David rolou e ganiu, tombando sobre uma pilha de neve. Senti o cheiro de pelo queimado, que, porém, logo desapareceu.

– David! – gritei, sem sentir o frio que machucava minha pele. – Você está bem?

Soltei outro grito quando Al me jogou no chão, apertando meu ombro com a mão atarracada até que eu gritasse de dor. A grossa camada de neve comprimida na calçada derreteu embaixo de mim, e minha bunda ficou dormente de dor e frio.

– Idiota – Al resmungou para si mesmo. – Você tem uma familiar. Pelas cinzas da sua mãe, por que não a usa?

Ele sorriu para mim, erguendo as sobrancelhas grossas em expectativa.

– Pronta para o trabalho, Rachel querida?

Perdi o ar. Em pânico, olhei para o demônio, sentindo meu rosto ficar pálido e meus olhos se arregalarem.

– Por favor, não – murmurei.

Ele sorriu ainda mais.

– Segure isso aqui para mim – mandou.

Soltei um grito de dor quando Al liberou uma linha, fazendo a força dela ressoar pelo meu corpo. Meus músculos tremeram e um espasmo me chacoalhou até que eu batesse de cara na calçada. Eu estava em chamas, e me agachei em posição fetal tapando as orelhas com as mãos. Soltei um grito atrás do outro. Não conseguia me conter. Eles vinham com força e eram a única coisa real além da agonia na minha cabeça. Como uma explosão, a força da linha passou pelo meu corpo e acomodou-se no meu centro, descendo pelos membros em chamas. Meu cérebro parecia estar mergulhado em ácido e, aquele urro terrível torturava meus ouvidos incessantemente. Eu estava queimando. Eu estava ardendo.

De repente, percebi que os gritos vinham de mim. Soluços altos e torturantes tomaram seu lugar quando consegui parar. Um lamento agudo e perturbador surgiu, e consegui pará-lo também. Ofegando, abri os olhos. Minhas mãos estavam pálidas e trêmulas sob a luz do carro. Não estavam chamuscadas. O cheiro de âmbar queimado não vinha da minha pele descascando. Estava tudo na minha cabeça.

"Ai, meu Deus. Minha cabeça parece estar em três lugares ao mesmo tempo." Eu estava ouvindo tudo duas vezes, cheirando tudo duas vezes e não conseguia pensar em nada por mim mesma. Al sabia tudo que eu estava sentindo, tudo em que eu estava pensando. Só me restava torcer para que eu não tivesse feito aquilo com Nick.

– Melhor? – Al perguntou, e dei um pulo para trás como que chicoteada, ouvindo sua voz dentro da minha cabeça *e* nos meus ouvidos. – Nada mal – disse, puxando meu corpo para que ficasse de pé, e não consegui resistir. – Ceri desmaiou com metade dessa força e demorou três meses para parar de fazer esse som horrível.

Entorpecida, senti que estava babando. Não conseguia lembrar como se limpava alguma coisa. Minha garganta doía e o ar frio que inspirava parecia me queimar. Eu podia ouvir o latido de cães e o ronco de um motor. A luz do poste estava imóvel e a neve brilhava. Deixei-me levar pela mão de Al, tentando mover os pés quando ele retomou a caminhada. Ele me tirou da frente do carro, que, cantando pneu sobre o gelo e a neve, acelerou para longe.

– Venha, Rachel querida – Al disse na nova escuridão, claramente de bom humor ao me puxar sobre um monte de neve até a trilha descoberta. – Seu lobo desistiu e, a menos que você se submeta a mim, ainda precisamos caminhar por uma boa parte da cidade até chegarmos a uma linha de ley.

Trôpega, avancei atrás de Al, com os pés há muito tempo gelados e dormentes, apesar de estarem de meias. A mão dele segurava meu punho com mais força do que qualquer algema. Sua sombra se estendia atrás de nós até onde David se encontrava, ofegante, abanando a cabeça como que para aclarar as ideias. Não havia nada que eu pudesse fazer, e não senti nada quando a boca de David se abriu. Em silêncio, ele avançou. Observei, insensibilizada e em estupor, como que à distância. Al, porém, estava preparado.

– *Celero fervefacio*! – exclamou, furioso, e gritei quando a praga ardeu em meu corpo. A força da magia de Al saiu como uma explosão de sua mão estendida e atingiu David. Em um clarão, a neve sob o lóbis derreteu, e ele se contorceu sobre o círculo negro da calçada. Gritei de agonia, pegando a magia, filtrando-a e ouvindo-a destilar como o grito agudo de uma fada.

– Por favor... chega – murmurei, saliva caindo e derretendo a neve. Fiquei encarando o branco imundo, pensando que era a minha alma, aviltada e maculada, pagando pela magia negra de Al. Eu não conseguia pensar. A dor ainda ardia pelo meu corpo; doía ser uma familiar.

O som de pessoas assustadas atraiu meu olhar turvo. Os vizinhos olhavam pelas portas e janelas. Era bem provável que eu aparecesse nas manchetes. Um forte estrondo chamou minha atenção para a casa pela qual tínhamos passado, cujo quintal era decorado por um elegante castelo de neve com torres de vários tamanhos. A luz da porta aberta iluminou a neve pisoteada, quase chegando até mim e Al. Prendi a respiração ao avistar Ceri parada no batente, com o crucifixo de Ivy no pescoço. Ela saiu para o pórtico, com a camisola branca ondulando. Seu cabelo solto voava em torno dela e batia quase na cintura. Sua postura mostrava rigidez e fúria.

– Você – ela disse, com uma voz que ecoou pela neve.

Atrás de mim, ouvi um resmungo de advertência e senti um puxão. Por meio de Al, soube instintivamente que Ceri tinha montado um círculo ao redor de mim e dele. Um soluço escapou dos meus lábios, mas me agarrei a esse sentimento como um vira-lata que se agarra ao osso. Eu havia sentido algo que não era de Al. A irritação do demônio estava logo atrás do meu abatimento, acobertando-o até que eu esquecesse de como me sentia. Por Al, soube que o círculo era inútil. É possível montar um círculo sem desenhá-lo antes, mas só um círculo desenhado é forte o bastante para conter um demônio.

Al nem se deu ao trabalho de reduzir a velocidade, puxando-me pela camada de todo-sempre.

Deixei escapar um silvo de dor quando a força que Ceri tinha imposto ao círculo fluiu para dentro de mim. Essa nova camada de chamas se alastrou pela minha pele, me fazendo gritar. Ela ardeu a partir do ponto onde toquei o campo, correndo como um líquido que me cobriu. A dor buscou meu centro e, quando o descobriu, soltei outro grito. Eu me contorci tanto que escapei da mão de Al no momento em que o todo-sempre encontrou meu *chi* cheio e prestes a explodir. Ele vazou, correndo pelo meu corpo para se acomodar no único lugar em que poderia abrir espaço à força: a minha cabeça. Mais cedo ou mais tarde, seria demais para aguentar e eu acabaria enlouquecendo.

Eu me dobrei de dor. A superfície dura da calçada raspou minhas coxas e meus ombros conforme me contorcia. Devagar, a sensação tornou-se suportável e consegui parar de berrar. O último grito saiu como um lamento que silenciou os cães. "Ai, meu Deus, eu estou morrendo. Estou morrendo de dentro para fora."

– Por favor – implorei a Ceri, sabendo que a elfa não conseguiria me ouvir. – Não faça isso de novo.

Al me levantou com força.

– Você é uma familiar *excelente* – elogiou, sorrindo de orelha a orelha. – Estou muito orgulhoso. Você conseguiu parar de gritar. Acho que, quando chegarmos em casa, vou te deixar tomar um chá e tirar um cochilo antes de te exibir para os meus amigos.

– Não... – sussurrei, e Al riu com a minha rebeldia antes mesmo que a palavra saísse pelos meus lábios. Ele sabia dos meus pensamentos antes mesmo que eu pensasse neles. Entendi, então, por que Ceri entorpecera suas emoções, preferindo não ter nenhuma a dividi-las com Al.

– Esperem – Ceri disse, com uma voz que ecoou pela neve conforme descia correndo os degraus do pórtico, passava pela cerca e entrava no quintal à nossa frente.

Dobrei-me sobre o braço de Al quando ele parou, olhando para ela. A voz da elfa fluiu pelo meu corpo, confortando a pele e a mente. Meus olhos lacrimejaram com a suspensão temporária da dor, e quase solucei, aliviada. Ela parecia uma deusa, concedendo o conforto das dores.

– Ceri – Al disse, com afeto, sem deixar de prestar atenção em David, que nos rodeava com os pelos eriçados e uma ferocidade assustadora no olhar. – Você parece bem, querida. – Seus olhos se voltaram para o castelo de neve elaborado atrás dela. – Sente saudade de casa?

– Meu nome é Ceridwen Merriam Dulciate – ela corrigiu, com uma autoridade agressiva na voz. – Não sou sua familiar. Possuo uma alma. Tenha o respeito que eu mereço.

Al riu em silêncio.

– Entendi, você encontrou seu ego. Como é voltar a envelhecer?

Notei que ela endurecera o corpo. Ceri veio se colocar diante de nós, e pude notar seu arrependimento.

– Não tenho mais medo de envelhecer – ela disse, tranquilamente, e especulei se Al a convencera a ser sua familiar com uma promessa de vida eterna. – É como o mundo funciona. Deixe Rachel Mariana Morgan ir.

Al jogou a cabeça para trás e gargalhou, mostrando os dentes grossos e planos para o céu nebuloso.

– Ela é minha. Você parece bem. Quer voltar? Vocês poderiam ser irmãs. Não seria ótimo?

Ceri torceu os lábios.

– Rachel tem uma alma. Você não pode obrigá-la.

Ofegante, continuei pendurada no braço de Al. Se ele me levasse até uma linha, não importaria se eu tinha ou não uma alma.

– Sim, eu posso – Al disse, consolidando isso em um fato. Em seguida, franziu a testa e voltou a atenção para David. Eu tinha percebido que ele vinha nos rodeando de longe, tentando, com suas pegadas, desenhar um círculo físico no qual poderia prender Al. Os olhos do demônio se estreitaram. – *Detrudo* – disse, gesticulando.

Abafei um grito, sendo jogada para trás quando um filete de todo-sempre saiu de mim para moldar a magia de Al. Com a cabeça erguida, contive o som horrível que estava prestes a sair da minha garganta seca. Consegui ficar em silêncio conforme o filete perpassava meu corpo, mas o esforço para ficar quieta foi em vão quando uma onda de todo-sempre surgiu de uma linha para substituir a que o demônio tinha usado. Chamas voltaram a massacrar o meu centro, transbordando e fazendo minha pele queimar; acomodaram-se, por fim, nos meus pensamentos. Eu não conseguia pensar. Só havia dor em mim. Eu estava em chamas. Até meus pensamentos, minha alma, estavam em chamas.

Horrorizada, caí de joelhos, quase sem sentir a dor de bater contra a calçada gélida ao soltar um urro de sofrimento. Meus olhos estavam abertos, e Ceri se encolheu de pena, descalça sobre a neve à nossa frente. Uma dor compartilhada se refletia em seus olhos, e firmei meu olhar no dela, encontrando paz em sua profundeza verde. Ela tinha sobrevivido àquilo. Eu poderia sobreviver. Eu iria sobreviver. "Deus, me ajude a encontrar um meio de sobreviver."

Al riu ao sentir minha resolução.

– Muito bem – elogiou. – Que bom que tentou ficar calada. Você vai chegar lá. Seu deus não pode te ajudar, mas fique à vontade para chamá-lo. Eu adoraria conhecê-lo.

Respirei fundo, trêmula. Vi o pelo sedoso de David sobre a neve a certa distância de onde ele estava antes. Eu estava gritando quando o feitiço o atingiu e não o vi sendo jogado para o lado. Ceri correu até o lóbis quando ele se levantou, segurando seu focinho com ambas as mãos e fitando seus olhos. Ela parecia minúscula ao lado de David; o negrume absoluto dele parecia perigoso, mas ao mesmo tempo combinava com a fragilidade branca e ondulante dela.

– Dê-me – ela sussurrou, enquanto encarava os olhos dele sem medo, e David ergueu as orelhas.

Depois de soltar a cara dele, Ceri avançou até o ponto em que as pegadas do lóbis paravam. Keasley se juntou a ela, abotoando o grosso casaco de tecido, saindo da minha direita e estacando ao lado dela. Ele pegou sua mão, murmurando:

– É seu. – Depois soltou, e ambos deram um passo para trás.

Eu queria chorar, mas não tinha forças. Não havia como eles me ajudarem. Eu admirava a confiança de Ceri, sua postura cheia de orgulho e fervor, mas era em vão. Eu poderia muito bem estar morta.

– Demônio – ela disse, com uma voz que ressoou como um sino pelo ar parado. – Eu te uno.

Al levou um susto quando uma camada esfumaçada de todo-sempre azul surgiu sobre nós, e seu rosto ficou vermelho de raiva.

– *Es scortum obscenus impurua*! – ele gritou, me soltando. Fiquei parada onde caí, sabendo que ele não me soltaria se eu tivesse forças para escapar. – Como você ousa usar o que eu ensinei para me unir?

Ofegante, ergui a mão, só então entendendo por que ela tinha tocado em David e depois em Keasley. David iniciara o círculo, Ceri fizera a segunda parte e Keasley, a terceira. Eles tinham dado permissão a ela para que juntasse seus passos. O círculo tinha sido montado; Al fora aprisionado. E, enquanto eu olhava para ele apertando o passo até a beira da bolha sob o olhar vitorioso de Ceri, pensei que não precisaria de muito para que ele decidisse me matar por vingança.

– *Moecha putida*! – o demônio berrou, batendo contra a força entre eles. – Ceri, vou arrancar sua alma de novo, eu juro!

– *Et de* – ela disse, com a cabeça erguida e os olhos brilhantes – *acervus excrementum*. Você pode pular para uma linha daqui. Vá embora agora, antes do sol nascer, para que todos nós possamos voltar para a cama.

Algaliarept respirou fundo e devagar, e eu tremi com a raiva contida nesse ato.

– Não – recusou. – Vou ampliar os horizontes de Rachel, e vocês vão ouvir seus gritos enquanto ela aprende a aguentar tudo que exijo.

"Ele conseguiria liberar mais ainda através de mim?", pensei, sentindo meus pulmões tensionarem, sem conseguir respirar. Havia coisa pior?

A confiança de Ceri vacilou.

– Não – ela disse. – Ela não sabe guardar do jeito certo. Qualquer energia a mais e a mente dela não vai aguentar. Rachel vai ficar maluca antes que você a ensine a fazer seu chá.

– Não precisa ser sã para fazer chá ou torrada – ele resmungou. Não consegui resistir quando ele me puxou pelo braço e me fez ficar em pé.

Ceri balançou a cabeça, parada em meio à neve como se fosse verão.

– Você está sendo infantil. Você a perdeu. Ela foi mais inteligente. Você é um mau perdedor.

Al apertou meu ombro, e cerrei os dentes, recusando-me a gritar. Era apenas uma dor. Não era nada comparado ao ardor constante de todo-sempre que ele estava me obrigando a reter.

– "Mau perdedor!" – gritou, e ouvi os gritos temerosos das pessoas nas sombras. – Ela não pode se esconder em solo sagrado para sempre. Se tentar, vou encontrar um jeito de usá-la através das linhas de ley.

Ceri olhou de soslaio para David, e fechei os olhos em desespero. Ela achava que ele conseguiria. Deus me livre. Era só uma questão de tempo até que ele descobrisse como. A tentativa de salvar minha alma não daria em nada.

– Vá embora – ela disse, dirigindo a atenção para nós. – Volte para o todo-sempre e deixe Rachel Mariana Morgan em paz. Ninguém te chamou aqui.

– Você não pode me banir, Ceri! – ele gritou, furioso, puxando-me com tanta força que caí em cima dele. – Minha familiar abriu um caminho de invocação para eu seguir quando liberou uma linha. Quebre esse círculo e me deixe levar minha familiar de direito.

Ceri tomou fôlego, exultante.

– Rachel! Ele admitiu que foi você quem o chamou. Bana esse demônio!

Meus olhos se arregalaram.

– Não! – Algaliarept gritou, enviando uma torrente de todo-sempre para dentro de mim. Quase desmaiei; as ondas de dor que fluíam pelo meu corpo se intensificaram até que não restasse nada além de agonia. Mas tomei fôlego, sentindo o cheiro horrível da minha alma queimada.

– Algaliarept – eu disse, sem ar, quase num sopro rouco. – Retorne para o todo-sempre.

– Sua putinha! – ele xingou e me deu um tapa com o dorso da mão. A força do golpe me ergueu, jogando-me contra a barreira de Ceri. Caí estatelada no chão, sem conseguir pensar. A cabeça doía e a garganta estava seca. Senti o frio da neve sob meu corpo. Eu me aconcheguei a ela, em chamas.

– Vá embora. Vá embora *agora* – murmurei.

A energia esmagadora de todo-sempre zumbindo pelo meu cérebro desapareceu em uma fração de segundo. Gemi com sua ausência. Ouvi meu coração bater, parar e bater de novo. Era tudo que eu conseguia fazer para continuar respirando, vazia, com apenas os meus pensamentos na cabeça. Tinham acabado. As chamas tinham acabado.

– Tirem-na da neve – ouvi Ceri dizer com urgência; sua voz entrou nos meus ouvidos como água fresca. Tentei abrir os olhos, mas não consegui. Alguém me pegou nos braços e senti o calor do seu corpo. Percebi que era Keasley, pois reconheci o cheiro de sequoia e café barato. Minha cabeça se bateu contra ele e deixei o queixo encostar no seu peito. Senti mãos pequenas e frias na minha testa e, ouvindo Ceri cantar para mim, notei que estavam me levando.

Dezenove

– Ai, meu Deus – sussurrei, com as palavras ásperas como a minha garganta. Era um murmúrio tão rouco que mais parecia o som de uma pedra num balde de metal. Minha cabeça doía e eu estava com um pano úmido com cheiro de sabonete sobre os olhos. – Não estou me sentindo muito bem.

A mão fria de Ceri tocou a minha bochecha.

– Não é de se admirar – ela disse, contrafeita. – Não abra os olhos. Vou trocar a compressa.

Ouvi ao meu redor a respiração suave de duas pessoas e de um cachorro muito grande. Eu lembrava vagamente de ter sido carregada para dentro, prestes a desmaiar, mas sem conseguir fazê-lo, por mais que tentasse. Pelo cheiro de perfume, presumi que Keasley tivesse me levado para o meu quarto. O travesseiro embaixo da minha cabeça dava uma sensação confortável e conhecida. O peso do grosso xale de lã que eu deixava na base da cama estava sobre mim. "Eu estava viva. Sabe-se lá como."

Ceri tirou o pano úmido dos meus olhos e, apesar do seu aviso, eu os abri.

– Ai... – gemi quando a luz da vela na penteadeira pareceu perfurar meus olhos até o fundo do crânio. Minha dor de cabeça triplicou.

– Ela falou para você ficar de olhos fechados – Jenks resmungou, mas o alívio na sua voz ficou claro. Ouvi o estalido das unhas de David, seguido de perto por uma fungada quente na minha orelha.

– Ela está bem – Ceri disse, com delicadeza, e ele recuou.

"Bem?", pensei, concentrando-me na minha respiração até que a luz que pulava de um lado para o outro na minha cabeça perdesse força e se apagasse. "Isto é bem?"

A dor de cabeça latejante foi diminuindo até virar uma leve agonia e, ao ouvir um sopro suave e sentir o cheiro penetrante da vela apagada, abri os olhos mais uma vez.

Sob a luz do poste que entrava por entre as cortinas, encontrei Ceri sentada ao meu lado em uma das cadeiras da cozinha. Ela trazia uma bacia d'água no colo, e pestanejei quando a colocou sobre o guia de namoro com vampiros de Ivy, jogado onde todos poderiam ver. Do meu outro lado estava Keasley, apenas uma sombra corcunda. Empoleirado no pé da cama, Jenks brilhava em um amarelo-claro e, espreitando ao fundo, estava David, ocupando metade do piso com seu volume de lobo.

– Acho que voltamos para o Kansas, Totó – murmurei, e Keasley soltou um viva.

Meu rosto estava frio e úmido, e a brisa vinda da porta quebrada se misturava ao cheiro de mofo do aquecedor que saía da entrada de ar.

– Jenks! – exclamei com a voz baixa e áspera, ao me lembrar da rajada de vento frio que o atingira. – Seus filhos estão bem?

– Sim, eles estão ótimos – respondeu. Deixei a cabeça cair de volta no travesseiro. Coloquei a mão na garganta, que parecia estar sangrando por dentro.

– David? – perguntei, mais baixo. – E você?

Ele arfou mais e empurrou Keasley de lado para fungar na minha orelha, exalando um ar quente e úmido. A boca dele se abriu e Ceri abafou um grito quando David colocou toda a minha cabeça dentro dela.

A adrenalina foi mais forte do que a dor.

– Ei! – exclamei, debatendo-me enquanto ele me chacoalhava de leve antes de me soltar. Com o coração acelerado, congelei diante do rosnado baixo e prolongado. David cutucou minha bochecha com o focinho úmido, deu um bufo de cachorro e foi para o corredor.

– Que diabos significa isso? – perguntei, com o coração acelerado.

Jenks levantou voo, soltando uma cascata de pó de pixie que me fez fechar os olhos. Não era brilhante, mas meus olhos doeram mesmo assim.

– Ele está feliz que você está bem – ele disse, com o rosto minúsculo sério.

– Isso é normal? – perguntei, e do santuário veio o som estranho e ecoante de um latido contente.

Minha garganta doía e continuei com a mão nela ao me sentar. Meu rosto estava cheio de baba de lóbis; limpei com um pano úmido e o coloquei na borda da bacia. Meus músculos estavam doloridos. Caramba, tudo estava dolorido. E eu não tinha gostado nem um pouco de ficar com a cabeça dentro da boca do David.

O som de unhas feitas batendo nos tacos do piso chamou minha atenção para o corredor escuro, conforme David trotava de volta para os fundos da igreja, com a mochila e as roupas na boca, e o casaco nas costas como um animal abatido.

– Jenks – Ceri disse, com a voz delicada. – Pergunte se ele vai se transformar aqui ou se quer ajuda para guardar as coisas na mochila.

O pixie levantou voo, mas desceu logo em seguida com o breve latido negativo da sala.

Com os dentes cerrados devido à dor de cabeça monstruosa, pensei que era provável que ele fosse se transformar antes de sair. Era ilegal andar como lobo em público fora dos três dias de lua cheia. Antigamente a restrição era uma tradição; agora era lei, para que os humanos se sentissem melhor. O que os lóbis faziam entre quatro paredes era problema deles. Eu tinha certeza que ninguém o acusaria por ter se transformado para me salvar de um demônio, mas David não conseguiria dirigir na forma atual, e pegar um ônibus não daria muito certo.

– Bom – Keasley disse, sentando-se na beira da cama –, vamos dar uma olhada em você.

– Ai... – exclamei quando tocou meu ombro e o músculo machucado irradiou uma pontada de dor pelo meu corpo. Tirei sua mão de mim e ele se aproximou.

– Tinha esquecido como é um pé no saco te atender – Keasley disse, estendendo a mão de novo. – Quero saber onde está doendo.

– Pare – resmunguei, tentando dar um tapa em suas mãos artríticas e enrugadas. – Meus ombros estão doendo onde Al apertou. Minhas mãos estão doendo onde eu ralei; meu queixo e minha barriga estão doendo onde ele me arrastou escada abaixo. Meus joelhos estão doendo onde... – Hesitei. – ... caí na rua. E minha cara está doendo onde Al me deu um tapa. – Olhei para Ceri. – Estou com olho roxo?

– Amanhã vai ficar – ela disse, com delicadeza, pestanejando em compaixão.

– E estou com um corte no lábio – completei, tocando a boca. O cheiro suave de veneno se misturou ao da neve. David estava se transformando de volta bem lentamente. Ele precisava se transformar devagar depois de ter aguentado uma transformação tão rápida. Era bom ele ter veneno. Essa erva era um analgésico e sedativo leve que aliviava o processo. Era uma pena que só funcionava para lóbis.

Keasley soltou um suspiro ao se levantar.

– Vou buscar um amuleto de dor para você – ele disse, arrastando os pés até o corredor. – Posso pegar um pouco de café? Vou ficar até sua colega de quarto voltar.

– Traga dois de uma vez – eu disse, sem saber se ajudaria minha dor de cabeça. Amuletos de dor só funcionavam com dor física, e eu tinha a sensação de que aquela dor era, na verdade, um eco por ter canalizado tanta força de linhas de ley. "Foi isso que eu fiz com Nick?" Não era de admirar que ele tivesse ido embora.

Estreitei os olhos quando a lâmpada da cozinha foi acesa e um pouco da luz vazou para o quarto. Ceri me observou com cuidado e assenti com a cabeça, dizendo que estava tudo bem. Ela me deu um tapinha por sobre a coberta e murmurou:

– É melhor você tomar um chá do que um café. – Seus olhos verdes e solenes pousaram em Jenks. – Fica com ela?

– Sim. – Suas asas começaram a bater. – Ser babá da Rachel é a terceira coisa que eu faço de melhor.

Olhei com desdém para o pixie e Ceri hesitou.

– Não vou demorar – ela disse, levantando-se e saindo, com o som baixo de pés descalços na madeira.

Um ritmo agradável de conversa veio da cozinha, e puxei o xale para cima dos ombros desajeitadamente. Todos os meus músculos doíam como se eu estivesse com febre, e os pés estavam frios por causa das meias encharcadas. Meu olhar abatido recaiu sobre Jenks, empoleirado no pé da cama.

– Obrigada por tentar ajudar – agradeci. – Tem certeza de que está bem? Ele explodiu aquela porta muito rápido.

– Eu é que deveria ter sido mais rápido com aquele amuleto. – Suas asas ficaram azuis de desalento.

Encolhi os ombros e logo me arrependi quando eles começaram a latejar. "Onde Keasley estava e por que não tinha trazido meus amuletos?"

– Nem sei se funcionam em demônios.

Jenks se aproximou e pousou no meu joelho.

– Caramba, Rachel. Você está com a cara péssima.

– Valeu.

O cheiro celestial de café começou a se misturar com o do aquecedor mofado. Uma sombra cobriu a luz do corredor e, com dificuldade, virei o pescoço e encontrei Ceri.

– Coma esses biscoitinhos enquanto seu chá está fervendo – ela disse, pousando um prato com três dos biscoitos de Ivy na minha frente.

Fiz uma careta.

– Precisa mesmo? – resmunguei. – Cadê meu amuleto?

– "Cadê meu amuleto?" – Jenks repetiu com a voz fina. – Meu Deus, Rachel. Aguenta aí.

– Cale a boca – murmurei. – Duvido que você sobreviveria a canalizar uma linha de ley para um demônio. Aposto que acabaria explodindo numa nuvem de pó de pixie, seu panaca.

Ele riu e Ceri franziu a testa para nós como se fôssemos crianças.

– Está aqui comigo – ela respondeu, e me debrucei para que pudesse colocar o cordão no meu pescoço. O bendito alívio se infiltrou, reconfortando meus músculos. Keasley provavelmente tinha invocado para mim. Mas minha dor de cabeça piorou ainda mais, agora que não havia nada me distraindo dela.

– Sinto muito – Ceri disse. – Vai levar um dia ainda. – Como permaneci quieta, a elfa caminhou em direção à porta. – Vou pegar seu chá. – Ela saiu, mas, quando se deteve arrastando os pés, ergui os olhos. – Com licença – murmurou, olhando para o chão quando quase deu de encontro com David. O lóbis parecia cansado e muito mais velho enquanto arrumava o colarinho do casaco. Sua barba não estava mais tão rala e o cheiro de veneno que vinha dele era forte. – Quer um pouco de chá? – ela ofereceu, e ergui a sobrancelha quando a sua confiança costumeira deu lugar a uma humildade respeitosa.

David meneou a cabeça, aceitando a submissão dela com uma graciosidade que o fazia parecer um nobre. Ainda de cabeça baixa, ela passou pelo lóbis e foi para a cozinha. Jenks e eu trocamos olhares curiosos enquanto ele entrava e deixava a mochila no chão. Depois de cumprimentar Jenks com a cabeça, puxou a cadeira da cozinha para mais longe e se sentou, recostando-se com os braços cruzados e olhando-me com curiosidade por baixo do chapéu de caubói.

– Vai me contar o que foi aquilo antes de eu sair? – perguntou. – Estou começando a achar que há um bom motivo para ninguém querer vender plano de saúde para você.

Fiz uma cara envergonhada e peguei um biscoito.

– Lembra aquele demônio que depôs para colocar Piscary atrás das grades?

Seus olhos se arregalaram.

– Filho da cadela que me pariu!

Jenks riu; sua voz tilintante lembrava sinos de vento.

– Sim, ela foi muito idiota – o pixie disse.

Ignorando Jenks, encarei o olhar horrorizado de David, no qual se misturavam preocupação, dor e descrença.

– Ele veio coletar seu pagamento pelos serviços realizados – expliquei. – Pagamento que ele recebeu. Eu sou sua familiar, mas continuo tendo uma alma, então ele não pode me carregar para o todo-sempre a menos que eu deixe. – Olhei para o teto, perguntando-me que tipo de caçadora de recompensas eu seria se não pudesse liberar uma linha depois do pôr do sol sem trazer demônios para cima de mim.

David deu um assovio.

– Nenhuma prisão vale isso.

Voltei os olhos para o lóbis.

– Normalmente eu concordaria com você, mas, na época, Piscary estava tentando me matar, e parecia uma boa ideia.

– Boa ideia o caralho. Foi idiotice, isso sim – Jenks murmurou, claramente achando que, se estivesse lá, as coisas não teriam chegado tão longe. Talvez até tivesse razão.

Sentindo como se estivesse de ressaca, dei uma mordida no biscoito. Aquelas coisas secas me deixavam enjoada e com fome ao mesmo tempo.

– Obrigada pela ajuda – agradeci, limpando os farelos. – Ele teria me levado se você não tivesse agido. Você vai ficar bem? Nunca tinha visto um lóbis se transformar tão rápido.

David se debruçou, pegando a mochila e colocando-a entre os pés. Notei que ele voltou os olhos para a porta e que queria ir embora.

– Meu ombro está doendo, mas vou ficar bem.

– Desculpe. – Terminei o primeiro biscoito e comecei a comer o segundo. Quase conseguia senti-lo agir no meu corpo. – Se um dia precisar de alguma coisa, é só dizer. Estou devendo um grande favor a você. Sei como deve doer. Ano passado fui transformada em marta em três segundos. Duas vezes numa única semana.

Ele fez uma careta em solidariedade.

– Ai – o lóbis disse, com respeito nos olhos.

Sorri, sentindo ternura.

– Não é brinquedo, não. Mas, sabe, foi a única vez na vida em que fui tão magra e tive um casaco de pele.

David abriu um sorriso leve.

– Para onde ia o resto da massa, aliás?

Havia só mais um biscoito e me obriguei a comê-lo devagar.

– De volta para a linha de ley.

Ele inclinou a cabeça.

– A gente não consegue fazer isso.

– Eu notei. Você fica um lobo e tanto, hein, David.

Seu sorriso se abriu ainda mais.

– Quer saber? Mudei de ideia. Mesmo que você queira entrar no ramo dos seguros, não me ligue.

Jenks pousou no prato vazio para eu não ter que ficar virando a cabeça de modo a olhar para os dois.

– Esse dia vai ser ótimo – zombou. – Já posso imaginar Rachel de terninho cinza com uma pasta, o cabelo preso num coque e óculos na ponta do nariz.

Soltei uma gargalhada que, porém, logo se transformou em um ataque de tosse. Com os braços em torno do corpo, me encolhi, tremendo com a tosse seca e intermitente. Minha garganta parecia estar em chamas, mas isso não era nada perto da dor latejante na minha cabeça, que chegou ao nível máximo devido ao movimento súbito. O amuleto contra dor não estava fazendo muito efeito.

Preocupado, David deu uns tapas nas minhas costas. A dor no ombro passou através do amuleto e meu estômago se revirou. Com os olhos lacrimejantes, pedi a ele que parasse. Ceri entrou, resmungando baixo enquanto colocava o chá no criado-mudo e pousava a mão no meu ombro. Seu toque pareceu acalmar o espasmo e, ofegante, deixei que me deitasse nos travesseiros, que ela afofou atrás de mim. Finalmente parei e olhei em seus olhos.

Seu rosto, em meio às sombras, estava franzido de preocupação. Jenks e David olhavam atrás dela. Eu não gostava de que o lóbis me visse daquele jeito, mas não tinha muitas opções.

– Beba o chá – ela disse, colocando a xícara na minha mão.

– Minha cabeça está doendo – reclamei, dando um gole. Não era chá de verdade, mas algo com flores e ervas. Minha vontade era de uma boa xícara de café, mas não queria ferir os sentimentos de Ceri. – Estou me sentindo um lixo – resmunguei.

– Você está parecendo um lixo – Jenks disse. – Beba o chá.

Não tinha gosto de nada, mas era reconfortante. Dei outro gole, abrindo um sorriso para Ceri.

– Hummm. Gostoso – menti.

Ela se empertigou, visivelmente contente enquanto pegava a bacia d'água.

– Beba tudo. Tudo bem se Keasley pregar um cobertor na sua porta para parar a corrente de ar?

– Seria ótimo. Obrigada – eu disse, mas ela só saiu depois que dei outro gole.

A sombra de Ceri deixou o corredor e meu sorriso se transformou numa careta.

– Esse negócio não tem gosto de nada – murmurei. – Por que todas as coisas boas não têm gosto para mim?

David olhou de soslaio para a porta e para a luz que entrava por ela. Jenks voou até seu ombro enquanto ele abria a mochila.

– Tenho uma coisa que pode ajudar – o lóbis disse. – Meu antigo parceiro adorava. Vivia pedindo quando tinha bebido demais.

– Eita! – Com a mão no nariz, Jenks voou para a frente. – Quanto veneno você tem aí, João Pé de Feijão?

O sorriso de David ficou maroto.

– Como assim? – ele disse, com inocência nos olhos castanhos. – Não é ilegal. E é orgânico. Não tem nem carboidrato.

O conhecido e marcante cheiro de veneno subiu no quarto pequeno, e não fiquei surpresa quando David tirou um saco de celofane fechado da mochila. Reconheci o nome da marca: Orgânicos Cabeça de Lobo.

– Espere – ele disse, tomando a xícara da minha mão e colocando-a no criado-mudo.

Escondendo o que estava fazendo de maneira que quem passasse pelo corredor não visse, ele colocou uma boa colher de sopa no meu chá. Depois de olhar para mim, jogou mais um pouco.

– Experimente agora – sugeriu, colocando a xícara na minha mão.

Suspirei. Por que todo mundo estava me dando coisas? Só queria um amuleto de sono ou uma daquelas aspirinas esquisitas do capitão Edden. Mas David parecia tão ansioso, e o cheiro de veneno era mais atraente do que o de uma roseira, então mexi o chá com o dedinho. As folhas desidratadas mergulharam, deixando o líquido com uma cor muito mais intensa.

– O que isso vai fazer? – perguntei, dando um gole. – Eu não sou lóbis.

David guardou o saco na mochila e fechou o zíper.

– Não muita coisa. Seu metabolismo de bruxa é lento demais para fazer efeito. Mas meu antigo parceiro também era bruxo e dizia que ajudava nas ressacas. Deve dar um gosto melhor, pelo menos.

Ele se levantou para sair e dei outro gole, concordando. Relaxei o maxilar; eu nem tinha percebido que estava cerrando os dentes antes. Quente e suave, o chá de veneno desceu pela minha garganta com um gosto misto de caldo de pernil e maçã. A tensão nos meus músculos diminuiu, como se eu estivesse tomando uma dose de tequila. Soltei um suspiro, e o leve peso de Jenks pousando no meu braço chamou minha atenção para ele.

– Ei, Rachel, tudo bem?

Sorri e tomei outro trago.

– Oi, Jenks. Você está brilhando todinho.

O rosto de Jenks ficou pálido, e David ergueu os olhos castanhos e inquisitivos do casaco que estava abotoando.

– Obrigada, David – eu disse, ouvindo minha voz lenta, baixa e precisa. – Estou te devendo uma, tá?

– Beleza. – Ele pegou a mochila. – Se cuida, hein.

– Vou me cuidar. – Bebi metade do chá, que desceu esquentando meu corpo. – Já não estou me sentindo tão mal. Isso é bom, porque amanhã eu tenho uma reunião com o Trent, e se eu não for sua segurança, ele vai me matar.

David parou de repente na soleira. Detrás dele, vinha o som de Keasley martelando o cobertor na porta.

– Trent Kalamack? – o lóbis perguntou.

– É. – Bebi mais um pouco e mexi o líquido com o dedinho para girar as folhas de veneno e deixar o chá ainda mais escuro. – Ele vai falar com Saladan. O segurança dele está me obrigando a acompanhá-los. – Ergui os olhos estreitados para David; a luz que vinha do corredor era forte, mas não me incomodava tanto. Queria saber onde ficavam as tatuagens dele. Lóbis sempre tinham tatuagens, não sei por quê.

– Você conhece o Trent? – perguntei.

– O senhor Kalamack? – David deu um passo de volta para o quarto. – Não.

Eu me enrolei no xale e me concentrei na xícara. O parceiro de David tinha razão. Aquele negócio era ótimo. Eu não sentia dor em lugar nenhum.

– Trent é um cretino – eu disse, ao me lembrar do tema da conversa. – Eu tenho informações contra ele, e ele tem informações contra mim. Mas eu não tenho nada contra o segurança dele e, se eu não fizer isso, ele vai contar.

Jenks levantou voo e, hesitante, deu a volta em torno de David, olhou pela porta e depois voou até mim. David olhou para ele e então perguntou:

– Contar o quê?

Cheguei mais perto, arregalando os olhos quando o chá quase derramou ao me mover mais rápido do que deveria. Franzindo a testa, terminei a bebida, sem me importar com os pedaços de folhas que vieram junto. Eu me aproximei com um sorriso, gostando do cheiro de almíscar e veneno.

– O meu segredo – murmurei, pensando se David me deixaria procurar suas tatuagens se eu pedisse. Ele era muito bonito para um cara mais velho. – Eu tenho um segredo, mas não vou contar.

– Já volto – Jenks disse, descendo para perto de mim. – Quero saber o que Ceri pôs nesse chá.

Ele saiu voando e pestanejei, vendo os lampejos do pó de pixie caírem. Eu nunca tinha visto tantos antes, e eram de todas as cores do arco-íris. Jenks devia estar preocupado.

– Segredo? – David provocou, mas meneei a cabeça e a luz pareceu ficar mais forte.

– Eu não vou contar. Não gosto do frio.

David colocou as mãos nos meus ombros e me fez deitar de volta nos travesseiros. Sorri para ele, feliz quando Jenks entrou.

– Jenks – David disse, baixinho. – Ela já foi mordida por um lóbis?

– Não! – o pixie exclamou. – Pelo menos não depois que a gente se conheceu.

Meus olhos se fecharam e se abriram de novo quando David me chacoalhou.

– Que foi? – resmunguei, empurrando David quando ele ficou me examinando, com os olhos castanho-claros muito próximos dos meus. Agora ele lembrava meu pai, e eu abri um sorriso.

– Rachel querida – ele disse. – Você já foi mordida por um lóbis?

Soltei um suspiro.

– Não. Nem por você nem pela Ivy. Só mosquitos me mordem, e eu mato todos eles. Aqueles filhos da mãe.

Jenks voou para trás e David se afastou. Fechei os olhos, ouvindo a respiração dos dois. Parecia terrivelmente alta.

– Shhh – eu disse. – Silêncio.

– Talvez eu tenha colocado veneno demais – David disse.

Os passos leves de Ceri pareciam barulhentos.

– O quê... O que você fez com ela? – ela perguntou com a voz cortante, fazendo-me abrir os olhos.

– Nada! – David exclamou, curvando os ombros. – Dei um pouco de veneno para ela. Não era para ter esse efeito. Nunca vi fazer isso com uma bruxa antes!

– Ceri – eu disse. – Estou com sono. Posso dormir?

Ela mordeu os lábios, mas pude ver que não era comigo que estava brava.

– Sim. – Ceri ergueu a coberta até meu queixo. – Pode dormir.

Eu me aconcheguei na cama, sem ligar que minhas roupas ainda estivessem úmidas. Eu estava muito, muito cansada. E a cama era quentinha. E minha pele estava formigando. E eu sentia que conseguiria dormir por uma semana direto.

– Por que não me perguntou antes de dar veneno para ela? – Ceri perguntou, incisiva, com a voz muito baixa mas audível. – Tinha Enxofre nos biscoitos!

"Eu sabia!", pensei, tentando abrir os olhos. "Nossa, Ivy ia ver só quando chegasse em casa." Mas ela não tinha chegado e eu estava cansada, então não fiz nada. Eu estava farta das pessoas me deixando bêbada. Jurei que nunca mais comeria nada a menos que fosse preparado com as minhas próprias mãos.

A risada de David fez minha pele formigar nas partes em que a coberta não se interpunha entre nós.

– Agora eu entendi – ele disse. – O Enxofre acelerou tanto o metabolismo dela que o veneno vai fazer efeito. A Rachel vai dormir por uns três dias. Dei o suficiente para fazer um lóbis capotar durante toda a lua cheia.

Tive um sobressalto e abri os olhos.

– Não! – eu disse, tentando sentar enquanto Ceri me empurrava de volta para os travesseiros. – Preciso ir para aquela festa, senão Quen vai contar!

David a ajudou e, juntos, eles mantiveram minha cabeça no travesseiro e meus pés sob o xale.

– Calma, Rachel – o lóbis me tranquilizou. Odiei o fato de que ele era mais forte do que eu. – Não tente combater o efeito, ou o veneno vai subir de novo. Seja uma boa bruxinha e deixe que ele se metabolize sozinho.

– Se eu não for, ele vai contar! – exclamei. Podia ouvir meu sangue correr pelos ouvidos. – A única coisa que tenho contra Trent é que sei o que ele é, mas Quen me mata se eu contar!

– Como assim? – exclamou Jenks, ressoando as asas ao levantar voo.

Eu me dei conta do que tinha falado tarde demais. "Merda."

Olhei para Jenks, sentindo o rosto empalidecer. O quarto ficou imóvel. Ceri virou os olhos em interrogação e David me encarou, incrédulo. Eu não podia retirar o que tinha dito.

– Você sabe! – Jenks gritou. – Você sabia o que ele era e não me contou? Sua bruxa! Você sabia? Você sabia! Rachel! Sua... sua...

Os olhos de David estavam cheios de censura e Ceri parecia assustada. Os filhotes de pixie olhavam pelo batente.

– Você sabia! – Jenks berrou, soltando pó de pixie em um raio dourado. Seus filhos se dispersaram com um tinido assustado.

Eu me sentei.

– Jenks... – comecei, encolhendo-me ao sentir a barriga se revirar.

– Cale a boca! – ele berrou. – Cale a boca, pô! A gente deveria ser parceiro, caramba!

– Jenks... – estendi a mão. Eu não estava mais com sono, e parecia que meu estômago ia dar um nó.

– Não! – ele disse, soltando uma explosão de pó de pixie que iluminou o quarto escuro. – Você não confia em mim? Beleza. Vou dar o fora daqui. Preciso ligar para uma pessoa. David, pode dar uma carona para mim e para minha família?

– Jenks! – Joguei as cobertas para o lado. – Desculpe! Eu não podia te contar. – "Ai, meu Deus, eu deveria ter confiado nele."

– Cale a boca, caramba! – ele exclamou, então saiu voando, deixando um rastro de pó de pixie vermelho-vivo.

Eu me levantei para ir atrás dele. Dei alguns passos e, quando cheguei ao batente, minha cabeça pendeu para baixo e olhei para o chão. Minha visão ficou turva e perdi o equilíbrio. Coloquei a mão na barriga.

– Vou vomitar – murmurei. – Ai, meu Deus, vou vomitar.

Senti a mão de David pesar no meu ombro. Com movimentos firmes e calculados, ele me levou para o corredor.

– Não falei que iria subir tudo de novo? – murmurou enquanto me acompanhava até a porta do banheiro e acendia a luz com o cotovelo. – Você não deveria ter se levantado. Qual é o problema de vocês, bruxos? Acham que sabem de tudo e nunca dão ouvidos a ninguém.

Não precisei dizer que ele estava certo. Com a mão na boca, consegui chegar até a privada. Vomitei tudo: os biscoitos, o chá, o jantar de duas semanas atrás. David saiu depois da minha primeira ânsia, deixando-me sozinha para tossir e vomitar.

Por fim, consegui me controlar. Com os joelhos trêmulos, me levantei e dei descarga. Sem conseguir olhar para o espelho, enxaguei a boca, tomando água direto da torneira. Eu tinha vomitado tudo em cima do amuleto, por isso o tirei, enxaguando-o sob a água corrente antes de colocá-lo ao lado da pia. Todas as minhas dores voltaram com força e achei que as merecia.

Fraca e com o coração acelerado, joguei água no rosto e ergui o olhar. Atrás do meu reflexo acabado estava Ceri, parada no batente, com os braços ao redor do corpo. Reinava um silêncio perturbador na igreja.

– Cadê o Jenks? – perguntei, com a voz rouca.

Ela abaixou os olhos e dei meia-volta.

– Desculpe, Rachel. Ele saiu com o David.

"Ele saiu? Ele não podia sair. Está abaixo de zero lá fora."

Keasley veio parar ao lado dela arrastando os pés.

– Para onde ele foi? – perguntei, tremendo ao sentir o veneno e o Enxofre restantes se agitando dentro de mim.

Ceri baixou a cabeça.

– Ele pediu para o David lhe dar uma carona até a casa de um amigo e todo mundo foi dentro de uma caixa. Ele disse que não podia mais arriscar a família e... – Ela se voltou para Keasley, e seus olhos verdes foram iluminados pela luz fluorescente. – ... disse que pediu demissão.

"Jenks foi embora?" Avancei, correndo para pegar o telefone. Não queria arriscar a família o caralho. Ele tinha matado duas fadas assassinas na última primavera, deixando a terceira viver como um aviso para as outras. E o frio não era um problema. A gente consertaria a porta e, até lá, era óbvio que ele poderia ficar no meu quarto ou no da Ivy. Jenks foi embora porque eu menti para ele. E, ao ver o rosto sério e enrugado de Keasley atrás do de Ceri, soube que eu estava certa. Algumas coisas que eu não ouvi foram ditas.

Entrei trôpega na sala e procurei o telefone. Só havia um lugar para onde o pixie poderia ter ido: a casa do lóbis que tinha desenfeitiçado minhas coisas no último outono. Eu precisava conversar com Jenks. Pedir desculpas. Dizer que tinha feito uma burrada. Que deveria ter confiado nele. Que ele tinha razão em ficar bravo comigo e que eu sentia muito.

Mas Keasley me deteve com a mão idosa. Fiquei olhando para ele, com frio diante da proteção fina que o cobertor representava entre mim e a noite.

– Rachel... – ele disse, enquanto Ceri parava, melancólica, no corredor. – Acho... acho que você deveria dar pelo menos um dia para ele.

A elfa se empertigou e olhou para trás. Ouvi o barulho indistinto da porta da frente sendo aberta, e o cobertor se mexeu com a mudança na corrente de ar.

– Rachel? – ouvi a voz de Ivy chamar. – Cadê o Jenks? E por que tem um caminhão descarregando chapas de madeira na nossa garagem?

Sentei na poltrona antes que caísse. Meus cotovelos se afundaram nos joelhos e deixei a cabeça cair entre as mãos. O Enxofre e o veneno ainda guerreavam dentro de mim, deixando-me fraca e trêmula. Droga. O que eu iria falar para Ivy?

Vinte

O café na minha caneca gigante estava frio, mas eu não queria voltar para a cozinha. Ivy estava lá andando de um lado para o outro, assando mais uma fornada daqueles biscoitos nojentos, embora eu já tivesse repetido várias vezes que não comeria mais aquilo e estivesse mais furiosa do que um trasgo de ressaca por ela ter me dado Enxofre sem me contar o que era.

O amuleto de dor bateu contra o de aparência, que escondia meu olho roxo, quando coloquei a caneca de lado e estendi a mão para acender o abajur. Havia começado a escurecer, e Ceri tentava me ensinar a armazenar energia de linha. A luz, de um amarelo vivo, iluminou as plantas espalhadas pela escrivaninha e quase alcançou a elfa, sentada na almofada que tinha trazido da casa de Keasley. A gente podia ter feito aquilo na sala, onde era mais confortável, mas Ceri insistira no solo sagrado, mesmo que fosse dia. E o santuário estava em silêncio. Um silêncio deprimente.

Ceri estava sentada com as pernas cruzadas no chão, uma figura diminuta de calça jeans e camiseta sob a sombra da cruz. Ao seu lado havia um bule soltando fumaça, embora minha caneca estivesse fria há tempos. Eu tinha a impressão que ela estava usando magia para mantê-lo aquecido, mas ainda precisava pegá-la no flagra. Com reverência, ela segurava uma xícara delicada nas mãos finas, que também tinha trazido da casa de Keasley, e o crucifixo de Ivy brilhava em seu pescoço. Ela vivia colocando as mãos nele. Seu cabelo claro fora trançado pela filha mais velha de Jenks naquela manhã, e ela parecia em paz consigo mesma. Eu adorava vê-la assim, sabendo o que ela tinha suportado.

Ouvi um baque na cozinha, seguido pelo som da porta do forno sendo aberta. Franzi a testa e me virei para Ceri quando ela perguntou:

– Está pronta para tentar mais uma vez?

Coloquei os pés no chão com firmeza e assenti com a cabeça. Com a velocidade trazida pela prática, estendi a consciência e toquei a linha. Meu *chi* se encheu, pegando nem mais nem menos do que sempre tinha pego. A energia fluiu pelo meu corpo como um rio corre por um açude. Eu conseguia fazer aquilo desde que tinha doze anos, quando, acidentalmente, jogara Trent em uma árvore no acampamento Make a Wish, que pertencia ao pai dele. O que eu precisava era puxar um pouco da energia desse açude e fazer com que ela subisse para uma cisterna na minha cabeça, por assim dizer. O *chi* de uma pessoa, fosse ela um humano, um impercebido ou um demônio, só aguenta certa quantidade de energia. Familiares agiam como uma espécie de *chi* extra, que um usuário de magia podia usar como se fosse dele.

Ceri esperou até eu avisar que estava pronta antes de liberar a mesma linha e colocar mais energia dentro de mim. Era uma gota comparada ao dilúvio causado por Algaliarept; mesmo assim, minha pele ardeu quando o *chi* começou a transbordar, e a força reverberou pelo meu corpo, buscando um lugar para se acomodar. Voltando à metáfora do açude e do rio, os diques tinham transbordado e o vale estava inundando.

Minha mente era o único lugar onde a energia poderia se acomodar e, quando ela a encontrou, eu já tinha desenhado na minha imaginação o minúsculo círculo tridimensional que Ceri passara quase toda a tarde me ensinando a fazer. Relaxando os ombros, senti a gota se acomodar no invólucro. A sensação de calor na minha pele logo desapareceu conforme a energia que meu *chi* não conseguia conter era atraída para o círculo como gotinhas de mercúrio. A bolha se expandiu, brilhando em um tom vermelho que assumiu a cor da minha aura e da aura de Al. Eca.

– Fale a palavra de comando – Ceri disse, e eu fiz uma careta. Era tarde demais. Meu olhar encontrou o dela e seus lábios finos se contorceram – Você esqueceu – acusou, e encolhi os ombros. Ela imediatamente parou de forçar a energia para dentro de mim e o excesso voltou para linha em uma breve faísca de calor. – Fale desta vez – disse, com firmeza. Ceri era legal, mas não era uma professora muito paciente.

Mais uma vez ela fez a energia de linha de ley transbordar meu *chi*. Minha pele esquentou, fazendo latejar a marca do tapa de Algaliarept. A intensidade, por assim dizer, era um pouco maior do que de costume, e imaginei que aquilo fosse a forma pouco sutil de Ceri me encorajar a acertar dessa vez.

– Tulpa – murmurei, ouvindo na minha mente e nos meus ouvidos. A escolha da palavra não era importante. O importante era criar a associação entre a palavra e as ações. Costumava-se usar latim, pois seria improvável que eu falasse a palavra acidentalmente, desencadeando o feitiço por engano. O processo era idêntico a quando eu tinha aprendido a fazer um círculo instantâneo. A palavra "tulpa" não era do latim, tampouco se classificava exatamente como inglês, mas com que frequência eu a usava, certo?

Mais rápido dessa vez, a energia da linha encontrou o invólucro e o preencheu. Voltei o olhar para Ceri e assenti, pedindo mais. Com os olhos verdes sérios sob a luz difusa da lâmpada térmica da escrivaninha, ela assentiu de volta. Expirei e meu foco se turvou quando Ceri aumentou o nível e um jato de calor formigou minha pele.

– Tulpa – murmurei, com o coração acelerado.

A nova força encontrou a primeira e meu círculo de proteção esférico dentro do inconsciente se expandiu para contê-la. Meu foco clareou-se e assenti para Ceri. Ela hesitou quando pedi mais, mas eu é que não deixaria Al me nocautear com uma sobrecarga de força.

– Estou bem – garanti, e fiquei tensa quando o hematoma ao redor do meu olho latejou, ardendo com a sensação de queimadura apesar do amuleto de dor. – Tulpa – eu disse, relaxando quando o calor desapareceu. "Viu", eu disse ao meu cérebro esgotado. "É só uma ilusão. Não estou pegando fogo de verdade."

– Agora chega – Ceri disse, desenxabida, e eu ergui a cabeça. O fogo tinha se extinguido das minha veias, mas eu estava exausta e meus dedos tremiam.

– Não vou dormir hoje até conseguir aguentar o que ele colocou dentro de mim – respondi.

– Mas, Rachel... – ela começou, e ergui a mão devagar em sinal de negação.

– O demônio vai voltar – afirmei. – Não vou poder lutar contra ele se estiver me contorcendo de dor.

Com o rosto pálido, ela assentiu com a cabeça e senti um solavanco quando forçou mais energia para dentro de mim.

– Ai, meu Deus – murmurei, mas disse a palavra de comando antes que ela pudesse parar. Dessa vez, senti que a energia corria feito ácido através do meu corpo, passando por novos canais, atraídos por minha palavra, em vez de encontrar o caminho para a bolha naturalmente. Ergui a cabeça e, com os olhos arregalados, encarei Ceri enquanto a dor passava.

– Você conseguiu – ela disse, sentada de pernas cruzadas na minha frente, com um ar quase assustado.

Engolindo em seco, sentei em cima das pernas para que ela não visse meus joelhos tremendo.

– Pois é.

Sem piscar, ela segurou a xícara no colo.

– Vai soltando. Você precisa voltar a se centrar.

Percebi que estava com os braços em torno do corpo. Depois de me obrigar a baixá-los, expirei. Soltar a energia acumulada no cérebro soava mais fácil do que de fato era. Eu tinha força suficiente dentro de mim para mandar Ivy para outra cidade. Se essa força não fluísse de volta para meu *chi* e depois para a linha através dos canais cuidadosamente cauterizados por Ceri no meu sistema nervoso, aquilo iria doer muito.

Eu me preparei, coloquei minha vontade em torno da bolha e fiz pressão. Prendendo a respiração, esperei pela dor, mas a energia da linha de ley voltou suavemente para meu *chi* e depois para a linha, deixando-me trêmula pela adrenalina gasta. Enormemente aliviada, afastei o cabelo dos olhos e pousei o olhar sobre Ceri. Eu me sentia péssima: cansada, exaurida, suada e trêmula, mas satisfeita.

– Você está melhorando – ela disse, e abriu um sorriso de leve.

– Obrigada. – Peguei a caneca e tomei um gole de café frio. Ela provavelmente pediria que eu mesma puxasse da linha depois, mas eu ainda não estava pronta para tentar. – Ceri – eu disse, com os dedos trêmulos. – Isso não é tão difícil comparado com os benefícios. Por que tão pouca gente sabe disso?

Ela sorriu e sua figura obscura na penumbra assumiu um ar sábio.

– As pessoas sabem disso no todo-sempre. É a primeira coisa... quer dizer, a segunda, que um familiar novo aprende.

– Qual é a primeira? – perguntei antes de pensar que realmente não queria saber.

– A morte da vontade própria – ela disse, e paralisei diante da naturalidade no seu tom de voz. – Deixar que eu escapasse sabendo como ser meu próprio familiar foi um erro – ela disse. – Se pudesse, Al me mataria para consertá-lo.

– Ele não pode? – perguntei, com um medo súbito de que o demônio pudesse tentar.

Ceri deu de ombros.

– Talvez. Mas eu tenho minha alma, por mais preta que ela seja. É o que importa.

– Acho que sim. – Não entendi a atitude displicente dela, mas não era eu que tinha sido familiar de Al por um milênio. – Não quero um familiar – declarei, contente por Nick estar tão distante que não sentia nada daquilo. Eu tinha certeza de que, se ele estivesse mais perto, teria me ligado para saber como eu estava. Quase certeza.

– Você está indo bem. – Ceri deu um gole de seu chá e olhou de relance para as janelas escuras. – Al me falou que levei três meses para chegar aonde você está agora.

Eu a encarei, chocada. Não tinha como eu ser melhor do que ela.

– Você está brincando.

– Eu lutava muito contra ele – contou. – Não queria aprender e ele precisou me obrigar, usando a ausência de dor como estímulo positivo.

– Você ficou sentindo dor por três meses? – perguntei, horrorizada.

O olhar dela estava voltado para suas mãos finas, que seguravam a xícara de chá.

– Não lembro. Foi há muito tempo. Lembro de ficar sentada aos pés dele toda noite, com sua mão pousada na minha cabeça enquanto ele relaxava ouvindo-me chorar de saudade do céu e das árvores.

Imaginar aquela mulher pequenina aos pés de Algaliarept suportando o toque dele era quase insuportável.

– Sinto muito, Ceri – murmurei.

Ela ergueu a cabeça, como se só agora percebesse que tinha falado em voz alta.

– Não deixe Al te levar – Ceri disse, com os olhos arregalados, sérios e solenes. – Ele gostava de mim e, por mais que me usasse como todos usam seus familiares, gostava mesmo de mim. Eu era uma joia cobiçada em suas mãos, e ele me tratava bem para que eu permanecesse útil ao seu lado por mais tempo. Mas você... – Baixou a cabeça, perdendo contato visual comigo e colocando a trança sobre o ombro. – Ele vai te atormentar tanto, e tão rápido, que você não vai ter tempo de respirar. Não deixe que ele te leve.

Engoli em seco, gelando.

– Meu plano é justamente não deixar.

O seu queixo fino tremeu.

– Você não entendeu. Se ele voltar e você não conseguir vencê-lo, faça com que ele queira te matar.

A sinceridade dela me tocou no fundo do peito.

– Ele não vai desistir, vai? – perguntei.

– Não. Ele precisa de um familiar para se manter em pé. Ele não vai desistir a menos que ache alguém melhor. Al é ganancioso e impaciente. Vai levar o melhor que conseguir encontrar.

– Então toda essa prática está me tornando um alvo mais interessante? – perguntei, sentindo-me mal.

Ceri me olhou como se pedisse desculpas.

– Você precisa disso para impedir que ele simplesmente te deixe atordoada com uma dose enorme de força de linha de ley e te arraste para uma linha.

Olhei para as janelas cada vez mais escuras.

– Droga – murmurei, sem ter considerado isso.

– Mas ser sua própria familiar vai ajudar na sua profissão – Ceri acrescentou, em tom persuasivo. – Você vai ter a força de um familiar sem os malefícios.

– Acho que sim. – Coloquei a caneca de lado, com o olhar desfocado. Estava ficando escuro e eu sabia que ela queria voltar para casa antes do pôr do sol. – Quer que eu pratique sozinha? – perguntei, hesitante.

A atenção dela se voltou para as minhas mãos.

– Eu aconselharia um pouco de repouso. Você ainda está tremendo.

Olhei para os meus dedos, envergonhada por Ceri ter razão. Cerrando o punho, abri um sorriso encabulado. Ela tomou um gole do chá, claramente tentando ser paciente já que eu não tinha controle da situação, e levei um susto quando ela murmurou:

– *Consimilis calefacio*.

Ceri tinha feito alguma coisa; eu sentira a queda na linha, por mais que não estivesse ligada a ela. De fato, quando me encarou, seu olhar estava brilhando de divertimento.

– Você sentiu? – perguntou, com uma risada bonita. – Você está ficando muito apegada à sua linha, Rachel Mariana Morgan. Ela é da rua toda, por mais que fique no seu jardim.

– O que você fez? – questionei, sem querer saber o que Ceri queria dizer com aquilo. Ela mostrou a xícara a título de explicação e meu sorriso cresceu. – Você esquentou o chá – eu disse, e ela confirmou com a cabeça. Aos poucos, meu sorriso foi diminuindo. – Isso não é magia negra, é?

Ceri ficou séria.

– Não. É uma magia de linha de ley comum que atua na água. Não vou aumentar a mácula na minha alma, Rachel. Já é difícil me livrar da sujeira que ela já carrega.

– Mas Al usou esse feitiço no David e quase cozinhou o coitado – insisti, sentindo-me mal. As pessoas são compostas de água. Esquentando a temperatura, daria para cozinhar uma pessoa por dentro. "Meu Deus, vou passar mal só de pensar nisso."

– Não – garantiu. – Aquela era diferente. Esta daqui só funciona em coisas sem aura. Para ser forte o bastante para passar através de uma aura, a maldição tem que ser negra e precisa de uma gota de sangue de demônio. David só sobreviveu porque Al estava puxando uma linha através de você e ele sabia que você não aguentaria a quantidade letal... ainda.

Pensei nisso por um momento. Se não era negra, não havia mal nenhum. E conseguir esquentar meu próprio café sem usar o micro-ondas deixaria Ivy de queixo caído.

– É difícil?

Ceri abriu um sorriso.

– Vou explicar passo a passo. Só me dê um segundo para eu lembrar o jeito longo de fazer – ela disse, estendendo a mão para pegar minha caneca.

"Ah, precisa diminuir o ritmo para uma bruxa", pensei, debruçando-me e entregando a caneca. Mas, considerando que ela provavelmente fazia aquele encanto três vezes por dia para cozinhar as refeições de Al, ela devia conseguir fazer aquilo de olhos fechados.

– É uma magia simpática – começou. – Existe um poema para ajudar a lembrar os gestos, mas as duas únicas palavras que precisa dizer são em latim. E é necessário um objeto focal para direcionar a magia – explicou, e tomou um gole do meu café frio, fazendo uma careta. – Isso é lavagem – murmurou desengonçadamente com o líquido na boca. – Bebida de bárbaros.

– É melhor quando está quente – me defendi, sem saber que dava para manter um objeto focal na boca e conseguir que ele funcionasse. Ela era capaz de fazer o feitiço sem ele, mas teria de lançá-lo na minha caneca. Assim era mais fácil e havia menos riscos de derramar café.

Ainda mostrando repugnância, ela ergueu as mãos finas e expressivas.

– Da queima das velas e do giro do universo – ela disse, e movi os dedos, imitando seu gesto. Imaginei que, usando a imaginação, meio que parecia o gesto de acender uma vela, embora a relação entre a forma como a mão dela desceu repentinamente e o giro dos planetas estivesse além da minha compreensão. – É com o atrito que tudo começa e termina em verso.

Levei um susto quando ela bateu as mãos alto, ao mesmo tempo que dizia:

– *Consimilis*.

"Parecido", pensei, achando que devia ser uma palavra de efeito para magia simpática. O bater de palmas podia ser uma demonstração audível das moléculas do ar sofrendo atrito. Na magia simpática, não importava o quão nebulosas fossem as relações, desde que fossem reais.

– Frio para quente, dentro da casca – ela continuou, fazendo outro gesto misterioso. Reconheci o movimento que veio a seguir de quando eu tinha usado um encanto de linha de ley para quebrar o bastão dos Uivadores no treino deles. Devia ser o movimento que penetrava no objeto focal para agir sobre ele. Hum. Talvez aquele negócio de linha de ley fizesse algum sentido. – *Calefacio*! – proferiu, contente, invocando o encanto e colocando-o em ação.

Senti uma leve queda no meu corpo quando o encanto puxou energia da linha para animar as moléculas de água na caneca, esquentando o café.

– Uau – exclamei quando ela me devolveu a caneca soltando fumaça. – Obrigada.

– De nada – respondeu. – Você mesma precisa regular a temperatura final colocando mais ou menos energia de linha.

– Quanto mais energia, mais quente fica? – Dei um gole desconfiado e percebi que estava perfeito. Deve ter levado anos para ela ganhar tanto jeito na coisa.

– Depende do quanto você precisa esquentar – Ceri murmurou, com o olhar distante em lembranças. – Então tome cuidado com a água do banho até saber o que está fazendo. – Visivelmente se obrigando a voltar para o tempo atual, olhou para mim. – Está pronta?

A adrenalina disparou pelo meu corpo e coloquei o café quente na escrivaninha. "Eu consigo. Se Ceri consegue esquentar seu chá e armazenar energia de linha na cabeça, eu também consigo."

– Encha o centro – ela disse. – Depois puxe um pouco da energia, como se fosse fazer um feitiço, ao dizer a palavra de invocação.

Enfiei um cacho de cabelo atrás da orelha e me preparei. Expirando, fechei os olhos e captei a linha, sentindo as pressões se nivelarem em um segundo. Ao colocar minha mente no estado de calma controlada que mantinha quando dizia um encanto de linha de ley, uma nova e curiosa sensação zumbiu pelo meu corpo. Um quê de energia fluiu da linha para dentro de mim, substituindo o que, sem perceber, eu tinha tirado do meu *chi*. "Tulpa", pensei, na esperança de me equilibrar.

Abri os olhos quando uma onda de força fluiu da linha para dentro de mim, substituindo a que tinha disparado do *chi* para a cabeça. Em uma torrente, a linha correu pelo meu corpo e se acomodou nos meus pensamentos. Meu invólucro se expandiu para absorvê-la. Chocada, não fiz nada para impedir.

– Chega! – Ceri gritou, ficando de joelhos. – Rachel, solte a linha!

Tive um solavanco, desconcentrando-me da linha de ley. Houve um rápido silvo de calor no meu corpo quando uma gota da força foi descendo dos pensamentos para o *chi*, completando-o. Sem respirar, fiquei paralisada na cadeira, olhando fixamente para ela. Estava com medo de me mexer, tamanha era a quantidade de energia na minha cabeça.

– Você está bem? – ela disse, sem voltar a se sentar, e fiz que sim.

Da cozinha, pude ouvir:

– Tudo bem aí?

– Sim! – gritei, com cuidado, então olhei para Ceri. – Sim, né?

Com os olhos verdes arregalados, ela confirmou, sem tirá-los de mim por um segundo sequer.

– Você está guardando energia demais no centro – ela disse. – Mas notei que seu *chi* não aguenta tanto quanto o meu. Acho que... – Hesitou. – Acho que o *chi* dos elfos aguenta mais do que o dos bruxos, mas parece que os bruxos conseguem aguentar mais na mente.

Eu conseguia sentir o gosto metálico da energia na minha boca.

– Bruxos são baterias melhores, então? – brinquei, ainda fraca.

Ela riu, com uma voz nítida, que ecoou pelos caibros escuros. Queria que houvesse pixies ali para dançar ao som dela.

– Talvez seja por isso que os bruxos saíram do todo-sempre antes dos elfos – conjecturou. – Demônios geralmente preferem bruxos como familiares, em vez de elfos ou humanos. Eu achava que era porque havia poucos de nós, mas talvez não seja por isso.

– Talvez – eu disse, sem saber por quanto tempo conseguiria aguentar toda aquela força sem derramar. Meu nariz estava coçando. Eu desesperadamente não queria espirrar.

Ouvi o som das botas de Ivy e nós duas nos viramos quando ela caminhou a passos largos na nossa direção, com a bolsa no ombro e uma bandeja de biscoitos na mão.

– Estou saindo – ela disse, com leveza, jogando o cabelo para trás do ombro. – Quer que eu te leve para casa, Ceri?

A elfa imediatamente se levantou.

– Não precisa.

Os olhos de Ivy se encheram de raiva.

– Eu sei que não precisa.

Ela pousou o prato de biscoitos quentes em cima da mesa à minha frente. Ergui a sobrancelha e coloquei os pés no chão. Ivy queria conversar com Ceri a sós, sobre mim. Incomodada, tamborilei os dedos.

– Não vou comer – afirmei, categórica.

– É medicinal, Rachel – ela disse, com a voz ameaçadora.

– É Enxofre, Ivy – retruquei. Ceri estava visivelmente desconfortável, mas não me importei. – Não acredito que você me deu Enxofre – acrescentei. – Eu prendo pessoas que usam Enxofre, não divido o aluguel com elas. – "Não que eu fosse enquadrar Ivy. Não ligava que ela quebrasse todas as leis do manual da SI. Não por enquanto."

A postura da vamp ficou agressiva; seu quadril se alinhou e seus lábios perderam a cor.

– É medicinal – ela repetiu, incisiva. – É especialmente processado e a quantidade de estimulante é tão baixa que não dá nem para sentir o cheiro. Você não consegue sentir o cheiro de Enxofre, consegue? Consegue?

O círculo castanho em suas pupilas tinha se retraído, e abaixei os olhos, sem querer fazer com que lançasse uma aura. Não agora, com o sol prestes a se pôr.

– Tinha tanto que fez o veneno agir – eu disse, emburrada.

Ivy também se acalmou, sabendo que tinha chegado a seu limite.

– Não foi culpa minha – ela disse, baixinho. – Eu nunca te dei Enxofre o suficiente para dar barato.

Ceri ergueu o rosto fino, sem remorso nos olhos verdes.

– Peço desculpas por isso – ela disse, firme. – Não sabia que era ilegal. Mas não foi a primeira vez que o dei para alguém.

– Viu? – Ivy disse, apontando para Ceri. – Ela não sabia, e aquele cara dos seguros só estava tentando ajudar. Agora cale a boca, coma os biscoitos e pare de fazer a gente se sentir culpado. Você tem uma missão amanhã e precisa recuperar as forças.

Recostando-me na cadeira giratória, empurrei o prato de biscoitos vamps para o lado. Não queria comer. Não importava se o que eu ingerira no dia anterior tinha acelerado tanto meu metabolismo que meu olho roxo já estava ficando amarelo e o corte no lábio estava cicatrizado.

– Eu estou bem.

O rosto normalmente plácido de Ivy estava turvo.

– Certo – ela disse, incisiva.

– Certo – retruquei, cruzando as pernas e virando o rosto de maneira a olhar para ela de viés.

A vamp cerrou os dentes.

– Ceri, vou te acompanhar até sua casa.

Ceri olhou para nós duas. Sem demonstrar nenhuma emoção, se abaixou para pegar a chaleira e a xícara.

– Vou lavar minha louça antes – ela disse.

– Eu posso fazer isso – me apressei em dizer, mas Ceri balançou a cabeça, tomando cuidado para não derramar o chá enquanto caminhava até a cozinha. Franzi a testa, sem gostar que ela fizesse o trabalho doméstico. Era muito parecido com o que Algaliarept a obrigava a fazer.

– Deixe a menina – Ivy disse, quando o som dos passos silenciou. – Ela se sente útil.

– Ela pertence à realeza – eu disse. – Você sabe disso, não sabe?

Ivy olhou de soslaio para o corredor escuro quando entreouvimos o som de água corrente.

– Talvez mil anos atrás. Agora ela não é nada, e sabe disso.

Bufei.

– Você não tem compaixão? Lavar minha louça é degradante.

– Eu tenho muita compaixão. – Uma centelha de raiva ergueu a sobrancelha fina de Ivy. – Mas, da última vez que chequei, não havia nenhuma vaga de princesa nos classificados. O que Ceri vai fazer para a vida dela ter sentido? A garota não tem nenhum tratado para fazer, nenhum despacho para julgar e a maior decisão de sua vida é se vai comer ovo ou torradas no café da manhã. Ela não tem como se sentir importante com essa babaquice antiga de realeza. E lavar louça não é degradante.

Recostei-me na cadeira em uma demonstração de submissão. Ela estava certa, mas eu não gostava disso.

– Então você tem uma missão? – perguntei, quando o silêncio se prolongou.

Ivy encolheu os ombros.

– Vou falar com Jenks.

– Que bom. – Fitei-a, aliviada. "Um assunto sobre o qual podemos conversar sem discutir." – Passei na casa do lóbis hoje à tarde. O coitado não me deixou entrar. As pixies tinham pulado em cima dele. Estava usando aquele penteado de tranças em estilo africano, sabe? – Certa vez, eu tinha acordado com o cabelo entrançado com a franja do xale. Matalina fez as meninas pedirem desculpa, mas demorei quarenta minutos para desembaraçar. Eu daria quase qualquer coisa para acordar daquele jeito de novo.

– É, eu vi – Ivy disse, e arrumei minha postura.

– Você passou lá? – perguntei, observando a vamp pegar um casaco no vestíbulo e voltar. Ela colocou a jaqueta de couro curta, e o gesto emitiu um som suave de seda raspando em seda.

– Passei duas vezes já – respondeu. – O lóbis também não me deixou entrar, mas uma amiga minha vai sair com ele, então o cretino do Jenks vai ter que atender à porta. Típico de homens pequenos. O ego deles é do tamanho do Grand Canyon.

Eu ri, e Ceri voltou dos fundos. Ela trazia o casaco emprestado no braço e os sapatos que Keasley comprou para ela na mão. Eu não a mandaria calçar os sapatos. Por mim, poderia andar descalça na neve o quanto quisesse. Ivy, porém, lançou um olhar enfático em sua direção.

– Você vai ficar bem sozinha por um tempo? – Ivy perguntou para mim, enquanto Ceri colocava os sapatos no chão e os calçava.

– Meu Deus – murmurei, balançando a cadeira para a frente e para trás. – Vou ficar ótima.

– Não saia do solo sagrado – acrescentou, enquanto dava passagem para a elfa. – Não libere nenhuma linha. E coma seus biscoitos.

– Não vou comê-los – declarei. "Macarrão. Quero macarrão com molho Alfredo." Era o prato que Nick tinha cozinhado para mim na última vez em que Ivy estava decidida a me enfiar aqueles biscoitos goela abaixo. Eu não conseguia acreditar que ela vinha me dando Enxofre às escondidas. "Na verdade, conseguia sim."

– Vou ligar daqui a uma hora para confirmar se está tudo bem.

– Não vou atender – respondi, irritada. – Vou tirar uma soneca. – Eu me levantei e me espreguicei, alongando o corpo até o suéter e a regata subirem, mostrando meu umbigo. Jenks teria dado um assobio, e o silêncio nos caibros era deprimente.

Ceri deu um passo à frente com a almofada nas mãos para me dar um abraço de despedida. Ela me pegou de surpresa e, hesitante, retribuí o gesto.

– Rachel sabe se cuidar – ela disse, com orgulho. – Faz cinco minutos que ela está contendo todo-sempre o suficiente para fazer um buraco no teto e ela até esqueceu.

– Puta merda! – exclamei, sentindo o rosto ficar quente. – Estou mesmo!

Ivy suspirou ao caminhar até a porta da frente da igreja.

– Não me espere acordada – gritou por sobre o ombro. – Vou jantar com os meus pais e só volto depois do nascer do sol.

– Você deveria soltar – Ceri disse, ao se aproximar de Ivy. – Pelo menos durante a noite. Outra pessoa pode invocar Al e, se ela não o banir do jeito certo, ele pode vir atrás de você. Ele pode tentar te fazer desmaiar colocando mais energia além da que você já está segurando. – Encolheu os ombros, em um movimento muito moderno. – Mas, se você continuar em solo sagrado, vai ficar tudo bem.

– Vou soltar – eu disse, distraidamente, com o interior da minha cabeça girando.

Ceri abriu um sorriso tímido.

– Obrigada, Rachel – agradeceu com a voz delicada. – É bom me sentir necessária.

Voltei a atenção para ela.

– Não precisa agradecer.

O cheiro da neve fria entrou. Olhei para Ivy, que estava parada impacientemente no batente da porta aberta; a luz do crepúsculo tornava sua silhueta ameaçadora naquelas roupas de couro apertadas.

– Tchaaau, Rachel – provocou, com ironia, e Ceri suspirou.

A mulher esbelta se virou e caminhou até a porta sem pressa, tirando o sapato no último segundo e pisando descalça nos degraus de cimento congelados.

– Como você aguenta o frio? – ouvi Ivy dizer antes de a porta se fechar atrás delas.

Mergulhei no silêncio e na luz crepuscular. Estendi a mão e liguei o abajur de mesa, que pareceu iluminar lá fora. Eu estava sozinha na igreja, talvez pela primeira vez. Sem colega de quarto, sem namorado, sem pixies. Sozinha. Fechei os olhos, sentei no altar e suspirei. Conseguia sentir o cheiro de madeira compensada se sobrepondo ao cheiro amendoado dos biscoitos idiotas de Ivy. A leve pressão atrás dos meus olhos me lembrou que eu ainda estava segurando a bola de todo-sempre e, com um empurrão da vontade, estourei o círculo tridimensional na minha mente e a energia fluiu de volta para a linha com um marulhar quente.

Abri os olhos e, de meias, caminhei até a cozinha sem fazer barulho. Não queria tirar um cochilo, e sim fazer *brownies* como parte do presente de Ivy. Não teria como competir com um perfume de mil dólares, por isso teria de trilhar o caminho dos presentes feitos à mão.

Desviei do caminho e entrei na sala, à procura do controle remoto. O cheiro de madeira compensada era agressivo, e olhei para a janela que Ivy tinha aberto na madeira, liberando a visão do cemitério. Apertei o botão do rádio, e "Come Out and Play", do Offspring, começou a tocar. Com um sorriso, aumentei o volume.

– Espantar os espíritos – eu disse, jogando o controle remoto de lado e dançando até a cozinha

Enquanto a música agitada melhorava meu humor, peguei o pote de feitiços amassado, que eu não podia mais usar para bruxaria, e o livro de receitas que tinha roubado da minha mãe. Folheando com o polegar, encontrei a receita de *brownie* recheado da minha avó, escrita a lápis ao lado de uma receita metida a chique que tinha gosto de papelão. No ritmo da música, separei os ovos, o açúcar e a baunilha, colocando tudo no balcão central. Eu já tinha posto o chocolate para derreter e medido o leite evaporado quando a pressão do ar mudou e a porta da frente bateu. O ovo escorregou da minha mão, quebrando ao cair no balcão.

– Esqueceu alguma coisa, Ivy? – gritei. Senti a adrenalina disparar quando passei os olhos do ovo quebrado para todos os ingredientes espalhados pela cozinha. Eu nunca conseguiria esconder tudo até ela chegar ali. "Essa mulher não consegue ficar fora nem por uma hora?"

Mas foi a voz de Kisten que respondeu.

Vinte e um

– Sou eu, Rachel – Kisten gritou, mas quase não deu para ouvir sua voz sob a música alta vinda da sala. Congelei; a lembrança do beijo que ele tinha me dado me fez estacar. Eu devia estar parecendo uma idiota quando Kisten chegou à cozinha, parando ao lado do batente.

– A Ivy não está? – perguntou, olhando-me de cima a baixo. – Cacilda.

Respirei fundo para me acalmar.

– Cacilda? – questionei, derramando o ovo quebrado dentro da tigela. "Quem diabos fala cacilda?"

– Posso falar "cacete"?

– Claro, pô.

– Então cacete. – Mirou a cozinha e entrelaçou as mãos atrás das costas enquanto eu retirava os pedaços maiores da casca do ovo.

– Ei, você pode, ah, baixar o volume da música para mim? – pedi, olhando de soslaio para Kisten enquanto ele assentia e saía do cômodo. Era sábado, e ele vestia uma roupa informal: botas de couro e uma calça jeans desbotada, bonita e justa. Seu casaco de couro estava aberto, e a camisa de seda mostrava alguns fios de pelo no peito. "Na medida certa", pensei quando o volume da música diminuiu. Dava para sentir o cheiro do casaco. Eu tinha um fetiche por cheiro de couro. "Isso pode acabar em problema."

– Tem certeza de que Ivy não te mandou para cuidar de mim? – perguntei quando ele voltou para a cozinha enquanto eu limpava a sujeira de ovo com um pano de prato molhado.

Ele riu e sentou na cadeira de Ivy.

– Não – hesitou. – Ela vai demorar muito ou posso esperar?

Não tirei os olhos da receita, sem gostar do tom da sua voz. Havia mais perguntas subentendidas naquele tom do que em suas palavras.

– Ivy foi falar com Jenks. – Passei o dedo pela página, sem ler nada do que estava escrito. – Depois vai jantar com os pais.

– Após o nascer do sol – ele murmurou, e senti todos os meus alarmes se acionarem. Todos.

Ouvi o tique-taque do relógio em cima da pia e tirei o chocolate derretido do fogão. Não queria ficar de costas para Kisten, então coloquei o doce em cima do balcão entre a gente, cruzei os braços e me recostei na pia. Observando-me, o vamp afastou a franja da frente dos olhos. Tomei fôlego para mandá-lo embora, mas ele me interrompeu.

– Você está bem?

Fiquei olhando para ele sem entender até lembrar a que se referia.

– Ah! O lance... do demônio – murmurei, envergonhada ao tocar os amuletos de dor no pescoço. – Ficou sabendo disso, então?

Ele sorriu com o canto do lábio.

– Você apareceu nos jornais. E tive que ouvir Ivy choramingando durante três horas por não estar aqui quando tudo aconteceu.

Voltando para a receita, revirei os olhos.

– Desculpa. Sim. Estou bem. Alguns arranhões e hematomas, nada de mais. Mas não posso mais captar uma linha de noite. – Não queria falar para ele que não estava completamente segura depois do pôr do sol, a menos que estivesse em solo sagrado... mas a cozinha e a sala não eram solo sagrado. – Vai ser um problema e tanto nas minhas missões – eu disse, amargurada, sem saber como daria um jeito nesse novo contratempo. Ah, de qualquer forma eu não dependia só de magia de linha de ley. Afinal, eu era uma bruxa da terra.

Kisten não pareceu achar nada de mais também, pela maneira como deu de ombros.

– Também fiquei triste quando soube que Jenks foi embora – ele disse, estendendo as pernas e cruzando as botas. – O sujeito era mais do que um funcionário na empresa de vocês. Era um bom amigo.

Fechei a cara em uma expressão desagradável.

– Eu deveria ter contado a ele o que Trent era quando descobri.

O vampiro ficou surpreso.

– Você sabe o que o Trent Kalamack é? Caralho, não brinca?

Com os dentes cerrados, baixei o olhar para o livro de receitas e fiz que sim com a cabeça, esperando que ele perguntasse.

– E o que ele é?

Continuei em silêncio, com os olhos fixos na página. O leve som do vamp se movendo me fez erguer os olhos.

– Deixa pra lá – ele disse. – Não importa.

Aliviada, mexi o chocolate no sentido horário.

– Para Jenks importa. Eu deveria ter confiado nele.

– Nem todo mundo precisa saber tudo.

– Se você tem dez centímetros e asas, precisa sim.

Kisten se levantou, chamando minha atenção ao se espreguiçar. Com um sutil ruído de satisfação, abaixou os ombros e relaxou. Tirando o casaco, caminhou até a geladeira.

Bati a colher na beirada da panela para tirar a maior parte do chocolate. Franzi a testa. Às vezes, era mais fácil conversar com um estranho.

– O que estou fazendo de errado, Kisten? – perguntei, frustrada. – Por que afugento as pessoas de que gosto?

Ele saiu de trás da porta da geladeira com o saco de amêndoas que eu tinha comprado na semana anterior.

– Ivy não vai embora.

– Essas amêndoas são minhas – avisei. Ele parou, e acabei fazendo um gesto aborrecido dizendo que podia comer.

– Eu não vou embora – acrescentou, movendo a boca suavemente enquanto comia uma.

Respirei sonoramente, jogando a medida de açúcar em cima do chocolate. Ele estava muito bonito, e eu não parava de ser atacada por lembranças: nós dois bem-vestidos nos divertindo, a faísca de seus olhos negros sobre mim quando os capangas de Saladan jaziam estatelados na rua, o elevador de Piscary onde fiquei envolvida em seus braços e desejei que ele tomasse tudo que eu tinha...

O som do açúcar contra o tacho era alto enquanto eu mexia. “Malditos feromônios vamp.”

– Estou feliz que Nick tenha ido embora – Kisten disse. – Ele não era bom para você.

Mantive a cabeça baixa, mas meus ombros se tensionaram.

– O que você sabe a respeito disso? – perguntei, colocando um dos meus longos cachos ruivos atrás da orelha. Ergui os olhos e o encontrei comendo as amêndoas tranquilamente. – Nick me fazia bem. Eu fazia bem para ele. A gente se divertia junto. A gente gostava dos mesmos filmes, dos mesmos restaurantes. Ele conseguia acompanhar meu ritmo quando a gente corria no zoológico. Nick era uma boa pessoa e você não tem o direito de julgar. – Apanhei um pano de prato úmido, limpei o açúcar derramado e o joguei na pia.

– Você está certa – ele disse, enquanto colocava algumas amêndoas na mão e fechava o saco. – Mas eu acho uma coisa fascinante. – Colocou uma amêndoa entre os dentes e mordeu ruidosamente. – Você falou dele no pretérito.

Fiquei boquiaberta. Dividida entre raiva e surpresa, senti o rosto gelar. Na sala, entrou uma música rápida, agitada... e totalmente inadequada.

Kisten abriu a geladeira com um rangido, guardou as amêndoas na porta e fechou.

– Vou esperar um pouco pela Ivy. Talvez ela volte com Jenks, se você tiver sorte. Você tem a tendência de exigir mais das pessoas do que elas estão dispostas a dar. – Chacoalhou as amêndoas que ainda tinha na sua mão enquanto eu não encontrava uma resposta. – Meio como um vampiro – acrescentou, enquanto pegava o casaco e saía da cozinha.

Minha mão estava molhada, e percebi que estava apertando o pano de prato com tanta força que ele tinha começado a pingar. Joguei o pano na pia, ao mesmo tempo triste e furiosa. Não era uma boa combinação de sentimentos. Da sala, vinha uma alegre música *pop*.

– Pode desligar isso? – gritei. Meus dentes estavam cerrados com tanta força que a mandíbula começou a doer, e me obriguei a relaxá-la quando a música parou. Irritada, medi o açúcar e joguei na mistura. Peguei a colher, bufando de frustração ao lembrar que já tinha colocado açúcar. – Maldita seja a Virada – murmurei. Agora teria que fazer o dobro da receita.

Segurando a colher com firmeza, tentei mexer a massa. Voou açúcar para todo lado. Cerrei os dentes de novo e bati os pés até a pia para buscar o pano de prato.

– Você não sabe de nada – sussurrei enquanto juntava o açúcar derramado em um montinho. – Nick pode voltar. Ele falou que voltaria. Eu estou com a chave dele.

Empurrei o açúcar juntado para dentro da conchinha que fizera com a mão, hesitando antes de jogá-lo na tigela. Tirando os últimos grãos dos dedos, olhei para o corredor escuro. Nick não me daria sua chave se não fosse voltar.

Uma música com uma batida leve e constante começou a tocar. Estreitei os olhos. Eu não tinha dito em momento algum que ele poderia colocar outra coisa. Furiosa, dei um passo em direção à sala, e então me detive. Kisten tinha saído no meio de uma conversa. Tinha levado comida consigo. Comida crocante. Segundo o livro de namoro de Ivy, aquele era um convite vampírico. E, se eu o seguisse, estaria demonstrando interesse. O pior era que ele sabia que eu sabia.

Eu ainda estava fitando o corredor quando Kisten passou na minha frente. Ele deu um passo para trás e se deteve ao me ver parada com o olhar vazio.

– Vou esperar no santuário – avisou. – Tudo bem pra você?

– Claro – sussurrei.

Ele ergueu a sobrancelha e, com o mesmo sorrisinho, comeu uma amêndoa.

– Beleza. – Em seguida, desapareceu pelo corredor escuro, com as botas silenciosas no piso de madeira.

Virei o rosto e olhei fixamente para a janela escurecida pelo anoitecer. Contei até dez. Depois contei de novo. Contei até dez uma terceira vez, e me vi no corredor quando cheguei ao sete. "Vou entrar, falar o que tenho para falar e sair", prometi a mim mesma quando o encontrei sentado no banco diante do piano, de costas para mim. Ele se empertigou ao me ouvir parar.

– Nick é um bom homem – eu disse, com a voz trêmula.

– Nick é um bom homem – ele concordou, sem se virar.

– Ele faz com que eu me sinta desejada, necessária.

Kisten se virou devagar, de modo que sua barba rala ficou sob a luz tênue que vinha da rua. O contorno de seus ombros largos ia se afinando até a cintura esbelta, e tentei não pensar em como ele era bonito.

– Fazia. – Sua voz baixa e suave fez surgir um calafrio no meu corpo.

– Não quero mais falar sobre Nick – eu disse.

Ele me olhou por uma fração de segundo e então disse:

– Tudo bem.

– Que bom. – Tomei fôlego, dei meia-volta e saí.

Meus joelhos estavam trêmulos e, prestando atenção para ouvir se ele estava vindo atrás de mim, virei à direita para entrar no meu quarto. Com o coração acelerado, estendi a mão para pegar meu perfume. Aquele que escondia meu cheiro.

– Não.

Assustada, me virei e encontrei Kisten atrás de mim. O frasco que Ivy tinha me dado escorregou dos meus dedos. Sua mão se moveu com rapidez, e dei um pulo quando envolveu a minha, prendendo o frasco com segurança. Fiquei paralisada.

– Eu gosto do seu cheiro – murmurou, perto. Perto demais.

Senti um frio na barriga. Eu correria o risco de Al vir me buscar se captasse uma linha para nocautear Kisten, mas não era isso que eu queria.

– Você precisa sair do meu quarto – eu disse.

Sob a luz opaca, seus olhos azuis pareciam negros. A luz tênue da cozinha o transformava em uma sombra cheia de perigo e sedução. Meus ombros estavam tão tensos que começaram a doer quando ele abriu minha mão e pegou o perfume. Ao ouvir o barulho do frasco batendo na penteadeira, quando ele o colocou lá, endireitei o corpo.

– Nick não vai voltar – ele disse, com a voz nítida e sincera.

Soltei um suspiro e fechei os olhos. "Ai, meu Deus."

– Eu sei.

Abri os olhos quando tocou nos meus cotovelos. Fiquei paralisada, esperando que a cicatriz começasse a queimar, mas nada aconteceu. Kisten não estava tentando me enfeitiçar. Uma parte tola de mim o respeitava por isso e, idiota, não fiz nada para expulsá-lo da igreja e mandá-lo ficar longe de mim.

– Você precisa ser desejada, Rachel – ele disse, a poucos centímetros do meu corpo. Sua respiração soprava meu cabelo. – Você vive de maneira tão fulgurante e sincera que precisa ser desejada. Você está sofrendo. Eu consigo sentir.

– Eu sei.

Seu olhar solene assumiu um quê de compaixão.

– Nick é humano. Por mais que tente, nunca vai te entender completamente.

– Eu sei. – Engoli em seco. Meus olhos estavam começando a lacrimejar. Meus dentes estavam tão cerrados que minha cabeça doía. "Eu não vou chorar."

– Nick não pode dar aquilo de que você precisa. – As mãos de Kisten deslizaram para minha cintura. – Ele sempre vai sentir medo, mesmo que seja um pouco.

"Eu sei." Fechei os olhos, mas abri-os ao deixar que ele me puxasse para perto de si.

– E, mesmo que Nick aprenda a conviver com esse medo – continuou, sem fingimento, pedindo com os olhos para que eu ouvisse –, nunca vai te perdoar por ser mais forte do que ele.

Um nó se formou na minha garganta.

– Eu... eu preciso ir – eu disse. – Com licença.

Suas mãos me soltaram e passei por ele para chegar ao corredor. Confusa e querendo gritar contra o mundo, andei a passos largos até a cozinha. Parei, vendo entre a farinha e os potes um vazio enorme e dolorido que não estava ali antes. Com os braços ao redor do corpo, caminhei trôpega até a sala. Eu precisava desligar a música. Era bonita. Eu a odiava. Eu odiava tudo.

Peguei o controle remoto e apontei para o rádio. Jeff Buckley. Não conseguiria lidar com Jeff no estado em que estava. Quem diabos pôs Jeff Buckley para tocar no meu rádio? Depois de desligar, joguei o controle no sofá. A adrenalina disparou pelo meu corpo quando, em vez de acertar a camurça do sofá de Ivy, o controle caiu na mão de alguém.

– Kisten! – balbuciei, enquanto ele religava o rádio, observando-me com os olhos semicerrados. – O que está fazendo?

– Ouvindo música.

Ele estava calmo e equilibrado, e entrei em pânico diante daquela confiança calculada.

– Avise quando for aparecer – pedi, quase sem fôlego. – Ivy nunca surge assim tão de repente.

– Ivy não gosta de quem ela é. – Ele sequer piscou. – Eu gosto.

Kisten estendeu a mão. Com a respiração rápida, empurrei seu braço para o lado. Meu corpo se encheu de tensão quando ele me puxou para a frente e me abraçou. Entrei em pânico e logo depois fiquei furiosa. Não houve nenhuma pontada na minha cicatriz.

– Kisten! – exclamei, tentando me livrar dele. – Me solte!

– Não estou tentando te morder – ele explicou, suavemente. – Calma.

Sua voz era firme e reconfortante. Não trazia nenhuma sede de sangue. Lembrei-me da noite em que tinha acordado no seu carro ao som de canto gregoriano.

– Solte! – mandei, presa em seus braços, sentindo que estava prestes a dar um tapa na cara dele ou começar a chorar.

– Não quero soltar. Você está sofrendo demais. Faz quanto tempo que ninguém te abraça? Ou te toca?

Uma lágrima escorreu pelo meu rosto e senti ódio por ele ter visto isso. Ódio por ele saber que eu estava sem fôlego.

– Você precisa sentir, Rachel. – Sua voz ficou mais baixa, suplicante. – Isso está te matando lentamente.

Engoli o nó na garganta. Ele estava me seduzindo. Eu não era inocente a ponto de achar que ele não tentaria nada. Mas suas mãos nos meus braços eram quentes. E ele estava certo. Eu precisava do toque de outra pessoa, ansiava por esse toque. Eu tinha quase esquecido como era me sentir necessária. Nick me dera essa sensação, esse leve frêmito de arrebatamento em saber que alguém desejava me tocar e, ao mesmo tempo, desejava que eu, e apenas eu, o tocasse.

Eu tinha aturado mais relacionamentos passageiros do que uma mulher rica compra sapatos. Fosse por causa do meu trabalho na SI, fosse porque a excêntrica da minha mãe insistia para que eu me envolvesse com alguém, ou ainda porque eu atraía babacas que, quando olhavam para mim, não viam nada além de um chanfro na sua vassoura. Talvez eu não passasse de uma vadia louca que exigia confiança sem ser capaz de retribuir. Não queria mais um relacionamento unilateral, mas Nick tinha ido embora e Kisten cheirava bem. Ele apaziguava minha dor.

Relaxei os ombros e Kisten expirou ao sentir que eu parara de me debater contra ele. Fechando os olhos, pousei a testa em seu ombro, embora meus braços cruzados nos mantivessem um pouco distantes. A música era suave e lenta. Eu não era louca. Era capaz de confiar. Eu confiava. Confiara em Nick, e ele tinha partido.

– Você vai embora – murmurei. – Todos vão embora. Eles conseguem o que querem e vão embora. Ou descobrem do que sou capaz e então vão embora.

Seus braços me apertaram por um instante, depois afrouxaram.

– Não vou a lugar algum. Você já me matou de medo quando acabou com Piscary. – Enfiou o nariz no meu cabelo e sentiu meu cheiro. – E ainda estou aqui.

Embalada pelo calor do seu corpo e por seu toque, minha tensão desapareceu. Kisten deu um passo para o lado e me movi junto com ele. Nosso movimento era muito sutil, balançando ao som da música lenta e sedutora.

– Você não tem como ferir meu orgulho – Kisten sussurrou, traçando os dedos pelas minhas costas. – Passei a vida inteira ao lado de pessoas mais fortes do que eu. Gosto disso, não tenho vergonha de ser o mais fraco. Nunca vou conseguir lançar um feitiço, e não dou a mínima para o fato de que você pode fazer algo que eu não posso.

A música e nosso movimento quase inexistente fizeram surgir um calor no meu peito. Passando a língua nos lábios, descruzei os braços e os abaixei, sentindo-os cair naturalmente em torno da cintura dele. Meu coração acelerou. Voltados para a parede, meus olhos se arregalaram, enquanto minha respiração encontrava um ritmo incrivelmente regular.

– Kisten...

– Eu sempre vou estar aqui – ele disse baixinho. – Você nunca vai saciar minha sede, nunca vai me afastar, mesmo que tente. Por bem ou por mal. Sempre vou ansiar por emoções, por toda a eternidade, e consigo ver que você está sofrendo. Posso te fazer feliz. Se você deixar.

Engoli em seco quando Kisten parou de se mover. Ele se afastou e, tocando de leve no meu queixo, ergueu minha cabeça para poder me olhar nos olhos. A batida da música, calma e pacificadora, vibrava dentro de mim. Seu olhar era firme.

– Deixa? – murmurou, perigosamente. Com aquelas palavras, Kisten me colocava em uma posição de poder. Eu podia dizer não.

Mas não queria.

Meus pensamentos passavam por minha mente mais rápido do que eu me dava conta. As mãos dele eram gostosas e seus olhos estavam cheios de paixão. Eu desejava que ele pudesse me dar o que prometia.

– Por quê? – murmurei.

Kisten abriu os lábios e sussurrou:

– Porque eu quero. Porque você quer.

Não desviei o olhar. Suas pupilas não mudaram nem aumentaram em momento algum. Minhas mãos o seguraram com mais firmeza quando pressionei os braços em torno dele.

– Não vai haver troca de sangue, Kisten. Nunca.

O vamp inspirou e expirou, apertando as mãos. Com a expressão sombria, ciente do que estava por vir, se aproximou.

– Um – ele disse, enquanto me beijava no canto dos lábios. – Passo. – Beijou o outro canto. – De cada vez – continuou, beijando-me tão de leve que me fez querer mais. – Meu amor.

Uma pontada de desejo se acendeu no fundo do meu peito. Fechei os olhos. "Ah, meu Deus, me salve de mim mesma."

– Eu não faço promessas – murmurei.

– Não estou pedindo nenhuma promessa – ele respondeu. – Aonde nós vamos?

– Eu não sei. – Minhas mãos desceram pela sua cintura. Estávamos balançando ao som da música de novo. Eu me sentia viva e, enquanto nosso balanço quase evoluía para uma dança, minha cicatriz de demônio começou a queimar.

– Posso fazer isso? – Kisten perguntou, aproximando-se para tocar todo o meu corpo com o seu. Ele estava pedindo permissão para brincar com minha cicatriz, para que eu o deixasse me enfeitiçar. O fato de ter me perguntado me dava uma sensação de segurança que, eu sabia, provavelmente era falsa.

– Não. Sim. Sei lá. – "Tão dividida." Eu me sentia bem, só meu corpo tocando o dele, seus braços na minha cintura, um novo pedido em sua força. – Não sei...

– Então não vou. – "Aonde estamos indo?" Expirando, desceu as mãos pelos meus braços, entrelaçando os dedos nos meus. Com delicadeza, puxou minhas mãos para suas costas, segurando-as lá enquanto balançávamos ao som da música lenta e sedutora.

Um calafrio rompeu-se dentro de mim. O cheiro de couro era forte e quente. O toque de Kisten produzia uma onda de calor que fazia meus dedos formigarem. Deixei a cabeça cair entre seu pescoço e seu ombro. Eu queria colocar os lábios ali, em sua pele, sabendo o que ele sentiria, sabendo qual seria o gosto se eu tivesse coragem. Mas não o beijei, contentando-me em baforar no local, com medo do que ele faria se meus lábios o tocassem.

Com o coração batendo forte, guiei suas mãos até minhas costas e as deixei lá, movendo-se, pressionando, massageando. Minhas mãos subiram e entrelacei os dedos atrás da sua cabeça. Lembrei de nós dois no elevador, quando eu achava que Piscary iria me matar. A lembrança da cicatriz viva e flamejante era demais para eu resistir.

– Por favor – murmurei, roçando os lábios no seu pescoço, fazendo-o tremer. Sua orelha estava a poucos centímetros de mim, me tentando. – Eu quero. – Erguendo a cabeça, busquei seus olhos, observando sem medo o círculo azul diminuir. – Confio em você. Só não confio nos seus instintos.

Seu olhar mostrou compreensão e um alívio profundos. Suas mãos desceram mais, acariciando meu corpo até chegarem às minhas pernas, quando então fizeram o caminho contrário, movendo-se sem parar enquanto dançávamos.

– Também não confio neles – ele disse, sem o sotaque britânico falso. – Não quando estou ao seu lado.

Perdi o fôlego quando seus dedos passaram para a frente do meu corpo e começaram a brincar com o botão da minha calça, provocando.

– Estou usando capinhas – avisou. – O vampiro foi despresado.

Pega de surpresa, abri os lábios quando ele sorriu, mostrando os caninos afiados encapados. Isso despertou um calor dentro de mim, inquietante e sugestivo. Claro, ele não conseguiria tirar sangue, mas por causa disso eu o deixaria explorar muito mais meu corpo. E ele sabia disso. Mas era seguro? Não. Ele era mais perigoso agora do que se estivesse sem capinhas.

– Ai, meu Deus – murmurei, sabendo que estava perdida quando ele aninhou minha cabeça no seu ombro e me beijou de leve. Fechando os olhos, corri os dedos por seu cabelo, agarrando os fios conforme seus lábios iam se movendo devagar até minha clavícula, onde começava a cicatriz.

Ondas de desejo pulsaram dela, e meus joelhos vacilaram.

– Desculpa – Kisten murmurou com a voz rouca ao me pegar pelos cotovelos e me manter em pé. – Não sabia que era tão sensível. Quanta saliva ele injetou em você?

Seus lábios tinham pulado do meu pescoço para minha orelha. Quase ofegante, me recostei nele. Meu sangue pulsava, implorando que eu tomasse uma atitude.

– Eu quase morri – eu disse. – Kisten...

– Vou tomar cuidado – respondeu, com uma ternura que tocou meu coração. Deixei-me guiar quando ele me sentou no sofá, aninhando-me entre o assento e o braço. Pegando-o pela mão, puxei-o para que sentasse ao meu lado. A cicatriz estava formigando e ondas de promessa varriam meu corpo. "Aonde estamos indo?"

– Rachel?

Ouvi a mesma pergunta em sua voz, mas eu não queria respondê-la. Com um sorriso, o puxei para mais perto de mim.

– Você fala demais – sussurrei, e cobri minha boca com a sua.

Kisten deixou escapar um som suave quando seus lábios retribuíram o beijo, me deixando sentir sua barba áspera. Com a mão espalmada no meu rosto, me segurou enquanto eu o puxava sobre mim. Empurrando meu quadril, abriu espaço para seu joelho entre meu corpo e o encosto do sofá.

Minha pele ardia sob seu toque. Passei a língua, hesitante, entre seus lábios e minha respiração acelerou quando ele colocou a língua dentro da minha boca. Kisten tinha um gosto suave de amêndoas e, quando fez menção de se afastar, enrosquei os dedos na sua nuca para mantê-lo ali mais um pouco. Ele soltou um ruído de surpresa e apertou seu corpo contra o meu com mais força. Com o movimento, eu o puxei de volta, passando a língua por seus dentes lisos.

Kisten teve um calafrio e, com o peso do vamp apoiado em mim, pude sentir todo o seu tremor. Eu não sabia até onde queria ir. Mas aquilo? Aquilo era bom demais. Eu não podia enganá-lo, prometendo mais do que era capaz de oferecer.

– Espere... – eu disse, relutante, olhando em seus olhos.

Mas, ao vê-lo em cima de mim, resfolegando e com a paixão interrompida, hesitei. Seus olhos estavam negros, ardentes de desejo e ânsia. Procurei e encontrei uma sede de sangue cuidadosamente refreada. Seus ombros estavam tensos sob a camisa, uma mão segurava meu dorso com firmeza, seus polegares massageavam a pele embaixo da minha regata. Seu olhar desejoso fez surgir ondas de adrenalina no meu peito. Isso conseguiu me excitar mais do que seu toque forte e ao mesmo tempo delicado, que percorreu meu corpo até chegar aos meus seios. "Ah, ser desejada, necessitada."

– O quê? – perguntou, com calma, esperando.

"Dane-se."

– Deixa pra lá – respondi, brincando com o cabelo atrás da sua orelha.

Sua mão suave se deteve sob minha regata.

– Quer que eu pare?

Fui atingida por uma nova onda de sensações. Fechei os olhos.

– Não – murmurei, ouvindo dezenas de certezas e resoluções fenecerem nessa palavra. Com o coração acelerado, tirei os amuletos e os joguei no carpete. Eu queria sentir tudo, mas foi só quando toquei no cinto da sua calça que ele entendeu.

Kisten soltou um som gutural baixinho e deixou a cabeça cair sobre a minha. Seu peso era um calor bem-vindo se pressionando contra o meu, enquanto seus lábios tocavam minha cicatriz suavemente.

Um calor se espalhou como lava derretida pelo meu corpo, chegando à virilha, e perdi o fôlego quando a sensação se multiplicou. As dores abstratas do ataque recente de Al se transformaram em prazer, graças à saliva de vampiro da qual ele estava tirando proveito. Eu não conseguia pensar. Não conseguia respirar. Tirei as mãos da calça dele, que eu estava tentando abrir, e o segurei pelos ombros.

– Kisten – murmurei, quando consegui tomar um fôlego trêmulo.

Mas ele não diminuiu o ritmo, empurrando-me para baixo até que minha cabeça encostasse no braço do sofá. Afundei os dedos em sua carne quando Kisten substituiu os lábios por seus dentes suaves. Soltei um gemido, e ele brincou com a cicatriz, com os dentes gentis e a respiração pesada. Eu o queria. Eu queria todo o seu corpo.

– Kisten... – Eu o empurrei. Precisava perguntar antes. Precisava saber.

– Que foi? – questionou, inexpressivo, enquanto tirava minha camisa e minha regata do caminho, e começou a tocar meu seio, prometendo mais.

Finalmente consegui abrir seu cinto. Dei um puxão e ouvi a fivela se abrir. Ele voltou o rosto para mim e, antes que voltasse a tocar meu pescoço e me fizesse entrar em êxtase, abri seu zíper e enfiei as mãos à procura. "Deus me salve", pensei ao encontrar o membro duro sob meus dedos.

– Você já transou com alguma bruxa? – murmurei, empurrando a calça para baixo e passando a mão na bunda dele.

– Eu sei no que estou me metendo – ele disse, ofegante.

Senti-me derreter no sofá conforme eu relaxava a mente e os ombros. Minhas mãos o reencontraram, e expirei longa e lentamente.

– Não queria supor – eu disse, e então perdi o fôlego quando ele deixou cair o peso sobre mim e tirou minha camisa. – Não queria que você ficasse surpreso... Ai, meu Deus. Kisten. – Eu estava ofegante, quase febril de desejo enquanto seus lábios desciam pelo meu queixo, passavam pela clavícula e chegavam ao meu seio. Ondas de promessa surgiram e arqueei as costas enquanto sentia o toque quente de suas mãos na minha pele. "Onde ele está? Não consigo alcançar tão longe."

Kisten silenciou meu murmúrio ao erguer o rosto e me beijar. Agora eu conseguia alcançar e suspirei extasiada quando o segurei e passei os dedos devagar por ele.

– Kisten...

– Você fala demais – ele disse, movendo os lábios contra a minha pele. – Você já transou com um vamp? – perguntou, observando-me com os olhos semicerrados.

Expirei quando ele se atentou ao meu pescoço. Seus dedos traçaram o caminho que os lábios estavam fazendo, e ondas de êxtase desceram pelo meu corpo.

– Não – respondi, ofegante, enquanto empurrava suas calças para baixo. Eu nunca conseguiria fazer com que elas passassem pelas botas. – Alguma coisa que eu precise saber?

Ele passou as mãos no ponto entre minha barriga e meus seios, mais uma vez traçando o caminho que os lábios seguiam. Com as costas arqueadas, tentei não gemer de desejo enquanto estendia o braço, tentando segurar tudo que ele tinha.

– Eu mordo – respondeu, e soltei um grito quando ele fez exatamente isso, mordiscando a minha pele.

– Tire as minhas calças ou eu te mato – ordenei, arquejante, quase maluca de desejo.

– Sim, senhora – ele murmurou, roçando a barba na minha pele ao se afastar.

Tomei um fôlego muito necessário e me sentei, para, em seguida, empurrá-lo para baixo e montar em cima dele. Kisten abriu meu zíper e eu desabotoei sua camisa desajeitadamente. Soltei um suspiro quando abri o último botão e passei as mãos nele, traçando com os dedos seu abdome e peitoral definidos. Debrucei-me sobre seu corpo, com o cabelo ocultando meu rosto enquanto meus lábios passavam do seu peito para o pescoço, onde permaneci, hesitante, tomando coragem para roçar os dentes na pele dele, aplicando uma leve pressão. Sob mim, Kisten teve um calafrio e suas mãos, que desciam minha calça até o quadril, tremeram.

Com os olhos arregalados, eu me afastei, pensando que tinha ido longe demais.

– Não – ele sussurrou, colocando as mãos na minha cintura para me manter ali. Seu rosto estava tenso de desejo. – Não pare. Eu... não vou romper a sua pele. – Abriu os olhos. – Deus do céu. Prometo que não vou romper a sua pele, Rachel.

O desejo na sua voz me pegou de surpresa Entregando-me, joguei-o contra o sofá, colocando um joelho de cada lado. Coloquei os lábios sobre seu pescoço, fazendo os beijos se tornarem mais intensos. Sua respiração arquejante e seu toque leve transformaram meu desejo em demandas pulsantes que fluíam pelo meu corpo no ritmo do meu coração. Troquei os lábios pelos dentes, e Kisten perdeu o ar.

Suas mãos seguraram minha cintura e ele me ergueu o bastante para que eu conseguisse tirar a calça. Ela se prendeu nas meias e, com um grito de impaciência, me afastei por tempo suficiente apenas para arrancá-la. Voltei logo em seguida, com a pele ardente onde nos tocávamos. Debrucei-me sobre ele, mantendo seu pescoço imóvel ao usar os dentes na pele dele.

Sua respiração vinha acompanhada de gemidos.

– Rachel – murmurou, com as mãos firmes na minha barriga descendo à procura.

Soltei um som baixo, quase inaudível, quando seus dedos me tocaram, disparando uma ânsia insistente nele. Meus olhos se fecharam e desci uma mão, encontrando-o.

Sentindo-o contra mim, me movi para a frente e para trás. Nossa respiração entrou em sintonia ao nos encontrarmos. Denso e potente, meu desejo e meu alívio cresceram. Ele entrou em mim. "Logo, se não for logo, eu vou morrer." Sua respiração acelerou, arrastando meus pensamentos e criando ondas do pescoço à virilha.

Meu coração batia forte e seus dedos traçaram meu pescoço, repousando sobre a pele pulsante. Nós nos movíamos em conjunto, em um ritmo constante de promessa. Seu braço livre envolveu meu corpo, puxando-me para mais perto, com um peso ao mesmo tempo aprisionante e seguro.

– Me dá – sussurrou, puxando-me mais para perto e eu cedi à sua vontade, deixando que seus lábios encontrassem minha cicatriz de demônio.

Soltei um grito abafado e senti um calafrio com a mudança no nosso ritmo. Ele me abraçava contra o seu corpo e ondas de desejo se acumulavam entre nós. Os lábios no meu pescoço deram lugar a dentes famintos, exigentes. Não senti dor, e o incentivei a seguir com o que estava prestes a fazer. Parte de mim sabia que, se ele não estivesse com capinhas, eu teria sido mordida. Isso só fazia aumentar minha ânsia desesperada. Eu me ouvi gritar alto, e suas mãos tremeram, apertando-me com mais força.

Louca de tesão, segurei seus ombros. Estava perto, eu só precisava encontrar. Minha respiração soprava rápida contra o seu pescoço. Não havia nada além dele, de mim e de nossos corpos se movendo em harmonia. Seu ritmo mudou e, sentindo que ele estava perto do ápice, encontrei seu pescoço e voltei a enfiar os dentes nele.

– Mais forte – murmurou – Você não pode me machucar. Prometo que não pode me machucar.

Isso me deixou à beira do orgasmo e, enquanto brincava de vampiro com ele, me lancei, faminta, sem pensar no que tinha deixado para trás.

Kisten gemeu, apertando os braços ao meu redor. Sua cabeça empurrou a minha para o lado e, com um som gutural, ele enfiou a cabeça no meu pescoço.

Soltei um grito quando seus lábios tocaram minha cicatriz e uma chama incendiou meu corpo. Uma saciedade me encheu por completo e cheguei ao orgasmo. Ondas de prazer foram subindo, uma após a outra, acumulando-se sobre as anteriores. Kisten tremeu e parou de se mover, atingindo o clímax um segundo depois de mim. Gemi e tremi todinha, incapaz de me mover, temendo e desejando os últimos arrepios formigantes.

– Kisten? – consegui dizer quando, após cessarem, me encontrei ofegante sobre ele.

Seu abraço estava mais fraco, e ele soltou as mãos. Deixei a testa cair no seu peito e respirei, trêmula, exausta e esgotada. Não conseguia fazer mais nada, deitada sobre ele com os olhos semicerrados. Aos poucos, fui sentindo que minhas costas estavam frias e que a mão de Kisten traçava um caminho quente pela minha espinha, para cima e para baixo. Conseguia ouvir seu coração e sentir nossos cheiros se misturando. Com os músculos trêmulos de cansaço, ergui a cabeça para encontrá-lo com os olhos fechados e um sorriso saciado nos lábios.

Perdi o fôlego. "Puta merda. O que eu acabei de fazer?"

Kisten abriu os olhos, encontrando os meus. Estavam claros e azuis, com a pupila do tamanho normal, relaxante.

– Você está com medo? – perguntou. – Está um pouco tarde para isso.

Seu olhar pousou no meu olho roxo, que ele via só agora, pois meus amuletos estavam no chão. Eu me ergui, voltando imediatamente à posição por causa do frio. Meus membros começaram a tremer.

– Hum, foi divertido – eu disse, e ele riu.

– Divertido – repetiu, passando o dedo pelo queixo. – Minha bruxa má achou *divertido*. – Ele não desfazia o sorriso. – Nick foi besta de te largar.

– O que você quer dizer? – perguntei, preparando-me para sair de cima dele, mas Kisten segurou meu corpo, me mantendo junto a si.

– Quero dizer – ele começou, com a voz suave – que você é a mulher mais *sexy* que eu já toquei. Que você é, ao mesmo tempo, uma garota inocente e uma puta experiente.

Eu me empertiguei.

– Se essa é sua tentativa de conversa romântica, ela é ruim para burro.

– Rachel – o vamp disse, com a voz arrastada. Seu olhar, carregado de uma ternura saciada, era a única coisa que me mantinha junto dele. "Isso e o fato de que ainda não conseguia me levantar." – Você não faz ideia de como é excitante ter seus dentinhos em mim se esforçando para rasgar minha pele, sentindo o gosto mesmo sem sentir. Inocente, experiente e faminta ao mesmo tempo.

Ergui a sobrancelha e soprei um cacho da frente dos meus olhos.

– Você tinha planejado tudo, não tinha? – acusei. – Achou que poderia entrar e me seduzir como faz com todas as outras? – Não que eu conseguisse sentir raiva, deitada ali sobre ele, mas eu tentei.

– Não. Não como todas as outras – ele disse, e o brilho em seus olhos mexeu comigo. – E, sim, eu vim aqui com a intenção de te seduzir. – Ergueu a cabeça e sussurrou no meu ouvido: – É esse o meu talento. Assim como o seu é fugir de demônios e botar pra foder.

– "Botar pra foder?" – indaguei, pousando a cabeça no braço do sofá. Sua mão estava me explorando de novo, e eu não queria me mover.

– É – ele assentiu, e dei um pulo quando encontrou um ponto em que eu sentia cócegas. – Gosto de mulheres que sabem cuidar de si mesmas.

– Não é muito do tipo príncipe no cavalo branco, hein?

O vamp ergueu a sobrancelha.

– Ah, eu poderia ser – disse. – Mas sou preguiçoso pra cacete.

Dei uma gargalhada e ele também riu baixinho, ao mesmo tempo que apertava minha cintura. Com um balanço, me ergueu.

– Espere – ele disse, ao se levantar, levando-me no colo como se eu fosse tão leve quanto um saco de dois quilos de açúcar. Com sua força vamp, Kisten me segurou com um braço enquanto erguia as calças frouxas até o quadril. – Banho?

Envolvi meus braços ao redor do seu pescoço e procurei marcas de mordida. Não havia nenhuma, embora soubesse que tinha mordido com força suficiente para deixá-las. Mesmo sem olhar, soube que ele também não tinha feito nenhuma marca em mim, apesar da violência que usara.

– Parece ótimo – concordei, enquanto ele avançava, com o zíper da calça ainda aberto.

– Vou te dar um banho – ele disse, enquanto eu olhava para meus amuletos, minha calça e uma meia jogada no chão atrás dele. – E depois vou abrir as janelas para arejar a igreja. E te ajudar a fazer seu bolo. Isso vai ajudar.

– São *brownies*.

– Melhor ainda. Vamos usar o forno. – Ele hesitou diante do banheiro e, sentindo-me cuidada e desejada em seus braços, abri a porta com o pé. Ele era forte, precisava admitir. Aquilo era tão satisfatório quanto sexo. Quer dizer, quase.

– Você tem velas aromáticas, não tem? – perguntou, enquanto eu acendia a luz com o dedo do pé.

– Hum, eu tenho dois cromossomos X – eu disse, com um humor seco, enquanto ele me colocava em cima da máquina de lavar e tirava minha meia restante. – Tenho algumas velas, sim. – "Ele vai me ajudar a tomar banho? Que fofo."

– Que bom. Vou acender uma e colocar no santuário. Diga à Ivy que colocou a vela na janela para o Jenks. Assim você pode deixá-la acesa até o nascer do sol.

Um suspiro apreensivo me deixou tensa, e meus movimentos tornaram-se morosos enquanto ele tirava meu suéter e o colocava em cima da máquina.

– Ivy? – perguntei.

Kisten se recostou na parede e tirou as botas.

– Você não liga de contar para ela?

A bota bateu na parede oposta, e meu rosto gelou. "Ivy. Velas aromáticas. Arejar a igreja. Fazer *brownies* para perfumar o ar. Tirar seu cheiro de mim. Que ótimo."

Com um sorriso de *bad boy*, Kisten caminhou até mim de meias e com a calça entreaberta, segurou meu queixo e se aproximou mais.

– Não ligo se ela souber – afirmou, e eu não me movi, gostando do calor. – Ivy vai descobrir cedo ou tarde. Mas, se eu fosse você, acho que seria melhor contar com jeitinho, não jogar na cara dela. – Kisten me deu um beijo suave no canto da boca. Sua mão foi me soltando, relutante, enquanto ele recuava e abria a porta do boxe.

"Droga, tinha me esquecido da Ivy."

– É... – eu disse com a voz distante, lembrando do ciúme dela, do fato de que não gostava de surpresas e de como reagia mal a essas coisas. – Você acha que Ivy vai ficar chateada?

Kisten se virou, sem camisa, com a mão sob a água para medir a temperatura.

– Chateada? Ela vai ficar verde de ciúme porque eu e você temos um jeito físico de expressar nossa relação, e ela não.

A frustração tomou conta de mim.

– Caramba, Kisten. Não vou deixar que Ivy me morda para mostrar que eu gosto dela. Sexo e sangue. Sangue e sexo. É tudo a mesma coisa, e eu não posso fazer isso com ela. Não funciono assim!

O vamp balançou a cabeça enquanto me lançava um sorriso triste.

– Você não pode falar que sangue e sexo são a mesma coisa. Você nunca deu sangue para outra pessoa. Não tem em que basear sua opinião.

Franzi a testa.

– Toda vez que um vamp põe os olhos em mim à procura de um lanchinho, parece sexual.

Kisten deu um passo à frente, enfiando o corpo entre os meus joelhos, pressionando-me contra a máquina de lavar. Em seguida, ergueu a mão e colocou meu cabelo para trás do ombro.

– A maioria dos vampiros vivos atrás de uma dose breve encontra um parceiro consensual mais rápido quando o provoca sexualmente. Mas, Rachel, o sentido de dar e receber sangue não se baseia em sexo, mas em respeito e amor. O fato de que você não se deixa convencer pela promessa de ótimo sexo é o motivo por que Ivy desistiu de tentar esse caminho com você. Mas ela não desistiu da caça.

Pensei em todas as facetas de Ivy que a aparição de Skimmer tinha me obrigado a reconhecer.

– Eu sei.

– Quando passar a raiva inicial, acho que ela vai aceitar nosso namoro.

– Eu nunca disse que a gente está namorando.

Ele abriu um sorriso de quem sabia o que estava falando e tocou minha bochecha.

– Mas e se eu bebesse seu sangue por acidente ou em um momento de paixão? – Kisten estreitou os olhos azuis e preocupados. – Um arranhão e ela me enfiaria a estaca. Toda a cidade sabe: Ivy disse que você pertence a ela, e Deus ajude o vamp que entrar no caminho dela. Eu tomei seu corpo para mim. Se encostar no seu sangue, vou estar morto duas vezes.

Congelei.

– Kisten, você está me deixando com medo.

– E é para ficar com medo mesmo, bruxinha. Um dia, Ivy vai ser a vampira mais poderosa de Cincinnati e ela *quer* ser sua amiga. *Quer* que você seja sua salvadora. Acha que, das duas, uma: ou você vai encontrar um jeito de matar o vírus vamp para que ela morra com a alma intacta, ou vai virar sua herdeira para que ela morra sabendo que você vai estar lá para cuidar dela.

– Kisten. Chega.

Com um sorriso, ele me deu um beijo na testa.

– Não se preocupe. Nada mudou de uma hora para outra, nem vai mudar. Ela é sua amiga e não vai pedir nada que você não possa dar.

– Isso não ajuda muito.

Ele encolheu os ombros e, depois de um último toque, recuou um passo. Fumaça escapava da fresta do boxe enquanto Kisten tirava a calça e colocava a mão embaixo do chuveiro para ajustar a temperatura de novo. Passei os olhos de suas panturrilhas bem torneadas para suas costas largas e levemente musculosas. Como num passe de mágica, todos os pensamentos sobre a futura raiva de Ivy desapareceram. "Droga."

Como se sentisse meus olhos sobre ele, Kisten se virou e flagrou meu olhar de cobiça

O vapor redemoinhava em torno dele. Gotas de umidade do chuveiro se colavam em sua barba.

– Deixa que eu te ajudo a tirar sua blusa – ele disse, com outro tom de voz.

Passei o olhar por seu corpo de novo, sorrindo ao erguer os olhos. "Droga dupla."

Kisten colocou a mão nas minhas costas e, com um pouco de ajuda minha, me puxou para a ponta da máquina de lavar e tirou minha regata. Envolvendo as pernas em torno dele, coloquei as mãos na sua nuca e enrosquei meu queixo no seu pescoço. Meu Deus, como ele era lindo!

– Kisten? – perguntei.

Ele tirou meu cabelo do caminho e encontrou um ponto sensível atrás da minha orelha. Uma sensação quente tomou conta do meu peito, vinda de onde seus lábios me tocavam, exigindo. Aceite. Aproveite.

– Você ainda tem aquela roupa de couro de motoqueiro? – perguntei, meio envergonhada.

Tirando-me da máquina de lavar e me levando para o chuveiro, ele riu.

Vinte e dois

Sorri quando a música chegou ao fim, deixando um silêncio agradável. O tique-taque do relógio sobre a pia parecia mais sonoro à luz de velas. Ergui os olhos para os ponteiros, que se moviam lentamente. Eram quase quatro da madrugada e eu não tinha nada para fazer além de sentar e sonhar com Kisten. Ele tinha saído por volta das três para cuidar de clientes na Piscary's, deixando-me aquecida, saciada e contente.

Tínhamos passado toda a noite juntos, comendo sanduíche e outras porcarias, vasculhando minha coleção musical e a de Ivy, e depois usando o computador dela para gravar um CD com nossas músicas favoritas. Relembrando, acho que foi a noite mais divertida de toda a minha vida adulta; nós ríamos das lembranças um do outro e eu percebi que gostava de dividir mais do que o meu corpo com ele.

Todas as velas estavam acesas para garantir que eu poderia escolher a hora certa para contar à Ivy sobre a minha nova situação com Kisten. A luz que emanavam tornava ainda maior a paz criada pelo borbulhar suave do *pot-pourri* no fogão e a leve letargia do amuleto contra a dor no meu pescoço. O ar cheirava a gengibre, pipoca e *brownies*. Sentada e apoiando os cotovelos na mesa da Ivy, eu brincava com meus amuletos e me perguntava o que Kisten estaria fazendo àquela hora.

Embora não quisesse admitir, gostava muito dele, e o fato de que eu tinha passado do medo à antipatia, da antipatia à atração e da atração ao interesse em menos de um ano me deixava preocupada e constrangida. Não era do meu feito ignorar minha desconfiança de vampiros por causa de uma bundinha dura e de um charme encantador.

"Morar com uma vampira deve ter ajudado", pensei, colocando a mão no pote de pipoca e comendo uma por gula, não por estar com fome. Não achava que minha nova atitude se devia à cicatriz; eu gostava de Kisten desde antes da transa, senão nunca teríamos feito sexo. Além disso, ele não tinha tirado proveito da cicatriz para me influenciar.

Limpando o sal das mãos, fiquei olhando para o nada. Eu via Kisten de outro ângulo desde que ele escolhera minhas roupas e me fizera sentir bem. "Talvez", pensei, pegando outra pipoca. Talvez eu pudesse encontrar em um vampiro algo que nunca tinha conseguido manter com um bruxo, um feiticeiro ou um humano.

Segurando o queixo, pousei os dedos de leve sobre a cicatriz de demônio ao lembrar do cuidado atencioso de Kisten ao passar xampu no meu cabelo e ensaboar minhas costas, e de como foi boa a sensação de retribuir o favor. Ele tinha me deixado ficar embaixo do chuveiro durante a maior parte do tempo. Esse tipo de coisa era importante.

O som da porta da frente chamou minha atenção para o relógio. "Ivy estava em casa? Já?" Eu pretendia estar embaixo dos lençóis, fingindo dormir, quando ela chegasse.

– Está acordada, Rachel? – ela disse, alto o bastante para ser ouvida, mas baixo o suficiente para não me acordar se eu estivesse dormindo.

– Na cozinha – gritei. Nervosa, olhei de soslaio para o *pot-pourri*. Era o suficiente. Kisten tinha dito que era. Levantei, liguei o interruptor e me ajeitei. Quando as lâmpadas fluorescentes se acenderam, enfiei os amuletos embaixo do suéter e a ouvi andando no quarto. Seus passos no corredor eram rápidos e sonoros.

– Oi – eu disse quando Ivy entrou vestindo uma roupa de couro apertada e botas de cano alto que a deixavam fenomenal. Ela trazia uma mochila em um braço e um embrulho de seda do tamanho de uma vara de pescar quebrada na mão. Ergui as sobrancelhas ao notar que tinha passado maquiagem. Sua visão era ao mesmo tempo *sexy* e profissional. Aonde ela iria àquela hora da madrugada e vestida daquele jeito?

– O que aconteceu com o jantar na casa dos seus pais? – perguntei.

– Mudança de planos. – Depois de colocar as coisas na mesa, ao meu lado, ela se agachou para vasculhar a gaveta de baixo. – Vim pegar algumas coisas, depois vou sair. – Ainda na altura dos meus joelhos, sorriu para mim, mostrando os dentes. – Volto daqui a algumas horas.

– Tudo bem – eu disse, um tanto confusa. Ela parecia contente. Muito contente.

– Está frio aqui – comentou, tirando três das minhas estacas de madeira, que jogou com um estrépito no balcão perto da pia. – Está com cheiro de que você deixou as janelas abertas.

– Hum, deve ser por causa da porta de madeira compensada. – Franzi a testa quando ela se levantou, puxando a barra da jaqueta de couro para baixo. Atravessando a cozinha com uma velocidade quase perturbadora, abriu a mochila e enfiou as estacas dentro dela. Intrigada, a observei em silêncio.

Ivy hesitou.

– Posso usar? – pediu, entendendo meu silêncio como uma censura.

– Claro. Fique com elas – respondi, sem saber o que ela estava planejando. Eu não a via usando tanto couro desde que havia pego aquele serviço em que salvara uma menina vamp de um ex-namorado ciumento. E eu realmente não queria uma estaca de volta se tivesse sido usada.

– Valeu. – Batendo as botas no piso de linóleo, caminhou até a cafeteira. Franziu o rosto oval, irritada, ao encontrar a garrafa vazia.

– Você tem uma missão? – perguntei.

– Quase isso. – Seu entusiasmo diminuiu e fiquei observando enquanto ela jogava o pó velho fora.

Vencida pela curiosidade, retirei a seda do embrulho para saber o que estava embaixo dela.

– Puta que pariu! – exclamei, ao encontrar uma lâmina de aço com um leve cheiro de óleo. – Onde você conseguiu uma espada?

– Legal, não é? – Sem se virar, Ivy colocou três colheres de café no filtro e ligou a máquina. – E não dá para rastrear, ao contrário de balas e amuletos.

"Ah, que ideia doce e reconfortante."

– Você sabe usar?

Ivy parou de se inclinar no balcão. Recostei-me na cadeira enquanto ela removia o embrulho, segurando o cabo da espada fina e tirando-a da bainha. A espada saiu com um som de aço ressoante que causou um tinido no meu ouvido. Sua postura se desfez elegantemente em uma pose clássica, o braço livre arqueou sobre a cabeça e o braço que segurava a espada se flexionou e se estendeu. Voltado para a parede, o rosto dela era inexpressivo, e o cabelo preto balançou até parar.

"Eu moro com uma maldita guerreira samurai vampira. Isso está ficando cada vez melhor."

– E você *sabe* usar – constatei, com a voz fraca.

Ela me abriu um sorriso ao se endireitar e enfiar a espada de volta na bainha.

– Fiz aulas do quinto ano até o ensino médio – contou, pousando a espada em cima da mesa. – Eu cresci tão rápido que era difícil manter o equilíbrio. Eu vivia topando com as coisas. Ainda mais com as pessoas que me irritavam. É na adolescência que os reflexos mais rápidos começam. O treino ajudava, e acabei pegando gosto.

Lambi o sal dos dedos e afastei a pipoca. Podia apostar que boa parte das aulas era devotada a autocontrole. Mais relaxada porque as velas pareciam estar fazendo efeito, estiquei as pernas embaixo da mesa, querendo um pouco do café. Ivy remexeu o armário de cima em busca da sua garrafa térmica. Olhei para o café sendo passado, torcendo para que ela não levasse a bebida toda.

– Enfim – ela disse, enchendo a garrafa de metal a vácuo com água quente para aquecê-la. – Você parece o vamp que bebeu do gato.

– Como assim? – perguntei, sentindo meu estômago se revirar.

Ivy se virou e enxugou as mãos num pano de prato.

– Nick ligou?

– Não – respondi, categórica.

O sorriso dela se abriu ainda mais. Tirando o cabelo do rosto, disse:

– Que bom. – Então, repetiu mais baixo. – Que bom.

Não queria que a conversa fosse parar nesse assunto. Eu me levantei, limpei a mão na roupa e andei descalça até o fogão para acender o fogo sob o *pot-pourri*. Ivy abriu a porta da geladeira, tirou requeijão e um pacote de roscas. Ela comia como se calorias não existissem.

– Nada de Jenks? – perguntei, embora a resposta fosse óbvia.

– Nada de Jenks. Mas ele conversou comigo. – Os olhos dela estavam franzidos de frustração. – Contei que eu também sabia o que Trent era e falei para ele deixar para lá. Agora Jenks também não quer mais falar comigo. – Ela abriu a tampa do requeijão e passou um pouco na rosca. – Você acha que a gente deveria colocar um anúncio no jornal?

Ergui a cabeça.

– Para substituir o Jenks? – balbuciei.

Ivy deu uma mordida e fez que não com a cabeça.

– Só para dar um susto nele – ela disse, de boca cheia. – Talvez, se ele vir nosso anúncio procurando reforço pixie, venha falar com a gente.

Franzindo a testa, sentei no meu lugar e estendi as pernas para colocar os pés descalços na cadeira vazia.

– Duvido. Ele só mandaria a gente se danar.

Ivy encolheu os ombros.

– Não tem nada que a gente possa fazer até a primavera.

– Acho que não. – Meu Deus, que deprimente! Precisava encontrar um jeito de pedir desculpas para Jenks. Talvez se eu mandasse um telegrama entregue por um palhaço. Talvez se eu fosse o palhaço... – Vou falar com ele de novo – disse. – Levar um pouco de mel. Talvez, se eu deixasse Jenks bêbado, ele me perdoasse por ser tão idiota.

– Pode deixar que eu compro – se ofereceu. – Vi um mel *gourmet* feito de flor de cerejeira japonesa. – Depois de jogar fora a água da garrafa térmica, ela a encheu com todo o café da cafeteira, encerrando o aroma celestial no recipiente de vidro e metal.

Contendo a decepção, tirei os pés da cadeira. Ela obviamente também estava pensando em uma maneira de acalmar o orgulho de Jenks.

– Então, aonde você vai a essa hora da madrugada com uma garrafa térmica de café, uma mochila cheia de estacas e essa espada?

Ivy se recostou no balcão com a graciosidade de uma pantera negra e metade da rosca na mão.

– Preciso acompanhar uns vamps arrogantes. Deixá-los acordados depois da hora de dormir. A espada é só para me exibir, as estacas são para não ser esquecida e o café é para mim mesma.

Fiz uma careta, imaginando como deveria ser horrível ter Ivy te mantendo acordado. Ainda mais se ela se esforçasse. Então arregalei os olhos, somando dois com dois.

– Você está fazendo isso para o Piscary? – perguntei, certa de que tinha razão quando ela desviou o olhar para a janela.

– Sim.

Esperei em silêncio, torcendo para que Ivy falasse alguma coisa. Mas ela não disse nada. Passei os olhos por ela, notando sua postura reservada.

– Seu pai deu algum jeito? – sugeri.

Ela suspirou e se voltou para mim.

– Enquanto eu cuidar dos assuntos dele, o filho da puta vai ficar longe da minha cabeça. – Olhou para a rosca pela metade e, franzindo a testa, caminhou até o lixo e jogou o resto fora.

Fiquei quieta, surpresa por Ivy ter resumido tudo com tanta tranquilidade. Pelo jeito, ela tomou meu silêncio como uma acusação inexistente, e seu rosto sereno pareceu envergonhado.

– Piscary aceitou que eu continuasse usando Kisten como fachada – explicou. – Ele gosta da notoriedade e todas as pessoas importantes vão saber que o que ele diz na verdade vem de mim, quer dizer, do Piscary. Não preciso fazer nada a menos que Kisten se depare com algo de que não consiga dar conta. Daí eu entro com a força bruta para ajudar.

Minha memória se voltou para a noite em que Kisten derrubou sete bruxos com a facilidade e a indiferença de quem quebra uma barra de chocolate. Não conseguia imaginar nada de que ele não conseguisse dar conta, mas então pensei que ele não conseguiria enfrentar vampiros mortos-vivos sem o apoio da força de Piscary.

– E tudo bem para você? – fiz a burrice de perguntar.

– Não – ela disse, cruzando os braços. – Mas foi o que meu pai conseguiu e, se eu não quisesse aceitar a ajuda dele, não deveria ter pedido por ela.

– Sinto muito – murmurei, desejando ter ficado de boca calada.

Mais calma, Ivy atravessou a cozinha e colocou a garrafa térmica junto das estacas.

– Não quero Piscary na minha cabeça – ela disse, chacoalhando a mochila para caber tudo antes de fechar o zíper. – Se eu fizer o que manda, ele vai ficar longe, e vai deixar Erica em paz também. Kisten deveria ser o herdeiro dele, não eu – murmurou. – Ele quer isso.

Concordei distraidamente e os dedos dela se detiveram sobre a bolsa; reconheci em seu rosto os traços do sofrimento da noite em que Piscary a tinha estuprado de diversas formas. Senti um calafrio quando suas narinas se alargaram e seu foco se tornou distante.

– Kisten esteve aqui – ela disse, baixinho.

Meus músculos se retesaram. "Droga. Não consegui esconder dela nem por uma noite."

– Hum, sim – eu disse, aprumando-me na cadeira. – Ele passou aqui atrás de você. "A noite toda, mais ou menos." O arrepio dentro de mim se intensificou quando ela estreitou os olhos, percebendo meu desconforto. Em seguida, virou a cabeça e olhou para o *pot-pourri* no fogão. "Droga de novo."

Com os lábios tensos, ela saiu, batendo os saltos.

O piso de madeira soltou um rangido sonoro quando me levantei.

– Hum, Ivy? – chamei, indo atrás dela.

Perdi o fôlego e parei quando dei de cara com ela no corredor escuro a caminho do santuário.

– Com licença – murmurou, dando a volta por mim com uma velocidade vamp. Sua postura estava tensa e, sob a luz que vinha da cozinha, pude ver suas pupilas dilatando. "Merda. Ela está toda vampirona."

– Ivy? – eu disse para o corredor vazio, enquanto ela entrava na sala. – Sobre o Kisten...

As palavras engasgaram na minha boca e parei à beira do carpete cinza na sala à luz de velas. Ivy estava parada, rígida, diante do sofá. O sofá em que Kisten e eu tínhamos transado. Várias emoções perpassaram seu rosto com uma rapidez assustadora: desconsolo, medo, raiva, traição. Dei um pulo quando ela começou a se mover, apertando o botão de ejetar CDs.

Os cinco CDs saíram. Ivy olhou para eles, cada vez mais tensa.

– Eu vou matar o Kisten – ela disse, tocando no CD do Jeff Buckley.

Horrorizada, abri a boca para protestar, mas não consegui dizer nada diante da fúria sombria e densa em seu rosto.

– Vou matar o Kisten duas vezes – acrescentou. Ela sabia. De algum modo, ela sabia.

Meu coração bateu mais forte.

– Ivy – comecei, ouvindo o medo em minha voz. E, com isso, acionei seus instintos. Com um grito abafado, recuei, mas era tarde demais.

– Cadê? – ela murmurou, furiosa, com os olhos arregalados e selvagens ao chegar perto de mim.

– Ivy... – Dei de costas na parede e tirei sua mão de mim. – Ele não me mordeu.

– Onde foi?!

A adrenalina disparou pelo meu corpo. Sentindo o cheiro, ela estendeu a mão. Seus olhos estavam negros e vazios. Foi apenas por causa da nossa última briga que consegui bloquear sua mão e passar por debaixo de seu braço, indo parar no meio da sala à luz de velas.

– Para trás, Ivy! – exclamei, tentando não me posicionar de maneira defensiva. – Ele não me mordeu! – Mas não tive tempo de respirar quando ela pulou em cima de mim, puxando a gola do meu suéter.

– Onde ele te mordeu? – perguntou, com a voz rouca e trêmula. – Vou matar o Kisten. Vou acabar com a raça dele! Estou sentindo o cheiro dele em você toda!

A mão dela desceu para a barra do meu suéter.

Isso me fez entrar em pânico, e agi por instinto.

– Ivy! Chega! – berrei. Aterrorizada, captei a linha. Ela estendeu a mão, com o rosto desfigurado pela fúria. A linha encheu meu *chi*, ardente e descontrolada. Uma explosão de energia se acendeu como uma chama em minhas mãos, já que eu não as tinha protegido com um amuleto.

Nós duas gritamos quando uma camada negra e dourada de todo-sempre se expandiu, vinda de mim, fazendo Ivy cair para trás, de costas para a porta de madeira compensada. Ela caiu no chão, estatelada, com os braços sobre a cabeça e as pernas tortas. As janelas tremeram com a explosão. Balancei para trás antes de recuperar o equilíbrio. A raiva substituiu o medo. Não ligava se ela tinha ou não razão.

– Ele não me mordeu! – gritei, parada sobre ela, assoprando o cabelo da frente da minha boca. – Certo? Nós transamos. Tudo bem? Meu Deus, foi só sexo!

Ivy tossiu e, com o rosto vermelho e sem ar, tomou fôlego. A tábua de madeira compensada atrás dela estava rachada. Abanando a cabeça, ela ergueu os olhos ainda desfocados, mas não se levantou.

– Ele não te mordeu? – perguntou, com a voz rouca e o rosto sombrio sob a luz das velas.

Minhas pernas tremiam por causa da adrenalina.

– Não! – exclamei. – Você acha que sou idiota?

Claramente abalada, ela olhou de viés para mim. Respirando devagar, limpou o lábio inferior com o dorso da mão. Senti um frio na barriga quando a mão dela ficou vermelha de sangue. Ivy olhou fixamente para o sangue, então ajeitou as pernas sob si e se levantou. Respirei mais calma quando pegou um lenço de papel, limpou a mão e amassou o lenço.

Ela estendeu o braço, e dei um pulo para trás.

– Não me toque! – eu disse, e ela ergueu a mão em sinal de paz.

– Desculpa. – Olhou para a madeira rachada, então fez uma careta ao sentir a dor nas costas. Arrumou o casaco com cuidado e, voltando os olhos para mim, respirou fundo. Meu coração bateu no ritmo da minha dor de cabeça. – Você dormiu com Kisten e ele não te mordeu? – perguntou.

– Sim. E não, ele não me mordeu. Olha, se você me tocar de novo, vou sair por aquela porta de vez. Que saco, Ivy. Pensei que isso estivesse claro entre a gente!

Fiquei esperando um pedido de desculpas ou algo do tipo, mas tudo que ela fez foi me olhar interrogativamente.

– Tem certeza? Você pode nem ter notado se ele mordeu seu lábio.

Eu me arrepiei e passei a língua atrás dos lábios.

– Kisten usou capinhas – contei, sentindo-me mal com a facilidade com que ele poderia ter me enganado. Mas não me enganou.

Ivy pestanejou. Devagar, se sentou na ponta do sofá, com os cotovelos nos joelhos e a testa apoiada nas mãos. Seu corpo esbelto parecia vulnerável sob a luz das três velas na mesa. Merda. De repente me ocorreu que, além de ela querer ter uma relação mais íntima comigo, Kisten era seu ex-namorado.

– Ivy? Você está bem?

– Não.

Cautelosamente, sentei na poltrona diante dela, com o canto da mesa entre nós. Aquela situação era uma bela de uma merda. Xinguei em silêncio e estendi o braço.

– Ivy. Caramba, que situação esquisita.

Ela se assustou com o peso da minha mão em seu braço, erguendo os olhos assustadoramente duros. Tirei a mão e a deixei como um peso morto no meu colo. Sabia que não deveria tocar em Ivy, pois ela queria mais do que um mero toque. Mas ficar sentada com as mãos abanando seria muita frieza.

– Meio que aconteceu.

Ivy tocou o lábio para ver se tinha parado de sangrar.

– Foi só sexo? Você não deu seu sangue para ele?

A vulnerabilidade em sua voz me pegou de surpresa. Deixei a cabeça cair. Eu me sentia uma boneca de olhos arregalados e cabeça oca.

– Desculpa – eu disse. – Pensei que você e Kisten... – Hesitei. O problema não era o sexo, mas o sangue que ela achava que eu tinha dado a ele. – Pensei que você e Kisten não tinham mais uma relação formal – concluí, atrapalhada, sem saber se tinha definido a situação nos termos certos.

– Não divido sangue com Kisten, exceto em raras ocasiões, quando ele leva um fora e precisa de um rebote – ela declarou, baixinho, com a voz sedosa. Mas não ergueu os olhos. – Sangue não é sexo, Rachel. É uma maneira de demonstrar que você gosta de alguém. De demonstrar... amor.

Ivy estava quase sussurrando. Minha respiração acelerou. Senti que estávamos nos equilibrando no fio da navalha, o que me deixou morta de medo.

– Como você pode dizer que sexo não é sangue se você não transa com ninguém? – questionei, com a voz mais rude do que pretendia graças à adrenalina. – Meu Deus, quando foi a última vez que você transou sem sangue?

Só então Ivy ergueu a cabeça, surpreendendo-me com o temor em seus olhos. Ela não estava com medo só porque achava que eu tinha dado sangue para Kisten, e sim porque temia as respostas que eu exigia dela. Acho que nunca tinha enfrentado essas perguntas antes, mesmo no caos que seus desejos a deixavam. Senti calor, e então frio. Erguendo os joelhos na altura do queixo, aconcheguei os calcanhares nus contra o corpo.

– Certo – ela disse, depois de respirar fundo mais uma vez, e eu soube que a próxima coisa que diria seria a mais pura verdade. – Você tem razão neste ponto. Eu normalmente junto sangue com sexo. É assim que eu gosto. É instintivo. Rachel, se pelo menos você... – interrompeu a si mesma, erguendo as mãos dos joelhos.

Eu me senti empalidecer. Balancei a cabeça e ela desistiu do que ia dizer. Pareceu se acalmar, soltando a tensão.

– Rachel, não é a mesma coisa – completou, com a voz fraca e os olhos castanhos suplicantes.

Minha mente se voltou para Kist. O formigamento na minha cicatriz desceu até a virilha e acelerou ainda mais a minha respiração. Engolindo em seco, tentei abafar a sensação. Recuei, contente por haver uma mesa entre nós.

– É o que Kisten diz, mas não consigo separar as coisas. E acho que você também não.

O rosto de Ivy ficou vermelho, e eu sabia que estava certa.

– Caramba, Ivy. Também não estou falando que é errado serem a mesma coisa. Pô, faz sete meses que a gente mora junto. Você não acha que já saberia se eu achasse errado? Mas não é assim que *eu* funciono. Você é a melhor amiga que eu já tive na vida, mas não vou dividir a cama com você e nunca vou te deixar beber meu sangue. – Tomei fôlego. – Não é isso que eu quero. E não posso levar a vida fugindo de uma relação de verdade com alguém porque ela pode ferir seus sentimentos. Falei para você que não vai rolar nada entre a gente, e ponto. Talvez... – Eu me senti mal. – Talvez eu devesse me mudar.

– Se mudar?

Foi quase um suspiro de desalento e meus olhos começaram a lacrimejar. Com os dentes cerrados, olhei fixamente para a parede. Os últimos sete meses tinham sido os mais aterrorizantes e assustadores – mas também os melhores – da minha vida. Não queria partir, e não só porque Ivy me protegia de ser mordida e possuída por um vampiro. Ficar ali não faria bem para nenhuma de nós duas se ela não conseguisse me esquecer.

– Jenks foi embora – eu disse, com a voz baixa para não embargar. – Acabei de dormir com seu ex-namorado. Não é justo eu ficar aqui se nunca vai haver nada além de uma amizade entre a gente. Ainda mais agora que Skimmer voltou. – Olhei para a porta quebrada, com ódio de mim mesma. – A gente deveria parar com tudo isso.

Meu Deus, por que eu estava quase chorando? Eu não podia dar nada do que ela precisava tão desesperadamente. Skimmer poderia – e queria. Eu deveria ir embora. Mas, quando ergui os olhos, fiquei surpresa ao encontrar o brilho das velas refletido em uma lágrima no canto de seu olho.

– Não quero que você vá embora – ela disse, e o nó na minha garganta ficou maior. – Uma boa amizade é motivo suficiente para ficar, não? – murmurou, com os olhos tão cheios de sofrimento que uma lágrima rolou pelo seu rosto.

– Droga. – Passei o dedo sob meu olho. – Olha o que você me fez fazer.

Ela estendeu o braço e segurou meu punho, me dando um susto. Olhei para Ivy quando ela puxou minha mão e tocou, com os lábios, meus dedos úmidos de lágrimas. Ela fechou os olhos e tremeu os cílios. Senti a adrenalina crescer dentro de mim. Meu coração acelerou com a lembrança do êxtase induzido por vampiros.

– Ivy? – eu disse, com a voz fraca, puxando a mão.

Ela me soltou. Meu coração bateu mais forte quando respirou devagar, cheirando o ar com seus sentidos, lendo minhas emoções com seu cérebro fenomenal, interpretando o equilíbrio entre o que eu poderia ou não fazer. Eu não queria saber o resultado de seus cálculos.

– Vou fazer minhas malas – concluí, com medo de que ela pudesse saber mais sobre mim do que eu mesma.

Seus olhos se abriram. Pensei ter visto um tênue brilho de veemência.

– Não – pediu, recuperando o primeiro indício de resolução. – Nós duas fazemos merda quando ficamos sozinhas, e não estou falando só da maldita firma. Prometo que não vou pedir nada além da sua amizade. Por favor... – Respirou fundo. – Por favor, não vá embora por causa disso, Rachel. Faça o que quiser com Kist. Ele é um cara legal e sei que não vai te machucar. – Só... – Prendeu o ar e sua determinação vacilou. – Só esteja aqui quando eu voltar para casa hoje, está bem?

Assenti com a cabeça. Sabia que ela não estava pedindo só por aquela noite, e eu também não queria ir embora. Eu adorava aquele lugar: a cozinha, o jardim, o lado descolado de morar em uma igreja. O fato de ela valorizar nossa amizade significava muito para mim e, depois de evitar amizades verdadeiras durante anos por causa do que tinha acontecido com meu pai, ter uma melhor amiga significava muito para mim também. Certa vez, ela tinha ameaçado retirar a proteção de que eu precisava tão desesperadamente caso eu fosse embora. Mas não agora. Eu estava com medo de procurar o motivo, com medo de que tivesse alguma relação com a leve comoção que eu tinha sentido quando ela beijou minha lágrima.

– Obrigada – agradeceu, e congelei quando se debruçou sobre a mesa para me dar um abraço rápido. O cheiro de amêndoas e couro dominou os meus sentidos. – Se Kisten conseguir te convencer de que sangue e sexo não são a mesma coisa, promete que me avisa?

Fiquei olhando para ela. A lembrança do beijo entre Ivy e Skimmer passou rapidamente pela minha cabeça.

Parecendo satisfeita, ela me soltou, se levantou e entrou na cozinha.

– Ivy – murmurei, triste e aturdida demais para falar mais alto, e sabendo que conseguiria me ouvir. – Quantas regras a gente está quebrando?

Ela hesitou ao surgir no corredor, com a mochila e a espada na mão, vacilante e sem responder à minha pergunta.

– Volto antes do nascer do sol. Talvez a gente possa jantar mais tarde? Fofocar sobre Kisten e comer lasanha? Na verdade, ele é um cara legal, vai te fazer bem. – Depois de abrir um sorriso constrangido, ela saiu.

Sua voz trazia um tom de pesar, mas eu não sabia dizer se era por ter me perdido ou por ter perdido Kisten – nem queria saber. Fiquei olhando fixamente para o carpete, sem ver as velas ou sentir o cheiro de cera e perfume quando o estrondo distante da porta da frente mudou a pressão do ar. Como a minha vida tinha ficado tão complicada? Tudo que eu tinha desejado era me demitir da SI, ajudar algumas pessoas e fazer algo com a minha vida e com a minha formação acadêmica. Mas, desde então, eu tinha encontrado (e afastado) meu primeiro namorado de verdade em anos, insultado um clã de pixies, me tornado a noiva de Ivy e transado com um vampiro vivo. Isso sem falar nas duas ameaças de morte a que sobrevivera ou da minha situação precária com Trent. Que diabos eu estava fazendo?

Eu me levantei e andei cambaleante até a cozinha, com o rosto frio e as pernas trêmulas. Erguendo os olhos ao ouvir o som da água corrente, congelei de medo. Algaliarept estava diante da pia enchendo uma chaleira de cobre já com gotas de água condensada.

– Boa noite, Rachel – ele disse, sorrindo com os dentes lisos. – Você não se importa se eu preparar um chá, não é? A gente tem muito a fazer antes do nascer do sol.

Ai, meu Deus. Eu tinha me esquecido disso.

Vinte e três

– Saco! – praguejei, andando para trás. O santuário. Se eu conseguisse alcançar o solo sagrado, ele não seria capaz de me tocar. Soltei um grito agudo quando sua mão pesada desceu sobre meu ombro. Eu me virei e arranhei a cara do demônio. Ele se transformou em névoa, e perdi o equilíbrio quando sua mão desapareceu. Mas em um instante surgiu no chão e me puxou pelo tornozelo, fazendo-me tombar. – Me solte! – gritei com a voz áspera enquanto o chutava.

Ele me girou, me empurrando contra a geladeira. Seu rosto longo assumiu um tom pálido e seus olhos vermelhos de cabra ardiam por sobre os óculos esfumaçados. Tentei me levantar, mas Al atacou, me chacoalhando tão forte que rangi os dentes. O demônio me empurrou e caí contra o balcão central como uma boneca de pano. Tentando me recuperar, me virei e coloquei a mão sobre o balcão, com os olhos arregalados e o coração acelerado. Eu era tão idiota. "Tão idiota!"

– Se você correr de novo, vou considerar uma brecha do pacto – disse tranquilamente. – Esse é o seu aviso. Pode correr. Vai facilitar bastante as coisas.

Trêmula, me segurei no balcão buscando equilíbrio.

– Vá embora – ordenei. – Eu não te invoquei.

– Não é mais tão simples assim – ele disse. – Passei um dia todo na biblioteca, e achei precedentes. – Sua pronúncia meticulosa assumiu um tom ainda mais burocrático ao colocar os punhos cerrados contra a roupa de veludo verde e citar: – "Se o supracitado familiar estiver localizado em um ponto beta por motivo de empréstimo ou acontecimento similar, o mestre pode buscá-lo para a realização de deveres." Você abriu a porta ao captar uma linha. E, como eu tenho uma tarefa para você, vou ficar aqui até terminá-la.

Senti uma ânsia de vômito violenta.

– O que você quer? – Havia um pote de feitiço sobre o meu balcão cheio de uma infusão amarelo-âmbar cheirando a gerânio. Eu não esperava que ele fosse trazer a tarefa para mim.

– O que você quer... mestre? – Al provocou, sorrindo com os dentes grossos e maciços.

Coloquei o cabelo atrás da orelha.

– Quero que você dê o fora da minha cozinha.

Seu sorriso não vacilou em momento algum e, com um movimento forte, ele me deu um tapa com o dorso da mão. Abafei um grito, perdendo o equilíbrio. A adrenalina disparou quando Al agarrou meu ombro, fazendo-me continuar em pé.

– Que graça, você – murmurou com uma elegância britânica que me causou um calafrio. Seus traços formosos e bem delineados ficaram rígidos. – Diga.

O gosto acre de sangue tocou minha língua. Contra o balcão, minhas costas começaram a doer.

– O que você quer, ó grandioso mestre do caralho alado?

Não tive tempo de desviar quando ele me deu um tapa com a palma da mão. A dor disparou pelo meu rosto e tombei no chão. Fiquei de cara com suas botas de fivela prateada. Al estava usando meias brancas ornadas com renda no ponto em que encontravam a calça.

Senti náusea. Toquei minha bochecha, que ardia, e o odiei cada vez mais. Tentei me levantar, mas não consegui, pois ele colocou o pé sobre meu ombro e me forçou a ficar no chão. Sentindo ainda mais ódio, joguei o cabelo para o lado para poder ver seu rosto. "Que diferença faz?"

– O que você quer, mestre?

Eu estava prestes a vomitar. Seus lábios finos se curvaram em um sorriso e, puxando a renda das luvas, se inclinou para me ajudar a levantar. Recusei a ajuda, mas Al me puxou para cima tão rápido que fiquei contra ele, sentindo o cheiro de veludo e âmbar queimado.

– Eu quero isso – murmurou, passando a mão insinuante sobre meu suéter.

Meu coração acelerou. Fiquei dura e cerrei os dentes. "Vou matar o Al. Não sei como, mas eu vou."

– Que conversa comovente a que teve com a sua colega de quarto – ele disse, e estremeci quando sua voz se transformou na de Ivy.

O todo-sempre caiu diante de mim quando a aparência do demônio se alterou sem que ele deixasse de me tocar. Seus olhos de cabra me encararam do rosto perfeito de Ivy. Alta e magra, a imagem de seu corpo vestido de couro se pressionou contra mim, prendendo-me de costas para o balcão. Da última vez, ele tinha me mordido. "Ai, Deus. De novo não."

– Mas talvez você prefira isso – ele disse na voz sedosa dela, e minhas costas começaram a suar.

O longo cabelo liso de Ivy roçou na minha bochecha, seu murmúrio suave fazendo surgir um calafrio incontrolável onde nossos corpos se tocavam. Al se aproximou até que eu me retraísse.

– Não tente me afastar – Al disse na voz dela, e minha determinação cresceu. Ele era nojento. Ele era um filho da puta nojento. Eu mataria aquele demônio por causa daquilo. – Desculpe, Rachel... – murmurou, com os dedos longos queimando e causando formigamento onde tocavam, traçando uma linha do ombro até o quadril. – Eu não estou brava. Entendo que você esteja com medo. Mas as coisas que eu poderia te ensinar... se você soubesse a paixão que poderíamos encontrar juntas.

Sua respiração vacilou. Os braços de Ivy estavam em torno de mim, frios e leves, puxando-me suavemente e contra a minha vontade. Conseguia sentir o forte aroma de cinzas e incenso obscuro dela. Ele a imitava perfeitamente.

– Deixa eu te mostrar? – o rosto de Ivy murmurou, e fechei os olhos. – Só um pouquinho... sei que vou te fazer mudar de ideia.

Al estava implorando, carregado pelos desejos vulneráveis dela. Era tudo que ela não tinha dito, tudo que ela nunca diria. Meus olhos se abriram quando a cicatriz ganhou vida. "Meu Deus, não." O calor correu até minha virilha. Meus joelhos vacilaram e tentei me desvencilhar. O vermelho dos olhos do demônio se transformou em castanho-claro, e suas mãos me seguraram com mais firmeza, puxando-me para perto até que seu hálito soprasse no meu pescoço.

– Com delicadeza, Rachel – a voz dela murmurou. – Posso ser muito delicada. Posso ser tudo que um homem não pode ser. Tudo que você quer. Basta uma palavra, Rachel. Diz que sim?

Eu não conseguia... não conseguia lidar com aquilo agora.

– Você não tinha uma coisa para eu fazer? – perguntei. – O sol vai nascer daqui a pouco e preciso ir para a cama.

– Devagar – sussurrou, com o hálito cheirando a laranjas, como Ivy. – Só existe uma primeira vez.

– Me solte – eu disse com firmeza. – Você não é Ivy e eu não estou interessada.

Os olhos escuros e apaixonados da vamp se estreitaram, mas Al estava interessado em algo acontecendo por sobre meu ombro, e achei que não tinha a ver com as minhas palavras. O demônio me soltou, e cambaleei até recuperar o equilíbrio. Um lampejo de todo-sempre caiu sobre ele, transformando seus traços na aparência habitual de um jovem lorde britânico do século XVIII. Os óculos voltaram, escondendo seus olhos, e ele os ajustou sobre o nariz fino.

– Que esplêndido – comemorou, retomando o sotaque. – Ceri!

Ouvi o estrondo distante da porta da frente sendo aberta.

– Rachel! – gritou a voz dela, sonora e amedrontada. – Ele está deste lado da linha!

Com o coração acelerado, me virei. Tomei fôlego para avisá-la, mas já era tarde. Minha mão estendida se deixou cair quando Ceri avançou para dentro da cozinha, com o vestido branco simples enrolando-se nos pés descalços ao parar sob o arco. Com os olhos verdes arregalados e expressivos, a elfa levou a mão ao crucifixo de Ivy em seu peito.

– Rachel... – ela murmurou, abaixando os ombros em desalento.

Al deu um passo à frente e Ceri rodopiou feito uma dançarina, com o pé erguido e o cabelo solto ondeante. Ela recitou um poema inaudível e obscuro, e uma onda de energia de linha surgiu entre nós. Com o rosto pálido e segurando os braços, ela o encarou, tremendo dentro de seu pequeno círculo.

O demônio imponente sorriu, radiante, endireitando a renda no colarinho.

– Ceri. Que esplêndido te ver por aqui. Senti sua falta, querida – ele disse, quase num murmúrio.

O queixo da jovem tremeu.

– Bana esse demônio, Rachel – ela disse, com um medo óbvio.

Tentei engolir em seco, mas não consegui.

– Eu captei uma linha. Ele achou precedência. Ele tem uma tarefa para mim.

Os olhos dela se arregalaram.

– Não...

Al franziu a testa.

– Fazia mil anos que eu não entrava na biblioteca. Ficaram cochichando pelas minhas costas, Ceri. Precisei renovar meu cartão. Foi extremamente constrangedor. Todos sabem que você foi embora. Zoë está fazendo meu chá. É o chá mais horrível que já tomei. Ele não consegue segurar a colher de açúcar só com dois dedos. Volte para mim. – Seu rosto aprazível se franziu em um sorriso. – Vou fazer valer sua alma.

Ceri deu um passo para trás. Com a cabeça erguida, disse, com altivez:

– Meu nome é Ceridwen Merriam Dulciate.

Al soltou um suspiro contente e, tirando os óculos, apoiou os cotovelos no balcão. Dirigindo um olhar zombeteiro para mim, murmurou:

– Ceri, faça a gentileza de preparar um chá.

Meu queixo caiu quando a elfa abaixou a cabeça e deu um passo à frente. Al riu baixinho quando ela soltou um grito de repulsa e parou à beira do círculo.

Com os pequenos punhos cerrados, ela bufou de raiva.

– É difícil perder velhos hábitos – ele ironizou.

Minha raiva aumentou. Mesmo fora do seu domínio, ela continuava nas mãos dele.

– Deixe a garota em paz – gritei.

De repente, sua mão me atingiu. Dei de cara com o balcão, sentindo o queixo arder. Sem fôlego, me debrucei sobre o apoio, com o cabelo caindo em torno do rosto. Estava ficando cansada daquilo.

– Não bata nela! – Ceri exclamou, com a voz alta e cheia de rancor.

– Isso te incomoda? – ele ironizou. – Rachel é mais movida pela dor do que pelo medo. O que é bom: a dor mantém uma pessoa viva por mais tempo do que o medo.

Minha dor se transformou em ódio. Al ergueu a sobrancelha, me desafiando a levantar a voz enquanto eu tomava fôlego. Seus olhos de cabra se voltaram para o tonel que trouxera consigo. O negócio era do tamanho de uma cabeça.

– Vamos começar?

Olhei para o recipiente, reconhecendo a infusão pelo cheiro. O líquido transformava uma pessoa em familiar. O medo tomou conta de mim e coloquei os braços ao redor do corpo.

– Já estou coberta por sua aura – eu disse. – Me obrigar a beber isso não vai mudar nada.

– Não pedi sua opinião.

Dei um pulo para trás quando ele se moveu. Com um sorriso, estendeu a cesta que tinha aparecido em sua mão um segundo antes. Senti o cheiro de cera.

– Prepare as velas – ordenou, rindo da minha reação rápida.

– Rachel... – Ceri murmurou, mas não conseguia olhar para ela. Eu tinha prometido ser familiar de Al e agora teria que cumprir a promessa. Angustiada, pensei em Ivy enquanto colocava as velas verdes opalescentes nos lugares marcados por esmalte preto. Por que eu não conseguia fazer boas escolhas na vida?

Minha mão vacilou na última vela. Havia buracos nela, como se algo tivesse tentado romper o círculo através do objeto. Algo com garras grandes e afiadas.

– Rachel! – o demônio vociferou, e dei um pulo. – Você não combinou as velas com os topônimos.

Ainda segurando a última vela, olhei para Al sem entender. Atrás dele, Ceri lambeu os lábios, apreensiva.

– Você não sabe os topônimos delas – o demônio acrescentou. Sacudi a cabeça, sem querer apanhar de novo, mas ele só suspirou. – Eu mesmo coloco quando for acender – resmungou, enquanto seu rosto pálido assumia um tom rubro. – Esperava mais de você. Pelo jeito, anda gastando tempo com magia de terra e descuidando das artes de linhas de ley.

– Eu sou uma bruxa da terra – eu disse. – Por que me incomodaria com as outras artes?

Ceri avançou quando ele ameaçou me bater de novo, balançando o cabelo quase translúcido.

– Deixe-a ir, Algaliarept. Você não a quer como familiar.

– Você está se oferecendo para assumir o lugar dela? – ele zombou, e tomei um fôlego, com medo de que Ceri pudesse se oferecer.

– Não! – gritei, e ele riu.

– Não chore, Rachel querida – ele murmurou em um tom sentimental, e recuei quando passou o dedo pelo meu queixo, descendo pelo meu braço para pegar a última vela da minha mão. – Eu mantenho meus familiares até aparecer alguma coisa melhor e, apesar de ser ignorante como um sapo, você consegue conter quase o dobro de energia de linha do que ela. – Ele me lançou um olhar maldoso. – Sorte a sua.

Batendo as mãos, Al girou, sacudindo a aba do fraque.

– Agora preste atenção, Rachel. Amanhã você vai acender minhas velas. Estas palavras movem tanto mortais quanto deuses, tornando todos iguais, e são capazes de manter meu círculo até mesmo contra Newt.

"Ah, que ótimo."

– *Salax* – ele disse ao acender a primeira vela com o círio fino e vermelho que tinha surgido em sua mão. – *Aemulatio*. – Acendeu a segunda. – *Adfictatio, cupidus* e, a minha preferida, *inscitia* – proferiu ao acender a última. Sorrindo, fez desaparecer o círio ainda aceso. Senti que ele captava uma linha e, com uma espiral translúcida vermelha e preta, seu círculo cresceu, se fechando sobre nossa cabeça. Minha pele formigou com a força do círculo e envolvi os braços em torno do corpo.

"Essa é uma das minhas coisas favoritas", ouvi Al falar pela minha mente, e contive uma risada histérica. Eu ia ser a familiar de um demônio. Não tinha como fugir agora.

Ele ergueu a cabeça com o som embargado, e o rosto de Ceri ficou firme.

– Algaliarept – ela implorou. – Você está exigindo demais de Rachel. A vontade dela é muito forte para se dobrar tão facilmente.

– Eu acabo com meus familiares como eu bem entender – ele disse, com calma. – Basta ensinar alguns princípios básicos que ela vai aceitar tão bem quanto chuva no deserto. – Com uma mão no quadril e outra coçando o queixo, ele me olhou especulativamente. – Hora do banho, querida.

Algaliarept estalou os dedos com a graça de um apresentador de TV e, em seguida, abriu a mão, de onde surgiu um balde feito de cedro. Arregalei os olhos quando ele jogou o conteúdo em mim.

Levei um banho de água fria e soltei o ar em um grito indignado. O balde continha água salgada, que ardeu em meus olhos e caiu dentro da minha boca. De repente, entendi. Ele estava se certificando de que eu não tinha nenhuma poção que pudesse contaminar o feitiço.

– Eu não uso poções, seu merdinha verde! – gritei, tremendo os braços nas mangas encharcadas.

– Viu? – Al estava visivelmente contente. – Bem melhor.

A leve dor nas minhas costelas reapareceu quando o amuleto contra dor se quebrou. A água estava molhando meus livros de feitiços; se eu sobrevivesse àquilo, teria que colocar os livros para arejar. Aquele sacana.

– Ahhh, seu olho está bem melhor – ele disse, estendendo a mão para tocá-lo. – Andou comendo o Enxofre da sua colega de quarto, hein? Espere só para experimentar Enxofre de verdade. Vai te deixar louquinha.

Dei um pulo para trás quando sua mão cheirando a lavanda tocou a minha pele, e, logo em seguida, segurou o meu cabelo. Gritando, ergui o pé para chutá-lo, mas ele o segurou mais rápido do que eu poderia acompanhar. Compadecida, Ceri observava enquanto eu me debatia, desamparada. Segurando meu pé no alto, Al me empurrou contra o balcão. Seus óculos tinham caído, e ele sorriu para mim com um prazer dominador.

– Vai ser do jeito difícil, então – murmurou. – Que maravilha.

– Não! – exclamei, quando uma tesoura surgiu reluzindo em sua mão.

– Fique parada – ordenou, soltando meu pé e me prendendo contra o balcão.

Eu me debati e cuspi na sua cara, mas ele me segurou contra o balcão, e não havia nada que eu pudesse fazer. Entrei em pânico ao ouvir o som de metal. Ele se transformou em névoa, me soltando, e caí no chão.

Logo em seguida, sua mão agarrou meu cabelo, e me levantei com dificuldade.

– Pare! Pare agora! – gritei, alternando a atenção entre seu sorriso e o chumaço que ele tinha cortado do meu cabelo. Saco, tinha pelo menos uns dez centímetros de comprimento. – Você sabe quanto tempo demora para o meu cabelo crescer?

Al olhou de soslaio para Ceri enquanto a tesoura desaparecia e ele jogava meu cabelo na poção.

– Ela está preocupada com o cabelo?

Voltei o olhar para os fios ruivos flutuando sobre a infusão de Al e, parada ali, com o suéter encharcado, congelei. Aquela poção não era para me dar mais da sua aura. Era para dar a minha aura para ele.

– Ah, de jeito nenhum! – exclamei, recuando. – Não vou te dar minha aura!

Al pegou uma colher de cerâmica pendurada sobre o balcão central e, com ela, afundou os fios de cabelo na poção. Vestindo renda e veludo, o demônio possuía uma elegância refinada, asseada e cortês que era humanamente impossível.

– É uma recusa, Rachel? – ele perguntou. – Por favor, diga que foi!

– Não – murmurei. Não havia nada que eu pudesse fazer. Nada.

– Agora seu sangue, para acelerar o processo, querida – ele disse, alargando o sorriso.

Com o coração acelerado, olhei para a agulha entre seu polegar e seu indicador e então para a bacia. Se eu corresse, pertenceria a ele. Se eu ficasse e fizesse aquilo, ele poderia me usar através das linhas. Droga, droga e droga.

Ignorando esses pensamentos, peguei a agulha de prata sem brilho. Minha boca ficou seca com o peso. Dotada de um acabamento esmerado, ela era do tamanho da minha mão. A ponta era feita de cobre, de modo que o encanto não sofria interferência da prata. Olhando mais de perto, senti meu estômago se revirar. Havia um corpo nu desfigurado e contorcido no cilindro.

– Meu Deus – murmurei.

– Ele não está ouvindo. Está muito ocupado – o demônio tirou sarro.

Fiquei rija. Al tinha aparecido atrás de mim e estava murmurando em meus ouvidos.

– Termine a poção, Rachel. – Seu hálito era quente na minha bochecha, e não consegui me mover, porque ele puxou meu cabelo para trás. Um calafrio perpassou meu corpo quando virou a cabeça e se aproximou. – Termine... – murmurou, roçando os lábios na minha pele. Eu conseguia sentir o cheiro de goma e lavanda.

Com os dentes cerrados, segurei a agulha e a enfiei na minha pele. Soltei a respiração e prendi de novo. Pensei ter ouvido o choro de Ceri.

– Três gotas – Al murmurou, envolvendo meu pescoço com os braços.

Minha cabeça doía. Com o coração batendo forte, coloquei o dedo sobre o tonel e deixei três gotas caírem dentro dele. Senti o aroma de sequoia, que, por um breve momento, se sobrepôs ao cheiro nauseante de âmbar queimado.

– Hummm, que suculento. – Sua mão envolveu a minha, tomando a agulha. Ela desapareceu em uma névoa de todo-sempre e ele segurou meu dedo que sangrava. – Me deixa experimentar?

Virei para trás o máximo que pude, com o braço estendido entre nós.

– Não.

– Deixe-a em paz! – Ceri suplicou.

Aos poucos, o aperto de Al no meu punho foi diminuindo. Ele me olhou com uma nova tensão crescendo dentro de si.

Tirei a mão de seu domínio e dei outro passo para trás. Envolvi meu corpo com os braços, sentindo frio, embora o aquecedor soprasse nos meus pés descalços.

– Vá para o espelho – ele mandou, com o rosto inexpressivo sob os óculos esfumaçados.

Voltei o olhar para o espelho que esperava por mim no chão.

– Não... eu não posso – disse, baixinho.

Al mordeu os lábios finos, e cerrei os dentes para me calar quando ele me agarrou e me colocou sobre o espelho.

– Ai, Deus, ai, Deus – gemi, querendo me apoiar no balcão, mas Al estava no caminho, sorrindo de orelha a orelha.

– Tire sua aura – ordenou.

– Não posso – respondi, ofegante.

Al abaixou os óculos sobre o nariz fino e olhou para mim por sobre eles.

– Não tem problema. Está dissolvendo feito açúcar na água.

– Não – murmurei. Meus joelhos começaram a tremer e o latejar na minha cabeça piorou. Eu conseguia sentir minha aura saindo e a de Al se apoderando de mim com mais força.

– São os juros – o demônio disse, com os olhos de cabra apontados para o espelho.

Meu olhar seguiu o dele, e coloquei a mão na barriga. Eu podia me ver nele. Meu rosto estava coberto pela aura de Al, negra e vazia. Só apareciam meus olhos, brilhando com uma luz tênue. Era minha alma, tentando criar aura suficiente para se colocar entre mim e a de Al. Não era o suficiente, pois o espelho sugou tudo e pude sentir a presença do demônio em mim.

Notei que eu estava ofegando. Imaginei como teria sido para Ceri, tendo perdido a alma por completo e com a aura de Al dentro dela o tempo todo, alheia e errada.

Eu tremia. Com as mãos na boca, procurei desesperadamente por algo em que vomitar. Sentindo ânsia, recuei do espelho. Eu não iria vomitar. De jeito nenhum.

– Maravilha – Al disse enquanto eu me recolhia, com os dentes cerrados e a bílis subindo. – Você colocou tudo. Deixe que eu ponho na tina para você.

Sua voz estava alegre e animada, e, quando olhei para ele por entre os fios do meu cabelo, Al colocou o espelho na poção, fazendo-a se iluminar. Exatamente como eu sabia que iria acontecer.

Ceri estava sentada no chão, chorando com a cabeça apoiada nos joelhos. Ela ergueu a cabeça, e pensei que ficava ainda mais bonita com lágrimas nos olhos. Eu sempre ficava feia quando chorava.

Levei um susto quando um livro grosso e amarelado caiu no balcão ao meu lado. A luz que entrava pela janela estava começando a ficar mais forte, mas o relógio informava que ainda eram cinco da manhã. Faltavam três horas para o nascer do sol e para que aquele pesadelo chegasse ao fim, a menos que Al terminasse antes.

– Leia.

Ao abaixar os olhos, reconheci o livro. Era aquele que eu tinha encontrado no sótão, aquele que Ivy disse não ter sido um dos livros que ela colocara lá para mim. O mesmo que eu tinha dado para Nick guardar depois que, sem querer, usei-o para transformá-lo em meu familiar – e que, mais tarde, Al roubou de nós. O livro que Algaliarept escreveu para transformar pessoas em familiares de demônio. "Merda."

Engoli em seco. Meus dedos ficaram pálidos quando os pousei sobre o texto, descendo até encontrar o encantamento. Estava escrito em latim, mas eu sabia a tradução.

– Um pouco para você, mas tudo para mim. Prenda meus laços feitos por apelo, sim?

– *Pars tibi, totum mihi* – Al disse, sorrindo. – *Vinctus vinculuis, prece fractis.*

Meus dedos começaram a tremer.

– Lua segura, luz antiga e sã. Caos decretado, tropeçando se for amaldiçoado.

– *Luna servata, lux sanata. Chaos statutum, pejus minutum.* Continue. Termine.

Só faltava um verso. Um verso, e o feitiço estaria completo. Doze palavras e minha vida seria um inferno na terra, independentemente do lado das linhas em que estivesse. Respirei fundo. Depois respirei fundo mais uma vez.

– Abrigo da mente – murmurei –, portador do desgosto. Escravo até os mundos em destruição serem postos...

O sorriso de Al cresceu ainda mais e seus olhos se enegreceram.

– *Mentem tegens, malum ferens* – entoou. – *Semper servus. Dum duret... mundus.*

Com uma impaciência afoita, o demônio tirou as luvas e enfiou as mãos no tonel. Dei um salto. Um som agudo reverberou pelo meu corpo, seguido por uma tontura de revirar as entranhas. Negro e esfumaçado, o encanto envolveu minha alma, entorpecendo-me.

Com as mãos avermelhadas pingando, Algaliarept se equilibrou diante do balcão. Um brilho vermelho caiu sobre ele e sua imagem ficou turva antes de se fixar. Ele piscou, parecendo abalado.

Inspirei longamente duas vezes. Pronto. Ele possuía minha aura para sempre – exceto o que minha alma tentava desesperadamente substituir para interpor entre meu ser e a aura de Al, que me cobria. Talvez ficasse melhor com o tempo, mas eu duvidava disso.

– Que bom – ele celebrou, arregaçando as mangas e limpando as mãos em uma toalha preta que surgiu sobre seu punho. As luvas brancas se materializaram, escondendo suas mãos. – O que está feito está feito. Formidável!

Ceri chorava baixinho, mas eu estava esgotada demais para olhar para ela.

Meu celular tocou dentro da bolsa, que estava sobre o outro balcão, parecendo um som absurdo.

O incômodo fugaz de Al desapareceu por completo.

– Ah, deixa que eu atendo – ele disse, quebrando o círculo para pegar o celular.

Tive um calafrio ao sentir uma leve tração do meu centro vazio quando, através de Al, a energia voltou para dentro da linha originada por ele. O demônio ergueu a sobrancelha em regozijo quando voltou com meu celular na mão.

– Quem será que é?

Sem conseguir mais ficar em pé, deslizei as costas pelo balcão até sentar no chão e abracei os joelhos. O vento da saída de ar aquecia meus pés descalços, mas minha calça úmida aumentava o frio. Eu era familiar de Al. Por que eu estava me dando ao trabalho de respirar?

– É por isso que tiram sua alma – Ceri explicou. – Você não pode se matar se tirarem sua vontade.

Olhei para ela, só agora entendendo.

– Alôôô? – Al disse, recostando-se na pia; o celular cor de rosa não combinava com seu charme do Velho Mundo. – Nicholas Gregory Sparagmos! Que maravilha!

Ergui a cabeça.

– Nick? – murmurei.

Al colocou a mão no fone e abriu um sorriso afetado.

– É o seu namorado. Deixa que eu cuido disso para você. Você parece cansada. – Franzindo o nariz, voltou para o telefone. – Sentiu, não sentiu? – disse, alegremente. – Alguma coisa está faltando agora, não é? Cuidado com aquilo que deseja, safadinho.

– Onde está Rachel? – veio a voz de Nick, fina e distante. Ele parecia em pânico e meu coração ficou apertado. Estendi o braço, sabendo que Al não me daria o celular.

– Ora, ela está aos meus pés – respondeu, sorrindo. – Minha, toda minha. Ela cometeu um erro e agora é minha. Mande flores para o túmulo dela. É tudo o que você pode fazer.

O demônio ouviu por um momento, expressando emoções variadas no rosto.

– Ah, não faça promessas que você não pode cumprir. É coisa de gente sem classe. O fato é que não preciso de outro familiar, então não vou mais atender às suas invocaçõezinhas; não me ligue mais. Rachel salvou sua alma, rapazinho. Pena que você nunca falou para ela o quanto a ama. Humanos são tão idiotas.

Ele desligou na cara de Nick e guardou o celular na minha bolsa. O aparelho tocou de novo um segundo depois, e Al apertou um botão. Então o celular emitiu um sonzinho ridículo e desligou.

– Agora. – Al bateu as mãos espalmadas uma contra a outra. – Onde estávamos? Ah, sim. Já volto. Quero ver se funciona. – Com os olhos vermelhos de divertimento, desapareceu deixando uma leve brisa.

– Rachel! – Ceri gritou. Ela pulou sobre mim, me puxando para fora do círculo quebrado. Eu a empurrei, abatida demais para tentar fugir. Estava chegando. Al tentaria me preencher com sua força, fazendo-me ouvir seus pensamentos, transformando-me em uma bateria de cobre capaz de fazer seu chá e lavar seus pratos. A primeira das lágrimas desamparadas rolou, mas não encontrei forças para ficar com raiva por chorar. Sabia que deveria chorar. Apostei minha própria vida para colocar Piscary na cadeia e perdi.

– Rachel! Por favor! – Ceri suplicou com a mão no meu braço, me machucando enquanto tentava me arrastar. Meus pés úmidos escorregaram e eu a empurrei, tentando fazer com que parasse.

Uma bolha vermelha de todo-sempre surgiu de onde Al tinha desaparecido. A pressão do ar mudou violentamente, e Ceri e eu tapamos os ouvidos.

– Maldito seja o céu e tudo mais! – Al praguejou, com o fraque aberto em desalinho. Seu cabelo estava desgrenhado e seus óculos tinham desaparecido. – Você fez tudo certo! – berrou, gesticulando violentamente. – Estou com a sua aura. Você está com a minha. Por que não consigo te alcançar pelas linhas?

Ceri se ajoelhou ao meu lado, com o braço protetor ao redor de mim.

– Não deu certo? – ela perguntou, com a voz trêmula, puxando-me um pouco para trás. Seu dedo úmido traçou um círculo rápido ao redor de nós.

– Parece que funcionou? – ele exclamou. – Eu pareço contente para você?

– Não – ela respondeu com a voz fraca, e seu círculo se expandiu, manchado de negro, mas forte. – Rachel – disse, apertando-me um pouco. – Você vai ficar bem.

Al se deteve e em um silêncio mortal, se virou, batendo as botas suavemente no piso.

– Não, ela não vai.

Meus olhos se arregalaram diante da sua fúria frustrada. "Deus do céu. De novo não."

Enrijeci quando ele captou uma linha e a mandou com tudo para dentro de mim. Ela veio acompanhada de um sopro de sua emoção, satisfeita e ansiosa. O calor correu por dentro do meu corpo, e gritei, empurrando Ceri para longe. A bolha dela explodiu, causando uma sensação de agulhas quentes que aumentou a agonia.

Enrolada em posição fetal, pensei na palavra desesperadamente, "Tulpa", relaxando aliviada quando a torrente correu pelo meu corpo e se acomodou na esfera da minha mente. Ofegante, ergui a cabeça devagar. A confusão e a frustração de Al tomaram conta de mim. Minha raiva cresceu até obscurecer suas emoções.

Os pensamentos dele, interligados aos meus, eram de choque. Minha visão estava turva, pois o que eu estava vendo entrava em conflito com o que meu cérebro dizia ser verdade, e me levantei cambaleante. Quase todas as velas tinham se apagado, transformadas agora em poças de cera, deixando o ar esfumaçado. Al sentiu minha rebeldia através do laço que compartilhávamos, e fez uma careta ao notar meu orgulho por ter aprendido a armazenar energia.

– Ceri... – ele ameaçou, estreitando os olhos de cabra.

– Não funcionou – eu disse, com a voz baixa, olhando para ele por trás do meu cabelo úmido e viscoso. – Agora saia da minha cozinha.

– Eu ainda vou te possuir, Morgan – Al gritou. – Se não puder te levar, juro por deus que vou te espancar e te arrastar à força.

– Ah, é? – retruquei. Olhei de soslaio para o recipiente que abrigava a minha aura. Seus olhos se arregalaram em surpresa, pois sabia dos meus pensamentos no instante em que eu os tinha. O laço possuía duas vias agora. Ele tinha cometido um erro.

– Saia da minha cozinha! – exclamei, lançando de volta a energia de linha que ele tinha me obrigado a absorver, e usando nosso laço de familiar para isso. Ergui a cabeça quando a energia fluiu de mim para ele, deixando-me vazia. Al cambaleou para trás, em choque.

– Sua *canicula*! – gritou, com a imagem turva.

Cambaleando para manter o equilíbrio, ele captou a linha, aumentando a força.

Estreitando os olhos, guiei meus pensamentos para mandar a energia de volta para ele. O que quer que Al mandasse para mim voltaria diretamente contra ele.

Algaliarept engasgou ao sentir o que eu estava fazendo. Senti um nó na garganta e oscilei, segurando-me na mesa quando quebrou a conexão viva entre nós. Olhei para ele do outro lado da cozinha, com a respiração dissonante. Aquilo seria resolvido naquele momento. Um de nós iria perder. E não seria eu. Não na minha cozinha. Não naquela noite.

Al colocou o pé atrás de si, assumindo uma postura pretensamente relaxada, e passou a mão pelo cabelo, arrumando-o. Seus óculos esfumaçados e redondos ressurgiram e ele abotoou o casaco.

– Isso não está dando certo – ele disse, categórico.

– Não – respondi. – Não está.

Segura em seu círculo, Ceri riu em escárnio.

– Você não pode ficar com ela, Algaliarept, seu grande idiota – zombou, fazendo-me especular sobre sua escolha de palavras. – Você abriu um portão de familiar de duas vias quando a obrigou a dar a aura dela para você. Você é o familiar de Rachel assim como ela é a sua.

A calma momentânea do demônio se transformou em raiva.

– Já usei esse feitiço mais de mil vezes para explorar auras e isso nunca aconteceu antes. E eu não sou familiar dela.

Observei a cena, sentindo-me tensa e enjoada enquanto um banquinho de três pernas surgia atrás de Al. Parecia algo que Átila, o huno, teria usado. Tinha uma almofada de veludo vermelho e uma franja de crina de cavalo que descia até o chão. Sem se dar ao trabalho de confirmar se o banco estava mesmo lá, ele se sentou, visivelmente intrigado.

– Foi por isso que Nick ligou – eu disse, e Al me lançou um olhar condescendente. Ao tomar minha aura, o demônio quebrou o laço que eu compartilhava com Nick, e este tinha sentido. "Ai, droga. Al era meu familiar?"

Ceri me chamou com um gesto para seu círculo, mas eu não podia correr o risco de que Al a ferisse no momento em que estivesse refazendo a proteção. Al, porém, estava concentrado em seus próprios pensamentos.

– Tem alguma coisa errada – ele resmungou. – Já fiz isso centenas de vezes com almas e nunca forjei um laço tão forte. O que tem de diferente em...

Senti um frio na barriga quando todas as emoções sumiram de seu rosto. Ele olhou para o relógio sobre a pia, e então para mim.

– Venha cá, bruxinha.

– Não.

Al pressionou os lábios e ficou em pé.

Assustada, andei para trás, mas ele me segurou pelo punho e me levou para o balcão central.

– Você já fez esse feitiço antes – disse, apertando meu dedo furado até que voltasse a sangrar. – Quando transformou Nicholas Gregory Sparagmos em seu familiar. Foi o seu sangue na infusão, bruxinha, que fez a invocação?

– Você sabe que foi. – Estava esgotada demais para ficar com medo. – Você estava lá. – Não conseguia ver seus olhos, mas meu reflexo em seus óculos parecia feio e pálido, mostrando meu cabelo encharcado e lambido.

– E funcionou – ele concluiu, pensativo. – Não só o uniu a você, como o uniu o suficiente para que você puxasse uma linha através dele?

– Por isso ele foi embora – complementei, surpresa por ainda sofrer por isso.

– Seu sangue acendeu o feitiço completamente... – Os olhos de cabra estavam franzidos, especulativos, ao olhar para mim sobre os óculos. Al ergueu minha mão e, embora eu tentasse me livrar dele, lambeu o sangue do meu dedo, provocando uma sensação fria e formigante. – Com um aroma tão sutil – murmurou, sem tirar os olhos de mim. – Como o ar perfumado pelo seu amante.

– Me solte! – exclamei, empurrando-o.

– Você deveria estar morta – ele disse, com a voz admirada. – Como ainda está viva?

Com os dentes cerrados, tentei tirar seus dedos do meu punho.

– Eu me esforço bastante. – Com um grito abafado, caí para trás quando me soltou.

– Você se esforça bastante... – Sorrindo, ele deu um passo para trás e me olhou de cima a baixo. – Os loucos têm um charme próprio. Preciso começar um grupo de estudos.

Assustada, segurei o punho diante do peito.

– E você vai ser minha, Rachel Mariana Morgan. Pode contar com isso.

– Eu não vou para o todo-sempre – respondi, tensa. – Você vai precisar me matar antes.

– Você não tem escolha – ele entoou, causando-me um calafrio. – Basta captar uma linha durante a noite que eu te encontro. Você não consegue criar um círculo capaz de me manter longe. E, se não estiver em solo sagrado, vou espancar e arrastar o seu corpinho para o todo-sempre. E, de lá, você não vai ter como fugir.

– Tente – ameacei, estendendo a mão atrás de mim para pegar o martelo de amaciar carne, pendurado junto a outros utensílios de cozinha. – Você não pode me tocar a menos que fique completamente sólido, e isso vai doer, vermelhão.

Com a testa franzida de preocupação, Al hesitou. Passou pela minha cabeça que devia ser como acertar um pernilongo. Precisava ser no momento certo.

Ceri trazia um sorriso no rosto que não compreendi.

– Algaliarept – ela disse, baixinho. – Você cometeu um erro. Ela encontrou uma brecha no contrato e agora você precisa aceitar e deixar Rachel Mariana Morgan em paz. Senão, vou abrir uma escola de contenção de energia de linha.

O rosto do demônio ficou inexpressivo.

– Ceri? Espere um segundo, querida.

Com o martelo nas mãos, recuei até sentir o frio da bolha dela nas minhas costas. A elfa estendeu a mão e me puxou para dentro. A luz de seu círculo se acendeu quase no mesmo instante em que notei que tinha se apagado. Relaxei os ombros com o brilho negro entre nós e Al. Havia um levíssimo tom de azul-claro na aura danificada de Ceri, visível apesar da mácula que Al tinha deixado nela. Dei um tapinha carinhoso em sua mão quando ela me abraçou de lado, aliviada.

– É um problema? – perguntei, sem entender por que Al estava tão irritado.

Ceri estava cheia de si.

– Eu escapei do todo-sempre sabendo como conter energia. Ele vai ter problemas por isso. Muitos problemas. Estou surpresa de ninguém ter chamado sua atenção ainda. Mas, enfim, ninguém sabe. – Ela voltou os olhos verdes e zombeteiros na direção de Al. – Ainda.

Senti um estranho prenúncio de alerta ao notar a satisfação agressiva em seu rosto. Ceri sabia daquilo o tempo todo, e estava apenas esperando o momento em que a informação lhe fosse mais útil. Aquela mulher era mais manipuladora do que Trent e, pelo jeito, não via problema em arriscar a vida das pessoas, incluindo a minha. Graças a Deus ela estava do meu lado. "Estava, não estava?"

Al ergueu a mão em protesto.

– Ceri, a gente pode conversar sobre isso.

– Em uma semana – ela disse, confiante –, não vai haver um único bruxo de linhas de ley em Cincinnati que não saiba como se tornar seu próprio familiar. Em um ano, o mundo estará de portas fechadas para você e a sua laia, e você vai ter que responder por isso.

– É uma informação tão importante assim? – perguntei, enquanto Al ajeitava os óculos, desconfortável. Longe da saída de ar estava gelado, e senti um calafrio sob as roupas úmidas.

– É mais difícil fazer uma pessoa tomar decisões tolas se elas puderem lutar contra isso – Ceri disse. – Se vier à tona, o reservatório de possíveis familiares deles vai ficar fraco e indesejável em questão de anos.

Fiquei boquiaberta.

– Ah.

– Sou todo ouvidos – Al disse, sentando-se com uma rigidez desconfortável.

Com uma esperança tão forte que chegava a doer, eu disse:

– Se você tirar sua marca de demônio de mim, quebrar o laço de familiar e me deixar em paz, eu não falo nada.

Al troçou de mim:

– Você não tem problema em pedir coisas não, hein?

Ceri apertou meu braço em advertência e depois soltou.

– Deixa que eu faço isso. Compus a maioria dos contratos não verbais dele nos últimos setecentos anos. Posso falar em seu nome?

Olhei para ela, cujos olhos continham um brilho selvagem da ânsia de vingança. Devagar, desci o martelo.

– Claro – eu disse, sem saber o quê, exatamente, eu tinha salvado do todo-sempre.

Ela se empertigou, assumindo um ar oficial.

– Proponho que Al tire a marca de demônio de você e quebre os laços familiares entre os dois em troca do seu voto solene, Rachel, de não ensinar a ninguém como conter energia de linha. Além disso, você e seus familiares por sangue ou lei humana ficarão livres de represálias do demônio conhecido como Algaliarept e de seus agentes neste mundo ou no todo-sempre até que os dois mundos colidam.

Tentei encontrar saliva suficiente para engolir, mas não consegui. Eu nunca teria pensado naquilo.

– Não – Al disse com firmeza. – São três coisas para uma minha e eu não vou perder meu poder sobre Rachel completamente. Quero uma maneira de repor minha perda. E, se ela cruzar as linhas, não importa que acordo tivermos, vai ser minha.

– A gente não pode obrigá-lo? – eu disse, baixinho. – Quer dizer, ele está encurralado, não está?

Al riu.

– Posso chamar Newt para decidir se você quiser...

Ceri ficou pálida.

– Não. – Inspirando fundo para se acalmar, ela olhou para mim, um pouco menos confiante. – Qual dos três você aceita ceder?

Pensei em minha mãe e em meu irmão, Robbie. Nick.

– Quero quebrar os laços familiares – eu disse – e quero que ele me deixe em paz, e deixe em paz também os meus parentes por sangue ou lei humana. Fico com a marca de demônio e dou um jeito nisso depois.

Algaliarept cruzou as pernas.

– Bruxa espertinha – concordou. – Se quebrar a palavra, sua alma é minha.

Os olhos de Ceri ficaram sérios.

– Rachel, se você ensinar para *qualquer* pessoa como conter energia de linha, sua alma será de Algaliarept. Ele vai poder te puxar para o todo-sempre a seu bel-prazer e você será dele. Entendeu?

Fiz que sim, acreditando pela primeira vez que poderia voltar a ver o nascer do sol.

– E o que acontece se Al quebrar a palavra dele?

– Se ele a machucar ou machucar sua família por vontade própria, Newt vai colocá-lo em uma garrafa e você vai ter um gênio. É um procedimento padrão, mas fico feliz de ter perguntado.

Arregalei os olhos, e olhei de Al para ela.

– Sério?

Ela sorriu para mim, jogando o cabelo flutuante atrás da orelha.

– Sério.

Al bufou, e voltamos nossa atenção para ele.

– E você? – o demônio disse para Ceri, claramente incomodado. – O que quer para ficar de boca fechada?

Os olhos da elfa brilhavam com a satisfação de obter algo de seu antigo captor e torturador.

– Você vai retirar a mácula na minha alma que ganhei por sua causa, e não vai procurar retaliação contra mim ou contra meus familiares de sangue ou de lei a partir de agora até que os dois mundos colidam.

– Não vou tomar de volta mil anos de desequilíbrio de maldição – Al disse, indignado. – Foi por isso que te transformei na minha maldita familiar. – Ele colocou os dois pés no chão e se inclinou para a frente. – Mas não vou deixar que digam que eu tenho um gênio difícil. Você continua com a mácula, mas pode ensinar uma pessoa a conter a energia de linha. – Um sorriso manipulador e satisfeito iluminou seus olhos profanos. – Uma criança. Uma menina. E, se ela contar para alguém, a alma dela será minha. Imediatamente.

Ceri empalideceu, e não entendi o que estava acontecendo.

– Ela pode contar a uma de suas filhas e assim por diante – rebateu, e Al sorriu.

– Fechado. – O demônio se levantou. O brilho da energia de todo-sempre pairava ao seu redor como uma sombra. Ele estalou os dedos. – Ah, que maravilha. Isso é ótimo.

Olhei para Ceri, aturdida.

– Achei que ele não iria gostar – eu disse, baixinho.

A elfa meneou a cabeça, visivelmente preocupada.

– Ele ainda te possui. E está contando com que algum dos meus descendentes esqueça a gravidade do acordo e cometa um erro.

– Os laços familiares – insisti, olhando para a janela escura. – Ele vai rompê-los agora?

– O momento da dissolução não foi declarado em momento algum – Al disse. Ele estava tocando as coisas que tinha trazido à minha cozinha, fazendo com que desaparecessem em uma névoa de todo-sempre.

Ceri se endireitou.

– O momento estava tacitamente implicado. Quebre os laços agora, Algaliarept.

O demônio olhou para ela por sobre os óculos, sorrindo ao pôr a mão atrás de si e fazer uma reverência sarcástica.

– É algo tão pequeno, Ceridwen Merriam Dulciate. Mas você não pode pensar mal de mim por tentar.

Cantarolando, ele arrumou o fraque. Uma tigela cheia de garrafas e instrumentos de prata surgiu no balcão central. Sobre eles, havia um livro pequeno com um título escrito à mão em uma letra elegante e cheia de volteios.

– Por que ele está tão feliz? – murmurei.

Ceri balançou a cabeça, e as pontas do seu cabelo continuaram se movendo depois que ela parou de se mexer.

– Eu só o via assim quando ele descobria um segredo. Sinto muito, Rachel. Você sabe de algo que está deixando o Algaliarept muito feliz.

"Ah, que ótimo."

Com o livro nas mãos, ele o folheou com um ar intelectual.

– Consigo quebrar um laço familiar com a mesma facilidade que quebro seu pescoço. Você, por outro lado, vai ter que realizar o processo do jeito mais difícil, pois não vou gastar uma maldição armazenada com isso. E, como não quero que você aprenda a quebrar laços de familiares, vou acrescentar algumas coisinhas... Aqui está. Vinho tinto. Comece com vinho tinto. – Seus olhos encararam os meus por sobre o livro. – Venha cá.

Senti um calafrio quando ele me chamou para fora do círculo, logo depois de uma garrafa pequena e lilás surgir entre seus longos dedos.

Tomei fôlego.

– Você vai quebrar os laços e ir embora? – questionei. – Nada além disso?

– Rachel Mariana Morgan – ele me repreendeu. – Você me tem em tão pouca conta assim?

Olhei de soslaio para Ceri, que assentiu para que eu fosse. Confiando nela, não em Al, dei um passo à frente e a elfa quebrou o círculo, refazendo-o em seguida.

Ele abriu a garrafa, deixando cair uma gota reluzente cor de ametista em uma minúscula xícara de cristal do tamanho do meu polegar. Levando o dedo enluvado aos lábios finos, ele me estendeu a xícara. Com uma careta, eu a peguei de suas mãos. Meu coração bateu mais forte. Eu não tinha escolha. Aproximando-se com uma ânsia nada confiável, ele me mostrou o livro aberto. O escrito estava em latim, e ele apontou para uma série de instruções escritas à mão.

– Está vendo essa palavra aqui? – perguntou.

Respirei fundo.

– *Umb...*

– Não agora! – gritou, deixando-me assustada e com o coração a mil. – Só quando o vinho cobrir sua língua, idiota. Meu deus, parece que você nunca desfez uma maldição antes!

– Não sou uma bruxa de linha de ley! – exclamei, com a voz mais rude do que o momento permitia.

Al arqueou a sobrancelha.

– Mas poderia ser... – Seus olhos se voltaram para a xícara na minha mão. – Beba.

Olhei para Ceri. Diante do consentimento dela, deixei que a gotícula passasse pelos meus lábios. O líquido era doce e fazia minha língua formigar. Eu conseguia sentir o vinho entrando dentro de mim, relaxando meus músculos. Al apontou para o livro e olhei para baixo.

– *Umbra* – proferi, segurando a gota na língua.

A doçura exagerada ficou amarga.

– Eca – resmunguei, debruçando-me para cuspir.

– Engula... – Al advertiu com a voz baixa, e levei um susto quando colocou a mão sob meu queixo e inclinou minha cabeça para trás para que eu não conseguisse abrir a boca.

Lacrimejando, engoli. Fiquei com o coração na boca. Al se aproximou, com os olhos negros ao me soltar, e abaixei a cabeça. Meus músculos ficaram bambos, e caí no chão quando ele me soltou.

Al nem tentou me segurar, e me estatelei, sentindo dor. Bati a cabeça no chão e tomei um fôlego rápido. Cerrando os olhos, me preparei para levantar, colocando as mãos no chão e me sentando.

– Valeu por avisar – ironizei, furiosa. Ergui o rosto, mas não consegui encontrá-lo.

Confusa, me levantei e avistei Ceri sentada à mesa com a cabeça entre as mãos e os pés descalços embaixo do corpo. A luz fluorescente estava apagada e uma única vela branca emitia um brilho tênue por entre a obscuridade do alvorecer nublado. Olhei para a janela. "O sol já nasceu? Devo ter desmaiado."

– Cadê ele? – perguntei, empalidecendo quando vi que já eram quase oito horas.

A elfa ergueu a cabeça e me surpreendi com o quanto ela parecia cansada.

– Você não lembra?

Desagradavelmente vazia, minha barriga roncou.

– Não. Ele foi embora?

Ela se virou para me olhar nos olhos.

– Ele pegou a aura dele de volta. Você pegou a sua. Você quebrou o laço com ele. Gritou, o chamou de filho da puta e mandou que fosse embora. Ele foi, depois de te acertar com tanta força que você desmaiou.

Coloquei a mão no queixo e na nuca. A sensação era a mesma: muita, muita dor. Eu estava molhada e com frio, e me levantei, com os braços em torno do corpo.

– Certo. – Apalpei as costelas, chegando à conclusão de que não tinha quebrado nada. – Mais alguma coisa que eu precise saber?

– Você bebeu uma garrafa inteira de café em vinte minutos.

Talvez isso explicasse os tremores. Devia ser o café. Derrotar demônios estava virando um hábito. Sentei ao lado de Ceri, exalando fundo. Ivy chegaria em casa logo.

– Você gosta de lasanha?

Um sorriso surgiu em seus lábios.

– Sim, adoro.

Vinte e quatro

Meus tênis não faziam barulho ao pisar no carpete liso dos corredores dos fundos da casa de Trent. Quen e Jonathan me acompanhavam, deixando-me em dúvida se estavam me escoltando ou se eram meus agentes carcerários. Como era domingo, o silêncio reinava nas áreas comuns dos escritórios e nas salas de conferência pelas quais tínhamos passado – e por trás das quais Trent ocultava suas atividades ilícitas. Em público, Trent controlava boa parte do transporte que atravessava Cincinnati, indo e vindo em todas as direções: ferrovias, rodovias e até mesmo um pequeno aeroporto municipal.

Já em particular, ele controlava muito mais, usando esses mesmos sistemas para transportar seus produtos genéticos ilegais e expandir sua distribuição de Enxofre. O fato de que Saladan estava se metendo em seus negócios, e ainda por cima em sua própria cidade, devia encher muito o saco dele. Era no mínimo uma afronta. E, naquela noite, seria dada uma lição em que ou Trent enfiaria essa provocação em um dos orifícios de Saladan, ou apanharia. Eu não gostava de Trent, mas o manteria vivo se fosse para ele apanhar.

"Mesmo que eu não saiba como", pensei, enquanto seguia Quen. Estava vazio ali embaixo, sem nem mesmo as decorações festivas que adornavam a fachada. Aquele homem era nojento. Ele tinha me caçado feito um bicho na ocasião em que me pegou roubando evidências em seu escritório secundário, e ruborizei ao perceber que estávamos no corredor que dava para aquela mesma sala.

Meio passo à minha frente, Quen estava tenso e usava seu estranho uniforme de segunda pele preta. Naquele dia, trajava um casaco verde sobre ele, fazendo-o parecer um vilão de *Jornada nas estrelas*. Meu cabelo roçou no pescoço e, de propósito, virei a cabeça para sentir as pontas tocarem os ombros. Eu tinha cortado o cabelo naquela tarde na altura do chumaço que Al arrancara, e o condicionador que o cabeleireiro tinha passado não estava ajudando muito a domá-lo.

Eu estava carregando no ombro a sacola com a roupa que Kisten escolhera naquela noite para mim; ela tinha voltado da lavanderia. Eu tinha até me lembrado das joias e das botas. Não iria vestir aquela roupa até ter certeza de que pegaria o serviço. Suspeitava que Trent pudesse discordar da ideia e, enquanto isso, minha calça jeans e meu moletom dos Uivadores pareciam deslocados perto da elegância da alfaiataria de Jonathan.

O que me irritava era que aquele homem repugnante ficava três passos atrás de nós. Ele tinha nos recebido na escada que dava para a casa principal de Trent e, desde então, se conservava em silêncio, mantendo uma presença acusadora e uma frieza profissional. Ele media quase dois metros de altura, e sua expressão era sempre alerta e incisiva. O nariz grande e aristocrático parecia estar cheirando algo desagradável. Os olhos eram de um azul gélido e o cabelo preto, cuidadosamente penteado, começava a ficar grisalho. Eu odiava o Jonathan, e estava me esforçando muito para ignorar o tormento que ele me fizera passar quando fiquei presa no escritório de Trent como uma marta por três dias surreais.

Inflamada pela lembrança, tirei o casaco sem parar de andar, por mais que fosse difícil, pois nenhum dos dois se ofereceu para segurar o saco com a roupa. Quanto mais avançávamos, mais notável ficava a umidade no ar. O som de água corrente era tênue a ponto de ser quase subliminar, passando por sabe Deus onde. Meus passos ficaram mais lentos quando reconheci a porta do escritório secundário de Trent. Atrás de mim, Jonathan se deteve. Quen continuou sem hesitar, e me apressei para acompanhar seu ritmo.

Jonathan estava visivelmente descontente.

– Para onde você está levando a garota? – perguntou, agressivo.

Os passos de Quen ficaram mais duros.

– Para Trenton. – Ele não se virou nem mudou o ritmo em momento algum.

– Quen... – Jonathan advertiu. Lancei um olhar zombeteiro para trás, satisfeita por ver que seu rosto enrugado exibia preocupação em vez do sorriso presunçoso de sempre. Com a testa franzida, ele avançou rapidamente quando chegamos diante da porta de madeira arqueada ao fim do corredor. O homem excessivamente alto nos ultrapassou e pousou a mão sobre o trinco metálico antes que Quen estendesse o braço. – Você não vai deixar essa menina entrar aí – advertiu.

Ajustei o saco de roupas sobre o ombro, ouvindo o som de náilon deslizando, e passei os olhos de um para outro, observando suas disputas políticas. O que quer que estivesse atrás daquela porta era bom.

Mais baixo e perigoso, Quen estreitou os olhos e suas cicatrizes de pústulas embranqueceram no rosto subitamente inflamado.

– Ela vai proteger a vida de Trenton hoje – ele argumentou. – Não vou obrigá-la a trocar de roupa e esperar por ele num escritório secundário como uma prostituta.

Os olhos azuis de Jonathan ganharam ainda mais determinação. Meu coração acelerou e dei um passo para trás.

– Saia da frente – Quen entoou, com uma voz surpreendentemente grave que ressoou pelo meu corpo.

Desconcertado, Jonathan recuou. Quen empurrou a porta, tensionando os músculos das costas.

– Obrigado – agradeceu, insincero, quando a porta se abriu devagar pela inércia.

Fiquei boquiaberta; a porta tinha uns quinze centímetros de grossura! O som da água corrente se tornou mais alto, acompanhado pelo cheiro de neve úmida. Mas não estava frio e, ao olhar por sobre os ombros finos de Quen, vi um carpete macio estampado e uma parede coberta de madeira escura que tinha sido lustrada e esfregada até brilhar em tons dourados. "Esses", pensei ao seguir Quen para dentro, "devem ser os cômodos particulares de Trent."

O corredor pequeno logo se abria para uma passarela suspensa. Paralisei ao olhar para o enorme espaço abaixo de nós. Era impressionante, com uns quarenta metros de largura e quase o mesmo de comprimento, e uns seis metros de altura. Tínhamos entrado pelo segundo andar, perto do forro. Abaixo, em meio ao carpete e às madeiras elegantes, estavam posicionados casualmente conjuntos de sofás, poltronas e mesas de centro. Tudo em tons de terra suaves, destacados com marrom e preto. Uma lareira do tamanho de um caminhão de bombeiro ocupava uma parede, mas o que me chamou a atenção foi a janela que ia do piso ao teto e ocupava toda a parede à minha frente, deixando entrar a luz crepuscular do fim da tarde.

Quen tocou meu ombro e comecei a descer os amplos degraus atapetados. Mantive uma mão no corrimão porque não conseguia tirar os olhos fascinados da janela. Janela, não janelas, pois parecia uma única placa de vidro. Eu não achava que um vidro tão grosso pudesse ser estruturalmente seguro, mas ali estava ele, parecendo ter poucos milímetros de espessura e sem apresentar distorção. Era quase como se não estivesse ali.

– Não é plástico – Quen disse, com a voz baixa e os olhos verdes na paisagem. – É energia de linha de ley.

Voltei os olhos para ele, vendo sinceridade em seu olhar. Ao notar minha surpresa, um leve sorriso se abriu em seu rosto marcado por cicatrizes da Virada.

– É a primeira pergunta que todo mundo faz – ele disse, mostrando saber no que eu estava pensando. – Som e ar são as únicas coisas que passam por ele.

– Deve custar uma fortuna – eu disse, perguntando-me como removiam a névoa vermelha de todo-sempre.

Do lado de fora, estava a paisagem impressionante dos jardins particulares de Trent cobertos de neve. Havia um rochedo, quase tão alto quanto o teto, por onde descia uma catarata, fazendo rebrilhar os lençóis de gelo sob a luz do entardecer. A água se acumulava em uma piscina de aparência natural – embora eu pudesse apostar que não fosse natural de verdade –, transformando-se em uma corrente que ondeava por entre as sempre-vivas e os arbustos até desaparecer da vista.

Um *deck* sem neve e acinzentado pelo tempo estendia-se entre a janela e a paisagem. Ao descer devagar para o andar inferior, concluí que o disco circular de cedro soltando fumaça sobre o *deck* devia ser uma banheira quente. Perto dela, havia uma área acoplada com bancos para festas externas. Eu sempre tinha pensado que a churrasqueira de Ivy, com seu cromo reluzente e seus bicos gigantescos, era um exagero, mas aquilo que Trent tinha era quase imoral.

Pus os pés no primeiro andar e abaixei os olhos quando, de repente, senti que estava pisando em argila em vez de carpete.

– Bacana – elogiei, e Quen indicou que eu deveria esperar no círculo de poltronas mais próximo.

– Vou avisar Trent – o segurança disse. Ele disparou o que julguei ter sido um olhar de advertência para Jonathan antes de refazer seus passos até o segundo piso, onde desapareceu em uma área fora do meu campo de visão.

Coloquei meu casaco e o saco de roupas sobre um sofá de couro e dei um giro lento sem sair do lugar. Do piso inferior, a lareira parecia ainda maior. Ela não estava acesa, e pensei que eu provavelmente caberia no piso da fornalha sem precisar me agachar. No outro lado da sala, ficava um tablado baixo com amplificadores embutidos e um visor de luzes. Uma pista de dança se estendia diante dele, cercada por mesas de coquetel.

Aconchegante e escondido sob a passarela do segundo piso, encontrava-se um longo bar, feito de madeira lustrada e cromo reluzente. Havia outras mesas ali, maiores e mais baixas. Vasos enormes, cheios de folhagens verde-escuras capazes de florescer nas luzes mais fracas, as cercavam de maneira a promover uma sensação de privacidade que faltava ao salão amplo.

O som da queda-d'água logo se converteu em um rumorejar ao fundo, e a quietude da sala me impressionou. Não havia empregados, ninguém passava pela sala cuidando dos seus afazeres, e não se encontrava sequer uma velinha de aniversário ou um prato de doces. Era como se o salão estivesse sob um feitiço de conto de fadas, esperando para ser despertado. Pensei até que não devia ser usado para os fins a que tinha sido projetado desde a morte do pai de Trent. Onze anos era muito tempo para tanto silêncio.

Em paz no sossego do salão, inspirei devagar e me virei, dando de cara com o olhar descontente de Jonathan. A leve tensão em seu rosto me fez voltar os olhos para a porta por onde Quen tinha saído. Sorri com o canto dos lábios.

– Trent não sabe que vocês armaram isso, não é? – perguntei. – Ele acha que Quen vai acompanhá-lo hoje.

Jonathan não respondeu, mas a leve contração em seus olhos deixou claro que eu estava certa. Sorrindo, coloquei o saco de roupas no chão ao lado do sofá.

– Aposto que Trent poderia dar uma festa de arromba – eu disse, esperando alguma resposta. Jonathan continuou em silêncio, e desviei de uma mesa de centro, parando com as mãos no quadril e olhando pela "janela".

Minha respiração fez a camada de todo-sempre reverberar e, sem conseguir resistir, toquei nela. Levei um susto e puxei a mão para trás. Uma estranha sensação de dormência correu pelo meu corpo, e segurei minha mão sentindo como se ela estivesse queimada. Mas ela estava fria. A camada de energia era tão fria que queimava. Voltei os olhos para Jonathan, atrás de mim, pensando que ele estaria com um sorriso malicioso, mas, boquiaberto, ele tinha os olhos cravados na janela.

Meu olhar seguiu o dele e senti um frio na barriga ao ver que a janela não era mais transparente, mas coberta por círculos de tons dourados de amarelo-

-âmbar. Droga. Ela tinha pegado a cor da minha aura. Estava claro que, por essa, Jonathan não esperava. Passei a mão pelo meu cabelo curto.

– Ah... Opa.

– O que você fez com a janela? – ele inquiriu.

– Nada. – Recuei um passo, culpada. – Só encostei nela, nada de mais. Desculpa.

Os traços de ave de rapina de Jonathan ficaram desfigurados. Com passos longos e agressivos, veio na minha direção.

– Sua charlatã. Olha só o que fez com a janela! Não vou permitir que Quen confie a segurança do senhor Kalamack em suas mãos.

Meu rosto ficou vermelho e, ao encontrar uma saída fácil para meu embaraço, deixei que ele se transformasse em raiva.

– Não foi ideia minha – retruquei. – E eu pedi desculpas pela janela. Você deveria estar feliz por eu não te processar por dor e sofrimento.

Jonathan respirou fundo ruidosamente.

– Se ele se ferir de alguma forma por sua culpa, eu vou...

Eu me enchi de raiva, estimulada pela lembrança dos três dias de inferno em que ele tinha me torturado.

– Cale a boca – murmurei, furiosa. Brava por ele ser mais alto do que eu, subi em uma mesa de centro. – Não estou mais numa gaiola – disse, mantendo a calma suficiente para não apontar o dedo para ele. – Seu rosto demonstrou surpresa e depois raiva. – A única coisa que me impede de dar uma voadora na sua cara agora mesmo é meu profissionalismo duvidoso. E, se você me ameaçar mais uma vez, vou te jogar do outro lado da sala antes que consiga piscar os olhos. Entendeu, sua aberração gigante da natureza?

Frustrado, ele cerrou os punhos.

– Vá em frente, elfinho – continuei, fervendo de raiva ao sentir a energia de linha, que eu tinha acumulado na cabeça mais cedo, quase derramar para preencher meu corpo. – Basta me dar um motivo.

O som de uma porta sendo fechada chamou nossa atenção para a passarela no segundo andar. Jonathan escondeu a raiva e deu um passo para trás. De repente, me senti idiota em cima da mesa. Espantado, Trent se deteve acima de nós, vestindo apenas calça e camisa e pestanejando.

– Rachel Morgan? – confirmou com a voz baixa para Quen, parado um pouco atrás dele. – Não. Isso é inadmissível.

Tentando tirar algo da situação, estendi uma mão extravagante no ar. Colocando a outra no quadril, assumi a pose de uma modelo mostrando um carro novo.

– *Voilà*! – eu disse, radiante, sem graça por estar de calça jeans, de moletom e com um novo corte de cabelo de que eu não gostava muito. – Oi, Trent. Vou ser sua babá hoje. Onde vocês escondem os bons drinques?

Trent franziu a testa.

– Não quero essa mulher aqui. Coloque seu terno. Vamos sair em uma hora.

– Não, Sa'han.

Trent havia dado meia-volta para sair, mas se deteve.

– Posso falar com você por um momento? – o chefe disse, baixo.

– Sim, Sa'han – o homem mais baixo murmurou com respeito, sem se mover.

Pulei para fora da mesa. E não é que eu sabia causar uma boa impressão?

Trent franziu a testa, voltando a atenção de Quen, nada arrependido, para o jeito apreensivo de Jonathan.

– Vocês estão juntos nessa – ele disse.

Jonathan entrelaçou os dedos atrás das costas, afastando-se ligeiramente de mim.

– Eu confio no julgamento de Quen, Sa'han – ele disse, com a voz baixa e clara no salão vazio. – Embora não confie no da senhorita Morgan.

Injuriada, bufei para ele.

– Vá chupar dente-de-leão, Jon.

Os lábios de Jonathan se contorceram. Eu sabia que ele odiava aquele apelido. Trent também não estava satisfeito. Olhando de viés para Quen, começou a descer a escada em um ritmo rápido e regular. Faltava apenas o terno para parecer um modelo de capa de revista. O cabelo louro e fino estava penteado para trás, e a camisa se vincou ligeiramente nos ombros enquanto descia para o piso inferior. A velocidade de seus passos e o brilho em seus olhos deixaram claro que os elfos chegavam ao ápice da energia nas quatro horas em torno do nascer e do pôr do sol. Uma gravata verde-escura envolvia seu pescoço de maneira informal, ainda sem o nó. Deus do céu, como ele era bonito! Tudo que uma mulher sempre quis: jovem, elegante, poderoso, confiante. Eu não gostava nem um pouco de achar aquele homem atraente, mas achava mesmo assim.

Com um ar interrogativo, Trent arrumou as mangas da camisa e fechou as abotoaduras com uma rapidez absorta enquanto descia a escada. Os dois botões superiores estavam abertos, causando uma visão fascinante. Ele ergueu a cabeça ao chegar ao piso inferior e parou por uma fração de segundo ao ver a janela.

– O que aconteceu com a guarda? – interrogou.

– A senhorita Morgan tocou nela. – Jonathan tinha a alegria presunçosa de uma criança de seis anos que dedurava o irmão mais velho. – Sou contra os planos de Quen. Morgan é imprevisível e perigosa.

O chefe de segurança olhou feio para ele, mas Trent não viu porque estava terminando de abotoar a camisa.

– Aumentar as luzes – Trent disse, e estreitei os olhos quando os holofotes gigantes no teto se acenderam um a um, deixando o ambiente claro como o dia. Senti um frio na barriga ao olhar para a janela. Merda. Eu tinha quebrado mesmo. Ela estava pintada até com as minhas riscas vermelhas, e eu não queria que aqueles três soubessem que eu guardava tantas tragédias no passado. Mas, pelo menos, o negrume de Al tinha desaparecido. "Graças a Deus."

Trent se aproximou, com o rosto liso inexpressivo, exalando o cheiro límpido de sua loção pós-barba ao se deter.

– Isso aconteceu quando você tocou nela?

– Eu, hum, sim. Quen disse que era uma camada de todo-sempre. Pensei que fosse um círculo de proteção modificado.

Quen abaixou a cabeça e se aproximou.

– Não é um círculo de proteção, é uma guarda. Sua aura e a da pessoa que a criou devem ressoar em uma frequência parecida.

Com rugas de preocupação em seu rosto jovem, Trent examinou a guarda. Um pensamento passou pela sua cabeça, e seus dedos se contraíram. Olhei para a janela, sabendo que ele achava aquilo mais do que estranho: significativo. O pensamento ficou mais forte quando Trent olhou para Quen e eles trocaram, pelo olhar, alguma questão relativa à segurança. Quen encolheu os ombros, e Trent respirou devagar.

– Mande alguém da manutenção dar uma olhada – Trent disse. Arrumando o colarinho, acrescentou com a voz sonora: – Diminuir as luzes.

Congelei quando o clarão desapareceu e meus olhos tentaram se ajustar.

– Não concordo com isso – Trent disse, na escuridão tranquilizante, e Jonathan sorriu.

– Sim, Sa'han – Quen disse, com a voz baixa. – Mas ou o senhor leva Morgan ou não vai.

"Ora, ora, ora", pensei, quando a ponta das orelhas de Trent se avermelhou. Não sabia que Quen tinha autoridade para dizer a ele o que fazer ou deixar de fazer. Ficou claro, porém, que era um direito raras vezes invocado e que trazia consequências. Ao meu lado, Jonathan parecia definitivamente mal.

– Quen... – Trent começou.

O segurança assumiu uma postura firme, com as mãos entrelaçadas atrás das costas e o olhar vazio por cima do ombro de Trent.

– Minha mordida de vampiro me torna pouco confiável, Sa'han – ele disse, e fiz uma careta com o sofrimento óbvio que ele passava admitindo aquilo abertamente. – Não estou mais certo da minha eficácia.

– Que saco, Quen – Trent exclamou. – Morgan também foi mordida. O que faz com que ela seja mais confiável do que você?

– A senhorita Morgan mora com uma vampira há sete meses e nunca sucumbiu – Quen disse, com o ar formal. – Ela desenvolveu uma série de estratégias defensivas para combater um vamp que tente enfeitiçá-la. Eu ainda não e, por isso, não sou mais confiável em situações problemáticas.

Seu rosto marcado por cicatrizes estava envergonhado, e quis que Trent calasse a boca logo e aceitasse o plano. Essa confissão estava acabando com Quen.

– Sa'han – ele disse, com calma. – Morgan pode proteger o senhor. Eu não. Não me peça para fazer isso.

Incomodada, desejei estar em outro lugar. Jonathan me encarou como se fosse culpa minha. O rosto de Trent demonstrava angústia e preocupação, e Quen se retraiu quando ele pôs a mão consoladora em seu ombro. Com uma lentidão relutante, Trent deixou a mão cair.

– Procure um broche para Rachel e veja se há alguma coisa adequada para ela usar na suíte verde. Ela parece ter o mesmo tamanho.

O alívio que perpassou os traços de Quen foi substituído por uma insegurança mais profunda, que parecia ruim e perturbadora. O segurança parecia destruído e me perguntei o que ele faria se não se considerava mais capaz de proteger Quen.

– Sim, Sa'han – ele murmurou. – Obrigado.

O olhar de Trent recaiu sobre mim. Não sabia dizer em que ele estava pensando e, incomodada, senti frio. A sensação ficou mais forte quando Trent assentiu com a cabeça para Quen e perguntou:

– Você tem um minuto?

– Claro, Sa'han.

Os dois desceram por uma das escadas, deixando-me sozinha com Jonathan. Descontente, ele me olhou com repugnância.

– Deixe o seu vestido aqui e venha comigo – ele disse.

– Tenho minha própria roupa, obrigada – respondi, pegando minha bolsa a tiracolo, meu casaco e o saco com a roupa e seguindo-o em direção à escada. Ao pé da escada, Jonathan se virou. Correu os olhos frios por mim e pela roupa ensacada e fungou, condescendente.

– É uma roupa boa – eu disse, enrubescendo quando ele riu com desprezo.

Jonathan subiu os degraus com rapidez, obrigando-me a me esforçar para acompanhá-lo.

– Você pode se vestir como uma prostituta, se quiser – ele disse. – Mas o senhor Kalamack tem uma reputação. – Ele me olhou por sobre o ombro quando chegamos ao topo da escada. – Rápido. Você não tem muito tempo para ficar apresentável.

Fervilhando de raiva, eu dava dois passos para cada passo de Jonathan conforme ele fazia uma curva súbita para a direita, se dirigindo a um grande salão que abrigava uma sala de estar de tamanho mais normal. Ao fundo, havia uma área separada e o que parecia ser uma mesa de café da manhã. Uma das câmeras de segurança de Trent mostrava outra visão do jardim na penumbra. Várias portas de aparência pesada se abriam para a área, e pensei que era ali que Trent levava sua vida "normal". Confirmei isso quando Jonathan abriu a primeira porta, mostrando uma pequena sala que dava para um quarto extravagante. Decorado inteiramente em tons de verde e dourado, ele era opulento sem beirar o cafona. Outra janela falsa atrás da cama mostrava a floresta, escura e cinzenta, sob o pôr do sol.

Imaginei que as outras portas deveriam levar para mais quartos ou suítes. Toda aquela riqueza não conseguia esconder que a área tinha sido construída para ser defensiva. Provavelmente não havia nenhuma janela de verdade no lugar além daquela lá embaixo, coberta por energia de linha de ley.

– Não é por aí – Jonathan praticamente berrou quando dei um passo para dentro do quarto. – Este é o quarto. Fique fora daí. O vestiário é ali.

– Desculpa – eu disse, sarcasticamente, antes de erguer o saco de roupas e segui-lo para o banheiro. Pelo menos eu achava que era um banheiro. Havia tantas plantas que era difícil dizer. Além disso, era do tamanho da minha cozinha. A multidão de espelhos refletiu as luzes acesas por Jonathan, me fazendo semicerrar os olhos. O clarão também pareceu deixar o elfo incomodado, pois ele apertou alguns dos interruptores até que ficassem acesas apenas uma das lâmpadas do teto e uma em cima da pia. Relaxei os ombros com a luminosidade mais fraca.

– Por aqui – Jonathan disse ao passarmos pelo arco aberto. Eu o segui, parando assim que entrei. Pensei que fosse um closet, já que havia roupas femininas, que pareciam caríssimas, mas a sala era enorme. Um tapume de estilo japonês ocupava um canto da sala, na frente de uma penteadeira. Uma mesinha com duas cadeiras ficava apertada à direita da porta. À esquerda, havia um espelho triplo. Só faltava um minibar. Droga. Eu estava na carreira errada.

– Você pode se trocar aqui – Jonathan disse, em desagrado. – Tente não tocar em nada.

Irritada, joguei o casaco em uma poltrona e pendurei o saco de roupas em um cabide. Com os ombros tensos, abri o zíper do saco e me virei, sabendo que Jonathan estava me julgando. Mas ergui a sobrancelha ao ver o olhar surpreso dele ao olhar a roupa que Kisten tinha escolhido para mim. Então, sua expressão retomou a frieza de sempre.

– Você não vai usar isso – ele disse, categórico.

– Vai tomar no cu, Jon – retruquei.

Com movimentos rijos, ele caminhou até duas portas corrediças espelhadas e depois de abri-las, tirou um vestido preto como se soubesse exatamente onde ele estava.

– Você vai usar *isso* – ele disse, mostrando o vestido para mim.

– Eu não vou usar isso. – Tentei manter a voz impassível, mas o vestido era primoroso, costurado em um tecido leve, com uma abertura nas costas e uma modelagem elegante na frente. Ele cairia na altura dos meus tornozelos, deixando-me mais alta e elegante. Engolindo a inveja, respondi:

– A abertura nas costas é grande demais para esconder minha arma de *paintball*. E é justo demais para correr. É um vestido ruim.

Ele abaixou o braço estendido e só pude fazer uma careta quando o lindo tecido caiu no chão.

– Então você escolhe.

– Talvez. – Entrei no *closet*, hesitante.

– Os vestidos longos estão naquele armário – Jonathan disse, com ar condescendente.

– Você jura? – ironizei, mas meus olhos se arregalaram e estendi a mão para tocá-los. Por Deus, eram todos lindos e sutilmente elegantes. Eles estavam organizados por cor e, abaixo, havia sapatos e bolsas combinando. Alguns também combinavam com chapéus, na prateleira acima. Afundei os ombros ao tocar em um vestido vermelho-vivo, mas, quando Jonathan murmurou "vadia", fui encorajada a continuar, tirando os olhos dele com relutância.

– Então, Jon – eu disse, enquanto ele me observava vasculhar os vestidos. – Ou Trent é *crossdresser* ou gosta de trazer para casa mulheres do meu número usando vestidos de festa e depois as manda de volta em farrapos. – Olhei para ele. – Ou ele mata todas e rouba os vestidos?

Jonathan cerrou os dentes e ficou vermelho.

– Eles são para a senhorita Ellasbeth.

– Ellasbeth? – Tirei as mãos de um vestido roxo que me custaria um mês de trabalho. "Trent tem uma namorada?" – Ah, de jeito nenhum! Não vou usar o vestido de outra mulher sem a permissão dela.

Ele riu com desprezo e seu rosto longo começou a ficar irritado.

– Eles pertencem ao senhor Kalamack. Se ele diz que você pode usar, você pode usar.

Pouco tranquilizada, voltei à minha busca. Mas todas as minhas apreensões desapareceram quando minhas mãos tocaram em um vestido cinza fino e delicado.

– Ah, olha só esse – murmurei, puxando uma blusa e uma saia e erguendo-os de forma triunfante, como se Jonathan ligasse.

Ele tirou os olhos do armário de lenços, cintos e bolsas que tinha acabado de abrir.

– Pensei que tínhamos jogado esse fora – disse, e fiz uma careta, sabendo que estava tentando me fazer pensar que era feio. Não era. O conjunto era elegante, com um tecido suave ao toque, mas grosso o bastante para o inverno, sem ser excessivamente pesado. Ao trazê-lo para a luz, vi que era preto cintilante. A saia descia até o chão, mas era cortada em várias faixas finas abaixo do joelho, de modo a flutuar ao redor dos tornozelos. E, com fendas tão profundas, minha arma no coldre da coxa ficaria de fácil alcance. Era perfeito.

– É adequado? – perguntei, pendurando o cabide sobre a minha roupa. Diante do seu silêncio, olhei para ele, encontrando seu rosto perturbado.

– Serve. – Ergueu o punho, apertando um botão e falando no comunicador elegante que, lembrei, havia na sua pulseira. – Mande um broche preto e dourado – disse. Olhando de soslaio para a porta, acrescentou para mim: – Vou pegar as joias no cofre para combinar.

– Tenho minhas próprias joias – eu disse, então hesitei, sem querer ver como minhas bijuterias ficariam com um tecido como aquele. – Mas tudo bem – emendei, sem conseguir olhá-lo nos olhos.

Jonathan bufou.

– Vou chamar alguém para fazer sua maquiagem – acrescentou ao sair.

Aquilo já era um insulto.

– Posso retocar minha própria maquiagem, obrigada – eu disse alto, atrás dele. Eu estava usando maquiagem sobre o feitiço de aparência que escondia o que restava do olho roxo ainda não cicatrizado, e não queria que ninguém encostasse nela.

– Então só preciso mandar um cabeleireiro para dar um jeito no seu cabelo – veio a voz dele, ecoando.

– Meu cabelo está ótimo! – gritei. Olhei em um dos espelhos, tocando os cachos largos que começavam a ter frizz. – Está ótimo – acrescentei, mais baixo. – Acabei de cortar. – Mas tudo que ouvi foi sua risada de desprezo e o som de uma porta sendo aberta.

– Não vou deixar Rachel sozinha no quarto de Ellasbeth – surgiu a voz cavernosa de Quen em resposta ao murmúrio de Jonathan. – Ela vai acabar com ela.

Arqueei a sobrancelha. Ele queria dizer que eu acabaria com Ellasbeth ou que ela acabaria comigo? Esse tipo de detalhe era importante.

Eu me virei quando a silhueta de Quen ocupou o batente do banheiro.

– Você vai cuidar de mim? – eu disse, enquanto pegava minhas roupas de baixo e levava o vestido preto para trás do tapume.

– A senhorita Ellasbeth não sabe que você está aqui – informou. – Não achei que seria necessário contar para ela, já que está voltando para casa, mas fiquei sabendo que houve uma mudança de planos.

Olhei para o biombo entre mim e Quen, e descalcei os tênis. Sentindo-me fraca e vulnerável, tirei as roupas e as dobrei em vez de deixá-las amontoadas como costumava fazer.

– Você realmente gosta desse lance de só contar o que as pessoas "precisam saber", não é? – zombei, e o ouvi falando baixo com alguém que tinha acabado de entrar. – O que mais não está me contando?

A segunda pessoa saiu.

– Nada – ele respondeu, curto e grosso.

"É, sei."

O vestido era forrado de seda e contive um murmúrio quando deslizou pelo meu corpo. Olhei para a barra, concluindo que ficaria perfeito quando eu colocasse as botas. Com a sobrancelha franzida, hesitei. Minhas botas não combinariam. Eu precisaria torcer para que Ellasbeth também calçasse número trinta e seis, e para que a luta daquela noite pudesse ser feita de saltos. O corpete me deu um pouco de dificuldade e, finalmente, desisti de tentar fechar o zíper.

Dei uma última olhada em mim mesma, enfiando o amuleto de aparência dentro da cinta. Com a arma de *paintball* presa no coldre, saí de trás do tapume.

– Fecha meu zíper, querido? – pedi, em tom de brincadeira, recebendo o que pensava ser um raro sorriso de Quen. Ele assentiu e virei de costas. – Obrigada – agradeci quando terminou.

Ele se voltou para as mesas e cadeiras, inclinando-se para pegar um tecido preto que não estava ali quando eu tinha ido para trás do tapume. Nele, estava presa uma orquídea negra com uma faixa verde e dourada. Endireitando-se, o segurança tirou o broche, hesitando ao olhar para a presilha fina. Logo entendi seu dilema, e eu é que não o ajudaria em nada.

O rosto marcado por cicatrizes de Quen se torceu. Com os olhos no meu vestido, mordeu o lábio.

– Com licença – pediu, estendendo o braço. Congelei, sabendo que ele não me tocaria a menos que fosse necessário. Havia tecido o suficiente para prender a joia, mas ele teria de colocar os dedos entre o broche e a minha pele. Expirei, afundando os pulmões, para lhe dar um pouco mais de espaço.

– Obrigado – ele disse, com a voz baixa.

O dorso da sua mão estava gelado, e contive um calafrio. Tentando não me mexer, olhei para o teto. Um leve sorriso perpassou meus lábios e cresceu quando ele prendeu a orquídea e deu um passo para trás com um suspiro aliviado.

– Alguma coisa engraçada, Morgan? – perguntou, ácido.

Abaixei a cabeça, olhando para ele por trás dos cachos.

– Não muito. Você me lembrou do meu pai... por um segundo.

Quen assumiu um ar ao mesmo tempo incrédulo e interrogativo. Balançando a cabeça, peguei minha bolsa na mesa e me sentei diante da penteadeira de frente para o biombo.

– A gente teve uma grande festa no sétimo ano e eu estava com um vestido tomara que caia – comecei, pegando a maquiagem. – Meu pai não deixou que meu namoradinho colocasse a flor, então ele mesmo pôs. – Meus olhos lacrimejaram e cruzei as pernas. – Ele perdeu meu baile de formatura.

Quen continuou em pé. Não pude deixar de notar que tinha se posicionado de maneira que pudesse me ver e ao mesmo tempo vigiar a porta.

– Seu pai era um homem bom. Ele estaria orgulhoso de você hoje.

Prendi a respiração por um momento rápido e doloroso. Aos poucos, fui soltando e voltei a me maquiar. Não era uma grande surpresa o fato de Quen ter conhecido meu pai, afinal, eles tinham a mesma idade, mas era triste mesmo assim.

– Você conheceu meu pai? – perguntei, sem conseguir me conter.

O olhar que ele me lançou era inexpressivo.

– Ele morreu bem.

"Morreu bem? Meu Deus, qual é o problema dessas pessoas?"

Furiosa, me virei na cadeira para olhá-lo nos olhos.

– Ele morreu em um quartinho de hospital sujo e cheio de pó – reagi, tensa. – Era para ele estar vivo, porra. – Minha voz estava firme, mas eu sabia que não continuaria assim. – Era para ele estar lá quando consegui meu primeiro trabalho e fui demitida três dias depois porque dei um soco no filho do chefe quando ele tentou me apalpar. Era para ele estar lá quando me formei no ensino médio e na faculdade. Era para ele estar lá assustando meus namorados para que eles se comportassem direito e eu não precisasse voltar sozinha para casa de onde quer que o canalha tivesse me largado quando descobria que eu sabia revidar. Mas ele não estava, estava? Não. Ele morreu fazendo alguma coisa com o pai de Trent e ninguém tem coragem de me dizer que grande coisa era essa que valia a pena ferrar com a minha vida.

Meu coração estava acelerado e encarei seu rosto silencioso, marcado por cicatrizes de pústulas.

– Você precisou se virar sozinha por muito tempo – ele disse.

– Sim. – Mordendo o lábio, me voltei para o espelho, sem parar de agitar o pé. – O que não mata te deixa mais forte.

– O que não mata dói. – Olhei para seu reflexo. – Dói. Dói muito. – Meu olho roxo latejou por causa do aumento na pressão sanguínea, e ergui a mão para encostar nele. – Eu sou forte o suficiente – declarei, cheia de ódio. – Não quero ser ainda mais forte. Piscary é um filho da puta e, se ele sair da prisão, vai me matar duas vezes. – Pensei em Skimmer, torcendo para que se mostrasse uma péssima advogada, por mais que fosse uma boa amiga para Ivy.

Quen mexeu os pés, mas não saiu do lugar.

– Piscary?

A dúvida em sua voz me fez erguer os olhos.

– Piscary disse que matou meu pai. Ele mentiu para mim? – "Precisava saber. Será que eu finalmente 'precisava saber' segundo os padrões de Quen?"

– Sim e não. – Os olhos do elfo se voltaram para o batente.

Eu me virei na cadeira. Ele poderia me dizer. Pensei até que queria me dizer.

– É sim ou é não?

Quen virou a cabeça e deu um passo simbólico para trás.

– Não cabe a mim responder isso.

Com o coração batendo forte, eu me levantei, cerrando os punhos.

– O que aconteceu? – perguntei.

De novo, Quen olhou para o banheiro. Uma luz se acendeu e vazou para o quarto, difundindo-se em nada. Um homem com uma voz afeminada parecia falar sozinho, enchendo o ar com uma presença radiante. Jonathan respondeu, e olhei para Quen em pânico, sabendo que ele não diria nada na frente do outro.

– A culpa foi minha – Quen revelou, com a voz baixa. – Eles estavam trabalhando juntos. Era eu quem deveria estar lá, não seu pai. Piscary os matou, mas não puxou o gatilho.

Achando a cena surreal, me aproximei o bastante para ver o suor em seu rosto. Estava claro que ele tinha passado dos limites me falando tudo aquilo. Jonathan surgiu atrás de um homem que vestia roupas pretas e justas, e botas reluzentes.

– Ah! – o baixinho exclamou, andando apressado para a penteadeira com sua maleta de cabeleireiro. – É ruivo! Adoro cabelo ruivo. E é natural também. Dá para ver daqui. Sente-se, querida. Vou fazer maravilhas pelo seu cabelo. Você não vai se reconhecer depois disso.

Virei-me para Quen, que, com o olhar cansado e atormentado, deu um passo para trás, deixando-me sem ar. Fiquei encarando, sem sair do lugar, querendo mais informações, mesmo sabendo que não conseguiria. Droga, Quen nunca dizia as coisas na hora certa – e precisei me obrigar a manter as mãos ao lado do corpo em vez de estrangular seu pescoço.

– Sente sua bundinha aqui! – o baixinho exclamou quando Quen assentiu com a cabeça para mim e saiu. – Só tenho meia hora.

Franzindo a testa, olhei com fastio para a cara zombeteira de Jonathan e me sentei na cadeira. Tentei explicar para o cabeleireiro que gostava do meu cabelo como estava, e que podia dar só uma penteada, talvez. Mas ele me mandou ficar quieta, puxando um frasco de spray atrás do outro e instrumentos cujo uso eu nem era capaz de imaginar. Eu sabia que aquela era uma batalha perdida.

Vinte e cinco

Sentei-me no banco da limusine de Trent, cruzando as pernas e puxando a barra do vestido para cobrir o joelho. O xale que eu estava usando no lugar de um casaco desceu pelas costas, e deixei que ficasse ali. A peça guardava o cheiro de Ellasbeth, e meu perfume mais sutil não conseguia competir.

Os sapatos eram um número menor, mas o vestido serviu com perfeição: a parte de cima era justa, mas não apertada, e a de baixo caía perfeitamente sobre a cintura. Tinha prendido o coldre na coxa, e, sutil como um dente-de-leão, ele ficou completamente invisível. Randy tinha arrumado meu cabelo curto sobre o pescoço, prendendo-o com um grosso fio dourado e contas de aparência clássica em um penteado que tinha lhe tomado vinte minutos de tagarelice para montar. Mas ele estava certo. Eu me sentia completamente diferente – e rica pra caramba.

Aquela era a segunda limusine em que eu entrava naquela semana. Talvez fosse tendência. Se fosse, eu me acostumaria fácil. Inquieta, olhei de viés para Trent, que contemplava os enormes e negros troncos das árvores sobre a neve conforme nos aproximávamos da casa de guarda. Ele parecia estar em outro planeta, sem nem perceber minha presença a seu lado.

– O carro do Takata é mais legal – comentei, quebrando o silêncio.

Trent se contraiu, recuperando-se suavemente do susto. A reação o fez parecer tão jovem quanto realmente era.

– Mas o meu não é alugado – ele disse.

Dei de ombros, sacudindo o pé ao olhar pela janela esfumaçada.

– Está quente o bastante? – ele perguntou.

– O quê? Ah. Sim, obrigada.

Jonathan nos guiou através da casa de guarda sem diminuir a velocidade; a chancela chegou ao ponto mais alto no mesmo instante em que passamos sob ela, e se fechou na mesma velocidade. Inquieta, chequei se meus amuletos estavam mesmo na bolsa, apalpei minha arma de *paintball* e toquei no cabelo. Trent estava olhando pela janela de novo, perdido em seu próprio mundo, que nada tinha a ver comigo.

– Ei, desculpa pela janela – eu disse, desconfortável com o silêncio.

– Eu te mando a conta se não der para consertar. – Virou-se para mim. – Você está bonita.

– Obrigada. – Passei os olhos por seu terno de lã forrado de seda. Ele não estava trajando o sobretudo, e o terno era feito sob medida para mostrar cada centímetro do seu corpo. A flor na lapela era um pequeno botão de rosa preto, e fiquei curiosa para saber se ele mesmo criava as rosas. – Você não está nada mal também.

Trent me abriu um de seus sorrisos profissionais, mas havia um novo brilho nele, e pensei que talvez existisse um traço de ternura sincera ali.

– O vestido é bonito – acrescentei, cogitando se conseguiria passar aquela noite sem precisar conversar sobre o clima. Eu me debrucei para arrumar a meia-calça.

– Aliás... – Trent se contorceu, enfiando a mão no bolso. – Isso combina com ele. – Estendeu o braço, colocando um pesado par de brincos na minha mão. – Tem um colar também.

– Obrigada. – Virei a cabeça para tirar as argolas simples que estava usando e as coloquei dentro da bolsa de mão, que fechei em seguida. Os brincos de Trent eram uma série de círculos entrelaçados, pesados o bastante para serem feitos de ouro de verdade. Eu os coloquei, sentindo o peso com o qual não estava acostumada.

– E o colar... – Trent mostrou a peça, me fazendo arregalar os olhos. A joia era deslumbrante, feita de aros entrelaçados do tamanho do meu polegar, e combinava com os brincos. Eles formavam um cordão delicado que poderia ser classificado como gótico, mas de bom gosto. Tinha um pingente de madeira na forma de uma runa celta de proteção, e hesitei em tocá-lo. Era bonito, mas suspeitava que aquele cordão extravagante faria de mim uma verdadeira vadia vampírica.

E magia celta me dava calafrios. Era uma arte que dependia muito da crença do praticante, não da elaboração correta do feitiço. Ou seja, mais uma religião do que uma magia. Eu não gostava de misturar essas duas coisas; quando a vontade do praticante se somava à de algo imensurável, contribuía para forças terrivelmente poderosas, cujos resultados nem sempre eram os esperados. Era uma magia impetuosa, e eu preferia a minha, mais científica. Se você invoca a ajuda de um ser superior, não pode reclamar se as coisas não saírem de acordo com o que você planejou, mas sim de acordo com o desejo dele.

– Vire-se – Trent disse, e olhei em seus olhos. – Deixe que eu coloco para você. Precisa estar justo para ficar bonito.

Não queria demonstrar a Trent que estava desconfortável e, como amuletos de proteção eram relativamente confiáveis, tirei o cordão simples de ouro falso do pescoço e o guardei na bolsa junto com os brincos. Pensei comigo mesma se Trent sabia o que significava um colar como aquele, concluindo que deveria saber e que achava que tudo não passava de uma grande piada.

Meus ombros se enrijeceram quando juntei os fios de cabelo que Randy tinha mantido fora do coque para dar um efeito. O colar caiu no meu pescoço com uma forte sensação de segurança, ainda com o calor do bolso de Trent.

Seus dedos me tocaram, e gritei, surpresa, quando uma onda de energia de linha de ley passou de mim para ele. O carro fez uma curva súbita, e Trent tirou os dedos de repente. O colar caiu no piso atapetado com um tilintar metálico. Com a mão na garganta, olhei para ele.

Trent tinha sido lançado para o canto, em meio às sombras causadas pela luz amarelada do teto. Lançando-me um olhar aborrecido, avançou e pegou o colar do chão, balançando-o até que ficasse pendurado da maneira certa em sua mão.

– Desculpa – eu disse, com o coração acelerado e a mão ainda no pescoço.

Trent franziu a testa, encontrando o olhar de Jonathan pelo retrovisor antes de me pedir para virar de costas de novo. Eu me virei, sem deixar de notar sua presença atrás de mim.

– Quen disse que você está treinando suas habilidades de linha de ley – disse ao pôr o colar no meu pescoço outra vez. – Demorei uma semana para aprender a não deixar que a energia do meu familiar tentasse equalizar quando eu tocava outro praticante. Claro, eu tinha três anos na época, então tinha uma desculpa.

Trent tirou as mãos de mim, e me acomodei no acolchoado macio. Seu ar era arrogante, sem o habitual profissionalismo. Não era da conta dele que aquela era a primeira vez na qual eu tentava acumular energia de linha em mim por uma questão de conveniência. Eu estava louca para ir embora. Meus pés estavam doendo e, graças a Quen, eu queria ir para casa, tomar um pote de sorvete e me lembrar do meu pai.

– Quen conheceu meu pai – eu disse, taciturna.

– Ouvi falar. – Olhou, não para mim, mas para a paisagem na entrada da cidade.

Minha respiração acelerou e me remexi no banco.

– Piscary disse que matou meu pai. Quen sugeriu que a história não acaba aí.

Trent cruzou as pernas e desabotoou o casaco.

– Quen fala demais.

A tensão revirou meu estômago.

– Nossos pais estavam trabalhando juntos? – perguntei. – Fazendo o quê?

Ele contorceu os lábios e passou a mão no cabelo para confirmar que estava bem penteado. No banco do motorista, Jonathan tossiu em advertência. "Certo. Como se as ameaças dele significassem alguma coisa para mim."

Trent se virou no banco para me olhar, com um ar levemente interessado.

– Pronta para trabalhar comigo?

Ergui a sobrancelha. "Trabalhar comigo... Da última vez era trabalhar *para* mim."

– Não. – Sorri, embora quisesse pisar no pé dele. – Quen parece se culpar pela morte do meu pai. Achei fascinante. Ainda mais porque Piscary afirma ser responsável.

Trent soltou um suspiro e, em seguida, estendeu a mão para se estabilizar quando entramos na interestadual.

– Piscary matou meu pai imediatamente – ele disse. – Seu pai foi mordido quando tentou ajudar o meu. Era para Quen estar lá, não o seu pai. Foi por isso que ele te ajudou a derrotar Piscary. Quen achou necessário assumir o lugar do seu pai, já que se sentiu culpado por ele não estar vivo para te ajudar.

Meu rosto ficou gelado, e sentei direito no banco de couro. Eu achava que Trent tinha mandado Quen me ajudar, mas ele não teve nada a ver com aquilo. Um pensamento incômodo surgiu em meio à minha confusão.

– Mas meu pai não morreu por mordida de vampiro.

– Não – Trent disse, cauteloso, com os olhos no horizonte que surgia. – Não morreu.

– Ele morreu quando seus glóbulos vermelhos começaram a atacar os tecidos moles – provoquei, querendo mais respostas. No entanto, Trent manteve a postura reservada. – Não vou conseguir mais nenhuma informação, não é? – perguntei, categórica, e ele lançou um sorriso com o canto dos lábios, charmoso e astucioso.

– Minha oferta de emprego está sempre aberta, senhorita Morgan.

Por mais que fosse difícil, consegui manter uma expressão relativamente calma enquanto afundava no assento. De repente, senti que estava fazendo coisas que, no passado, tinha jurado nunca fazer: coisas como trabalhar para Trent, transar com um vampiro, atravessar a rua sem olhar para os dois lados. Era possível sair impune dessas situações, porém, mais cedo ou mais tarde, eu acabaria sendo atropelada por um ônibus. "Que diabos eu estava fazendo numa limusine com Trent?"

Tínhamos entrado em Hollows e me endireitei no banco, mais interessada. Eram muitas as luzes de festas, principalmente verdes, brancas e douradas. Reinava o silêncio.

– Entããão, quem é Ellasbeth?

Trent me lançou um olhar perverso, e abri um sorriso inocente.

– Não foi ideia minha – ele respondeu.

"Que interessante", pensei. Tinha encontrado um ponto fraco. "Não seria divertido torturá-lo um pouco?"

– Ex-namorada? – sugeri, radiante. – Atual? Uma irmã feia que você esconde no porão?

O rosto de Trent havia retomado a costumeira inexpressividade profissional, mas seus dedos inquietos não paravam de se mover.

– Gostei das suas joias – ele disse. – Talvez eu devesse ter pedido para Jonathan colocar no cofre enquanto a gente está na rua.

Levei a mão ao colar, sentindo seu calor contra minha pele.

– O que eu estava usando era lixo e você sabe bem. – Saco, eu tinha tanto ouro dele no meu corpo que dava para fazer uma dentadura para um cavalo.

– Que tal a gente falar sobre Nick, então? – A voz branda de Trent carregava um tom zombeteiro. – Eu preferia falar sobre Nick. Era Nick, não era? Nick Sparagmos? Ouvi dizer que o sujeito saiu da cidade depois que você provocou um ataque epilético nele. – Com as mãos no joelho, me lançou um olhar incisivo, erguendo a sobrancelha pálida. – O que fez com ele? Nunca consegui descobrir.

– Nick está ótimo. – Abaixei as mãos antes que tivessem tempo de mexer ansiosamente no meu cabelo. – Estou cuidando do seu apartamento enquanto ele viaja a trabalho. – Olhei pela janela, estendendo a mão atrás de mim para recolocar o xale sobre os ombros. Trent era capaz de trocar farpas melhor do que qualquer patricinha da escola. – A gente precisa conversar sobre a ameaça da qual preciso te proteger.

Jonathan bufou no banco do motorista e Trent riu para si mesmo.

– Não preciso de proteção – disse. – Se precisasse, Quen estaria aqui. Você é só uma decoração mequetrefe.

"Mequetrefe..."

– Ah, é? – retruquei, querendo poder dizer que estava surpresa.

– É, sim – respondeu; a expressão soava estranha vindo dele. – Então é só se sentar onde mandarem e ficar de boca calada.

Com o rosto vermelho de raiva, avancei de modo que meus joelhos quase tocaram sua coxa.

– Escute aqui, senhor Kalamack – eu disse, com sarcasmo. – Quen está me pagando uma grana preta para você não se machucar, então não saia do cômodo sem mim e não entre no caminho entre mim e os caras maus. Entendeu?

Jonathan entrou em um estacionamento e precisei me segurar firme quando pisou nos freios com força. Trent olhou de soslaio para mim e vi os dois trocando olhares pelo retrovisor. Ainda furiosa, vi montes de neve horrendos de dois metros de altura. Estávamos à beira do rio. Fiquei tensa ao dar de cara com o barco-cassino, cujas chaminés soltavam pouca fumaça. O barco-cassino de Saladan? De novo?

Lembrei-me da noite com Kisten e o rapaz de smoking que me ensinara a jogar dados. "Merda."

– Ei, hum, você sabe como é o Saladan? – perguntei. – Ele é um bruxo?

Deve ter sido a hesitação na minha voz que chamou a atenção de Trent e, enquanto Jonathan estacionava em uma vaga reservada para carros daquele tamanho, ele me encarou.

– Saladan é um bruxo de linha de ley. Cabelo preto, olhos castanhos, da minha idade. Por quê? Está com medo? Pois deveria estar. Ele é melhor que você.

– Não. – "Malditos dados." Pegando minha bolsa de mão, afundei nas almofadas quando Jonathan abriu a porta e Trent saiu com uma graciosidade que só podia ser ensaiada. Uma rajada de vento frio o substituiu, me fazendo pensar em como ele conseguia ficar lá fora como se fosse verão. Eu tinha a impressão de que já conhecia Saladan. "Idiota!", me repreendi. De todo modo, mostrar a Lee que eu não tinha medo dele depois de sua magia negra fracassada seria um enorme prazer.

Mais ansiosa para a batalha, escorreguei no banco da limusine, me encaminhando para a porta aberta e levando um susto quando Jonathan a bateu na minha cara.

– Ei! – gritei, com a adrenalina me causando dor de cabeça.

A porta se abriu e Jonathan deu um sorriso maldoso.

– Desculpe, senhorita – ele disse.

Atrás dele, estava Trent, com ar enfastiado. Segurando o xale próximo ao corpo, encarei Jonathan enquanto saía.

– Ora, obrigada, Jon – eu disse, sorrindo –, seu filho da puta.

Trent abaixou a cabeça, escondendo um sorriso. Ergui o xale, cuidei de manter a energia de linha onde deveria ficar e tomei o braço de Trent para que pudesse me ajudar a subir pela rampa congelada. Ele fez menção de recuar, mas agarrei seu braço com a mão livre, segurando a bolsa entre nós. Estava frio e eu queria entrar logo.

– Estou usando saltos por você – murmurei. – O mínimo que pode fazer é garantir que eu não leve um tombo. Ou tem medo de mim?

Trent não respondeu, assumindo uma postura de conformismo incomodado à medida que atravessávamos o estacionamento um passo por vez. Ele se virou e, por sobre o ombro, olhou para Jonathan, indicando que ele deveria ficar com o carro. Abri um sorriso afetado para o homem alto e descontente, dando um tchauzinho de orelhas de coelho à moda de Erica. Estava completamente escuro agora, e o vento soprava flocos de neve nas minhas pernas, que não vestiam nada além da meia-calça. Por que eu não tinha insistido em pedir um casaco emprestado? Aquele xale não servia para nada. E fedia a lilases. Eu odiava lilases.

– Você não está com frio? – perguntei a Trent, que parecia confortável como se fosse verão.

– Não – ele respondeu, e me lembrei de Ceri caminhando na neve com uma tolerância ao frio parecida.

– Deve ser um lance de elfos – murmurei, e ele riu baixinho.

– É, sim – Trent respondeu, e olhei para ele por causa da expressão que usara. Seus olhos brilhavam, e me voltei para a rampa convidativa.

– Bom, mas eu estou congelando – resmunguei. – A gente pode andar um pouco mais rápido?

Ele apertou o passo, mas eu ainda estava tremendo quando chegamos à porta de entrada. Trent a segurou para que eu entrasse primeiro. Soltando seu braço, entrei e esfreguei as mãos nos braços para tentar me aquecer. Abri um sorriso rápido para o porteiro, que me respondeu com um olhar estoico e inexpressivo. Tirei o xale e o estendi para o encarregado de casacos, perguntando-me se poderia deixá-lo ali... sem querer, claro.

– Senhor Kalamack e senhorita Morgan – Trent disse, ignorando o livro de convidados. – Estão nos esperando.

– Sim, senhor. – O porteiro chamou outra pessoa para tomar seu lugar. – Por aqui.

Trent me ofereceu o braço. Hesitei, tentando interpretar sua expressão silenciosa, sem sucesso. Depois de respirar fundo, tomei seu braço. Quando meus dedos tocaram o dorso da sua mão, fiz um esforço consciente para manter meu nível de energia de linha ao sentir um leve puxão de seu *chi*.

– Melhor – ele disse, correndo os olhos pelo salão de jogos movimentado enquanto seguíamos o porteiro. – Aos trancos e barrancos, está ficando cada vez melhor, senhorita Morgan.

– Vai se ferrar, Trent – respondi, sorrindo para as pessoas que erguiam os olhos com a nossa entrada. Sua mão era quente sob meus dedos, e me senti como uma princesa. O som era embalador e, quando as conversar retomaram, havia uma animação no ar que não se devia apenas às apostas.

Estava quente e o aroma no ar era agradável. O disco no centro do teto parecia imóvel, mas imaginei que, se me desse ao trabalho de olhar para ele com a segunda visão, estaria pulsando com aqueles tons repulsivos de roxo e preto. Olhei para meu reflexo, conferindo se o cabelo estava se comportando sob os sprays e grampos do cabeleireiro, e fiquei contente ao descobrir que meu olho roxo continuava escondido por trás da maquiagem mundana. Então olhei de novo.

"Caramba!", pensei, andando mais devagar. Trent e eu estávamos fantásticos. Não era nenhuma surpresa todos estarem olhando. Ele era jovial e bem arrumado; eu estava elegante na roupa emprestada, com o cabelo preso acima do pescoço usando aquele fio de ouro. Nós dois estávamos confiantes, nós dois estávamos sorrindo. Mas, ao mesmo tempo que eu pensava que formávamos um casal perfeito, me dei conta de que, apesar de estarmos juntos, estávamos os dois sozinhos. Nossos pontos fortes não dependiam um do outro e, embora isso não fosse ruim, nos impedia de ser um casal. Éramos apenas bonitos juntos.

– O que foi? – Trent perguntou, acenando para que eu subisse à sua frente.

– Nada. – Segurando a saia da melhor maneira possível, subi pela escada atapetada atrás do porteiro. O barulho das apostas era baixo, tornando-se um mero som de fundo que se misturava ao meu subconsciente. Ouvi algumas palmas e desejei estar lá embaixo, sentindo o coração bater mais forte enquanto esperava ansiosamente pelo resultado dos dados.

– Pensei que fossem nos revistar – Trent disse baixo para que o homem que nos guiava não ouvisse.

Dei de ombros.

– Para quê? Você viu aquele disco grande no teto? – Ele olhou para trás e acrescentei: – É um amortecedor gigante de feitiços. Um pouco parecido com os amuletos que eu tinha nas minhas algemas antes de você botar fogo em todas elas, mas ele afeta o barco inteiro.

– Você não trouxe nenhuma arma? – murmurou quando chegamos ao segundo andar.

– Sim – eu disse entredentes, sorrindo. – E posso atirar em alguém com ela, mas as poções só vão fazer efeito quando a pessoa sair do barco.

– De que adianta, então?

– Eu não mato pessoas, Trent. Desista. – "Embora eu talvez abrisse uma exceção para Lee."

Vi seu maxilar se cerrar e relaxar em seguida. Nosso guia abriu uma porta estreita, acenando para que entrássemos. Dei um passo para dentro da sala, sendo recepcionada por uma expressão de agradável surpresa no rosto de Lee, quando ele ergueu os olhos da papelada na mesa. Tentei manter uma expressão neutra, embora a lembrança do homem que se debatia na rua sob efeito da magia negra direcionada contra mim me deixasse furiosa e enjoada ao mesmo tempo.

Uma mulher alta estava debruçada atrás dele, respirando em seu pescoço. Alta e magra, usava um macacão preto boca de sino. O decote chegava quase até o umbigo. Vamp, concluí, quando olhou para meu pescoço e sorriu, mostrando os caninos pequenos e pontudos. Senti uma pontada na cicatriz e minha raiva diminuiu. Quen não teria tido a menor chance.

Com um brilho no olhar, Lee se levantou e ajeitou o smoking. Empurrando a vampira para fora do caminho, saiu de trás da mesa. Trent entrou e Lee ficou ainda mais animado.

– Trent! – exclamou, avançando a passos largos com a mão estendida. – Como você está, meu velho?

Dei um passo para trás conforme os dois apertavam a mão calorosamente. "Vocês só podem estar de brincadeira."

– Stanley – ele disse, sorrindo, e todas as peças se encaixaram. "Stanley. Apelido: Lee."

– Caramba! – Lee disse, dando um tapinha nas costas de Trent. – Quanto tempo faz? Dez anos?

O sorriso de Trent vacilou, e sua irritação pelo tapa era quase imperceptível, exceto pela leve tensão ao redor dos olhos.

– Quase isso. Você parece bem. Ainda surfa?

Lee abaixou a cabeça; o sorriso malandro o deixava um tanto cafajeste mesmo usando smoking.

– Vez por outra. Não tanto quanto gostaria. Meu maldito joelho dificulta um pouco. Mas você parece bem. Ganhou alguns músculos. Não é mais aquele magrelo tentando me acompanhar.

Os olhos de Trent me encararam por um segundo, e respondi com um olhar silencioso.

– Obrigado.

– Ouvi dizer que você vai se casar.

"Casar? Eu estou usando um vestido da noiva dele? Ah, isso está ficando cada vez melhor."

Lee afastou a franja dos olhos e se recostou na mesa. A vamp atrás dele começou a se esfregar em seus ombros de maneira provocante. Ela não tirava os olhos de mim e eu não gostava nem um pouco disso.

– Alguém que eu conheça? – Lee perguntou, e Trent cerrou os dentes.

– Uma jovem bonita chamada Ellasbeth Withon – ele disse. – De Seattle.

– Ah. – Com os olhos arregalados, Lee sorriu como se zombasse de Trent. – Parabéns?

– Você a conheceu – Trent disse, aborrecido, e Saladan riu para si mesmo.

– Ouvi falar dela. – Fez uma cara de sofrimento. – Estou convidado para o casamento?

Bufei, impaciente. Eu tinha pensado que iríamos ali para sair batendo nas pessoas, não para reencontrar velhos amigos. Dez anos atrás seria o fim da adolescência deles. Talvez na faculdade? Eu não gostava de ser ignorada, mas imaginei que aquele fosse o tratamento-padrão para empregados. Pelo menos, a vadia também não tinha sido apresentada.

– Claro – respondeu Trent. – Os convites vão ser enviados assim que ela decidir entre as oito opções pré-selecionadas – disse, com sarcasmo. – Eu pediria para ser meu padrinho, se achasse que você poderia voltar a montar num cavalo.

Lee saiu de perto da vamp.

– Não, não, não – ele disse, dirigindo-se a um pequeno armário do qual trouxe dois copos e uma garrafa. – Não de novo. Não com você. Meu Deus, o que você sussurrou no ouvido daquele bicho, aliás?

Trent abriu um sorriso sincero dessa vez, e pegou o copo que lhe foi oferecido.

– "Vingança é um prato que se come frio, surfistinha" – ele disse, em um sotaque fingido que me pegou de surpresa. – Considerando que você quase me afogou.

– Eu? – Lee voltou a se recostar na mesa, com um pé apoiado no outro. – Não tive nada a ver com aquilo. A canoa tinha um vazamento. Eu não fazia ideia que você não sabia nadar.

– É o que você sempre diz. – Trent estreitou os olhos. Depois de tomar um gole de sua bebida, se voltou para mim. – Stanley, essa é Rachel Morgan. Ela é minha segurança por hoje.

Abri um sorriso falso.

– Oi, Lee. – Estendi a mão, cuidando para manter minha energia de linha de ley sob controle; a lembrança dos gritos do homem sofrendo naquela noite, no entanto, aumentava a tentação de dar um choque nele. – É bom te ver aqui em cima desta vez.

– Rachel – Lee disse, com a voz terna, virando minha mão para dar um beijo nela em vez de apertá-la. – Você não imagina como me sinto mal por ter te envolvido naquela história terrível. Fico muito feliz de ter saído ilesa. Espero que esteja sendo compensada hoje.

Puxei a mão antes que seus lábios a tocassem, limpando-a ostensivamente.

– Não precisa se desculpar. Mas eu seria mal-educada se não te agradecesse por me ensinar a jogar. – Meu coração acelerou e contive a vontade de dar um soco na cara dele. – Quer seus *dados* de volta?

A vampira surgiu atrás dele, colocando as mãos possessivas sobre seus ombros. Lee manteve o sorriso, fingindo não entender a indireta. "Meu Deus, o homem tinha sangrado pelos poros, e aquele sofrimento tinha sido direcionado a mim. Seu filho da puta."

– O orfanato ficou muito agradecido pela sua doação – Lee disse, com a voz suave. – Parece que trocaram o telhado.

– Que incrível – respondi, verdadeiramente contente. Ao meu lado, Trent estava inquieto, visivelmente louco para interromper. – Sempre fico feliz em ajudar os menos favorecidos.

Lee pegou as mãos da vampira e a puxou de forma que ficasse ao seu lado.

Trent segurou meu braço enquanto eles estavam distraídos.

– Você pagou pelo telhado novo? – sussurrou.

– Parece que sim – murmurei, notando que estava surpreso pelo telhado, não pela confusão na qual eu tinha me metido antes com Lee.

– Trent, Rachel – Lee disse, segurando a mão da vampira. – Esta é Candice.

A vamp sorriu, mostrando os dentes. Ignorando Trent, fixou os olhos castanhos no meu pescoço e passou a língua vermelha no canto da boca. Expirando, se aproximou.

– Lee, querido – ela disse, e segurei o braço de Trent com mais força quando sua voz reverberou pela minha cicatriz. – Você disse que eu iria entreter um homem. – Seu sorriso tornou-se predador. – Mas tudo bem.

Tive de me obrigar a respirar. Ondas de desejo desceram do meu pescoço, amolecendo meus joelhos. Meu sangue acelerou e meus olhos quase se fecharam. Respirei fundo uma, duas vezes. Precisei de toda a experiência com Ivy para não reagir. Candice estava faminta e sabia o que estava fazendo. Se fosse morta-viva, eu estaria em suas mãos. Como não era, mesmo com a cicatriz, ela não teria como me enfeitiçar a menos que eu permitisse. E eu não permitiria.

Sabendo que Trent observava, recuperei o controle, embora conseguisse sentir a tensão sexual crescendo dentro de mim como a névoa em uma noite úmida. Pensei em Nick e, então, em Kisten, me demorando neste último, o que piorou a situação.

– Candice – eu disse, com a voz delicada, aproximando-me. "Não vou tocar nela. Não vou." – É um prazer conhecê-la. Mas vou arrancar seus dentes e furar sua barriga com eles se você sequer olhar para a minha cicatriz de novo.

Os olhos de Candice se enegreceram e o calor na cicatriz desapareceu. Furiosa, ela se afastou, pousando a mão no ombro de Lee.

– Não me importa que você seja o brinquedinho de Tamwood – ela disse, tentando pagar de Rainha dos Condenados, mas eu morava com uma vampira realmente perigosa e, perto de Ivy, seus esforços eram patéticos. – Posso acabar com você – completou.

Cerrei os dentes.

– Eu *moro* com a Ivy. Não sou um brinquedinho dela – afirmei com a voz baixa, ouvindo as risadas abafadas do andar de baixo. – O que isso te diz?

– Nada – respondeu, com o rosto bonito cada vez mais desfigurado.

– E "nada" é exatamente o que vou deixar você fazer comigo, então não se aproxime.

Lee deu um passo, interpondo-se entre nós.

– Candice – ele disse, colocando a mão nas costas dela e levando-a até a porta. – Me faz um favor, querida? Traga um café para a senhorita Morgan. Ela está trabalhando hoje.

– Preto, sem açúcar – eu disse, ouvindo minha voz rouca. Meu coração estava acelerado e eu suava. Eu conseguia lidar com bruxos de magia negra. Vampiras famintas e habilidosas eram um pouco mais difíceis.

Tirando os dedos do braço de Trent, eu me afastei. Seu rosto estava calmo ao olhar para mim e depois para a vamp que Lee guiava até a porta.

– Quen... – ele murmurou.

– Quen não teria a mínima chance – declarei, com o coração mais sossegado. Se ela fosse morta-viva, eu também não teria. Mas Saladan não conseguiria convencer um vampiro morto-vivo a ficar do seu lado, afinal, se Piscary descobrisse, o mataria duas vezes. Havia uma honra entre os mortos. Ou talvez fosse apenas medo.

Lee disse algumas palavras para Candice, que saiu para o corredor a passos furtivos, lançando-me um sorriso malicioso antes de partir. Quando vi seus saltos vermelhos se distanciando, minha cabeça deu voltas ao notar que tinha uma tornozeleira igual à de Ivy. Não poderia haver duas daquela tornozeleira sem um motivo – talvez Kisten e eu devêssemos ter uma conversa.

Sem saber o que isso significava, se é que significava alguma coisa, me sentei em uma das cadeiras estofadas antes que caísse por causa da baixa na adrenalina. Segurando as mãos para ocultar o pequeno tremor, pensei em Ivy e na proteção que ela me garantia. Fazia meses que ninguém dava em cima de mim daquele jeito, não desde que a vamp no balcão de perfumes tinha me confundido com outra pessoa. Se eu precisasse lutar contra aquilo diariamente, seria uma questão de tempo até virar uma sombra do que era agora: magra, anêmica e pertencendo a outra pessoa. Ou pior, a qualquer pessoa.

O som de tecido raspando chamou minha atenção para Trent, que se sentou na outra cadeira.

– Você está bem? – murmurou quando Lee fechou a porta atrás de Candice com um estrondo firme.

Sua voz era reconfortante, me surpreendendo. Esforçando-me a me endireitar, fiz que sim, sem saber por que ele se importava – se é que se importava. Expirando, abri as mãos e relaxei com dificuldade.

Rápida e eficientemente, Lee voltou para trás da mesa e sentou. Ele sorria, mostrando os dentes brancos no rosto bronzeado.

– Trent – ele disse, recostando-se em sua cadeira, que era maior do que a nossa, deixando-o alguns centímetros mais alto. "Sutil." – É bom te ver. Precisamos conversar antes que as coisas saiam do controle.

– *Antes* que elas saiam do controle? – Trent não se moveu, e observei sua preocupação comigo virar pó. Com um olhar severo, colocou o copo na mesa entre os dois, batendo o vidro com mais força do que deveria. Sem tirar os olhos do sorriso canalha de Saladan, ele dominou a sala. Aquele era o homem que havia matado seu empregado no próprio escritório e saíra impune, o homem que mandava em metade da cidade, o homem que se intrometia na lei, vivendo em uma fortaleza no meio de uma floresta antiga feita sob medida.

Trent estava furioso e, de repente, não vi mal nenhum em ser ignorada.

– Você descarrilhou dois dos meus trens, quase causou uma greve entre meus caminhoneiros e botou fogo na minha principal iniciativa de relações-públicas – Trent disse, enquanto um dos seus fios de cabelo caía diante do rosto.

Olhei para ele enquanto Lee dava de ombros. "Principal iniciativa de relações-públicas? Era um orfanato. Meu Deus, quanta frieza!"

– Era a maneira mais fácil de chamar sua atenção. – Lee deu um gole em sua bebida. – Faz dez anos que você está metendo o bedelho além do Mississippi. Esperava menos que isso?

O elfo cerrou os dentes.

– Você está matando pessoas inocentes com a potência do Enxofre que está pondo nas ruas.

– Não! – vociferou Lee, empurrando o copo. – Não existem inocentes. – Mordendo os lábios, se debruçou, com ar furioso e ameaçador. – Foi você quem passou dos limites – disse, com os ombros tensos sob o smoking. – E eu não estaria apartando sua clientela fraca se você ficasse do seu lado do rio, como combinado.

– Meu pai fez esse acordo, não eu. Eu pedi a seu pai que diminuísse os níveis permitidos no Enxofre dele. As pessoas querem um produto seguro e eu dou isso a elas, independentemente de onde vivem.

Lee se recostou, emitindo um som incrédulo.

– Pare com essa bobagem de benfeitor – ele disse, com um sorriso afetado. – A gente não vende para ninguém que não queira. E, Trent? Eles querem. Quanto mais forte, melhor. O número das morte se equilibra em menos de uma geração. Os fracos morrem, os fortes sobrevivem e ficam mais que dispostos a comprar mais. Comprar um produto mais forte. Sua regulação enfraquece a todos, Trent. Não existe equilíbrio natural, nem fortalecimento das espécies. Talvez seja por isso que restam tão poucos de vocês. Vocês se mataram tentando salvar os outros.

Sentada com as mãos pretensamente relaxadas no colo, senti a tensão subir na pequena sala. "Apartar a clientela? Fortalecer as espécies?" Quem diabos ele pensava que era?

Lee fez um movimento rápido e eu me preparei.

– Mas o resultado – o bruxo disse, voltando a se recostar ao notar minha agitação – é que estou aqui porque você está mudando as regras do jogo. E eu não vou embora. É tarde demais para isso. Você pode entregar tudo nas minhas mãos e sair do continente com dignidade. Caso contrário, vou tomar tudo, um orfanato, um hospital, uma estação de trem, uma esquina e um coitadinho inocente de cada vez. – Tomou um gole de sua bebida e aconchegou o copo entre as mãos. – Eu gosto de jogos, Trent. E, se bem se lembra, sempre ganhei nos nossos jogos.

Os olhos de Trent se contraíram. Foi sua única demonstração de raiva.

– Você tem duas semanas para sair da minha cidade – o elfo disse, com a suavidade da água parada sob uma contracorrente mortal. – Vou continuar com minha distribuição. Se seu pai quiser conversar, sou todo ouvidos.

– Sua cidade? – Lee voltou os olhos para mim e então para Trent. – Para mim, parece uma cidade dividida. – Arqueou a sobrancelha fina. – Muito perigosa, muito atraente. Piscary está na prisão. A herdeira dele é ineficaz. Você é vulnerável por causa da máscara de executivo respeitável atrás da qual se esconde. Vou controlar Cincinnati e a rede de distribuição que você construiu com tanto esforço e usá-la como deve ser usada. É um desperdício, Trent. Você poderia controlar o hemisfério ocidental inteiro com o que tem nas mãos e está jogando tudo fora com Enxofre fraco e drogas biológicas para fazendeiros sujos e órfãos que não vão virar ninguém na vida... nem vão te ajudar em nada.

Meu rosto se inflamou de ódio. Eu tinha sido uma daquelas órfãs e, embora provavelmente fosse ser mandada para a Sibéria em um saco de confinamento biológico se algum dia essa informação viesse à tona, fiquei indignada. Trent podia ser vil, mas Lee era nojento. Abri a boca para mandar que Saladan se calasse a respeito de coisas que não entendia quando Trent tocou minha perna com o sapato em advertência.

A ponta das orelhas do elfo tinha ficado vermelha. Ele cerrou os dentes e bateu no braço da cadeira em uma demonstração deliberada de raiva.

– Eu controlo o hemisfério ocidental – Trent disse, com sua voz baixa e ressoante causando-me um frio na barriga. – E os órfãos me deram mais do que os clientes pagantes do meu pai... Stanley.

O rosto bronzeado de Lee empalideceu de raiva, e fiquei curiosa para entender o que estava sendo dito implicitamente. Talvez eles não fossem amigos de faculdade. Talvez tivessem se conhecido no “acampamento”.

– Seu dinheiro não pode me obrigar a sair – Trent acrescentou. – Nunca. Fale para o seu pai diminuir os níveis de Enxofre que eu saio da Costa Oeste.

Lee se levantou, e eu enrijeci o corpo, pronta para me mover. Ele abriu os braços, preparando-se.

– Você superestima a sua capacidade, Trent. Fazia isso quando éramos crianças e não mudou nada. É por isso que quase se afogou tentando nadar de volta para a costa e é por isso que perdia todos os nossos jogos, todas as nossas corridas, todas as meninas para mim. – Ele estava apontando agora, sublinhando as palavras. – Você pensa que é mais do que realmente é porque recebeu carinho e elogios por conquistas que, para todas as outras pessoas, eram fáceis. Está na hora de encarar a realidade. Você é o último da sua espécie, e foi sua arrogância que te colocou nessa posição.

Meus olhos passaram de um para o outro. Trent estava sentado com as pernas cruzadas de maneira confortável e os dedos entrelaçados. Completamente imóvel. Estava furioso, embora não demonstrasse, exceto pelo tremor na barra da calça.

– Não cometa um erro pelo qual não pode pagar – ele disse, com a voz suave. – Eu não tenho mais doze anos.

Lee recuou um passo, exibindo uma confiança e uma satisfação deslocadas enquanto olhava para a porta atrás de mim.

– Eu nem desconfiaria...

A fechadura se abriu e me virei rapidamente. Candice entrou, trazendo uma caneca branca do cassino na mão.

– Com licença – ela disse, com a voz suave aumentando ainda mais a tensão. Passou entre Trent e Lee, quebrando o olhar cravado entre eles.

Trent estendeu os braços e tomou fôlego. Olhei de esguelha para ele antes de pegar o café. O elfo parecia abalado, mas por causa da raiva reprimida, não por medo. Pensei em seus laboratórios biológicos e em Ceri, escondida com segurança na casa de um velho do outro lado da minha rua. Será que eu estava fazendo escolhas por Ceri que pertenciam apenas a ela?

A caneca era grossa, e seu calor penetrou meus dedos quando a segurei. Contorci os lábios quando me dei conta de que a vamp tinha colocado creme no café. Não que eu fosse beber mesmo.

– Obrigada – agradeci, fazendo uma careta quando ela assumiu uma postura *sexy* em cima da mesa de Lee, com as pernas cruzadas na altura do joelho.

– Lee – ela disse, debruçando-se provocativamente. – Tem um probleminha lá embaixo que exige a sua atenção.

Parecendo irritado, ele a tirou da sua frente.

– Se vira, Candice. Estou com meus amigos.

Os olhos dela ficaram negros e seus ombros se enrijeceram.

– É uma coisa que você precisa ver. Agora. Não pode esperar.

Voltei o olhar para Trent, notando sua surpresa. Pelo jeito, a vamp atraente era mais do que uma mera decoração. "Parceira?", pensei. Ela sem dúvida estava agindo como uma.

Candice ergueu uma sobrancelha para Lee com uma petulância zombeteira, e eu quis poder fazer o mesmo. Ainda não tinha me dado ao trabalho de aprender isso.

– Agora, Lee – ela provocou, descendo da mesa e indo segurar a porta para ele.

O bruxo franziu a testa. Tirando a franja curta da frente dos olhos, jogou a cadeira para trás com força excessiva.

– Com licença. – Mordendo os lábios, assentiu para Trent e saiu, com passos sonoros na escada.

Candice abriu um sorriso predador para mim antes de sair atrás dele.

– Aproveite o café – ela disse, fechando a porta. Ouvi um estalo no trinco.

Vinte e seis

Respirei fundo. O ambiente estava tomado pelo silêncio. Trent mudou as pernas de posição para colocar o tornozelo em cima do joelho. Com o olhar distante e preocupado, mordeu o lábio inferior, sem parecer nada com o assassino e magnata do tráfico que era. Engraçado, mas olhando assim nem dava para desconfiar.

– Candice trancou a porta – eu disse, dando um pulo com o som da minha própria voz.

Trent arqueou a sobrancelha.

– Ela não quer que você saia zanzando por aí. Acho uma boa ideia.

"Elfo engraçadinho", pensei. Contendo-me para não franzir a testa, andei até a pequena janela circular e olhei para o outro lado do rio congelado. Com o dorso da mão, limpei o vidro embaçado e admirei o horizonte diverso. A Torre Carew estava iluminada por luzes de festas, brilhando com películas douradas, verdes e vermelhas que cobriam as janelas do último andar, para brilharem feito lâmpadas gigantes. A noite era clara e dava até para ver algumas estrelas por trás da poluição da cidade.

Eu me virei e coloquei as mãos nas costas.

– Não confio no seu amigo.

– Nem eu. É mais seguro assim. – Trent cerrou os dentes e o verde de seus olhos ficou um pouco menos severo. – Lee e eu passávamos os verões juntos na infância. Quatro semanas em um dos acampamentos do meu pai e quatro na casa de praia da família dele, numa ilha artificial perto da costa da Califórnia. O objetivo era melhorar a relação entre as nossas famílias. Foi ele quem montou a guarda na janela que você destruiu, aliás. – Balançou a cabeça. – Ele tinha doze na época. Um grande feito para essa idade. Para a idade que ele tem hoje também. Nós demos uma festa. Minha mãe caiu na banheira de água quente; ela estava meio bêbada. Eu deveria trocar por vidro agora que estamos... tendo dificuldades.

Ele estava sorrindo com as lembranças doces e amargas que reavivava, mas eu tinha parado de prestar atenção. Lee montara a guarda? Ela tinha assumido a cor da minha aura, assim como o disco no salão de jogos. Nossas auras ressoavam em uma frequência parecida. Com os olhos estreitados, pensei em nossa aversão compartilhada por vinho tinto.

– Ele tem a mesma doença de sangue que eu, não? – perguntei. Não poderia ser uma coincidência. Não com Trent.

Trent ergueu a cabeça.

– Sim – respondeu, desconfiado. – É por isso que não entendo o que está acontecendo. Meu pai salvou a vida dele e agora o sujeito está brigando por uns seis por ano?

"Seis milhões por ano. Uns trocados para os ricos e corruptos."

Inquieta, olhei para a mesa de Lee, concluindo que não teria nada a descobrir vasculhando suas gavetas.

– Você monitora os níveis de Enxofre que produz?

Trent parecia reservado e, então, como se tomasse uma decisão, passou a mão no cabelo para arrumá-lo.

– Meticulosamente, senhorita Morgan. Não sou o monstro que você gosta de pensar que sou. Não trabalho para matar pessoas. Estou no ramo de oferta e demanda; se eu não produzisse, outra pessoa o faria, e não seria uma mercadoria segura. Milhares morreriam. – Olhou de soslaio para a porta e descruzou as pernas, colocando os dois pés no chão. – Posso garantir isso.

Pensei em Erica. Era intolerável pensar que ela pudesse morrer sob a justificativa de que era um membro fraco da espécie. Mas ilegalidade era ilegalidade. Bati sem querer nos brincos dourados que usava quando enfiei um fio de cabelo atrás da orelha.

– Não acredito nesse papel de bonzinho que você interpreta. Você continua sendo um assassino. Faris não morreu de picada de abelha.

Trent franziu a testa.

– Ele queria mostrar os registros para a imprensa.

– Faris era um homem que estava com medo e amava a filha dele.

Coloquei a mão no quadril e observei sua agitação. Era muito sutil: a tensão no queixo, a maneira como segurava os dedos, a ausência absoluta de expressão.

– Então por que você não me mata antes que eu faça o mesmo? – perguntei. Meu coração acelerou e senti que estava exaltada.

Trent tirou a máscara de magnata do tráfico bem-vestido e profissional ao sorrir.

– Porque você não vai para a imprensa – ele disse, baixinho. – Eles acabariam com você também e, para você, a sobrevivência é mais importante do que a verdade.

Meu rosto ficou vermelho.

– Cale a boca.

– Não é um defeito, senhorita Morgan.

– Cale a boca!

– Eu sabia que, mais cedo ou mais tarde, você trabalharia comigo.

– Eu não.

– Você já está trabalhando.

Com um nó na barriga, virei o rosto e voltei o olhar desatento para o rio congelado. Franzi a testa. O lugar estava tão quieto que eu conseguia ouvir os batimentos do meu coração... por que aquele silêncio?

Virei, segurando os cotovelos. Trent, que estava alisando a calça, ergueu o olhar curioso diante da minha cara assustada.

Sentindo-me irreal e desligada do resto do mundo, dei um passo em direção à porta.

– Ouça.

– Não estou ouvindo nada.

Estendi a mão e virei a maçaneta.

– Este é o problema – eu disse. – O barco está vazio.

Por um instante, o ar ficou completamente parado. Então Trent se levantou, roçando o terno na cadeira. Parecia mais preocupado do que espantado ao arrumar as mangas e dar um passo à frente. Afastando-me, tentou abrir a maçaneta.

– Que foi? Acha que vai funcionar para você mesmo não tendo funcionado para mim? – cutuquei, pegando seu cotovelo e tirando-o da frente da porta.

Depois de tomar impulso, segurei a respiração e chutei o umbral, contente porque até barcos de luxo usavam materiais leves. Meu tornozelo passou direto pela madeira fina e o pé ficou preso. As faixas da minha roupa elegante balançaram e ondularam conforme eu pulava desajeitadamente para trás para me soltar.

– Ei! Espera! – exclamei.

Trent estava tirando as lascas do buraco recém-aberto e estendeu o braço por ele para destravar a porta pelo lado de fora. Ignorando-me, abriu porta e saiu para o corredor.

– Porra, Trent! – murmurei, pegando minha bolsa de mão e indo atrás dele. Consegui alcançá-lo ao pé da escada, mesmo com o tornozelo dolorido. Estendendo o braço, eu o puxei para trás, batendo seu ombro contra a parede da passagem estreita. – O que está fazendo? – perguntei, a poucos centímetros do seu rosto furioso. – É assim que o Quen é tratado? Você não sabe o que está lá fora e, se morrer, quem vai sofrer as consequências sou eu, não você!

Ele não respondeu, mas seus olhos verdes estavam coléricos e seus dentes, cerrados.

– Agora fique atrás de mim, magrelo, e não saia daí – ordenei, dando um empurrão nele.

Nervosa e preocupada, deixei que ele ficasse ali. Estendi a mão para pegar a arma de *paintball*, mas, enquanto aquele disco roxo continuasse funcionando, as poções com que eu a tinha enchido não fariam nada além de deixar as pessoas irritadas quando eu sujasse suas roupas sofisticadas com uma mistura nojenta de acônito e efemerina. Um leve sorriso perpassou meus lábios. Eu não ligava de fazer aquilo com os punhos.

A parte visível do salão estava vazia. Prestei atenção, mas não ouvi nada. Agachando-me para ficar com a cabeça na altura do joelho, dei uma olhada pelo canto da porta. Eu estava ali por dois motivos. O primeiro era que, se alguém estivesse esperando para me acertar, teria de preparar o golpe de novo, dando-me tempo para sair do caminho. O segundo era que, se me acertassem, eu já estaria perto do chão. Mas, ao olhar para o salão elegante, meu estômago se revirou. O piso estava coberto de corpos.

– Ah, meu Deus – murmurei ao me levantar. – Trent, ele matou todo mundo. – "É isso? Lee vai nos acusar de homicídio?"

Trent passou por mim, escapando da minha mão com facilidade, e se agachou perto do primeiro corpo.

– Está desmaiado – determinou, categórico. Sua voz bonita estava resoluta.

Meu horror se transformou em confusão.

– Por quê? – observei o andar, imaginando que as pessoas deveriam ter caído onde estavam.

Trent se levantou e olhou para a porta. Eu concordei.

– Vamos dar o fora daqui – eu disse.

Seus passos atrás de mim eram rápidos conforme avançávamos pelo vestíbulo. Encontramos a porta trancada, como era de se esperar. Pelo vidro congelado, pude ver os carros no estacionamento; a limusine de Trent estava estacionada onde a tinhamos deixado.

– Estou com um mau pressentimento – murmurei, e Trent me empurrou para o lado para ver.

Olhei para a madeira grossa, sabendo que não conseguiria arrombar aquela porta. Tensa, vasculhei a bolsa. Enquanto Trent gastava energia tentando quebrar a janela com um banco do bar, liguei para o primeiro contato favorito.

– É vidro blindado – avisei enquanto o telefone tocava.

Trent abaixou o banco e passou a mão no cabelo fino para deixá-lo perfeito de novo. Nem sua respiração tinha sido abalada.

– Como você sabe?

Dei de ombros, virando de lado para ter um pouco de privacidade.

– É o que eu teria feito. – Voltei para o salão de jogos quando Ivy atendeu.

– Oi, Ivy – eu disse, recusando-me a abaixar a voz para não dar ao Senhor Elfo a impressão de que eu não tinha planejado aquilo. – Saladan trancou a gente no barco-cassino e fugiu. Você pode vir aqui e arrombar a porta para mim?

Trent estava olhando para o estacionamento.

– Jonathan está lá. Ligue para ele.

Ivy estava falando alguma coisa, mas a voz de Trent era mais alta. Cobri o fone com a mão e falei para Trent:

– Você não acha que, se ele ainda estivesse consciente, não ficaria um pouquinho curioso por Lee ter saído e já não teria vindo dar uma olhada?

Trent empalideceu um pouco.

– O quê? – perguntei ao voltar para Ivy. Ela estava quase histérica.

– Saia daí! – ela gritou. – Rachel, Kist colocou uma bomba na caldeira. Não sabia que era para aí que você estava indo! Saia já!

Meu rosto ficou frio.

– Hum, preciso ir, Ivy. Depois a gente se fala.

Em meio aos berros da vamp, desliguei o celular e o guardei. Voltando-me para Trent, abri um sorriso.

– Kisten vai explodir o barco de Lee para dar uma lição nele. Acho que precisamos sair.

Meu telefone começou a tocar. Ignorei, e a ligação – Ivy? – foi mandada para o correio de voz. A confiança de Trent desapareceu. Restava apenas um homem bonito e bem-vestido tentando mostrar que não estava com medo.

– Lee não deixaria o barco dele ser queimado – o elfo disse. – Não é assim que trabalha.

Coloquei os braços em torno do corpo, vasculhando o salão à procura de alguma coisa, qualquer coisa, que me ajudasse.

– O sujeito incendiou seu orfanato.

– Para chamar minha atenção.

Olhei para ele, exausta.

– Seu *amigo* deixaria o barco ser queimado levando você junto se Piscary fosse enquadrado pelo incêndio? Seria um jeito bem fácil de passar a controlar a cidade.

Trent cerrou os dentes.

– Está nas caldeiras? – perguntou.

– Sim. Como você sabe?

Ele seguiu por uma porta atrás do bar.

– É o que eu teria feito.

– Que ótimo. – Eu o segui, com o coração batendo rápido ao passar pelas pessoas inconscientes. – Para onde estamos indo?

– Quero dar uma olhada.

Parei no meio do caminho enquanto Trent virava para descer por uma escada.

– Você sabe desmontar uma bomba? – Seria o único jeito de salvar todo mundo. Devia haver uma dezena de pessoas.

Na base da escada, Trent ergueu os olhos para mim; seu terno formal não combinava com a sujeira e a desordem da sala das máquinas.

– Não. Só quero dar uma olhadinha.

– Você é doido! – exclamei. – Quer dar uma olhadinha? A gente precisa é dar o fora daqui!

O rosto dele estava calmo.

– Talvez a bomba tenha um cronômetro. Você vem?

– Claro – afirmei, contendo o riso que, eu tinha certeza, soava histérico.

Trent atravessou a sala com uma tranquilidade perturbadora. Eu sentia o cheiro de fumaça e metal quente. Tentando não prender o vestido nas peças, examinei na penumbra.

– Ali! – gritei, apontando. Meu dedo estava tremendo, e abaixei a mão para esconder.

Trent avançou a passos largos e o segui, escondendo-me atrás dele quando se agachou diante de uma caixa de metal cheia de fios. Ele estendeu a mão para abri-la e entrei em pânico.

– Ei! – gritei, segurando-o pelo ombro. – Que Virada pensa que está fazendo? Você não vai saber desligar!

Ele recuperou o equilíbrio sem se levantar, olhando-me irritado. Todos os fios de seu cabelo ainda estavam no lugar.

– O cronômetro fica dentro da caixa, Morgan.

Engoli em seco, olhando por cima de seu ombro enquanto ele abria a tampa com cuidado.

– Quanto tempo falta? – murmurei, soprando seu cabelo fino com a respiração.

Ele se levantou e deu um passo para trás.

– Uns três minutos.

– Ah, não. – Minha boca ficou seca e meu celular começou a tocar. Ignorei. Debruçando-me, olhei de perto a bomba, começando a me sentir um pouco tonta.

Trent puxou o cordão do relógio de bolso, que parecia uma antiguidade, e ativou o cronômetro moderno que havia nele.

– Temos três minutos para encontrar uma saída.

– Três minutos! Não dá para encontrar uma saída em três minutos. O vidro é blindado, as portas são mais grossas do que a sua cabeça e aquele disco púrpura vai absorver qualquer feitiço assim que eu o lançar!

Trent pousou os olhos frios sobre mim.

– Controle-se, Morgan. Ficar histérica não vai ajudar em nada.

– Não me diga o que fazer! – exclamei, com os joelhos começando a tremer. – Eu penso melhor quando fico histérica. Cale a boca e me deixe ter um ataque! – Com os braços envolvendo o corpo, olhei para a bomba. Fazia calor lá embaixo e eu estava suando. Três minutos. Que diabos dava para fazer em três minutos? Cantar uma musiquinha. Arriscar uma dancinha. Fazer um amorzinho. Apaixonar-se um pouquinho. "Ai, meu Deus. Estou fazendo poesia."

– Talvez Lee tivesse uma rota de fuga no escritório – Trent sugeriu.

– E por isso ele trancou a gente lá? – eu disse. – Venha. – Puxei-o pela manga. – Não temos tempo para encontrar uma saída. – Pensei no disco púrpura no forro. Eu o tinha influenciado uma vez. Talvez pudesse fazer com que cedesse à minha vontade. – Venha! – repeti, quando a manga deslizou pelos meus dedos porque ele se recusava a se mover. – A menos que queira ficar aqui e assistir à contagem regressiva. Acho que consigo quebrar a zona antifeitiço que Lee tem no barco.

Trent avançou.

– Ainda acho que dá para encontrar um ponto fraco na segurança.

Caminhei em direção à escada, sem me importar se Trent notaria que eu não estava usando calcinha.

– Não temos tempo. – Que saco. Por que Kisten não me falava o que ia fazer? Eu estava cercada por homens que escondiam segredos de mim. Nick, Trent e agora Kisten. Eu sabia escolher bem, hein? E Kist estava matando pessoas. Eu não queria um cara que matasse pessoas. Qual era o meu problema?

Com o coração martelando como se marcasse os segundos restantes, voltamos para o salão de jogos. Estava tudo calmo e silencioso. À espera. Minha boca se contorceu ao ver as pessoas adormecidas. Elas estavam condenadas. Eu não poderia salvar Trent e aquelas pessoas. Não sabia nem se conseguiria salvar a mim mesma.

O disco parecia inofensivo, mas soube que ainda estava funcionando quando Trent olhou para cima e ficou pálido. Imaginei que o elfo estivesse usando a segunda visão.

– Você não pode quebrar isso – ele disse. – Mas também não precisa. Você consegue fazer um círculo de proteção grande o bastante para nós dois?

Meus olhos se arregalaram.

– Você quer sair daqui em um círculo de proteção? Você é maluco mesmo! Assim que eu tocar nele, o negócio vai quebrar!

Trent parecia furioso.

– De que tamanho, Morgan?

– Mas eu ativei os alarmes da última vez só de olhar para ele!

– E daí? – ele disse, menos confiante. Era bom ver Trent abalado, mas, naquelas circunstâncias, não dava para aproveitar. – Ative os alarmes! O disco não te impede de captar uma linha e fazer um feitiço. Ele só te pega quando você coloca isso em prática. Faça o maldito círculo!

– Ah! – Olhei para ele ao entender, perdendo uma esperança maluca. Eu não poderia captar uma linha para fazer um círculo de proteção. Não em cima da água. – Hum, faça você – eu disse.

Ele pareceu espantado.

– Eu? Eu levo uns cinco minutos com giz e velas.

Frustrada, resmunguei.

– Que tipo de elfo é você?

– Que tipo de caça-recompensas é você? – ele retrucou. – Acho que seu namorado não vai se importar se você captar uma linha através dele para salvar sua vida. Faça o círculo, Morgan. Nosso tempo está acabando!

– Não posso. – Dei meia-volta. Do outro lado do vidro blindado brilhavam as luzes de Cincinnati.

– Dane-se a sua maldita honra, Rachel. Quebre sua palavra com ele ou nós vamos morrer!

Angustiada, olhei para ele. "Ele acha que eu tenho honra?"

– Não é esse o problema. Não posso mais puxar uma linha através de Nick. O demônio quebrou meu laço com ele.

Trent perdeu a cor.

– Mas você me deu um choque no carro. Aquilo era demais para um bruxo guardar sozinho no próprio *chi*!

– Eu sou minha própria familiar, está bem? – bradei. – Fiz um pacto com um demônio para virar familiar dele e tê-lo testemunhando contra Piscary. Por causa disso, precisei aprender a armazenar energia de linha de ley para ele. Tenho toneladas de energia, mas, para fazer um círculo, precisaria estar ligada a uma linha. Não posso me ligar a uma.

– Você é familiar de um demônio? – Trent ficou horrorizado e com medo de mim.

– Não mais! – gritei, furiosa por ter de admitir que aquilo tinha acontecido. – Eu comprei minha liberdade. Larga do meu pé! Não tenho um familiar e não posso captar uma linha em cima da água!

Da minha bolsa, veio o som baixo do toque do celular. Trent me encarou.

– O que você deu em troca da sua liberdade?

– Meu silêncio. – Meu coração bateu mais forte. Que diferença faria se Trent soubesse? Nós dois iríamos morrer mesmo.

Fazendo uma careta como se tivesse decidido alguma coisa, Trent tirou o paletó. Depois de ajeitar a camisa, ele soltou a abotoadura e arregaçou uma manga na altura do cotovelo.

– Você não é familiar de um demônio? – ele disse, em um murmúrio baixo e preocupado.

– Não! – Eu estava tremendo. Enquanto eu observava, confusa e com os olhos arregalados, ele segurou meu braço um pouco abaixo do cotovelo. – Ei! – gritei, tentando me livrar de seu aperto.

– Não enche – ele disse, com severidade. Segurando meu braço com mais força, Trent usou a mão livre para me puxar, me fazendo segurar seu punho da mesma maneira que acrobatas seguram o trapézio. – Não me faça me arrepender disso – murmurou. Arregalei os olhos quando uma onda de energia fluiu para dentro de mim.

– Puta merda! – Perdi o fôlego, quase caindo para trás. Era uma magia desvairada, com o gosto sutil dos ventos. Trent tinha unido sua vontade com a minha, captando uma linha através do seu familiar e dando-a para mim como se fôssemos um. A linha que o atravessava e me penetrava tinha assumido o tom da sua aura. Era limpa e pura, com o sabor dos ventos, como a de Ceri.

Trent gemeu e voltei os olhos para ele. Com as feições visivelmente cansadas, ele suava. Meu *chi* estava repleto e, embora a energia extra voltasse para a linha, o que eu já tinha acumulado na cabeça parecia estar ardendo através dele.

– Ai, meu Deus – eu disse, querendo que houvesse uma maneira de mudar o equilíbrio. – Desculpe, Trent.

Sua respiração era ofegante.

– Faça o círculo – ordenou, sem fôlego.

Olhando de soslaio para o relógio em seu bolso, proferi a invocação. Nós dois cambaleamos quando a força que nos atravessava se esvaiu. Não relaxei um segundo sequer enquanto a bolha de energia de linha de ley crescia ao nosso redor. Olhei para seu relógio. Não conseguia ver quanto tempo ainda tínhamos.

Trent afastou o cabelo da frente dos olhos, sem soltar meu braço. Passou os olhos exaustos pela bolha dourada ao nosso redor e, depois, para as pessoas além dela. Seu rosto ficou inexpressivo. Engolindo em seco, apertou ainda mais meu punho. Ficou claro que a energia não o queimava mais, mas a pressão cresceria continuamente até os níveis anteriores.

– É bem grande – ele disse, olhando para a luz bruxuleante. – Você consegue segurar um círculo desse tamanho sem tê-lo desenhado?

– Consigo – respondi, evitando seu olhar. Sua pele, pressionada contra a minha, era quente e formigava. Eu não estava gostando da intimidade. – E quero que seja grande para que tenhamos um pouco de espaço quando o impacto nos atingir. Assim que você me soltar ou eu tocar nele...

– O círculo se rompe – Trent completou por mim. – Sei disso. Você está falando demais, Morgan.

– Cale a boca! – exclamei, nervosa como um pixie em uma sala cheia de sapos. – Você pode estar acostumado a ter bombas explodindo ao seu redor, mas esta é a minha primeira vez.

– Se tiver sorte, não vai ser a última – ele disse.

– Cale a boca de uma vez! – retorqui. Torci para que meus olhos não parecessem tão assustados quanto os dele. Se sobrevivêssemos à explosão, ainda precisaríamos passar pelo que viria depois. Escombros de barco caindo e água gelada. Ótimo. – Quanto tempo? – perguntei, ouvindo minha voz tremer. Meu telefone estava tocando de novo.

Ele olhou para baixo.

– Dez segundos. Acho que devíamos sentar antes de tudo cair.

– Claro – eu disse. – É uma boa idei...

Levei um susto quando a explosão fez o chão tremer. Eu me joguei contra Trent, desesperada para que não nos soltássemos. O chão nos empurrou e nós dois caímos. Ele agarrou meu ombro, puxando-me contra si para impedir que eu saísse rolando. Pressionada contra seu corpo, inalei o aroma de seda e loção pós-barba.

Senti um frio na barriga e um clarão de fogo surgiu ao nosso redor. Gritei ao perceber que tinha ficado surda. Em um movimento surreal e silencioso, o barco se quebrou e fomos lançados para o ar. A noite se mostrou em vislumbres de céu negro e chamas vermelhas. Fui tomada pelo formigamento do círculo se partindo.

A mão de Trent me soltou e berrei quando as chamas correram pelo meu corpo. Meus ouvidos ensurdecidos pela explosão se encheram de água, e eu não conseguia respirar. Não estava pegando fogo, e sim me afogando. Estava frio, não quente. Em pânico, nadei contra a água que pesava sobre mim.

Não conseguia me mover. Não sabia que lado era para cima. A escuridão estava repleta de bolhas e pedaços de barco. Um leve brilho à esquerda chamou minha atenção. Juntei forças e nadei na direção dele, dizendo ao meu cérebro que era a superfície, embora não parecesse para cima, mas para o lado.

Por Deus, como rezei para que fosse a superfície!

Emergi da água, ainda sem conseguir ouvir nada. Congelei, atingida pelo vento frio. Respirei, ofegante, e o ar passou como uma faca pelos meus pulmões. Respirei mais uma vez, agradecida. Estava tão frio que doía.

Pedaços de barco ainda estavam caindo, e abri caminho pela água, contente por estar usando um vestido em que podia me mover. Tinha tomado goles pesados de água, que tinham gosto de óleo.

– Trent! – gritei, ouvindo minha voz abafada. – Trent!

– Aqui!

Joguei o cabelo úmido para trás e me virei. O alívio perpassou meu corpo. Estava escuro, mas, entre os pedaços de gelo e madeira flutuando, avistei Trent. Seu cabelo estava encharcado, mas ele parecia ileso. Tremendo, tirei o único salto que ainda estava usando e nadei em sua direção. Pedaços de barco continuavam a cair na água. Como era possível? Eu não sabia. Havia pedaços suficientes para construir dois navios.

Trent começou a avançar com braçadas de nadador profissional. Pelo jeito, tinha aprendido a nadar. O brilho do fogo sobre a água gelada surgiu ao nosso redor. Ao erguer os olhos, perdi o fôlego. Algo grande e em chamas ainda estava caindo.

– Trent! – gritei, sem ser ouvida. – Trent, cuidado! – berrei, apontando. Mas ele não estava ouvindo. Mergulhei para tentar escapar.

Fui lançada para baixo ao ser atingida. A água ao meu redor ficou vermelha. Perdi quase todo o ar dos pulmões quando aquilo me acertou, machucando minhas costas. No entanto, a água me salvou e, com os pulmões doloridos e os olhos ardendo, segui o ar expirado em direção à superfície.

– Trent! – chamei ao emergir da água gelada para o frio ardente da noite. Ele estava segurando uma almofada que se enchia de água rapidamente. Seu olhar desfocado encontrou o meu. A luz do barco em chamas estava diminuindo e nadei em sua direção. O cais tinha explodido. Não sabia como iríamos sair dali.

– Trent – eu disse, tossindo quando o alcancei. Meus ouvidos estavam zunindo, mas eu conseguia me ouvir. Cuspi o cabelo da boca. – Você está bem?

Ele piscou como se tentasse focar a visão. Um fio de sangue amarronzado corria sob seu cabelo fino. Seus olhos se fecharam e assisti, horrorizada, enquanto sua mão se soltava da almofada.

– Não, não está – eu disse, tentando agarrá-lo antes que ele afundasse.

Tremendo, coloquei o braço ao redor do seu pescoço, aconchegando o queixo no meu cotovelo. Ele estava respirando. Minhas pernas estavam lentas pelo frio e meus dedos sofriam com cãibra. Olhei ao redor em busca de ajuda. Onde diabos estava a SI? Com certeza alguém tinha visto aquela explosão.

– Nunca estão por perto quando se precisa deles – murmurei, empurrando um bloco de gelo do tamanho de uma cadeira da minha frente. – Devem estar multando alguém por vender amuletos vencidos. – O cais tinha explodido. Eu precisava tirar a gente da água, mas o quebra-mar consistia em um metro de concreto. O único jeito era voltar para cima do gelo e caminhar até outro cais.

Soltei um som desesperado enquanto nadava na direção do fim do buraco que a explosão tinha aberto no gelo. Eu nunca conseguiria chegar lá, apesar da corrente lenta. Estava começando a afundar, e meus movimentos estavam mais lentos e difíceis. Além disso, não sentia mais frio, o que me deixou assustada. Talvez eu conseguisse chegar... se não estivesse levando Trent.

– Que saco tudo isso! – gritei, usando a raiva para continuar me mexendo. Eu iria morrer ali, tentando salvar Trent. – Por que você não me falou o que iria fazer, Kisten? – exclamei, sentindo as lágrimas rolarem como chamas pelo rosto. – Por que eu não te falei o que iria fazer? – gritei contra mim mesma. – Sou uma idiota. E seu maldito cronômetro está quebrado, Trent! Sabia disso? Seu maldito... – Tomei um fôlego embargado. – ... cronômetro está quebrado.

Minha garganta estava doendo, mas o movimento parecia me esquentar. A água parecia morna agora. Ofegante, parei de nadar, abrindo caminho pela água. Minha visão se turvou quando percebi que estava quase chegando. Mas um grande pedaço de gelo bloqueava o caminho, me obrigando a dar a volta por ele.

Tomando um fôlego resoluto, mexi meu braço inerte e bati as pernas. Não conseguia mais senti-las, mas imaginei que estavam se movendo já que a camada de gelo de vinte centímetros de grossura estava mais perto. As últimas chamas do barco lançavam pequenas luzes vermelhas sobre o gelo quando cheguei até ele e o toquei. Minha mão deslizou, puxando neve, e eu afundei. A adrenalina disparou dentro de mim e voltei para a superfície. Trent tossiu e cuspiu água.

– Ah, Trent – eu disse, com a boca cheia de água. – Esqueci que estava aí. Você primeiro. Venha. Suba no gelo.

Usando o que parecia ser um pedaço do bar do cassino como uma alavanca de eficácia duvidosa, consegui fazer com que Trent subisse em cima do rio congelado. Lágrimas desciam pelo meu rosto agora que eu podia usar os dois braços para flutuar. Fiquei pendurada por um momento, com as mãos dormentes na neve enquanto pousava a cabeça no gelo. Eu estava tão cansada. Trent não estava afogado. Eu tinha feito meu trabalho. Agora poderia salvar minha própria pele.

Estendi o braço para subir no gelo... e não consegui. A neve caiu, formando bolhas na água. Mudando de tática, tentei erguer a perna. Ela não se movia. Eu não conseguia mover minha perna.

– Certo – eu disse, não tão assustada quanto achei que deveria estar.

Provavelmente, o frio tinha entorpecido tudo. Até minha mente estava turva. Eu deveria estar fazendo alguma coisa, mas não conseguia lembrar o quê. Pisquei ao olhar para Trent, com as pernas ainda na água.

– Ah, claro – murmurei. Eu precisava sair da água.

O céu estava preto; e a noite, silenciosa – exceto pelo zumbido nos meus ouvidos e pelo som distante de sirenes. A luz das chamas era difusa e ficava cada vez mais fraca. Meus dedos não se mexiam, e precisei usar os braços como bastões para puxar um pedaço do barco. Concentrando-me para não perder a consciência, puxei o escombro para baixo para que ele me ajudasse a subir. Soltei um gemido quando, com o auxílio, consegui colocar a perna em cima do gelo. Rolei desajeitadamente e fiquei deitada, arquejando. O vento ardia nas minhas costas e o gelo estava quente. Eu tinha conseguido.

– Cadê todo mundo? – murmurei, sentindo minha pele dura contra o gelo frio. – Cadê a Ivy? Cadê os bombeiros? Cadê meu celular? – Ri ao lembrar que o aparelho estava no fundo do rio, junto com a minha bolsa, então fiquei triste ao pensar nas pessoas inconscientes afundando na água fria em suas roupas elegantes. Caramba, eu daria um beijo até em Denon, meu antigo e detestável chefe da SI, se ele aparecesse.

O que me lembrou de alguém.

– Jonathan – murmurei. – Ah, Jooonathan – entoei. – Cadê você? Venha aqui, venha aqui, onde quer que você esteja, sua aberração gigante da natureza.

Ergui a cabeça, contente ao ver que estava voltada na direção certa. Estreitando os olhos por entre o cabelo ensopado, pude avistar a luz da limusine. Os faróis estavam voltados para o rio, iluminando a destruição e os pedaços de barco afundando. A silhueta de Jonathan estava parada no cais. Sabia que se tratava dele porque o sujeito era a única pessoa daquela altura que eu conhecia. Jonathan estava olhando na direção errada. Ele nunca me veria, e eu não conseguia gritar mais.

Saco. Eu teria que me levantar.

Eu tentei. Tentei mesmo. Mas minhas pernas não funcionavam e meus braços ficaram parados, ignorando meus comandos. Além disso, o gelo estava quente e eu não queria levantar. Talvez, se eu gritasse, ele conseguiria me ouvir.

Tomei fôlego.

– Jonathan – murmurei. Ai, caramba, isso nunca daria certo.

Tomei outro fôlego.

– Jonathan – eu disse, escutando apesar do zumbido em meus ouvidos. Ergui a cabeça, notando que não tinha se virado para olhar. – Deixa pra lá – eu disse, deixando a cabeça cair sobre o gelo. A neve era quente e me afundei nela. – Está gostoso – pensei em voz alta.

O mundo parecia girar e ouvi o chapinhar da água. Aconchegando-me no gelo, sorri. Fazia dias que não dormia bem. Expirei, flutuei à deriva, gostando do calor do sol que, de repente, brilhava sobre o gelo. Alguém colocou os braços ao meu redor, e senti minha cabeça bater contra um peito úmido ao ser erguida.

– Denon? – me ouvi murmurar. – Venha aqui, Denon. Vou te dar um grande... beijo...

– Denon? – alguém ecoou.

– Deixa que eu carrego, Sa'han.

Tentei abrir os olhos, ficando inconsciente de novo ao sentir que me movia. Eu estava entorpecida – não estava acordada, mas também não estava dormindo. Então parei, e tentei sorrir e cair no sono. Mas uma ardência na minha bochecha ficava atrapalhando, e minhas pernas doíam.

Irritada, empurrei o gelo, descobrindo que não estava mais ali. Eu estava sentada, e alguém me estapeava.

– Chega – ouvi Trent dizer. – Você vai deixar marca.

A ardência desapareceu e senti as bochechas latejarem. "Jonathan estava me dando tapas?"

– Ei, seu filho da puta – murmurei. – Se você me bater de novo, eu corto suas bolas fora.

Senti um cheiro de couro. Meu rosto foi se contorcendo à medida que voltava a sentir meus braços e pernas. Meu Deus, quanta dor! Abri os olhos, encontrando Trent e Jonathan me encarando. Um fio de sangue corria do cabelo de Trent, que soltava água pelo nariz. Sobre a cabeça deles, estava o teto da limusine. Eu estava viva? Como tinha ido parar no carro?

– Já estava na hora de você encontrar a gente – murmurei, e meus olhos se fecharam.

Ouvi Trent murmurar.

– Ela está bem.

"Acho que sim. Talvez. Comparada com estar morta, acho que estou bem."

– Que pena – Jonathan disse, e o ouvi se afastar de mim. – As coisas seriam muito mais simples se não estivesse. Ainda dá tempo de jogá-la na água com os outros.

– Jon! – Trent vociferou.

Sua voz era tão acalorada quanto minha pele. Eu estava pegando fogo.

– Ela salvou a minha vida – Trent disse, com a voz suave. – Não me importo se você gosta dela ou não; Morgan merece seu respeito.

– Trenton... – Jonathan começou.

– Não. – Estava frio. – Ela *merece* seu respeito.

Houve uma hesitação, em que eu teria perdido a consciência se minhas pernas deixassem. E meus dedos estavam em chamas.

– Sim, Sa'han – Jonathan disse, e eu despertei.

– Leve-nos para casa. Ligue antes e mande Quen preparar um banho para ela. Precisamos deixar a menina mais quente do que está.

– Sim, Sa'han. – Ele estava devagar e relutante. – A SI está aqui. Por que não a deixamos com eles?

Senti um leve puxão no meu *chi* quando Trent captou uma linha.

– Não quero ser visto aqui. Não entre na frente de ninguém, e não seremos notados. Rápido.

Meus olhos não me obedeciam mais, mas ouvi Jonathan sair e bater a porta. Houve outro baque quando entrou pela porta do motorista e deu partida no carro. Os braços em torno de mim me apertaram e percebi que estava no colo de Trent; o calor do seu corpo me esquentava mais do que o ar. Senti o toque suave de um cobertor sobre mim. Eu devia estar bem agasalhada, pois não conseguia mover nem as pernas nem os braços.

– Desculpa – murmurei, desistindo de tentar abrir os olhos. – Estou molhando todo o seu terno. – Então ri, pensando que a frase tinha soado bastante patética. Ele já estava todo encharcado. – Seu amuleto celta não serve para nada – murmurei. – Você guardou o recibo?

– Fique quieta, Morgan – Trent disse, com a voz distante e preocupada.

O carro ganhou velocidade e fui embalada pelo som do motor. "Posso relaxar", pensei enquanto sentia a circulação voltar para os meus membros. Eu estava no carro de Trent, envolvida em um cobertor e segura em seus braços. Ele não deixaria que nada me machucasse.

"Mas ele não está cantando", pensei. "Ele não deveria estar cantando?"

Vinte e sete

A água quente em que eu estava mergulhada era uma delícia. Eu estava nela há tempo suficiente para enrugar a pele duas vezes, mas não ligava. A banheira acoplada de Ellasbeth era incrível. Suspirei, jogando a cabeça para trás e fitando o teto de três metros de altura, emoldurado pelas orquídeas em torno da banheira. O trabalho de magnata do tráfico tinha lá suas vantagens, e uma delas era ter uma banheira como aquela. Eu estava dentro dela fazia uma hora.

Trent tinha ligado para Ivy antes mesmo de sairmos da cidade. Não fazia muito tempo que eu tinha falado com ela, dizendo que estava bem, mergulhada em água quente da qual não sairia até que o inferno congelasse. Ela tinha desligado na minha cara, mas eu sabia que estávamos bem.

Passando os dedos pelas bolhas, arrumei o amuleto contra dor no pescoço. Não sabia quem o tinha invocado para mim; talvez a secretária de Trent? Todos os meus amuletos estavam no fundo do rio Ohio. Meu sorriso vacilou ao me lembrar das pessoas que eu não tinha conseguido salvar. Não podia me sentir culpada por estar respirando e elas não. Aquelas mortes eram responsabilidade de Saladan, não minha. Ou talvez de Kisten. Saco. O que eu ia fazer sobre isso?

Fechei os olhos e rezei por elas, mas os abri de repente quando o som de passos rápidos ficou mais alto. Eles foram se aproximando e congelei quando uma mulher magra com um terninho elegante de cor pastel entrou a passos sonoros no banheiro sem se anunciar. Ela trazia um saco de compras pendurado no braço. Seu olhar resoluto estava fixado no batente do vestiário, e não me notou em momento algum enquanto desaparecia atrás dele.

Devia ser Ellasbeth. Merda. O que eu deveria fazer? Limpar as bolhas da minha mão e oferecê-la para apertar a mão dela? Paralisada, olhei fixamente para a porta. Meu casaco estava em cima de uma das cadeiras e o saco de roupas ainda se encontrava pendurado no biombo. Com o coração acelerado, calculei se conseguiria alcançar a toalha verde antes que a mulher notasse que não estava sozinha.

O som baixo de seu movimento cessou, e mergulhei sob as bolhas quando ela voltou a passos largos e rápidos. Seus olhos castanhos estavam estreitados de raiva e as salientes maçãs do rosto estavam vermelhas. Com a postura rígida, ela deteve-se com a sacola pendendo em um braço, aparentemente esquecida. Seu cabelo farto e ondulado estava jogado para trás, conferindo ao rosto fino uma beleza forte. Com os lábios tensos, ergueu a cabeça, fixando o olhar ardente em mim assim que atravessou o arco.

"Então esta é a imagem do inferno congelado."

– Quem é você? – ela perguntou, com a voz potente, fria e dominadora.

Abri o que sabia ser um sorriso angustiado.

– Ah, meu nome é Rachel Morgan. Da Encantos Vampirescos? – Fiz menção de me sentar, mas mudei de ideia. Eu odiava a dúvida que tinha transparecido na minha voz, mas agora já era. Afinal, a dúvida estava lá porque eu estava nua e coberta de bolhas, enquanto ela estava em pé sobre dez centímetros de salto, com uma roupa elegante e casual que Kisten poderia ter escolhido para mim se me levasse para fazer compras em Nova York.

– O que está fazendo na minha banheira? – Olhou com desprezo para o meu olho roxo, que ainda estava cicatrizando.

Peguei uma toalha e a aproximei do meu corpo para me cobrir.

– Tentando me esquentar.

Ela contorceu os lábios.

– Por que será? – ironizou. – Ele é um canalha mesmo.

Eu me sentei, fazendo correr a água enquanto ela saía.

– Trenton! – sua voz ecoou, quebrando a paz que eu estava sentindo antes de sua entrada.

Bufei e olhei para a toalha encharcada sobre mim. Com um suspiro, me levantei e abri o ralo com o pé. A água que antes girava na altura das minhas panturrilhas parou e começou a escorrer. Ellasbeth tinha feito a gentileza de deixar todas as portas abertas, e pude ouvir seus gritos com Trent. Ela não estava longe. Talvez na sala de estar. Pensando que, enquanto Ellasbeth estivesse lá, era seguro me secar no banheiro, pendurei a tolha molhada e peguei outras duas do aquecedor.

– Meu Deus, Trenton – surgiu sua voz, ácida e grosseira. – Você não poderia esperar pelo menos até eu ir embora antes de trazer uma das suas prostitutas para casa?

Fiquei vermelha e meus movimentos endureceram ao secar os braços.

– Pensei que você *tinha* ido embora – Trent disse, calmo, sem ajudar muito a situação. – E ela não é uma prostituta; é uma colaboradora.

– Estou pouco me lixando para o nome que você dá para essa mulher. Ela está nos meus aposentos, seu filho da mãe.

– Não tinha nenhum outro lugar para colocar a garota.

– Tem oito banheiros deste lado da parede e você a põe logo no meu?

O bom era que meu cabelo estava relativamente seco, e o cheiro do xampu de Ellasbeth fazia eu me sentir chique. Pulando desajeitadamente em um pé só, tentei colocar a calcinha, contente por só ter usado a meia-calça que trouxera de casa quando quase me afoguei. Minha pele ainda estava molhada e as roupas grudavam. Quase caí quando meu pé ficou preso no meio da calça e, balançando, recuperei o equilíbrio encostada ao balcão.

– Caramba, Trenton! Nem tente dizer que *aquilo* é trabalho – Ellasbeth gritou. – Tem uma bruxa pelada na minha banheira e você está sentado de roupão!

– Não, escute aqui você. – A voz de Trent era severa e era possível ouvir sua frustração a dois cômodos de distância. – Eu disse que ela é uma colaboradora, e é isso que ela é.

Ellasbeth deu uma gargalhada que mais parecia um latido.

– Da Encantos Vampirescos? Ela até falou o nome do puteiro!

– Não que seja da sua conta, mas ela é uma caçadora de recompensas – Trent disse, com a voz tão impassível que quase dava para ver seus dentes cerrados. – A parceira dela é vampira. É um jogo de palavras, Ellasbeth. Rachel foi minha segurança esta noite e caiu no rio para salvar minha vida. Eu não iria abandoná-la no escritório dela, quase morta por hipotermia, feito um bicho rejeitado. Você me falou que pegaria o voo das sete. Pensei que tinha ido embora e eu é que não iria colocar uma mulher em um dos meus quartos.

– Você estava naquele barco... O que explodiu... – A voz da mulher se tornou mais suave, mas não havia nenhum pedido de desculpas em sua preocupação súbita.

Notando o silêncio, tentei arrumar o cabelo, fazendo uma careta. Talvez, se eu tivesse meia hora, conseguiria dar um jeito nele. Se bem que não teria como me recuperar da primeira impressão formidável que eu tinha dado. Respirando fundo para me acalmar, relaxei os ombros e caminhei só de meias em direção à sala de estar. Café. Senti cheiro de café. Café deixaria tudo melhor.

– Você pode entender por que fiquei confusa – Ellasbeth dizia enquanto eu hesitava perto da porta, sem ser vista mas conseguindo ver os dois. A noiva de Trent estava em pé ao lado da mesa redonda de café da manhã, mansa como um tigre ao perceber que não pode devorar o domador. Trent estava sentado, usando um roupão verde de barras marrons, com um curativo na testa aparentemente feito por um profissional. Ele tinha um ar incomodado, o que é de se esperar quando se é acusado de traição pela noiva.

– Isso é o mais perto de um pedido de desculpa que vou conseguir, não é? – Trent perguntou.

Ellasbeth deixou a sacola de compras no chão e pousou a mão no quadril.

– Quero essa mulher fora dos meus aposentos. Seja ela quem for.

O olhar de Trent recaiu sobre o meu como se atraído por ele, e pedi desculpas com o olhar.

– Quen vai levar a senhorita Morgan para a casa dela depois de um jantar leve – ele disse. – Você pode jantar conosco se quiser. Como falei, pensei que você tinha ido embora.

– Troquei minha passagem para um voo vamp, assim eu poderia fazer mais compras.

Trent olhou de soslaio para mim como que para avisar Ellasbeth que eles não estavam sozinhos.

– Você passou seis horas em lojas e só está com uma sacola? – ele disse, com um leve tom acusatório na voz.

Ellasbeth seguiu o olhar até mim, rapidamente mascarando a raiva com um rosto calmo. Mas eu podia ver sua frustração, apesar de ainda não saber como ela iria se mostrar. Podia apostar que na forma de farpas e provocações disfarçadas de elogios. Mas eu seria simpática se ela também fosse.

Sorrindo, entrei com minha calça jeans e meu moletom dos Uivadores.

– Ei, hum, obrigada pelo amuleto contra dor e por me deixar tomar um banho, senhor Kalamack. – Parei ao lado da mesa, com um constrangimento tão espesso e sufocante quanto uma torta estragada. – Não precisa incomodar Quen. Vou chamar minha parceira para me buscar. Ela já deve estar batendo no seu portão a esta altura.

Trent fez um esforço visível para não demonstrar sua raiva. Com os cotovelos apoiados na mesa, de maneira que as mangas do roupão mostravam os pelos claros em seus braços, disse:

– Prefiro que Quen te leve para casa, senhorita Morgan. Não tenho muita vontade de conversar com a senhorita Tamwood. – Olhou para Ellasbeth. – Quer que eu ligue para o aeroporto ou vai ficar mais uma noite?

Sua voz era inteiramente desprovida de qualquer convite.

– Vou ficar – ela disse, tensa. Inclinando-se, pegou a sacola e caminhou até a porta. Observei seus passos rápidos e rígidos, percebendo neles uma combinação perigosa de ego e indiferença grosseira.

– Ela é filha única, não é? – perguntei, quando o som de seus passos desapareceu no carpete.

Trent pestanejou, abrindo os lábios.

– É, sim. – Em seguida, apontou para a cadeira. – Fique à vontade.

Sem saber ao certo se queria jantar com os dois, sentei, desconfiada, na cadeira diante de Trent. Voltei o olhar para a janela falsa que cobria toda a parede ocupada pela saleta ao lado, quase embutida. Mal tinha passado das onze de acordo com os relógios que eu tinha checado, e o céu estava escuro e sem lua.

– Desculpe – eu disse, voltando os olhos para o arco que dava para os aposentos de Ellasbeth.

Ele cerrou os dentes por um instante e então relaxou.

– Quer café?

– Sim. Por favor. – Eu estava meio fraca de fome e o calor do banho tinha drenado minhas forças. Ergui os olhos arregalados quando uma senhora de avental saiu devagar da pequena cozinha acoplada aos fundos da sala. A cozinha era parcialmente aberta para a copa, mas eu não tinha notado a mulher até aquele momento.

Com um sorriso sincero, ela pousou uma caneca com o cheiro divino de café à minha frente antes de encher a pequena xícara de chá de Trent com uma infusão amarelada. Pensei sentir o cheiro de gardênias, mas não tive certeza.

– Deus te abençoe – eu disse, ao colocar as mãos na caneca e inspirar o vapor.

– Não há de quê – ela disse, com a ternura profissional de uma boa garçonete. Sorrindo, se voltou para Trent. – O que deseja hoje, senhor Kalamack? Está quase tarde demais para um jantar de verdade.

Enquanto eu soprava a superfície do café, pensei nos horários diferentes entre nossas espécies, achando interessante que os elfos ficassem acordados o tempo todo, mas que o jantar acontecesse no mesmo momento para nós.

– Que tal alguma coisa leve? – Trent sugeriu, claramente tentando aliviar o clima. – Estou com um quilo de água do rio Ohio dentro de mim. Pode ser um café da manhã em vez de um jantar. O de sempre, Maggie.

A mulher assentiu, com o cabelo branco imóvel preso com grampos.

– E você, querida? – a empregada me perguntou.

Olhei de Trent para ela.

– O que é o de sempre?

– Quatro ovos fritos e três fatias de pão de centeio torradas só de um lado.

Fiquei pálida.

– Isso é leve? – deixei escapar.

Trent arrumou o colarinho do pijama que eu entrevia atrás do roupão.

– Metabolismo rápido.

Pensei em como ele e Ceri pareciam nunca sentir frio. A temperatura do rio também parecia não tê-lo afetado.

– Hum – comecei, ao perceber que ela ainda estava esperando. – A torrada parece boa, mas vou deixar os ovos para a próxima.

Erguendo a sobrancelha, o elfo tomou um gole do seu chá, observando-me por trás da xícara.

– Verdade – ele disse, com a voz inocente. – Você não tolera bem ovos. Maggie, que tal panquecas?

Em choque, me recostei na cadeira.

– Como você...

Trent encolheu os ombros. Ele ficava bem de roupão e descalço. Seus pés eram bonitos.

– Acha que não conheço seu histórico médico?

Minha surpresa se desfez ao me lembrar do cadáver de Faris no chão de seu escritório. "Que diabos eu estava fazendo jantando com ele?"

– Pode ser panqueca.

– A menos que você queira algo mais tradicional para jantar. Comida chinesa é rápida de cozinhar. Você prefere? Maggie faz *wontons* maravilhosos.

Balancei a cabeça.

– Pode ser panqueca.

Maggie sorriu, voltando para a cozinha.

– Não vai demorar.

Pousei um guardanapo no colo, pensando em quanto daquela atuação de "vamos ser legais com Rachel" se devia ao fato de que Ellasbeth estava ouvindo no quarto ao lado e Trent queria ferir seus sentimentos por tê-lo acusado de traição. Concluindo que não me importava com isso, coloquei os cotovelos na mesa e dei um gole no melhor café que já tinha tomado na vida. Fechando os olhos sobre o vapor, gemi de prazer.

– Ai, meu Deus, Trent – murmurei. – Que delícia.

O bater súbito de saltos no carpete me fez abrir os olhos. Ela tinha voltado.

Eu me ajeitei na cadeira quando Ellasbeth entrou, com o casaco formal aberto de maneira a mostrar a camisa branca engomada e o lenço cor de pêssego. Meu olhar desceu para seu dedo anelar e fiquei pálida. Dava para controlar uma cidade com o brilho daquele anel.

Ela sentou ao meu lado, perto demais para o meu gosto.

– Maggie? – a mulher disse, com gentileza. – Vou querer chá com biscoitos, por favor. Já jantei fora.

– Sim, senhora – a empregada disse ao colocar a cabeça no arco aberto. Seu tom não denotava qualquer carinho. Estava claro que Maggie também não gostava da noiva de Trent.

Ellasbeth voltou o sorriso para mim, pousando os dedos longos e de aparência frágil na mesa para mostrar melhor o anel de noivado. "Vaca."

– Acho que começamos com o pé esquerdo, senhorita Morgan – ela disse, animadamente. – Você e Trenton se conhecem há muito tempo?

Não gostei de Ellasbeth. Pensei que também ficaria nervosa se chegasse em casa e encontrasse uma mulher na banheira de Nick, mas, depois de presenciar a discussão entre Trent e sua noiva, não consegui encontrar nenhuma simpatia por ela. Era pesado acusar alguém de traição. Meu sorriso vacilou quando lembrei que tinha feito o mesmo com Nick. Eu o acusara de me dar um fora, perguntando se tinha outra pessoa. Havia uma diferença, mas não muita. Merda. Eu precisava pedir desculpa. O fato de que ele não tinha me contado aonde ia nos últimos três meses e tinha me evitado não parecia mais motivo suficiente. Pelo menos, eu não o xingara de nada. Voltando subitamente dos meus pensamentos, sorri para Ellasbeth.

– Ah, minha história com Trent é antiga – eu disse, descontraída, enrolando um cacho do cabelo e me lembrando de seu comprimento. – Nós nos conhecemos no acampamento quando éramos crianças. É meio romântico, se você pensar. – Sorri com a encarada súbita de Trent, que empalideceu.

– Sério? – Ela se voltou para Trent e, por trás da cadência suave de sua voz, ouvia-se um leve rugido de tigre.

Arrumei a postura e coloquei as pernas embaixo de mim para sentar de pernas cruzadas, passando o dedo na borda da caneca de maneira sugestiva.

– Ele parecia um filhotinho quando era mais jovem, cheio de energia e furor. Precisei rejeitar o coitadinho uma vez. Foi assim que ele conseguiu a cicatriz no antebraço.

Olhei para Trent.

– Não acredito que você não contou para ela! Trent, você ainda tem vergonha daquilo?

O olho de Ellasbeth tremeu, mas seu sorriso não vacilou em nenhum momento. Maggie colocou uma xícara de aparência delicada cheia de um líquido amarelo perto do cotovelo dela e saiu em silêncio. Arqueando as sobrancelhas cuidadosamente feitas, Ellasbeth examinou a postura silenciosa de Trent e o fato de ele não negar nada. A ponta de seus dedos tamborilou na mesa com uma leve agitação.

– Entendi – ela disse, antes de se levantar. – Trenton, acho que vou pegar o voo de hoje mesmo.

Trent a encarou. Ele parecia cansado e um pouco aliviado.

– Se é o que você prefere, querida.

Ellasbeth se aproximou dele, mas com o olhar voltado na minha direção.

– Assim você tem um tempo para arrumar suas coisas... querido – ela disse. Seus lábios sopraram o ar em torno da orelha dele. Ainda me observando, deu um leve beijo na bochecha do noivo. Não havia nenhum sentimento em seus olhos além de uma faísca vingativa. – Me ligue amanhã.

Nenhuma emoção perpassou o rosto de Trent. Nada. E aquela ausência de qualquer emoção me deu um calafrio.

– Vou contar as horas – ele disse, sem expressar nada na voz. Os olhos dos dois estavam voltados para mim quando Trent ergueu a mão para tocar o rosto dela, sem retribuir o beijo. – Peço para Maggie embalar seu chá?

– Não. – Sem deixar de me observar, Ellasbeth se endireitou, mantendo a mão possessiva sobre o ombro dele. A imagem que o casal formava era bonita e intensa. E unida. Lembrei do meu reflexo ao lado de Trent no barco de Saladan. Ali estava o laço que faltava entre nós. Mas aquilo não era amor. Parecia mais... Franzi a testa... uma fusão entre empresas?

– Foi um prazer conhecê-la, Rachel – Ellasbeth disse, trazendo meus pensamentos de volta para o presente. – E obrigada por acompanhar meu noivo hoje. Aposto que você é muito experiente e que seus serviços foram de qualidade. É uma pena que Trent não vá mais precisar deles.

Debrucei-me sobre a mesa para apertar a mão dela com uma pressão neutra. Passou pela minha cabeça que ela tinha acabado de me chamar de prostituta... de novo. De repente, não sabia o que estava acontecendo. "Ele gosta dela ou não?"

– Tenha um bom voo – eu disse.

– Eu vou ter. Obrigada. – Tirou a mão e recuou um passo. – Me leva para o carro? – pediu a Trent, com a voz suave e satisfeita.

– Não estou vestido, querida – ele respondeu, com a voz gentil, sem tirar a mão dela. – Jonathan pode carregar suas malas.

Um vislumbre de irritação perpassou o rosto de Ellasbeth, e abri um sorriso maldoso. Virando-se, ela se dirigiu para o corredor no qual a sala desembocava.

– Jonathan? – ela chamou, batendo os saltos.

Meu Deus. Aqueles dois praticavam jogos mentais um com o outro como se fosse um esporte olímpico.

Trent expirou. Colocando os pés no chão, fiz uma cara irônica.

– Ela é legal.

Ele fechou a cara.

– Não, não é, mas vai ser minha esposa. Então seria bom se, daqui para a frente, você não desse mais a entender que dormimos juntos.

Abri um sorriso sincero dessa vez.

– Só queria que ela fosse embora.

Maggie se aproximou às pressas, arrumando a mesa e levando a xícara e o pires de Ellasbeth.

– Mulher detestável – murmurou, com os movimentos rápidos e bruscos. – E pode me mandar embora se quiser, senhor Kalamack, mas não gosto dela e nunca vou gostar. Fique só olhando. Ela vai trazer outra mulher para mandar na minha cozinha. Vai desarrumar meus armários. Me tirar daqui.

– Nunca, Maggie – Trent a confortou, com o ar mais amigável. – Vamos todos ter que fazer o melhor dessa história.

– Ah, eba, eba, eba – ela murmurou enquanto voltava para a cozinha.

Sentindo-me mais relaxada agora que Ellabeth tinha ido embora, tomei outro gole daquele café celestial.

– Ela é legal – eu disse, olhando para a cozinha.

Os olhos verdes dele tomaram um brilho infantil quando respondeu:

– É, sim.

– Ela não é uma elfa – eu disse, e seus olhos se voltaram para mim. – Ellasbeth é – acrescentei, e seus olhos se fecharam de novo.

– Você está sabendo demais, senhorita Morgan – ele disse, recostando-se na cadeira.

Depois de colocar um cotovelo de cada lado do prato branco, pousei o queixo na ponte formada por minhas mãos.

– Esse é o problema da Ellasbeth, sabe. Ela acha que só está aqui para procriar.

Trent abriu o guardanapo e o colocou no colo. Seu roupão estava se abrindo aos poucos, mostrando um conjunto de pijama de aparência executiva. Era uma decepção; eu estava torcendo para que ele estivesse só de cueca por baixo.

– Ellasbeth não quer se mudar para Cincinnati – ele disse, sem saber que eu estava olhando secretamente para seus músculos. – Seu trabalho e seus amigos estão em Seattle. Não dá para imaginar só de olhar para ela, mas Ellasbeth é uma das melhores engenheiras de transplante celular do mundo.

Meu silêncio surpreendido fez com que ele erguesse os olhos, e fiquei olhando, sem entender.

– Ela consegue tirar o núcleo de uma célula danificada e transplantar em uma saudável – explicou.

– Ah. – Bonita e inteligente. Ela poderia ser Miss América se aprendesse a mentir melhor. Mas aquilo parecia perto demais de manipulação genética ilegal para o meu gosto.

– Ellasbeth pode trabalhar em Cincinnati tão bem quanto em Seattle – Trent disse, tomando meu silêncio como sinal de interesse. – Já financiei o departamento de pesquisas da universidade para atualizar os laboratórios. Com seus avanços, ela vai colocar Cincinnati no mapa, e está furiosa porque é ela quem está sendo obrigada a se mudar, e não eu. – Encarou meus olhos questionadores. – Não é ilegal.

– Se você diz... – comentei, recostando-me quando Maggie colocou um pote de manteiga e um jarro de xarope de bordo quente na mesa, e saiu.

Os olhos verdes de Trent encararam os meus, e ele deu de ombros.

O cheiro inebriante de massa cozida se aproximou e fiquei com água na boca quando Maggie voltou com dois pratos de panquecas soltando fumaça. Colocou um na minha frente, hesitando para ter certeza de que eu estava contente.

– Parece maravilhoso – elogiei, pegando a manteiga.

Trent arrumou o prato enquanto esperava por mim.

– Obrigada, Maggie. Deixe que eu tiro a mesa. Está ficando tarde. Vá aproveitar o resto da noite.

– Obrigada, senhor Kalamack – Maggie disse, visivelmente contente, com a mão pousada no ombro dele. – Vou limpar a pia antes de ir. Mais chá ou café?

Ergui os olhos da manteiga, que empurrava para Trent. Os dois estavam esperando por mim.

– Hum, não – eu disse, ao olhar para minha caneca. – Obrigada.

– Estão uma delícia – Trent arremedou.

Maggie assentiu como se estivéssemos fazendo alguma coisa certa antes de voltar para a cozinha cantarolando. Sorri quando reconheci uma antiga canção de ninar.

Ao abrir a tampa de um pote fechado, o encontrei cheio de morangos amassados. Arregalei os olhos. Alguns moranguinhos do tamanho do meu polegar formavam um círculo em torno da borda do pote como se fosse junho, não dezembro, e fiquei curiosa para saber onde ele os tinha encontrado. Ansiosa, coloquei vários em cima da minha panqueca, erguendo os olhos quando me dei conta de que Trent estava me olhando.

– Quer um pouco?

– Quando você acabar.

Fiz menção de pegar outra colherada, mas hesitei. Depois de devolver a colher ao pote, eu os empurrei para ele. O barulhinho da prataria parecia alto enquanto eu colocava o xarope de bordo.

– Sabia que, na última vez em que vi um homem de roupão, eu o espanquei com a perna de uma cadeira até que ele desmaiasse? – brinquei, desesperada para quebrar o silêncio.

Trent quase sorriu.

– Vou tomar cuidado.

A panqueca era crocante por fora e macia por dentro, fácil de cortar com o garfo. Trent usou uma faca. Com cuidado, coloquei o quadrado perfeito dentro da boca antes que começasse a pingar.

– Ai, meu Deus – eu disse de boca cheia, abandonando a boa educação. – Isso está bom desse jeito porque a gente quase morreu ou porque ela é a melhor cozinheira da face da Terra?

Era manteiga de verdade e o xarope tinha um sabor obscuro que mostrava que ele era cem por cento puro. Não dois por cento, não sete por cento; era de verdade. Ao lembrar do esconderijo de doces de bordo que eu tinha encontrado certa vez ao vasculhar o escritório de Trent, não fiquei surpresa.

– Maggie põe maionese neles. Dá uma textura interessante.

Hesitei, olhando para o prato, e então concluí que, se eu não conseguia sentir o gosto, não devia ter ovo suficiente para me preocupar.

– Maionese?

Ouvi um leve suspiro na cozinha.

– Senhor Kalamack... – Maggie surgiu, secando as mãos no avental. – Pare de entregar meus segredos ou você vai encontrar folhas de chá na sua infusão amanhã – ela repreendeu.

Virando-se para olhar por sobre o ombro, Trent abriu um sorriso, tornando-se uma pessoa completamente diferente.

– Daí vou poder ler a minha sorte nelas. Boa noite, Maggie.

Bufando, ela saiu, passando pela sala baixa e virando à esquerda na passarela que dava para o grande salão. Seus passos eram quase silenciosos, mas o barulho da porta principal batendo foi alto. Ouvindo a água corrente no novo silêncio, dei outra mordida.

"Magnata do tráfico, assassino, homem mau", eu me lembrei. Mas ele estava quieto, e aquilo estava começando a me deixar constrangida.

– Ei, desculpe pela água na limusine – comecei.

Trent limpou a boca.

– Acho que eu aguento uma lavagem a seco depois do que você fez.

– Mesmo assim – eu disse, voltando o olhar para o pote de morangos. – Desculpe.

Vendo meus olhos alternarem entre ele e as frutas, Trent fez uma cara de dúvida. Ele não iria me oferecer os morangos, então estendi o braço e peguei.

– O carro do Takata não é mais legal do que o seu – admiti, virando o recipiente sobre o resto da panqueca. – Só estava te enchendo.

– Imaginei – respondeu, irônico. Ele não estava comendo, e ergui os olhos, encontrando-o com os talheres nas mãos, observando-me tirar o resto dos morangos com a faca de manteiga.

– Que foi? – perguntei, colocando o pote na mesa. – Você não queria mais.

Ele cortou, minuciosamente, outro pedaço da panqueca.

– Você está em contato com Takata, então?

Encolhi os ombros.

– Ivy e eu vamos fazer a segurança na apresentação dele na sexta que vem. – Coloquei um pedaço pequeno na boca e fechei os olhos enquanto mastigava. – Isso é muito bom. – Ele não disse nada e abri os olhos. – Você... hum... vai?

– Não.

Voltando-me para o prato, olhei para Trent por entre os fios de cabelo.

– Que bom. – Dei outra mordida. – Takata vive em outro mundo. Quando a gente conversou, ele estava usando uma calça laranja. E está com o cabelo aqui. – Apontei, mostrando para Trent. – Mas você provavelmente o conhece pessoalmente.

Trent ainda estava cortando a panqueca com o ritmo de uma lesma.

– A gente se encontrou uma vez.

Satisfeita, tirei todos os morangos do resto da panqueca e me concentrei neles.

– Ele me pegou na rua, me deu uma carona e me largou no meio da via expressa. – Sorri. – Pelo menos mandou alguém levar meu carro atrás do dele. Você ouviu a música nova? – "Música. Sempre dava para manter uma conversa sobre música. E Trent gostava do Takata. Isso eu sabia."

– "Marcas vermelhas"? – Trent perguntou, com uma estranha presteza na voz.

Fiz que sim, engoli a comida e empurrei o prato. Os morangos tinham acabado e eu estava cheia.

– Você ouviu? – perguntei, acomodando-me na cadeira com o café.

– Ouvi. – Deixando um pedacinho de panqueca no prato, Trent pousou a faca na mesa e o empurrou ligeiramente. Pegou o chá e se recostou na cadeira.

Quando fui dar um gole no café, congelei ao perceber que Trent tinha refletido minha postura e meu movimento.

"Ai, saco. Ele gosta de mim." Movimentos refletidos eram um clássico da linguagem corporal de atração. Sentindo que tinha me metido em algo que não queria, me debrucei intencionalmente e coloquei o braço na mesa, envolvendo a caneca quente de café com os dedos. "Me recuso a entrar nesse jogo. Me recuso!"

– "Você é minha, mas toda sua" – Trent disse, seco, sem desconfiar dos meus pensamentos. – Aquele cara não tem noção de discrição. Isso vai acabar com ele algum dia.

Com o olhar distante, ele colocou o braço na mesa inconscientemente. Meu rosto ficou frio e engasguei, não por causa do seu gesto, mas por causa das suas palavras.

– Puta merda! – praguejei. – Você é herdeiro de um vamp!

O olhar de Trent se voltou ao meu.

– Como assim?

– A letra! – balbuciei. – Não foi essa letra que ele lançou. Está na faixa vamp que só vampiros mortos-vivos e seus herdeiros conseguem ouvir. Deus do céu, você foi mordido!

Com os lábios comprimidos, Trent pegou a faca e cortou um triângulo de panqueca, usando-o para enxugar o resto de xarope de bordo no prato.

– Não sou herdeiro de um vampiro. E nunca fui mordido.

Meu coração bateu mais forte e meu olhar se fixou nele.

– Então como conhece a letra? Eu te ouvi. Você estava cantando essa letra, igual à faixa vamp.

Ele arqueou a sobrancelha para mim.

– Como *você* sabe sobre a faixa vamp?

– Ivy.

Trent se levantou. Depois de limpar os dedos, apertou o roupão e atravessou o cômodo até a saleta de estar em que ficava uma TV que cobria toda a parede e o rádio. Observei enquanto ele pegava um álbum do alto de uma prateleira e o colocava para tocar. Enquanto o CD girava, apertou uma faixa e "Marcas vermelhas" começou a sair das caixas acústicas escondidas. Embora fosse baixa, pude sentir a bateria repercutindo pelo meu corpo.

Trent estava com o ar de quem acabara de tomar uma decisão ao voltar com um par de fones de ouvido sem fio. Eles pareciam profissionais, do tipo que se encaixavam nas orelhas em vez de ficar sobre elas.

– Ouça – ele disse, estendendo-os para mim. Recuei, desconfiada, enquanto ele colocava os fones na minha cabeça.

Meu queixo caiu e voltei os olhos para Trent. Era "Marcas vermelhas", mas não era a mesma música. O som era de uma intensidade incrível; parecia soar no meu cérebro, passando direto pelos meus ouvidos. A canção ecoou dentro de mim, girando entre meus pensamentos. Tinha agudos impossíveis e graves retumbantes que faziam minha língua formigar. Era a mesma música, mas havia muito mais.

Percebi que estava com os olhos cravados no prato. Era lindo o que eu estava perdendo. Respirando fundo, ergui a cabeça. Trent tinha voltado a se sentar e me observava. Estupefata, toquei os fones para ter certeza de que estavam mesmo lá. A faixa vamp era indescritível.

E, então, a mulher começou a cantar. Olhei para Trent, entrando em pânico. Era lindo. Ele assentiu com o sorriso do gato de *Alice no País das Maravilhas*. A voz dela era lírica, ao mesmo tempo trágica e áspera. Tirava emoções de dentro de mim que eu não sabia que conseguia sentir. Uma tristeza profunda e dolorosa. Um desejo não correspondido.

– Eu não sabia – murmurei.

Enquanto eu ouvia o final, sem conseguir tirar os fones, Trent levou os pratos para a cozinha. Voltou com um bule térmico, enchendo a xícara antes de se sentar. A faixa chegou ao fim, deixando apenas silêncio. Aturdida, tirei os fones e os coloquei ao lado do café.

– Eu não sabia – repeti, pensando que devia estar com o olhar assombrado. – Ivy consegue ouvir isso? Por que Takata não a lança assim?

Trent arrumou a postura na cadeira.

– Ele lança. Mas só os mortos-vivos conseguem ouvir.

Toquei os fones.

– Mas você...

– Fiz esses fones depois que descobri sobre a faixa vamp. Não sabia se funcionavam com bruxos. Pela sua cara, imagino que funcionaram, não?

Fiz que sim.

– Magia de linha de ley? – perguntei.

Um sorriso quase tímido perpassou seus lábios.

– Sou especialista em cruzamento de linhas. Quen acha perda de tempo, mas você se surpreenderia com o que uma pessoa faria por um par desses.

Tirei os olhos do fone.

– Imagino.

Trent deu um gole do chá, recostando-se em especulação.

– Você não... quer um par, quer?

Respirei fundo, franzindo a testa diante da leve provocação na sua voz.

– Não. Pelo que você está pedindo, não. – Depois de colocar a caneca de café longe de mim, eu me levantei. O comportamento anterior dele, imitar meus movimentos, logo ficou explicado. Trent era um especialista em manipulação. Devia saber o que aqueles sinais significavam. A maioria das pessoas não sabia, pelo menos não conscientemente, e o fato de que tinha preparado terreno para tentar conseguir com romance o que não obtivera com dinheiro era desprezível.

– Obrigada pelo jantar – eu disse. – Foi maravilhoso.

Trent se ajeitou com surpresa.

– Vou falar para Maggie que você gostou – ele disse, tensionando os lábios. O elfo tinha cometido um erro e sabia disso.

Limpei as mãos no moletom.

– Por favor, faça isso. Vou pegar minhas coisas.

– Vou avisar Quen que você está pronta para ir – ele disse, com a voz neutra.

Deixando-o sentado na mesa, saí andando. Ao virar para entrar nos aposentos de Ellasbeth, eu o vi de relance. Ele estava tocando os fones de ouvido, e sua postura traía a irritação que sentia. O curativo na sua testa e os pés descalços o deixavam com uma aparência vulnerável e solitária.

"Homem solitário idiota", pensei.

"Não, idiota sou eu por sentir pena dele."

Vinte e oito

Peguei minha bolsa a tiracolo no chão do banheiro e, devagar, dei uma checada para garantir que tinha pegado tudo. Ao me lembrar da roupa, fui buscar a sacola e o casaco no vestiário. Meu queixo caiu quando vi a lista telefônica aberta na mesinha e enrubesci. Estava aberta na parte de acompanhantes, não de caçadores de recompensa independentes.

– Ela acha que eu sou uma prostituta – murmurei, arrancando a página e enfiando-a no bolso da calça. Droga, por mais que, vez por outra, fizéssemos serviços de acompanhantes como seguranças, Ivy teria de tirar aquilo. Irritada, vesti o casaco feio com pele falsa na gola, peguei a roupa que nem tinha usado e saí, quase trombando com Trent na passarela aberta. – Nossa! Desculpe – balbuciei, dando dois passos para trás.

Ele apertou o nó do roupão, com o olhar vazio.

– O que você vai fazer em relação a Lee?

Os acontecimentos da noite anterior voltaram à minha mente, e franzi a testa.

– Nada.

Trent balançou para trás, parecendo mais jovem com a surpresa.

– Nada?

Minha visão ficou turva ao lembrar das pessoas esparramadas que não pude salvar. Lee era um assassino. Poderia ter tirado aquelas pessoas de lá, mas as tinha deixado para fazer parecer um ataque de Piscary. E de fato era, mas seria difícil para eu acreditar que Kisten tinha feito uma coisa dessas. Ele deveria ter avisado as pessoas. Tinha que ter avisado. Mas era Trent quem estava diante de mim, com os olhos verdes questionadores.

– Não é problema meu – eu disse, e passei por ele.

O elfo caminhou atrás de mim, com passos silenciosos.

– Ele tentou te matar.

Sem diminuir a velocidade, eu disse por sobre o ombro.

– Tentou te matar também. E eu impedi. – "Duas vezes", pensei.

– Você não vai fazer nada?

Voltei o olhar para a janela gigante. Era difícil saber ao certo no escuro, mas achei que ela estava transparente de novo.

– Não exatamente. Vou para casa tirar um cochilo. Estou muito cansada.

Caminhei em direção à porta de quinze centímetros de grossura ao fim da passarela. Trent ainda estava atrás de mim.

– Você não se importa se ele encher Cincinnati com Enxofre perigoso, matando centenas de pessoas?

Cerrei os dentes ao pensar na irmã de Ivy. A dureza dos meus passos subiu pela espinha.

– Você vai cuidar dele – eu disse, mordaz. – Considerando que isso atinge os seus *interesses profissionais.*

– Você não tem nenhuma vontade de buscar vingança. Absolutamente nenhuma.

Sua voz era incrédula e eu parei.

– Olha só. Eu caí no meio da história. Ele é mais forte do que eu. Já você... eu preferia te ver morto, elfinho. Talvez Cincinnati fosse uma cidade melhor sem você.

O rosto calmo de Trent ficou inexpressivo.

– Você não pensa assim de verdade.

Mudando o saco de roupas de posição, expirei.

– Não sei o que pensar. Você não está sendo sincero comigo. Com licença. Preciso ir para casa e alimentar meu peixe. – Saí andando em direção à porta. Sabia chegar até a entrada, e Quen poderia me encontrar em algum lugar no meio do caminho.

– Espere.

O tom suplicante em sua voz me deteve com a mão na porta. Eu me virei quando Quen surgiu ao pé da escada, com o rosto preocupado e ameaçador. Por algum motivo, achei que ele trazia aquela expressão não porque eu estava prestes a zanzar pela mansão Kalamack, mas pelo que Trent poderia dizer. Soltei a maçaneta. "Pode valer a pena."

– Se eu disser o que sei sobre seu pai, você vai me ajudar com Lee?

Quen se remexeu no primeiro andar.

– Sa'han...

Trent franziu a testa desafiadoramente.

– *Exitus acta probat*.

Meu coração acelerou e arrumei a gola de pele falsa do casaco.

– Ei! Fale na minha língua – retruquei. – E, da última vez em que prometeu me falar sobre meu pai, só me contou a cor favorita dele e o que ele gostava de pôr no cachorro-quente.

A atenção de Trent se voltou para o piso do salão e para Quen. Seu segurança balançou a cabeça.

– Quer se sentar? – o magnata perguntou, e Quen fez uma careta.

– Claro. – Olhando para ele desconfiadamente, retracei meus passos e o segui até o andar de baixo. Ele se acomodou em uma cadeira no canto entre a janela e a parede dos fundos, uma postura confortável que deixou claro que era ali que costumava sentar quando ficava no salão. Ele tinha a visão da cachoeira escurecida, e havia vários livros cujos marcadores de página denunciavam tardes ao sol. Na parede de trás, se encontravam quatro cartas de tarô Visconti, cada uma cuidadosamente protegida atrás de um vidro. Meu rosto ficou gelado ao perceber que a mulher cativa na carta do Diabo se parecia com Ceri.

– Sa'han – Quen disse, com a voz baixa. – Isso não é uma boa ideia.

Trent o ignorou, e Quen se postou atrás dele, de onde poderia me olhar feio.

Coloquei o saco de roupas sobre a cadeira ao lado e me sentei, com as pernas cruzadas no joelho e o pé balançando, impaciente. Ajudar Trent com Lee não seria nada se ele me contasse alguma coisa importante. Eu queria acabar com aquele filho da mãe, de qualquer forma, assim que chegasse em casa e preparasse alguns amuletos. Sim, eu sabia ser mentirosa, mas pelo menos admitia isso para mim mesma.

Trent se aproximou da beirada da cadeira, com os cotovelos nos joelhos e o olhar voltado para a noite escura.

– Dois milênios atrás, surgiu a nossa chance de tomar o todo-sempre dos demônios.

Meus olhos se arregalaram. Parei de balançar o pé e tirei o casaco. Talvez demorasse um tempo para chegar à parte do meu pai. O olhar de Trent encontrou o meu e, ao notar que eu não me incomodava em ouvir a versão longa da história, ele se acomodou, rangendo o assento de couro. Quen soltou um som angustiado e gutural.

– Os demônios perceberam que o fim deles estava próximo – Trent disse, devagar. – Em uma rara cooperação, deixaram de lado suas brigas internas pela supremacia e trabalharam para lançar uma praga sobre todos nós. Demoramos três gerações para perceber isso, sem reconhecer a alta mortalidade dos nossos recém-nascidos.

Levei um susto. Os demônios eram responsáveis pela extinção dos elfos? Pensei que fosse o hábito deles de cruzar com humanos.

– A cada geração, a mortalidade infantil aumentava exponencialmente – Trent continuou. – A vitória frágil escapava de nossas mãos em caixões pequeninos e lamentos de luto. Aos poucos, fomos entendendo que eles tinham nos lançado uma praga, mudando nosso DNA para que se rompesse sozinho, ficando pior a cada geração.

Meu estômago se revirou. Genocídio genético.

– Então vocês tentaram reparar o dano procriando com humanos? – perguntei, ouvindo minha voz baixa.

Seus olhos se voltaram para mim.

– Esse foi um esforço derradeiro para salvar algo até que se criasse uma forma de corrigir o problema. Acabou sendo um desastre, mas permitiu que continuássemos vivos até que fossem desenvolvidas técnicas genéticas para reprimir e reparar boa parte da degradação. Quando a Virada proibiu intervenções genéticas, os laboratórios foram para o submundo, desesperados para salvar os poucos que conseguiram sobreviver. A Virada nos espalhou e, quase todo ano, encontro uma criança perdida.

Achando a história surreal, murmurei:

– Seus hospitais e orfanatos. – Eu nunca tinha pensado que havia outro motivo por trás deles além de relações-públicas.

Trent abriu um leve sorriso ao ver que eu tinha entendido. Quen parecia definitivamente mal, com as rugas franzidas e as mãos atrás das costas, olhando para o nada em um protesto silencioso. Trent voltou a se debruçar.

– Eu as encontro doentes e morrendo, e elas sempre ficam gratas pela saúde e pela chance de achar outros da mesma espécie. Os últimos cinquenta anos foram difíceis. Estamos na corda bamba. Essa próxima geração vai ser nossa salvação ou nossa destruição.

Pensei de repente em Ceri.

– O que isso tem a ver com o meu pai?

Ele assentiu.

– Seu pai estava trabalhando com o meu para encontrar uma amostra antiga de DNA élfico no todo-sempre que pudéssemos usar como modelo. Podemos arrumar o que sabemos que está errado, mas, para aperfeiçoar o que temos, para acabar com a mortalidade infantil a ponto de podermos sobreviver sem ajuda sistemática, precisamos de uma amostra de alguém que tenha morrido antes da maldição ser lançada. Algo que seja usado como modelo para eliminar o problema.

Emiti um som incrédulo.

– Vocês precisam de uma amostra de mais de dois mil anos atrás?

Trent encolheu um ombro. Seus ombros não pareciam tão largos no roupão, e ele não estava incomodado em se mostrar vulnerável.

– É possível. Havia muitos grupos de elfos que praticavam mumificação. Nós só precisamos de uma célula, mesmo que quase perfeita. Só uma.

Voltei os olhos para a postura estoica de Quen, e então para ele.

– Piscary quase me matou tentando descobrir se você tinha me contratado para entrar no todo-sempre. Isso nunca vai acontecer. Eu é que não vou para lá. – Pensei em como Al me queria e que meu acordo não valia nada no lado de lá das linhas. – De jeito nenhum.

Trent me lançou um olhar arrependido, observando-me por trás da mesa de centro.

– Desculpa. Não queria que Piscary se concentrasse em você. Eu preferiria ter contado a história toda no ano passado, quando você saiu da SI, mas eu estava com medo... – Ele inspirou devagar. – Não confiava que você fosse guardar segredo sobre a nossa existência.

– E agora você confia em mim? – perguntei, pensando em Jenks.

– Não muito, mas preciso confiar.

"'Não muito, mas preciso confiar.' Que tipo de resposta é essa?"

– Éramos muito poucos para permitir que o mundo soubesse da nossa existência – Trent continuou, olhando para os dedos entrelaçados. – Seria muito fácil para algum fanático nos eliminar um por um, e já tenho problemas demais com

Piscary tentando fazer exatamente isso. Ele sabe a ameaça que representaríamos para a posição dele se fôssemos em maior número do que somos hoje.

Minha boca se contorceu e me recostei no assento de couro. Política. Era sempre uma questão política.

– Não dá para desfazer a maldição?

Ele voltou o rosto cansado para a janela.

– Fizemos isso quando descobrimos o que tinha acontecido. Mas o dano continuou, e estaria piorando se não tivéssemos encontrado todas as crianças élficas e corrigido o que fosse possível.

Meu queixo caiu ao entender.

– O acampamento. É por isso que você estava lá?

Ele se remexeu, relutante, na cadeira, parecendo subitamente nervoso.

– Sim.

Voltei a afundar nas almofadas, sem saber se queria uma resposta à minha próxima pergunta.

– Por que... por que eu estava no acampamento?

A postura rígida de Trent relaxou.

– Você tem um defeito genético mais ou menos raro. Uns cinco por cento da população dos bruxos têm... um gene recessivo que é inofensivo a menos que faça par com outro.

– Uma chance em quatro? – chutei.

– Se os dois pais tiverem, sim. E, se os dois genes recessivos fizerem par, ele mata a pessoa antes do primeiro aniversário. Meu pai conseguiu manter o gene suprimido em você até que tivesse idade suficiente para suportar um tratamento completo.

– Ele fazia isso com frequência? – perguntei, com frio na barriga. Eu estava viva graças à manipulação genética ilegal. Era o que eu desconfiava, mas agora tinha certeza. Talvez eu não devesse me incomodar. A raça élfica inteira dependia de medicina ilegal para sobreviver.

– Não – Trent respondeu. – Os registros indicam que, com raras exceções, ele deixava bebês com a sua doença morrerem sem que os pais soubessem que havia uma cura. Ela é muito cara.

– Dinheiro – murmurei, e Trent cerrou a mandíbula.

– Se a decisão fosse baseada em dinheiro, você não teria sobrevivido ao primeiro aniversário – ele disse, tenso. – Meu pai não ganhou um centavo para salvar sua vida. Fez isso porque era amigo do seu pai. Você e Lee são as duas únicas pessoas que ele livrou da morte, e fez isso por amizade. Não ganhou nada para salvá-los. Eu, particularmente, estou começando a achar que ele cometeu um erro.

– Você não está me convencendo muito a ajudá-lo – ironizei, mas Trent me lançou um olhar cansado.

– Meu pai era um homem bom – ele disse, com a voz suave. – Não se recusaria a salvar sua vida sendo que seu pai já tinha dedicado a dele para salvar toda a nossa raça.

Franzindo a testa, coloquei a mão na barriga. Não sabia o que estava sentindo. Meu pai não tinha sacrificado a sua vida em troca da minha, o que era uma coisa boa. Mas ele não era o caçador de recompensas correto, honesto e trabalhador da SI que eu imaginava. Ele tinha ajudado o pai de Trent em suas atividades ilegais muito antes de eu ficar doente.

– Não sou uma má pessoa, Rachel – Trent disse. – Mas vou eliminar qualquer um que ameace deter meu fluxo de caixa. A pesquisa para corrigir o dano que os demônios fizeram para o meu povo não é barata. Se conseguirmos encontrar uma amostra antiga, poderemos reparar o dano completamente. Mas ele se degradou a tal ponto que não conhecemos mais suas particularidades.

Pensei em Ceri, e meu rosto ficou tenso. A ideia do encontro entre ela e Trent era intolerável. Além disso, a elfa só tinha mil anos.

O rosto suave de Trent mostrou uma preocupação que ultrapassava sua idade.

– Se parar de entrar dinheiro, a próxima geração de elfos vai começar a morrer de novo. Só conseguiremos corrigir a maldição completamente, para que minha espécie tenha uma chance de viver, se encontrarmos uma amostra anterior ao lançamento da maldição. Seu pai achava que era uma missão pela qual valia a pena morrer.

Olhei para a figura na carta de tarô que lembrava Ceri, mas continuei de boca fechada. Trent usaria a garota e depois a jogaria fora.

O magnata se recostou, cravando os olhos nos meus.

– Então, senhorita Morgan – disse, conseguindo parecer no controle da situação mesmo usando um roupão por cima do pijama. – Dei informações suficientes?

Olhei para ele por um longo momento, observando seus dentes se cerrarem quando percebeu que eu estava ponderando, sem saber que direção eu tomaria. Sentindo-me convencida, arqueei a sobrancelha.

– Ah, poxa, Trent. Eu iria atrás do Lee de qualquer jeito. O que você acha que eu fiquei fazendo na sua banheira durante duas horas? Lavando o cabelo?

Eu não tinha escolha senão pegar Lee antes que ele tentasse me destruir. Ou então, todas as pessoas que eu colocasse atrás das grades voltariam com a arma apontada contra mim.

O rosto de Trent ficou irritado.

– Você já tinha planejado tudo, não tinha? – perguntou, com irritação na voz sombria e murmurante.

– Quase tudo. – Sorri, e Quen suspirou, claramente já tendo previsto que eu enganaria seu chefe. – Só preciso ligar para o meu corretor de seguros para marcar.

Saber que eu tinha ganhado de Trent valia mais do que qualquer dinheiro que ele pudesse enfiar no meu bolso, e bufei quando Quen murmurou:

– Corretor de seguros?

Ainda sentada, apontei um dedo para Trent.

– Tenho duas tarefas para você. Duas tarefas, aí você se afasta e me deixa fazer meu trabalho. Não vou trabalhar para você. Está entendendo?

De sobrancelha erguida, Trent disse com a voz neutra:

– O que você quer?

– Primeiro, quero que vá até o FIB e conte que Lee fez todas aquelas pessoas desmaiarem e trancou as portas sabendo que tinha uma bomba no barco.

Trent riu, grave e sarcástico.

– O que você vai ganhar com isso?

– O FIB vai procurar por ele. Lee vai desaparecer. Vão emitir um mandado e, assim, vou ter o direito legal para prendê-lo.

Trent arregalou os olhos. Atrás dele, Quen assentiu com a cabeça.

– É por isso que... – Trent murmurou.

Não consegui conter o sorriso.

– Você pode fugir da lei, mas dar um golpe na sua seguradora? – Balancei a cabeça. – Não é uma boa ideia.

– Você vai entrar na história para matar Lee fingindo ser uma agente da seguradora?

Gostaria de dizer que estava surpresa. Deus, como ele era metido!

– Eu não mato pessoas, Trent. Eu prendo os bandidos e preciso de um motivo para mantê-los presos. Pensei que o sujeito fosse seu amigo.

Uma faísca de incerteza perpassou seu rosto.

– Eu também pensei.

– E se a namorada dele nocauteou o rapaz e o forçou a sair? – tentei, mesmo sem acreditar. – Você não se sentiria mal se o matasse e depois descobrisse que ele tinha tentado salvar sua pele?

Trent me lançou um olhar exausto.

– Sempre vendo o melhor das pessoas, senhorita Morgan?

– Sim. Exceto no seu caso. – Comecei a fazer a lista mental das pessoas para quem eu precisava dizer que estava viva: Kisten, Jenks (se ele me desse ouvidos), Ceri, Keasley... Nick? Ai, meu Deus, minha mãe. "Essa vai ser divertida."

Colocando os dedos na testa, Trent suspirou.

– Você não faz ideia de como isso funciona.

Afrontada, bufei com a atitude de "eu sei mais que você".

– Me ajuda nessa, está bem? Deixar o bandido viver pode ser bom para sua alma.

Ele não estava convencido; sua postura era condescendente.

– Deixar Lee vivo é um erro. A família dele não vai gostar de vê-lo na cadeia. Prefeririam que Lee estivesse morto a ser uma vergonha para eles.

– Ah, que peninha. Não vou acabar com a vida dele e também não vou deixar que você faça isso, então sente aí, cale a boca, espere um pouco e aprenda como gente de verdade resolve problemas.

Trent meneou a cabeça, fazendo o cabelo voar ao redor das orelhas vermelhas.

– O que você vai ganhar prendendo Lee? Os advogados vão soltá-lo antes que ele tenha tempo de se sentar na cela.

– Está falando por experiência própria? – ironizei, visto que eu quase o tinha posto na prisão no último outono.

– Sim – respondeu, lúgubre. – O FIB tem minhas digitais arquivadas graças a você.

– E a SI tem uma amostra do meu DNA para identificação. Aguenta essa.

Quen suspirou e me dei conta de que estávamos discutindo feito crianças.

Parecendo irritado, Trent se recostou na cadeira e entrelaçou os dedos sobre o peito. O sujeito exalava cansaço.

– Não vai ser fácil admitir que eu estava naquele barco. Ninguém nos viu saindo. E seria difícil explicar como sobrevivemos e os outros não.

– Seja criativo. Que tal a verdade? – sugeri, arrogante. "É divertido provocar Trent." – Todo mundo sabe que ele quer tirar Cincinnati das suas mãos e das mãos do Piscary. Deixe rolar. Só finja que fiquei morta no rio.

Trent me olhou, desconfiado.

– Você vai contar para o seu capitão do FIB que está viva, não?

– Esse é um dos motivos pelos quais você vai prestar queixa no FIB, e não na SI. – Voltei o olhar para a escada, por onde a figura alta de Jonathan começava a descer. Ele parecia irritado, e quis saber o que estava acontecendo. Ninguém falou nada enquanto ele se aproximava, e desejei não ter provocado tanto Trent. O homem não parecia nada contente. Seria a cara dele eliminar Lee sem que eu soubesse. – Você quer Saladan fora da cidade? – perguntei. – Faço isso de graça para você. Só quero que preste queixa e pague um advogado para manter Lee na prisão. Pode fazer isso por mim?

Seu rosto estava inexpressivo enquanto passavam pela sua cabeça pensamentos que não quis dividir comigo. Assentindo devagar, chamou Jonathan.

Tomando aquilo como um sim, meus ombros relaxaram.

– Obrigada – murmurei, enquanto o homem alto sussurrava no ouvido de Trent, cujo olhar se voltou para mim. Tentei ouvir, mas não consegui.

– Peça para ele esperar no portão – Trent disse, olhando de relance para Quen. – Não quero que entre.

– Ele quem? – perguntei, curiosa para saber.

Trent se levantou e apertou o laço do roupão.

– Falei para o senhor Felps que eu providenciaria seu retorno, mas pelo jeito ele acha que você precisa ser resgatada. Está te esperando no portão.

– Kisten? – Contive um susto. Eu gostaria de vê-lo, mas estava com medo das respostas que me daria. Não queria que tivesse plantado aquela bomba, mas Ivy tinha dito que fora ele. "Droga, por que eu sempre me apaixono pelos *bad boys*?"

Enquanto os três esperavam, eu me levantei e peguei minhas coisas, hesitando antes de estender a mão.

– Obrigada pela hospitalidade... Trent – eu disse, parando um momento enquanto tentava decidir como chamá-lo. – E obrigada por não me deixar morrer congelada – acrescentei.

Um leve sorriso perpassou seus lábios diante da minha hesitação, e ele apertou minha mão com firmeza.

– Era o mínimo que eu poderia fazer considerando que você não me deixou morrer afogado – respondeu. Franziu a testa, claramente querendo dizer mais alguma coisa. Segurando a respiração, mudou de ideia e desviou os olhos. – Jonathan, pode acompanhar a senhorita Morgan até o portão? Quero conversar com Quen.

– Sim, Sa'han.

Olhei de relance para Trent enquanto seguia Jonathan até a escada, já pensando no que precisava fazer em seguida. Primeiro, ligaria para Edden, no número da sua casa, assim que estivesse com minha agenda de telefones. Talvez ele ainda estivesse acordado. Depois para minha mãe e, em seguida, para Jenks. Aquilo podia dar certo. Tinha que dar.

Mas, enquanto apertava o passo para acompanhar Jonathan, uma grande preocupação passou pela minha cabeça. Claro, eu conseguiria ver Saladan, mas e depois?

Vinte e nove

Kisten estava com o aquecedor no máximo, e o ar quente fez um dos fios do meu cabelo curto roçar no pescoço. Estendi o braço para diminuir a temperatura. Ele devia achar que eu ainda estava com hipotermia e que quanto mais quente estivesse, melhor. O carro estava abafado, sensação agravada pela escuridão que atravessávamos. Abri uma fresta da janela e relaxei no banco quando entrou um vento frio.

O vamp vivo me olhou de esguelha, mas voltou o rosto para a rua iluminada pelos faróis assim que nossos olhares se encontraram.

– Você está bem? – ele perguntou, pela terceira vez. – Não disse nada.

Abrindo o casaco para deixar o ar entrar, fiz que sim. Ele tinha ganhado um abraço no portão de Trent, mas estava claro que sentiu a hesitação.

– Obrigada por me buscar – eu disse. – Não estava muito ansiosa pela carona de Quen. – Passei a mão pelo trinco da porta do Corvette, comparando-o com a limusine de Trent. Eu gostava mais do carro de Kisten.

O vamp bufou longamente.

– Eu precisava sair. Ivy estava me deixando maluco. – Tirou os olhos da estrada escura. – Fiquei feliz de você ter contado logo para ela.

– Vocês conversaram? – perguntei, surpresa e um pouco apreensiva. "Por que não posso gostar de homens legais?"

– Bom, ela conversou. – Kisten emitiu um ruído de vergonha. – Ivy ameaçou cortar minhas duas cabeças se eu tirasse o seu sangue das mãos dela.

– Desculpe. – Olhei pela janela, mais angustiada. Não queria me afastar de Kisten porque ele tinha planejado deixar as pessoas do cassino morrerem em uma disputa estúpida de poder da qual nem sabiam. Ele tomou fôlego para falar alguma coisa, e eu interrompi rápido: – Posso usar seu telefone?

Com o olhar desconfiado, Kisten tirou o celular reluzente do bolso e o entregou para mim. Não exatamente contente, liguei para a lista telefônica e consegui o número da empresa de David – e, por um dólar a mais, eles fizeram a ligação para mim. Por que não? Não era meu telefone mesmo.

Enquanto Kisten dirigia em silêncio, fui passando pelo sistema automático da empresa. Era quase meia-noite. Ele devia estar no escritório, a menos que estivesse trabalhando em campo ou tivesse voltado para casa mais cedo.

– Oi – eu disse quando finalmente ouvi a voz de uma pessoa de verdade. – Preciso falar com David Hue.

– Sinto muito – disse uma mulher mais velha com um profissionalismo exagerado. – O senhor Hue não está no momento. Posso passá-la para um de nossos outros agentes?

– Não! – eu disse, antes que ela me lançasse de volta no sistema. – Tem algum número em que eu possa falar com ele? É uma emergência. – "Nota mental: nunca mais, nunca mais mesmo, jogar fora o cartão de alguém."

– Se você quiser deixar seu nome e telefone...

"Que parte de 'emergência' ela não entendeu?"

– Escuta – eu disse, com um suspiro. – Preciso muito falar com ele. Sou sua nova parceira e perdi o número do ramal. Se você pudesse...

– Você é a nova parceira dele? – a mulher interrompeu. O espanto na sua voz me fez hesitar. Será que era tão difícil assim trabalhar com David?

– Sim – respondi, olhando de viés para Kisten. Eu tinha certeza de que conseguia ouvir os dois lados da conversa com sua audição vamp. – Preciso muito falar com ele.

– Ah, pode esperar um momento?

– Claro.

O rosto de Kisten estava iluminado pelo clarão dos carros na direção oposta. Seus dentes estavam cerrados e seus olhos, fixos na estrada.

Ouvi o telefone sendo passado e, então, uma apresentação cautelosa:

– Aqui é David Hue.

– David – eu disse, com um sorriso. – É Rachel. – Como ele não respondeu, me apressei para mantê-lo na linha. – Espera! Não desligue. Preciso falar com você. É sobre um sinistro.

Ouvi o som do bocal do telefone sendo tapado.

– Tudo bem – eu o ouvi dizer. – Vou atender essa. Por que você não vai embora mais cedo? Deixe que eu desligo seu computador.

– Obrigada, David. Até amanhã – disse sua secretária ao fundo e, depois de um longo momento, a voz dele voltou para a linha.

– Rachel – disse, ressabiado. – Isso é por causa do peixe? Já arquivei o caso. Se você tiver cometido perjúrio, vou ficar muito chateado.

– Por que você sempre espera o pior de mim? – perguntei, ofendida. Olhei de relance para Kisten, que segurava o volante com mais força. – Cometi um erro com Jenks, está certo? Estou tentando consertá-lo. Mas tenho uma informação que talvez possa ser do seu interesse.

Houve um silêncio breve.

– Estou ouvindo – ele disse, desconfiado.

Suspirei, aliviada. Remexi na bolsa para procurar uma caneta e, depois de abrir a agenda, a destampei.

– Você ganha por comissão, não é?

– Mais ou menos – David respondeu.

– Então, sabe aquele barco que explodiu? – Olhei de soslaio para Kisten. Os faróis dos carros que passavam lançavam pequenas luzes na sua barba rala enquanto ele cerrava os dentes.

Ouvi o som de digitação ao fundo.

– Ainda estou ouvindo...

Meu coração bateu mais forte.

– Sua empresa tinha uma apólice nele?

O som de teclas acelerou e então desapareceu.

– Como seguramos tudo em que Piscary não está interessado, é provável. – Houve outro digitar de teclas. – Sim. Temos.

– Ótimo – murmurei. "Vai dar certo." – Eu estava lá durante a explosão.

Ouvi o ranger de uma cadeira pela linha.

– Não sei por que isso não me surpreende. Você quer dizer que não foi um acidente?

– Ah, não. – Olhei de relance para Kisten. Seus dedos no volante estavam brancos.

– Jura. – Não era uma pergunta, e o bater de teclas recomeçou, logo seguido pelo barulho estridente de uma impressora.

Eu me ajeitei no banco de couro aquecido do Corvette e mordi a ponta da caneta.

– Eu estaria certa em dizer que sua empresa não paga quando uma propriedade é destruída...

– Por atos de guerra ou atividade relativa a gangues? – David interrompeu. – Não. Não pagamos.

– Fantástico – eu disse, considerando desnecessário contar que estava sentada ao lado de quem tinha planejado tudo. "Deus, por favor, permita que Kisten tenha uma resposta para mim." – Você gostaria que eu passasse aí e assinasse um papel para você?

– Adoraria. – David hesitou antes de acrescentar: – Rachel, você não me parece o tipo de pessoa que comete atos de bondade aleatórios. O que quer em troca?

Passei o olhar dos dentes cerrados de Kisten para seus ombros fortes e então me detive em suas mãos, que seguravam o volante como se tentassem parti-lo.

– Quero estar com você quando for encerrar o sinistro de Saladan.

Kisten levou um susto, parecendo entender só agora por que eu estava falando com David. O silêncio do outro lado da linha era profundo.

– Ah... – David murmurou.

– Eu vou prender Saladan, não matá-lo – continuei, rápido.

O ronco do motor que subia pelos meus pés mudou de velocidade e então se estabilizou.

– Não é esse o problema – ele disse. – Eu não trabalho com ninguém. E não vou trabalhar com você.

Meu rosto ficou vermelho. Sabia que ele me achava uma pessoa má desde que tinha descoberto que eu escondera uma informação do meu próprio parceiro. Mas a culpa de ela ter sido revelada era de David.

– Escuta – eu disse, desviando do olhar fixo de Kisten. – Acabei de economizar uma fortuna para sua empresa. Você me coloca dentro quando for ajustar o sinistro; depois, sai do caminho para que eu e minha equipe possamos trabalhar. – Olhei de viés para o vamp. Algo tinha mudado. Ele segurava o volante com menos força e seu rosto estava inexpressivo.

Houve um breve silêncio.

– E depois?

– Depois? – As luzes em movimento tornavam impossível compreender a expressão de Kisten. – Nada. A gente vai ter tentado trabalhar junto, não vai ter dado certo, e você vai ganhar mais tempo para encontrar outro parceiro.

Agora, o silêncio foi longo.

– Só isso?

– Só isso. – Tampei a caneta e a joguei com a agenda no fundo da bolsa. "Por que eu nem tento ser organizada?"

– Está bem – ele disse, por fim. – Vou latir no buraco e ver o que sai.

– Perfeito – concordei, sinceramente contente, embora ele não parecesse muito satisfeito. – Ei, daqui a algumas horas, vou ter morrido naquela explosão, então não se preocupe, certo?

David soltou um som enfastiado.

– Certo. Ligo para você amanhã, quando entrar o pedido de sinistro.

– Ótimo. Nos vemos depois, então. – A falta de ânimo de David era deprimente. Ele desligou o telefone sem se despedir, e devolvi o celular para Kisten.
– Obrigada – agradeci, constrangida.

– Achei que você fosse me entregar – Kisten disse, baixinho.

Boquiaberta, encarei-o, só entendendo agora a tensão anterior.

– Não – murmurei, com medo, mas sem saber por quê. Ele ficou parado sem fazer nada enquanto achava que eu ia entregá-lo?

Com os ombros tensos e os olhos na estrada, Kisten disse:

– Rachel, eu não sabia que ele iria deixar aquelas pessoas morrerem.

Prendi o fôlego. Então expirei e inspirei de novo.

– Converse comigo – eu disse, sentindo a cabeça tonta. Olhei para a janela, com as mãos no colo e um frio na barriga. "Por favor, tomara que eu esteja errada dessa vez."

Voltei-me para ele, que, depois de olhar para o espelho, parou no acostamento. Senti um nó na garganta. Droga, por que eu tinha que gostar dele? Por que não gostava de homens legais? Por que o poder e a força que me atraíam sempre se traduziam em um desrespeito cruel pela vida das pessoas?

Balancei para a frente e para trás com a freada súbita. Mesmo parado, o carro tremia quando os outros veículos continuavam a passar ao nosso lado a cento e trinta quilômetros por hora. Kisten se virou no banco para me encarar, estendendo o braço sobre o câmbio para segurar minhas mãos no meu colo.

Sua barba rala brilhava sob as luzes do tráfego na direção oposta, e os olhos azuis estavam estreitados.

– Rachel – ele disse, e prendi a respiração, torcendo para que fosse me contar que tudo tinha sido um engano. – Fui eu que mandei colocar a bomba na caldeira.

Fechei os olhos.

– Mas não queria que aquelas pessoas morressem. Liguei para Saladan – continuou, e abri os olhos quando um caminhão que passava nos fez tremer. – Contei para Candice que tinha uma bomba no barco. Porra, eu falei onde estava e disse que, se encostassem nela, a bomba detonaria. Dei tempo de sobra para tirarem todo mundo de lá. Eu não estava tentando matar ninguém. Queria fazer um circo midiático e arruinar o negócio dele. Nunca passou pela minha cabeça que o Saladan sairia andando e deixaria todo mundo morrer. Eu me enganei em relação a ele – Kisten disse, com uma recriminação amargurada na voz –, e eles pagaram com a vida pela minha cegueira. Meu Deus, Rachel, se eu imaginasse que Saladan faria uma coisa dessas, eu teria dado outro jeito. Você estava naquela barco... – Respirou fundo. – Quase te matei...

Engoli em seco, sentindo o nó na minha garganta se desfazer.

– Mas você matou outras pessoas antes – eu disse, sabendo que o problema não era aquela noite, mas uma longa história de ter pertencido a Piscary e realizado a vontade dele.

Kisten se recostou no banco, sem soltar minhas mãos.

– Matei pela primeira vez quando tinha dezoito anos.

"Ai, Deus." Tentei tirar as mãos, mas ele as segurou, com carinho.

– Você precisa ouvir – ele disse. – Se quiser se afastar de mim, quero que saiba a verdade para não voltar mais. E, se quiser ficar, não quero que seja porque tomou uma decisão baseada na desinformação.

Juntando forças, olhei em seus olhos, que pareciam sinceros e carregavam o que julguei ser uma pontada de culpa e de dores antigas.

– Você já fez isso antes – murmurei, assustada. Eu era apenas mais uma dentre várias mulheres. Todas tinham ido embora. Talvez fossem mais inteligentes do que eu.

Ele fez que sim, cerrando os olhos por um momento.

– Estou cansado de ser magoado, Rachel. Sou um cara legal que por acaso matou a primeira pessoa aos dezoito anos.

Engoli em seco, tirando as mãos com a desculpa de arrumar o cabelo atrás da orelha. Kisten sentiu que me afastei e se virou para olhar pela janela da frente, colocando as mãos de volta no volante. Eu tinha falado para ele não tomar decisões no meu lugar; acho que eu merecia todos os detalhes sórdidos. Com um frio na barriga, pedi:

– Continue.

Kisten olhou fixamente para o nada enquanto os carros passavam, sem nos deixar esquecer que estávamos parados.

– Matei a segunda pessoa um ano depois – ele disse, com a voz neutra. – Foi um acidente. Consegui não tirar a vida de mais ninguém até ano passado, quando...

Observei enquanto ele tomava fôlego e expirava. Meus músculos tremiam, à espera.

– Meu Deus, desculpe, Rachel – ele sussurrou. – Jurei que tentaria não matar ninguém nunca mais. Talvez seja por isso que Piscary não me queira mais como herdeiro. Ele deseja alguém com quem dividir as sensações, e não divido mais. Foi ele quem os matou, mas eu estava lá. Eu ajudei. Eu os segurei, deixei todos presos enquanto ele os aniquilava, um a um, com um sorriso na cara. O fato de que mereciam não parece mais uma justificativa. Não pela maneira como foram assassinados.

– Kisten? – eu disse, hesitante, com o coração acelerado.

O vamp se virou e eu congelei, tentando não ter medo. Seus olhos tinham ficado negros com a lembrança.

– Aquela sensação de domínio puro é um vício terrível – ele disse, com uma ânsia perdida na voz que me causou calafrios. – Demorei muito tempo para aprender a esquecê-la e a entender a selvageria inumana que foi aquilo, escondida atrás de um choque de adrenalina absoluta. Eu me perdia nos pensamentos de Piscary e na força que fluía para dentro de mim, mas agora sei lidar com isso, Rachel. Posso ser herdeiro dele e uma pessoa normal. Posso impôr a vontade dele e ser um bom namorado. Sei que consigo manter o equilíbrio. Ele está me punindo agora, mas vai me querer de volta. E, quando isso acontecer, vou estar preparado.

"O que diabos eu estou fazendo aqui?"

– Então... – eu disse, ouvindo minha voz trêmula. – ... é isso?

– Sim. É isso – ele disse, com a voz neutra. – Na primeira vez, matei por ordens de Piscary, para dar um castigo exemplar em uma pessoa que estava enganando menores de idade. Foi excessivo, mas eu era jovem e idiota, tentando provar para o vamp mestre que faria qualquer coisa por ele. Piscary se divertiu ao ver que eu estava atormentado com isso depois. Na última vez, matei para impedir a formação de uma nova camarilha. Eles defendiam o retorno à tradição pré-Virada de sequestrar pessoas das quais ninguém sentiria falta. A segunda. – Seus olhos se voltaram para mim. – É a que mais me atormenta. Foi quando eu jurei ser sincero sempre que possível. Jurei nunca mais acabar com a vida de um inocente. Mesmo que ele mentisse para mim... – Seus olhos se fecharam, e a mão no volante tremia. A luz do outro lado da estrada iluminava as rugas de sofrimento em seu rosto.

"Ai, meu Deus. Ele tinha matado alguém em um acesso de fúria passional."

– E então eu acabei com a vida de dezesseis pessoas hoje – murmurou.

Eu era muito idiota. Ele admitiu ter matado pessoas – por mais que a SI ficasse grata por ter se livrado delas, elas continuavam sendo pessoas. Eu tinha entrado naquela sabendo que ele não era uma escolha segura, mas eu fizera uma escolha segura quando namorara Nick e acabara magoada. Além disso, apesar da brutalidade de que era capaz, ele estava sendo sincero. Pessoas tinham morrido numa tragédia horrível, mas essa não tinha sido sua intenção.

– Kisten? – Meu olhar pousou em suas mãos, em suas unhas rentes e redondas, limpadas com esmero.

– Eu mandei colocar a bomba – ele disse, com a voz rija de culpa.

Hesitante, estendi o braço para tirar suas mãos do volante. Meus dedos eram frios contra os dele.

– Não foi você quem matou aquelas pessoas. Foi Lee.

Seus olhos estavam negros sob a luz inconstante ao se voltar para mim. Coloquei a mão na sua nuca para puxá-lo para perto, mas ele resistiu. Kisten era um vampiro, o que não era coisa fácil de ser; podia não ser uma justificativa, mas era um fato. Sua franqueza significava mais para mim do que seu passado terrível. E ele tinha ficado parado, sem fazer nada, enquanto achava que eu o estava entregando. Tinha ignorado suas suposições para confiar em mim. Eu precisava tentar o mesmo.

Eu não conseguia deixar de me solidarizar com sua situação. Vendo Ivy, eu tinha chegado à conclusão de que ser herdeira de um vampiro mestre era muito parecido com estar em uma relação abusiva em que o amor fora substituído por sadismo. Kisten estava tentando se distanciar das exigências masoquistas de seu mestre. Ele tinha se distanciado a tal ponto que Piscary o trocou por uma alma ainda mais desesperada por aceitação: minha colega de quarto. "Ah, que ótimo."

Kisten estava sozinho. Estava sofrendo. E estava sendo sincero comigo. Eu não podia virar as costas para ele. Nós dois tínhamos feito coisas problemáticas, e não podia acusá-lo de ser diabólico quando era eu que possuía uma marca de demônio. As circunstâncias tomaram decisões no nosso lugar. Eu fazia o melhor possível. Ele também.

– A morte daquelas pessoas não foi culpa sua – voltei a dizer, sentindo que tinha encontrado uma nova maneira de encarar a situação. O mundo diante de mim era o mesmo, mas eu o estava vendo de outra forma. "Em que estou me transformando? Sou tonta por confiar nele ou sábia por encontrar o perdão dentro de mim?"

Kisten ouviu a aceitação do seu passado na minha voz, e o alívio refletido em seu rosto era tão forte que quase chegava a doer. Minha mão puxou sua nuca para perto, por sobre o câmbio.

– Tudo bem – murmurei, quando suas mãos escaparam de meus dedos e seguraram meus ombros. – Eu entendo.

– Não sei se você consegue... – insistiu.

– Então, quando eu conseguir, a gente lida com isso. – Virando a cabeça de lado, fechei os olhos e fui ao seu encontro. Sua mão no meu ombro relaxou, e coloquei os braços ao redor dele, como que atraída, enquanto nossos lábios se tocavam. Meus dedos pressionaram seu pescoço, incentivando-o a se aproximar. Uma faísca perpassou meu corpo, fazendo o sangue correr mais perto da superfície, zunindo pela pele enquanto seu beijo se aprofundava com uma promessa. Aquilo não vinha da minha cicatriz, e levei sua mão até ela, quase perdendo o fôlego quando a ponta de seus dedos traçaram o tecido cicatricial leve e quase invisível. Por um momento, pensei no guia de namoro de Ivy de uma maneira inteiramente nova. "Ai, meu Deus, as coisas que eu posso fazer com esse homem!"

"Talvez eu precise de um homem perigoso", pensei quando uma emoção violenta cresceu dentro de mim. Apenas uma pessoa que tinha cometido erros entenderia que, sim, eu também tinha feito coisas problemáticas, mas era uma boa pessoa. Se Kisten podia ser os dois, isso significava que eu também podia.

E, assim, desisti de pensar. Com a mão dele sentindo meu pulso e nossos lábios pressionados, coloquei a língua hesitante dentro da sua boca, sabendo que um movimento suave seria mais *sexy* do que uma pegada apertada. Encontrei seus dentes lisos e passei a língua por eles, provocando.

Kisten respirou fundo e se afastou.

Fiquei paralisada quando saiu dos meus braços, com o seu calor ainda na minha pele.

– Não estou usando capinhas – ele disse, com o preto de seus olhos dilatado e minha cicatriz pulsando com expectativa. – Estava tão preocupado com você que não tive tempo de... Eu não... – Tomou um fôlego trêmulo. – Meu Deus, como seu cheiro é bom.

Com o coração acelerado, me obriguei a recostar no banco, olhando para ele enquanto arrumava o cabelo atrás da orelha. Não sabia ao certo se me importava se ele estava ou não usando capinhas.

– Desculpa – eu disse, sem fôlego, com o sangue pulsando pelo corpo. – Não pretendia chegar a esse ponto. – "Mas você meio que faz isso comigo."

– Não precisa pedir desculpa. Não é você que está descuidando das... coisas. – Expirando, Kisten tentou esconder o olhar de desejo ardente. Sob as emoções mais violentas, havia em seus olhos um quê suave de compreensão, gratidão e alívio. Eu tinha aceitado os erros do seu passado, mesmo sabendo que seu futuro não seria muito melhor.

Sem dizer nada, ele colocou o carro na primeira marcha e acelerou. Eu me segurei à porta até voltarmos à estrada, contente por nada ter mudado, embora tudo estivesse diferente.

– Por que você é tão boa comigo? – ele perguntou, com a voz suave, enquanto ganhávamos velocidade e ultrapassávamos um carro.

"Porque acho que posso te amar?", pensei, mas ainda não podia dizer isso.

Trinta

Ergui a cabeça com o som de batidas leves. Lançando-me um olhar de aviso, Ivy se levantou, esticando-se até encostar as mãos no teto da cozinha.

– Eu atendo – ela disse. – Devem ser mais flores.

Dei uma mordida na torrada com canela e pedi, de boca cheia:

– Se for comida, traz para cá?

Com um suspiro, Ivy saiu, ao mesmo tempo *sexy* e casual vestindo uma calça de ginástica e uma blusa na altura da coxa. O rádio estava ligado na sala, e eu não sabia o que pensar sobre o locutor que falava da explosão do barco na noite anterior. Havia até uma gravação de Trent dizendo a todos que eu tinha morrido salvando a vida dele.

“Isso é muito estranho”, pensei, enquanto limpava a manteiga dos dedos. Estavam deixando coisas na minha porta. Era legal saber que sentiriam minha falta, e eu não sabia que tinha tocado a vida de tanta gente. Por outro lado, a coisa ficaria feia quando eu me revelasse viva – meio que como largar alguém no altar e ter que devolver todos os presentes. Claro, se eu morresse naquela noite, seria enterrada sabendo exatamente quem eram os meus amigos de verdade. Eu me sentia meio como Huckleberry Finn, dos livros de Mark Twain.

– Pois não? – ecoou a voz ressabiada de Ivy.

– Meu nome é David. David Hue – surgiu a voz conhecida e, depois de engolir a última mordida de torrada, caminhei a passos lentos até a frente da igreja. Eu estava morrendo de fome e desconfiava que Ivy vinha colocando Enxofre no meu café para aumentar as reservas do meu corpo depois daquele mergulho no rio.

– Quem é ela? – Ivy perguntou, hostil, enquanto eu entrava no santuário e via todos à porta, sob a luz do sol poente.

– Sou a secretária dele – disse, com um sorriso, a mulher bem arrumada ao lado de David. – Podemos entrar?

Arregalei os olhos.

– Opa, opa, opa – exclamei, agitando as mãos em protesto. – Não posso cuidar de vocês dois e ainda por cima prender Lee.

David passou o olhar calculista e avaliador pela minha blusa casual e pela minha calça. Então seus olhos pousaram no meu cabelo mais curto, pintado temporariamente de castanho naquela tarde, como ele tinha sugerido ao telefone.

– A senhora Aver não vai conosco – ele disse, fazendo o que devia ser um aceno automático de aprovação. – Achei que seria prudente que seus vizinhos me vissem chegando com uma mulher e saindo com uma também. Vocês têm mais ou menos o mesmo tipo físico.

– Ah. – "Idiota", pensei. "Por que não tive essa ideia?"

A senhora Aver sorriu, mas pude ver que também me achava tonta.

– Só vou dar uma passadinha no seu banheiro e me trocar, depois vou embora – ela disse, com a voz radiante. Dando um passo para dentro, colocou a pasta fina ao lado do banco do piano e hesitou.

Ivy teve um sobressalto.

– Por aqui – ela disse, indicando que a mulher deveria segui-la.

– Obrigada. É muita gentileza sua.

Fazendo uma leve careta diante de tudo que não tinha sido dito abertamente, observei a senhora Aver e Ivy saírem, a primeira com passos sonoros nos sapatos de salto pretos e a última, silenciosa, de chinelos. A conversa desapareceu com o fechar da porta do banheiro, e me voltei para David.

Ele parecia outro lóbis sem as calças e a camiseta de ginástica. E não parecia o mesmo homem que vi encostado a uma árvore do estacionamento, usando um macacão até o topo das botas e um chapéu de caubói na cabeça. Ele não tinha mais a barba grossa por fazer, e exibia um rosto bronzeado. Seu cabelo longo estava penteado, cheirando a musgo. Só lóbis de classe alta conseguiam parecer bem cuidados sem demonstrar que estavam se esforçando muito para isso, mas David conseguia. O terno e as unhas feitas ajudavam. Ele parecia mais velho do que seu físico atlético denunciava, trazendo um par de óculos sobre o nariz e uma gravata apertada no pescoço. Na verdade, estava muito bonito, com um charme intelectual.

– Obrigada de novo por me ajudar a encontrar com Saladan – eu disse, constrangida.

– Não precisa agradecer – ele respondeu. – Vou ganhar um bônus enorme. – Colocou a pasta chique sobre o banco do piano. Parecia preocupado... Não estava bravo comigo, mas desconfiado. Ele não aprovava a situação. Isso me deixava desconfortável. Sentindo que eu o observava, David ergueu os olhos. – Você se importa se eu for preparando uns documentos?

Dei um passo para trás.

– Não. Fique à vontade. Quer café?

David olhou para a escrivaninha de Jenks e hesitou. Com a testa franzida, sentou no banco do piano com uma perna de cada lado e abriu a pasta à sua frente.

– Não, obrigado. Não vamos ficar muito tempo.

– Certo. – Recuei, sentindo seu desagrado pesado sobre mim. Sabia que ele não aprovava o fato de eu ter omitido informações do meu parceiro, mas tudo que eu precisava era que me ajudasse a ver Lee. Hesitei na entrada do corredor. – Vou me trocar. Queria ver o que você estava usando.

David tirou os olhos castanhos e distantes da papelada enquanto tentava fazer duas coisas ao mesmo tempo.

– Você vai usar as roupas da senhora Aver.

Ergui as sobrancelhas.

– Você já fez isso antes.

– Falei que o trabalho é muito mais interessante do que você pensa – ele comentou, voltado para os papéis.

Esperei que dissesse mais alguma coisa, mas, como não falou nada, fui encontrar Ivy, sentindo-me triste e constrangida. Ele não pronunciou uma palavra sequer sobre Jenks, mas sua desaprovação era óbvia.

Ivy estava ocupada com seus mapas e suas canetas quando entrei, sem dizer nada enquanto servia uma caneca de café para mim e outra para ela.

– O que você achou do David? – perguntei, colocando a xícara ao seu lado.

Ela abaixou a cabeça e bateu a caneta colorida na mesa.

– Acho que você vai ficar bem. Ele parece saber o que está fazendo. E eu vou estar lá também.

Recostando-me no balcão, segurei minha caneca com as duas mãos e tomei um longo gole. O café desceu pela garganta, acalmando meus nervos. Algo na postura de Ivy chamou minha atenção. Suas bochechas estavam rosadas.

– Acho que você gosta dele – eu disse, e ela ergueu a cabeça. – Acho que você gosta de homens mais velhos – acrescentei. – Especialmente homens mais velhos de terno que mordem e conseguem planejar melhor do que você.

Ao ouvir isso, ela corou de verdade.

– E eu acho que você deveria calar a boca.

Nós duas nos assustamos com a leve batida no arco do corredor. Era a senhora Aver, e ficamos constrangidas por não a termos ouvido sair do banheiro. Ela estava usando meu roupão e trazia suas roupas penduradas no braço.

– Pode pegar, querida – ela disse, ao me entregar o terno cinza.

– Obrigada. – Coloquei o café no balcão e peguei a roupa.

– Se puder, deixe na lavanderia Lóbis & Costura. Eles são muito bons em tirar manchas de sangue e remendar pequenos rasgos. Sabe onde fica?

Olhei para a senhora parada à minha frente, com seu longo cabelo castanho na altura dos ombros, usando meu roupão felpudo azul. Ela parecia ter o meu tamanho, embora seu quadril talvez fosse um pouco mais largo. Meu cabelo estava um tom mais escuro que o dela, mas era bem parecido.

– Claro – eu disse.

A mulher sorriu. Ivy estava olhando para o mapa, ignorando a gente e movendo os pés em silêncio.

– Ótimo – a lóbis disse. – Vou me transformar e me despedir do David antes de eu sair em quatro patas. – Lançando-me um sorriso largo, ela foi rebolando para o corredor, e então hesitou. – Onde fica a porta dos fundos?

Ivy se levantou, arrastando a cadeira.

– Está quebrada. Eu abro para você.

– Obrigada – ela agradeceu com o mesmo sorriso gentil. As duas saíram e, devagar, aproximei suas roupas do meu nariz. Ainda estavam quentes por causa do calor corporal da lóbis, e o tênue cheiro almiscarado se misturava a um leve aroma campestre. Fiz uma careta com a ideia de usar as roupas de outra pessoa, mas o objetivo era cheirar como um lóbis. E ela não tinha trazido exatamente farrapos para eu usar. Aquele terno forrado de lã devia ter custado uma fortuna.

Com passos lentos e calculados, caminhei até o quarto. O guia de namoro ainda estava em cima da penteadeira, e olhei para ele com um misto de tristeza e culpa. O que eu tinha na cabeça ao querer usá-lo para enlouquecer Kisten? Abatida, enfiei-o no armário. Meu Deus, eu era muito idiota.

Resignada, comecei a me despir. Logo ouvi o estalo de pregos no corredor e, enquanto colocava a meia-calça, escutei o som aflitivo de pregos sendo tirados da madeira. A nova porta só seria colocada no dia seguinte, e a senhora Aver não poderia sair pela janela.

Eu estava muito insegura em relação àquilo tudo, embora não soubesse exatamente por quê. "Não é pela falta de amuletos", pensei, ao vestir a saia cinza e enfiar a barra da blusa branca por dentro. Ivy e Kisten iriam levar tudo de que eu precisava; minha mochila cheia de feitiços já estava pronta, esperando por mim na cozinha. E não era porque eu estava indo enfrentar alguém melhor do que eu em magia de linha de ley. Eu vivia fazendo isso.

Vesti o casaco e pus o mandado de prisão de Lee num bolso interno. Depois de enfiar os pés nos sapatos de salto baixo que eu tinha tirado do fundo do armário, encarei meu reflexo. Estava melhor, mas ainda era eu, e peguei as lentes de contato que David tinha me mandado por motoboy mais cedo.

Enquanto piscava e colocava os pequenos pedaços de plástico castanho no lugar, cheguei à conclusão de que estava apreensiva porque David não confiava em mim. O lóbis não confiava nas minhas habilidades nem em mim. Eu nunca estivera numa dupla na qual eu fosse a pessoa irresponsável ou desleal. Já tinham me considerado cabeça de vento, instável, até incompetente, mas nunca alguém em quem não fosse possível confiar. Não gostava daquilo. Mas, lembrando do que eu tinha feito com Jenks, eu talvez merecesse.

Com movimentos lentos e abatidos, prendi o cabelo curto em um coque esparso de executiva. Coloquei bastante maquiagem, usando uma base bem escura, a ponto de ter de passar uma boa camada nas mãos e no pescoço. Ela cobriu minhas sardas também e, descontente, tirei o pequeno anel de madeira do mindinho; o encantamento tinha se quebrado. Com a maquiagem mais pesada e as lentes de contato castanhas, eu parecia diferente, mas eram as roupas que me transformavam em outra pessoa. E, ao parar diante do espelho e me ver naquele terno sem graça, com um penteado sem graça e uma cara sem graça, achei que nem minha mãe me reconheceria.

Passei uma gota do perfume caro de Ivy – aquele que escondia meu cheiro –, depois, borrifei um pouco do perfume almiscarado que Jenks tinha dito certa vez que cheirava como o lado interno de um tronco: um aroma forte de terra. Prendendo o celular de Ivy na cintura, saí para o corredor, fazendo um barulho estranho com os saltos. O som baixo da conversa entre Ivy e David me levou para o santuário, onde encontrei os dois ao lado do piano. Queria muito que Jenks estivesse ali com a gente. Mais do que precisar do seu detalhismo e do reconhecimento que fazia dos lugares, eu sentia saudades dele.

David e Ivy ergueram os olhos ao ouvirem meus passos. A vamp ficou boquiaberta.

– Macacos me mordam – ela disse. – Essa é a coisa mais horrorosa que já te vi usar. Você até parece respeitável.

Abri um sorriso fraco.

– Obrigada. – Fiquei parada, segurando as mãos em uma postura defensiva, enquanto David me olhava de cima a baixo; o único sinal de sua aprovação foi o relaxar de sua testa franzida. Ele se virou, jogou os papéis dentro da pasta e a fechou. A senhora Aver tinha deixado a pasta dela, e eu a peguei quando David pediu com um aceno de cabeça. – Você vai levar meus feitiços? – perguntei à Ivy.

Ela suspirou, voltando o olhar para o teto.

– Kisten está vindo para cá. Vou repassar o plano com ele de novo, depois a gente fecha a igreja e sai. Quando chegarmos lá, te dou um toque. – Ela olhou para mim. – Você está com meu telefone reserva?

– Hum... – Toquei o celular na cintura. – Sim.

– Ótimo. Agora vá – ela disse, depois virou as costas e saiu andando. – Antes que eu faça alguma coisa idiota como te dar um abraço.

Triste e insegura, caminhei até a porta. O lóbis estava atrás de mim, andando em silêncio, mas marcando presença, graças ao leve cheiro de feno.

– Óculos escuros – ele murmurou quando encostei na maçaneta e parei para colocá-los. Abri a porta, estreitando os olhos diante dos últimos raios de sol enquanto avançava por entre os presentes de condolência, que variavam de arranjos de flores profissionais a páginas pintadas com giz de cera arrancadas de livros de colorir. Estava frio, e o ar seco era refrescante.

O som do carro de Kisten me fez erguer a cabeça e meu coração acelerou. Fiquei paralisada nos degraus, e David quase trombou em mim. Seu pé bateu em um vasinho, que saiu rolando pelos degraus até a calçada, entornando a água e o único botão de rosa dentro dele.

– Alguém que você conhece? – perguntou, com a respiração quente no meu ouvido.

– É o Kisten. – Observei enquanto o vamp estacionava e saía do carro. "Meu Deus, ele está lindo, todo arrumadinho e *sexy*."

David pousou a mão no meu cotovelo, fazendo-me avançar.

– Continue andando. Não fale nada. Quero ver se seu disfarce funciona. Meu carro está do outro lado da rua.

Gostei da ideia e continuei a descer as escadas, parando só para pegar o vaso e colocá-lo no último degrau. Na verdade, era um pote de geleia com um pentagrama de proteção, e soltei um som baixinho de reconhecimento ao colocar a rosa vermelha de volta nele e me levantar. Fazia anos que eu não via um daqueles.

Senti um frio na barriga quando os passos de Kisten ficaram mais altos.

– Obrigado – ele agradeceu ao passar por mim, pensando que eu tinha colocado a flor lá, e não só a recolhido do chão. Abri a boca para falar alguma coisa, mas fechei quando David beliscou meu braço. – Ivy! – Kisten gritou, batendo com força na porta. – Vamos! Senão a gente se atrasa.

David me guiou até o outro lado da rua e para o lado do passageiro do seu carro, com a mão firme sob meu cotovelo. O chão estava escorregadio, e os saltos que eu estava usando não eram apropriados para o gelo.

– Muito bom – elogiou, parecendo impressionado a contragosto. – Mas não é como se você tivesse dormido com ele.

– Na verdade – eu disse, enquanto ele abria a porta para mim –, eu dormi.

Seus olhos dispararam em direção aos meus, e uma expressão chocada de repulsa perpassou seu rosto. De dentro da igreja, veio um tênue:

– Porra, você está me zoando! Era ela? Caralho, não acredito!

Levei a mão à testa. Pelo menos, ele não falava tantos palavrões quando estávamos juntos. Pousei os olhos em David, que estava atrás da porta aberta.

– É por causa das espécies, não é? – eu disse, inexpressiva.

O lóbis não respondeu. Com os dentes cerrados, disse a mim mesma que ele poderia pensar o que quisesse. Eu não tinha que viver segundo os seus padrões. Muitas pessoas não gostavam. Muitas não davam a mínima. A pessoa com quem eu dormia não tinha nada a ver com a nossa relação profissional.

Com o humor ainda pior, entrei no veículo e fechei a porta antes que ele pudesse fazê-lo. Prendi o cinto com um clique. David se posicionou atrás do volante e deu partida no pequeno carro cinza. Eu não disse uma palavra enquanto ele arrancava e seguia para a ponte. Sua colônia começou a me dar náusea, e abri uma fresta da janela.

– Você não liga de ir sem seus amuletos? – David perguntou.

Seu tom não tinha a repulsa que eu esperava, e me aproveitei disso.

– Não é a primeira vez que fico sem eles – respondi. – E confio na Ivy para levá-los.

O lóbis não moveu a cabeça, mas o canto de seus olhos se enrugou.

– Meu antigo parceiro nunca ficava sem amuletos. Eu sempre ria quando íamos a algum lugar e ele estava com três ou quatro no pescoço. "David", ele dizia, "este aqui é para ver se estão mentindo. Este, para saber se estão disfarçados. E este daqui, para saber se estão com um monte de energia no *chi*, prontos para fazer churrasquinho da gente".

Olhei de soslaio para ele, mais calma.

– Você não vê problema em trabalhar com bruxos?

– Não. – O lóbis tirou a mão do volante quando atravessamos os trilhos aos solavancos. – Os amuletos dele me salvaram de muita dor. Mas nem sei quantas vezes perdeu tempo procurando o feitiço certo quando um bom gancho de direita teria resolvido a situação muito mais rápido.

Atravessamos o rio para a Cincinnati propriamente dita, e os edifícios foram lançando sombras tremeluzentes que iam e vinham sobre mim. Ele só tinha preconceitos em relação a gênero. Eu podia lidar com isso.

– Não estou completamente indefesa – eu disse, um pouco mais bem-humorada. – Posso fazer um círculo de proteção ao meu redor, se precisar. Mas a verdade é que sou uma bruxa da terra. Isso pode dificultar as coisas, já que é mais difícil prender alguém quando não se consegue fazer a mesma magia que ela. – Fiz uma careta, que ele não viu. – Mas, enfim, eu nunca venceria Saladan com magia de linha de ley, então nem vale a pena tentar. Vou prender o cara com meus amuletos de terra ou um chute no estômago.

David parou o carro devagar no farol vermelho. Mostrando os primeiros sinais de interesse, se voltou para mim.

– Ouvi dizer que você acabou com três assassinos de linha de ley.

– Ah, isso. – Fiquei vermelha. – Eu tive ajuda nessa história. O FIB estava lá.

– Você acabou com Piscary sozinha.

O farol mudou de cor e aprovei o fato de ele não avançar contra o carro da frente antes que este se movesse.

– O segurança do Trent me ajudou – admiti.

– Ele distraiu Piscary – David disse, baixinho. – Foi você quem espancou o vampiro até deixá-lo inconsciente.

Com os joelhos pressionados um contra o outro, me virei para ficar de frente para ele.

– Como você sabe?

O forte maxilar de David ficou mais tenso e relaxou, mas ele não tirou os olhos da estrada.

– Falei com Jenks hoje de manhã.

– Como assim? – questionei, quase batendo a cabeça no teto. – Jenks está bem? O que ele disse? Você falou que eu estou arrependida? Ele vai falar comigo se eu ligar?

O lóbis me olhou de esguelha enquanto eu prendia a respiração. Sem dizer nada, fez uma curva cuidadosa para a alameda.

– Não, não e não. Ele ainda está muito chateado.

Eu me recostei no banco, desconcertada e preocupada.

– Você precisa agradecê-lo se ele voltar a falar com você – David disse, com a voz tensa. – Jenks te acha uma pessoa incrível, e esse foi o principal motivo pelo qual não dei para trás em nosso acordo de ir ver Saladan.

Senti um aperto no estômago.

– Como assim?

David hesitou enquanto ultrapassava um carro.

– Jenks está magoado porque você não confiou nele, mas não disse uma palavra ruim sobre você e até te defendeu quando eu falei que você era avoada.

Senti um nó na garganta e olhei fixamente para a janela do lado do passageiro. "Eu sou muito babaca."

– Jenks meteu na cabeça que mereceu ser enganado, que você não contou porque achava que ele não conseguiria ficar de boca fechada e que deveria ter razão. O pixie foi embora porque achou que você ficou desapontada com ele, não o contrário. Falei para ele que você era uma idiota e que qualquer parceiro que mentisse para mim acabaria com a garganta cortada. – David bufou de escárnio. – Ele me botou para fora. Aquele homenzinho de dez centímetros me botou para correr. Falou que, se eu não te ajudasse como prometi, viria atrás de mim quando o tempo melhorasse e me faria uma lobotomia durante o sono.

– Ele é bem capaz de fazer isso – eu disse, com a voz tensa, e evidenciando as lágrimas que ameaçavam cair.

– Eu sei que ele é, mas não é por isso que estou aqui. Vim por causa do que Jenks não disse. O que você fez com seu parceiro é deplorável, mas uma alma tão boa quanto ele não teria uma opinião tão boa de alguém que não merecesse. Embora eu não consiga entender por quê.

– Faz três dias que estou tentando falar com Jenks – eu disse, apesar do nó na garganta. – Estou tentando pedir desculpas. Estou tentando dar um jeito nessa história.

– Esse é outro motivo por que eu estou aqui. Errar é humano, mas, se você errar mais de uma vez, deixa de ser um simples erro.

Fiquei calada. Minha cabeça doía enquanto passávamos por um parque com vista para o rio e entrávamos numa travessa. David tocou o colarinho e notei, por sua postura corporal, que estávamos perto.

– E meio que foi minha culpa isso ter vindo à tona – ele disse, baixinho. – O veneno costuma deixar a língua solta. Desculpa por isso, mas, mesmo assim, foi errado da sua parte.

Não importava como aquilo tinha vindo à tona. Jenks estava furioso comigo, e eu merecia.

David deu seta e virou em direção a uma entrada pavimentada. Alisei minha saia cinza e ajustei o casaco. Limpando os olhos, sentei ereta para parecer mais profissional, escondendo a sensação de que meu mundo estava desmoronando em volta de mim e de que a minha vida dependia de um lóbis que me achava baixa e vil. Teria dado qualquer coisa para ter Jenks no meu ombro fazendo piadas sobre meu novo corte de cabelo ou sobre o fato de eu estar cheirando igual ao fundo de uma latrina. Qualquer coisa.

– Se eu fosse você, ficaria de boca fechada – David disse, com a voz soturna, e eu assenti, completamente deprimida. – O perfume da minha secretária está no porta-luvas. Passe bastante na meia-calça. O resto está com o cheiro certo.

Obedeci, vencendo minha aversão natural a receber ordens pelo fato de ele me achar uma pessoa tão vil. O cheiro almiscarado do perfume tomou conta do carro e, com uma careta, David abriu a janela.

– Foi você quem mandou... – murmurei, quando o vento frio da noite bateu nos meus tornozelos.

– Vai ser tudo muito rápido quando a gente entrar – David disse, com os olhos lacrimejantes. – Sua parceira vamp tem no máximo cinco minutos até Saladan ficar furioso por causa do seguro e botar a gente para fora.

Segurei com mais força a pasta da senhora Aver no colo.

– Ela vai aparecer.

A única resposta de David foi um murmúrio de aprovação. Contornamos a sinuosa estradinha de acesso, que estava limpa e varrida, sem nenhum indício de neve, exceto a umidade dos paralelepípedos vermelhos. No fim dela, havia uma casa imponente pintada de branco com postigos altos e vermelhos, e janelas estreitas. Era uma das poucas mansões antigas que tinham sido reformadas sem perder o charme. O sol estava se pondo atrás da casa, e David estacionou nas sombras, atrás de uma caminhonete preta, e desligou o motor. A cortina de uma janela da frente se agitou.

– Seu nome é Grace – ele disse. – Se pedirem seu documento, ele está na carteira dentro da pasta. Tome. – Ele me deu seus óculos. – Pode usar.

– Obrigada. – Coloquei as lentes de plástico sobre o nariz, descobrindo que David tinha hipermetropia. Minha cabeça começou a doer e puxei os óculos mais para baixo, para poder ver por cima, e não através, deles. Eu me sentia péssima, e as borboletas no meu estômago tinham o peso de tartarugas.

O lóbis se mexeu, com um suspiro, e estendeu o braço entre nossos assentos para pegar sua pasta no banco de trás.

– Vamos lá.

Trinta e um

– David Hue – David disse com uma voz fria, entediada e um pouco irritada ao parar na porta da velha mansão. – Eu tenho hora marcada.

"Eu tenho, não. *Nós* temos", pensei, mantendo os olhos baixos e tentando permanecer atrás enquanto Candice, a vamp que tinha ficado em cima de Lee no barco, empertigava o quadril e olhava para o cartão de visitas de David. Atrás dela, estavam dois outros vamps de terno preto, obviamente seguranças. Eu não via mal em fazer o papel de subordinada, até porque, se Candice me reconhecesse, as coisas correriam muito mal, e muito rápido.

– Foi comigo que você conversou – disse a formosa vampira com um suspiro aborrecido. – Mas, depois das recentes desgraças, o senhor Saladan se retirou para... um lugar menos público. Ele não está aqui, muito menos recebendo visitas. – Sorrindo para mostrar os dentes em uma ameaça politicamente correta, devolveu o cartão para ele. – Mas vai ser um prazer conversar com você.

Meu coração acelerou, e cravei os olhos nos azulejos italianos. Ele estava lá – dava quase para ouvir o chacoalhar das fichas –, mas, se eu não conseguisse encontrar aquele bruxo, as coisas ficariam muito mais difíceis.

David olhou para ela, tensionando a pele ao redor dos olhos, depois ergueu a pasta.

– Muito bem – respondeu, com a voz seca. – Se eu não conseguir falar com o senhor Saladan, minha empresa não terá outra opção além de supor que a conclusão a que chegamos, de que se tratou de atividade terrorista, está correta. Vamos, então, declinar o pagamento do seguro. Tenha um bom dia. – Ele mal olhou para mim. – Vamos, Grace. Vamos embora.

Prendendo a respiração, senti meu rosto empalidecer. Se saíssemos agora, Kisten e Ivy entrariam numa armadilha. David dava passos sonoros a caminho da porta, e estendi o braço para contê-lo.

– Candice – disse a voz irada e oleosa de Lee da balaustrada sobre a grande escadaria. – O que você pensa que está fazendo?

Dei meia-volta, e David segurou meu cotovelo em sinal de aviso. Lee estava no andar de cima, com um copo na mão e um par de óculos de aros metálicos na outra. Ele usava um terno sem o paletó, com a gravata solta em volta do pescoço; mesmo assim, estava impecável.

– Stanley, querido – murmurou Candice, assumindo uma postura provocadora, encostada à mesinha ao lado da porta. – Você falou "ninguém". Além disso, é só um barquinho. Quanto deve custar?

Os olhos castanhos de Lee se estreitaram enquanto ele franzia a testa.

– Quase duzentos e cinquenta mil... querida. Eles são agentes de seguro, não detetives da SI. Verifique se os dois não têm nenhum feitiço e traga-os aqui para cima. Por lei, eles são obrigados a manter tudo em sigilo, inclusive o fato de estarem aqui. – Olhou para David e tirou a franja de surfista da frente dos olhos. – Não é verdade?

David lançou-lhe um sorriso, com uma expressão de cumplicidade masculina que eu odiava.

– Sim, senhor – afirmou, com uma voz que ecoou na monotonia branca do vestíbulo aberto. – Não poderíamos fazer nosso trabalho sem essa emendinha constitucional.

Lee ergueu uma mão em sinal de reconhecimento, virou as costas e desapareceu atrás do corredor aberto. Uma porta bateu e levei um susto quando Candice pegou minha pasta. Tomada pela adrenalina, me endireitei e segurei a pasta contra o corpo.

– Relaxa, Grace – David disse, em tom condescendente, enquanto tirava a pasta da minha mão e a entregava para Candice. – É de praxe.

Os dois vamps ao fundo avançaram, e me obriguei a não me mexer.

– Você vai precisar desculpar minha assistente – David disse, enquanto pousava nossas pastas na mesa ao lado da porta e abria primeiro a dele e a virava, antes de fazer o mesmo com a minha. – Treinar uma assistente nova é um inferno.

Candice assumiu um ar zombeteiro.

– Foi você que fez esse olho roxo nela?

Corando, ergui a mão para tocar a maçã do rosto e abaixei os olhos para os sapatos feios. Pelo jeito, mesmo a maquiagem mais forte não funcionava tão bem quanto eu pensava.

– Temos que manter essas cadelas na linha – David disse, descontraído. – Mas, se bater do jeito certo uma vez, não vai precisar bater mais.

Cerrei os dentes e fiquei ainda mais vermelha, agora de raiva, quando Candice riu. Observei, sob a sobrancelha franzida, enquanto uma vamp vasculhava minha pasta. Estava cheia de coisas que só uma agente de seguros teria: uma calculadora com mais botões minúsculos do que um computador da NASA, blocos de nota, pastas manchadas de café, pequenos calendários inúteis para colocar na geladeira e canetas com desenhos de carinhas felizes. Havia recibos de lugares como lanchonetes e lojas de material de escritório. Meu Deus, era deprimente. Ela passou os olhos pelo meu cartão de visitas falso, demonstrando pouco interesse.

Enquanto a pasta de David era revistada, Candice saiu rebolando para a sala nos fundos. Voltou usando um par de óculos de armação de metal, com o qual nos olhou de cima a baixo. Meu coração bateu mais forte quando ela mostrou um amuleto. Estava brilhando em um tom vermelho de aviso.

– Chad querido – murmurou. – Vá um pouco mais para trás. Seu feitiço está interferindo.

Um dos vamps enrubesceu e se afastou. Fiquei curiosa para saber que feitiço o Chad-querido poderia ter para que suas orelhas ficassem tão vermelhas. Suspirei, aliviada, quando o amuleto ficou verde, deixando-me grata por ter escolhido um disfarce mundano. Ao meu lado, os dedos de David estremeceram.

– A gente pode fazer isso mais rápido? – perguntou. – Tenho outras pessoas para ver.

Candice sorriu e girou o amuleto no dedo.

– Por aqui.

Com uma rapidez aparentemente irritada, David fechou a pasta e a tirou de cima da mesa pequena. Fiz o mesmo, aliviada quando os dois vamps desapareceram em uma sala nos fundos, seguindo o cheiro de café. Candice avançou devagar para a escada, balançando o quadril como se estivesse prestes a se soltar do seu corpo. Tentando não olhar para ela, seguia atrás dos dois.

A casa era antiga e, agora que eu conseguia olhar direito, não muito bem cuidada. No andar de cima, o carpete estava ficando ralo e os quadros pendurados no corredor aberto, de onde se via o vestíbulo, eram tão velhos que provavelmente tinham vindo junto com a casa. A pintura sobre os lambris era daquele tom de verde ranhoso que estava na moda antes da Virada, e tinha um aspecto repulsivo. Alguém sem imaginação tinha usado a tinta para tentar cobrir tábuas de madeira de vinte centímetros com colibris e heras talhados, e pensei com tristeza no esplendor escondido por trás da tinta horrenda e das fibras sintéticas.

– Senhor Saladan – Candice se anunciou, ao abrir a porta envernizada de preto. Seu sorriso era malicioso, e entrei atrás de David, mantendo os olhos baixos ao passar por ela. Prendi a respiração, rezando para que a vamp não conseguisse me reconhecer e torcendo para que não entrasse junto na sala. Mas por que ela faria isso? Lee era um especialista em magia de linhas de ley. Não precisava de proteção contra dois meros lóbis.

O cômodo era um escritório relativamente grande, envolvido por painéis de carvalho. O pé-direito alto e as madeiras espessas que envolviam as janelas grandes eram as únicas evidências de que o cômodo tinha sido um quarto antes de ser usado como escritório. Todo o resto fora coberto e disfarçado com cromos e carvalho não muito antigo. Eu era uma bruxa, então sabia dessas coisas.

As janelas atrás da mesa chegavam ao chão, e o poente lançou luz sobre Lee quando ele se levantou da cadeira. Em um dos cantos, encontrava-se um carrinho-bar, e um sistema de som ocupava quase toda a parede oposta. Duas cadeiras confortáveis ficavam diante da mesa, enquanto uma cadeira feiosa estava num canto afastado. Havia uma enorme parede espelhada e nenhum livro. Minha opinião sobre Lee caiu ainda mais.

– Senhor Hue – Lee disse, em tom caloroso, ao estender a mão bronzeada sobre o tampo da mesa de aparência moderna. Seu paletó estava pendurado no mancebo ao seu lado, mas, pelo menos, ele tinha dado o nó na gravata. – Estava esperando pelo senhor. Desculpe-me pela confusão lá embaixo. Candice é superprotetora às vezes. Dá para entender, considerando que andam explodindo barcos à minha volta.

David deu uma risadinha que quase soou como um latido.

– Sem problema, senhor Saladan. Não vou tomar muito do seu tempo. É só uma visita de cortesia para avisar como vai o andamento do seu seguro.

Sorrindo, Lee segurou a gravata contra o corpo e se sentou, fazendo sinal para que fizéssemos o mesmo.

– Quer alguma coisa para beber? – perguntou, enquanto eu me sentava na cadeira de couro mole e colocava a pasta no colo.

– Não, obrigado – David agradeceu.

Lee não tinha me dirigido nada além de um olhar de relance. Nem se oferecera para apertar a minha mão. O ar de "clube do Bolinha" era tão forte que dava para mordê-lo e, embora em outras circunstâncias eu fosse tentar me impor, dessa vez cerrei os dentes e fingi que não estava ali, como uma boa cadelinha na base da pirâmide hierárquica.

Enquanto Lee colocava gelo no copo, David pôs outro par de óculos e abriu a pasta sobre o colo. Seu maxilar barbeado estava tenso, e consegui sentir o cheiro da sua adrenalina crescer.

– Bom – ele disse, com calma, tirando um maço de papéis. – Sinto informar que, depois da nossa inspeção inicial e das nossas entrevistas preliminares com um sobrevivente, minha empresa decidiu indeferir o pagamento do seguro.

Lee colocou um segundo cubo de gelo no copo.

– Como assim? – Ele girou sobre os sapatos reluzentes. – Seu *sobrevivente* tem muito em jogo para dizer que não se tratou de um acidente. E quanto à inspeção? O barco está no fundo do rio Ohio.

David balançou a cabeça.

– De fato. Mas o barco foi destruído durante uma luta pelo controle da cidade e, por isso, a explosão é enquadrada na cláusula de terrorismo.

Bufando, incrédulo, Saladan se sentou atrás da mesa.

– Aquele barco era novinho. Só paguei duas das suas prestações. Não vou arcar com essa perda. Foi por isso que o coloquei no seguro.

David pousou um maço de folhas grampeadas sobre a mesa. Olhando por cima dos óculos, tirou outro papel, fechou a pasta e assinou.

– Este aqui é um aviso de que as prestações das suas outras propriedades seguradas por nós serão aumentadas em quinze por cento. Pode assinar aqui, por favor.

– Quinze por cento! – Lee exclamou.

– Retroativos para o começo do mês. Se quiser me fazer um cheque agora mesmo, eu ficaria feliz em receber o pagamento.

"Caramba", pensei. A empresa de David era durona. Meus pensamentos passaram de Lee para Ivy. As coisas estavam ficando tensas muito rapidamente. Cadê a ligação dela? Eles já deveriam estar posicionados a essa altura.

Lee não estava nada contente. Com o maxilar cerrado, entrelaçou os dedos e os pousou sobre a mesa. Seu rosto ficou vermelho por trás da franja preta e ele se debruçou.

– É melhor *você* procurar na sua pasta, cachorrinho, e encontrar um cheque *para mim* – disse, com o sotaque de Berkeley mais acentuado. – Não estou acostumado a ser desapontado.

David fechou a pasta com um estalo e a colocou suavemente no chão.

– É preciso ampliar os horizontes, senhor Saladan. Sempre faço isso.

– Eu não. – Com o rosto redondo furioso, Lee se levantou, e a tensão cresceu. Olhei para ele e depois para David, que parecia confiante, embora continuasse sentado. Nenhum dos dois queria ceder.

– Assine o documento – o lóbis disse, com calma. – Sou apenas um mensageiro. Não envolva advogados nessa história, senão eles vão ser os únicos a receber algum dinheiro e o senhor não vai conseguir colocar mais nada em seguro nenhum.

Lee inspirou rápido, com os olhos escuros cheios de raiva.

Dei um pulo com o toque súbito do meu celular. Arregalei os olhos. O toque era a abertura de um desenho animado. Fiquei tentando desligar sem saber como. "Ai, meu Deus."

– Grace! – David ladrou, e dei outro salto. O telefone caiu da minha mão e, ruborizando, tentei pegá-lo no chão. Eu estava sentindo um misto de pânico, pois os dois estavam olhando para mim, e alívio, por Ivy estar a postos. – Grace, mandei você desligar o telefone quando entramos no terreno! – berrou.

O lóbis se levantou e, desamparada, olhei para ele, que tomou o telefone da minha mão. A música parou e ele jogou o celular de volta para mim.

Cerrei os dentes quando o telefone caiu no meu colo com um estrépito. Já tinha aguentado demais. Ao ver meu rosto vermelho de raiva, David se colocou entre mim e Lee, segurando meu ombro em sinal de advertência. Irritada, afastei seu braço. Mas minha raiva diminuiu quando ele abriu um sorriso e piscou para mim.

– Você é uma boa funcionária – ele disse, baixinho, enquanto Lee apertava um botão no interfone e conversava aos sussurros com Candice, que parecia muito contrariada. – A maioria das pessoas com quem trabalho teria pulado no meu pescoço com aquele comentário sobre cadelas subordinadas. Aguente firme. Podemos conseguir mais alguns minutos nessa conversa, e ainda preciso que ele assine o formulário.

Fiz que sim, embora fosse difícil. O elogio ajudou.

Ainda de pé, Lee pegou o paletó e o vestiu.

– Sinto muito, senhor Hue. Vamos ter que continuar essa conversa em outra oportunidade.

Havia uma comoção no corredor e me levantei quando Chad, o vampiro do amuleto, entrou de repente. Ao dar de cara comigo e com David, engoliu suas primeiras palavras, que pareciam ser histéricas.

– Chad – Saladan disse, com um leve incômodo no rosto ao ver a aparência desgrenhada do vamp. – Pode acompanhar o senhor Hue e a assistente dele até o carro?

– Sim, senhor.

A casa estava em silêncio, e contive um sorriso. Certa vez, Ivy tinha derrubado um andar inteiro de agentes do FIB. A menos que Lee tivesse muito mais gente escondida pela casa, eu logo estaria com meus amuletos e Lee, com algemas nos pulsos.

David não se deixou incomodar. Ele se ergueu diante da mesa de Lee, com a postura de lóbis cada vez mais intensa.

– Senhor Saladan. – Empurrou o formulário com dois dedos. – Se não se importa...?

As bochechas arredondadas de Lee começaram a se avermelhar. Depois de pegar uma caneta do bolso interno do casaco, ele assinou o documento com letras grandes e ilegíveis.

– Avise a seus superiores que vou ser recompensado pela minha perda – ele disse, deixando o documento na mesa para que David o apanhasse. – Seria uma pena se sua empresa arcasse com prejuízos decorrentes da destruição de algumas das propriedades mais caras asseguradas por ela.

David pegou o papel e o enfiou na pasta. Um pouco atrás dele, senti a tensão crescer e o vi transferir o peso para os calcanhares.

– Isto é uma ameaça, senhor Saladan? Posso passar seu sinistro para o nosso departamento de reclamações.

Um estrondo distante fez vibrar meu ouvido interno, e Chad deu um pulo. Tinha acontecido uma explosão ao longe. Lee olhou para a parede como se pudesse ver através dela. Ergui a sobrancelha. Ivy.

– Só mais uma assinatura. – David tirou do bolso do casaco um papel dobrado em três.

– O encontro acabou, senhor Hue.

O lóbis o encarou. Quase dava para ouvir seu rosnado.

– Só vai levar... um momento. Grace, preciso da sua assinatura aqui. Depois, senhor Saladan... aqui.

Surpresa, dei um passo à frente, com a cabeça curvada sobre o papel que David desdobrara em cima da mesa. Meus olhos se arregalaram. Dizia que eu era uma testemunha e que tinha visto a bomba na caldeira. Achei terrível que a empresa de David estivesse mais preocupada com o barco do que com as pessoas que morreram nele. Mas era assim que o mundo dos seguros funcionava.

Peguei a caneta, erguendo os olhos rapidamente para David, que encolheu um pouco os ombros, com um brilho novo, e firme, nos olhos. Apesar da raiva, acho que ele estava gostando daquilo.

Com o coração acelerado, assinei como Rachel. Prestei atenção ao ambiente, tentando ouvir algum som de luta enquanto devolvia a caneta para David. Kisten e Ivy deviam estar perto, e talvez não fosse haver nenhum sinal de que estavam dentro da casa se tudo corresse bem do lado de fora. Lee estava nervoso, e senti um frio na barriga.

– E o senhor. – O tom era sarcástico, e David virou o papel para ele. – Se assinar, posso fechar seu caso e o senhor nunca mais vai me ver de novo.

Eu me perguntei se aquele era seu discurso padrão enquanto levava a mão ao bolso interno do casaco emprestado e tirava o mandado de prisão que Edden tinha me entregado naquela tarde.

Com movimentos duros e agressivos, Lee assinou o documento. Ao meu lado, ouvi um leve grunhido de satisfação vindo de David. Só então Lee viu minha assinatura. O bruxo ficou pálido sob o bronzeado, e seus lábios finos se entreabriram.

– Filha da puta – xingou, erguendo os olhos para mim e depois para Chad no canto.

Sorrindo, entreguei o mandado de prisão a Lee.

– Este aqui é meu – eu disse, radiante. – Obrigada, David. Você tem tudo de que precisa?

O lóbis deu um passo para trás, guardando o formulário.

– Ele é todo seu.

– Filha da puta! – Lee repetiu, com um sorriso incrédulo. – Você não sabe ficar morta, não é?

Minha respiração saiu num silvo, e dei um pulo ao sentir que ele captava uma linha.

– Abaixe-se! – gritei, empurrando David para fora do caminho e saltando para trás.

Girando, David caiu no chão. Eu fui lançada quase até a porta. O ar crepitou e um estrondo reverberou pelo meu corpo. De quatro, voltei o olhar para a mancha roxa horrível que pingava no chão. "Que Virada é isso?", pensei, levantando-me e puxando a saia até os joelhos.

Lee sinalizou para Chad, que aparentava estar amedrontado.

– Ei, pegue esses dois! – ordenou, parecendo enfastiado.

Chad pestanejou e então avançou para David.

– Ele não, seu idiota! – Lee gritou. – A mulher!

Chad parou de repente, virou e avançou na minha direção.

"Caramba, cadê a Ivy?" Minha cicatriz de demônio começou a arder de prazer e, embora isso fosse bastante perturbador, não tive problemas em bater com a palma da mão no nariz de Chad, recuando quando sua cartilagem se rasgou. Eu odiava a sensação de quebrar narizes. Dava calafrios.

Chad gritou de dor, curvando-se e levando as mãos empapadas de sangue ao rosto. Desci atrás dele, acertando o cotovelo na sua nuca, que o sujeito tinha feito o favor de colocar ao meu alcance. Em três segundos, Chad estava no chão.

Esfregando o cotovelo, ergui os olhos e encontrei David me observando com um interesse surpreso. Eu estava posicionada entre Lee e a porta. Sorrindo, joguei para trás o cabelo que tinha escapado do coque. Lee era um bruxo de linha de ley; o mais provável era que fosse um covarde em relação a dor física. O sujeito não saltaria pela janela se pudesse evitar.

Lee apertou o interfone com o polegar.

– Candice? – Sua voz era um misto de raiva e ameaça.

Ofegando, lambi o polegar e apontei para Lee.

– David, acho melhor você sair. As coisas aqui vão ficar perigosas.

Meu bom humor aumentou quando a voz de Kisten surgiu no fone, acompanhada pelos sons agudos de uma briga.

– Candice está ocupada, meu velho. – Reconheci o som do ataque de Ivy, e Kisten soltou um silvo de comiseração. – Sinto muito, querida. Você não deveria ter desviado. Ai, essa deve ter doído. – Então, voltou, com o sotaque pesado e divertido. – Posso ajudar em alguma coisa?

O bruxo desligou o interfone e arrumou o casaco, me observando. Ele parecia confiante. Isso não era nada bom.

– Lee – eu disse –, a gente pode fazer isso do jeito fácil ou do difícil.

Ouvi o som de passos no corredor e recuei em direção a David quando quatro homens entraram na sala. Ivy não estava com eles. Nem meus amuletos. Mas os caras tinham muitas armas, todas apontadas contra nós. "Droga."

Lee sorriu e saiu de trás da mesa.

– Prefiro o jeito fácil – ele disse, com tanta arrogância que quis dar um tapa na sua cara.

Chad estava começando a se mexer, e Lee chutou suas costelas.

– Levante-se – ele disse. – O lóbis está com um papel no casaco. Pegue-o.

Com frio na barriga, recuei enquanto o vamp se levantava, cambaleante, com sangue no terno barato.

– Dê para ele – aconselhei quando David ficou tenso. – Depois eu pego de volta.

– Acho que não, hein – Lee disse, enquanto David entregava o documento, e o vamp passava o papel agora manchado de sangue para Lee. Com os dentes brancos à mostra, o bruxo jogou o cabelo para trás e sorriu. – Sinto muito pelo acidente.

Olhei de relance para David, ouvindo nossa morte iminente naquelas palavras.

Lee limpou o sangue no casaco de Chad e, depois de dobrar o papel duas vezes, enfiou-o no bolso do casaco. Seguindo para a porta, disse em tom descontraído:

– Atirem neles, tirem as balas e depois joguem os corpos no rio, embaixo do gelo. E façam uma limpeza nesse escritório. Vou sair para jantar mais cedo. Volto em duas horas. Chad, venha comigo. Precisamos conversar.

Meu coração bateu mais forte e senti o cheiro da tensão crescente de David. Ele abria e fechava as mãos como se elas estivessem doendo. Talvez estivessem mesmo. Levei um susto com o som das armas sendo engatilhadas.

– *Rhombus*! – gritei, com o som da palavra se perdendo no estrondo dos disparos.

Cambaleei conforme meu pensamento captava a linha mais próxima. Era a linha da universidade, enorme. Senti o cheiro de pólvora. Eu me endireitei, tateando o corpo freneticamente. Nada doía, além dos ouvidos. O rosto de David estava pálido, mas não havia sinal de dor em seus olhos. O brilho da finíssima camada de todo-sempre brilhava ao nosso redor. Os quatro homens estavam saindo da posição de atirador. Eu havia erguido o círculo a tempo, e as balas tinham ricocheteado contra eles.

– O que a gente faz agora? – um deles perguntou.

– E eu lá vou saber? – retrucou o mais alto.

Do piso do vestíbulo, veio o grito de Lee:

– Dê um jeito nisso.

– Você! – ouvi o grito longínquo de Ivy. – Cadê a Rachel?

"Ivy!" Histérica, olhei para o círculo. Era uma armadilha.

– Consegue derrubar dois deles? – perguntei.

– Me dê cinco minutos para me transformar que eu derrubo todos – David praticamente rosnou.

O som da luta aumentou. Parecia haver uma dezena de pessoas lá embaixo, mais uma vampira furiosa. Um dos homens olhou para os outros e saiu correndo. Sobraram três. O disparo de uma arma no andar de baixo me fez empertigar.

– Não temos cinco minutos. Pronto?

David fez que sim.

Com o rosto retorcido, quebrei a ligação com a linha e o círculo caiu.

– Agora! – exclamei.

David era uma nuvem indistinta ao meu lado. Lancei-me contra o menor dos homens, chutando sua arma para o lado enquanto ele tentava recuar. Era meu treino contra a magia mais lenta dele, e meu treino ganhou. Sua arma deslizou pelo chão e ele se jogou atrás dela. "Idiota." Pulei em cima do sujeito e dei uma cotovelada no seu rim. Ele perdeu o ar e se virou para me olhar, sem ter alcançado a arma. Meu Deus, o cara parecia muito novo.

Com os dentes cerrados, peguei sua cabeça e a bati no chão. Seus olhos se fecharam e o corpo ficou mole. Sim, era meio rude, mas eu estava com pressa.

O som de um disparo chamou minha atenção.

– Estou bem! – ladrou David, erguendo-se com a rapidez de um lóbis e lançando o punho pequeno e forte contra o último bruxo em pé. Revirando os olhos para trás da cabeça, o oponente deixou a arma cair dos dedos flácidos e tombou em cima do primeiro que David tinha derrubado. Caramba, o lóbis era rápido!

Meu coração batia aceleradamente, e meus ouvidos zumbiam. Tínhamos conseguido acabar com todos eles, e apenas um tiro fora disparado.

– Você derrubou dois – eu disse, animada pelo trabalho em equipe. – Obrigada!

Com a respiração pesada, David limpou os lábios e se virou para pegar a pasta.

– Preciso do meu documento.

Passamos por cima dos bruxos caídos. David saiu à minha frente, mas parou, estreitando os olhos fixados no homem na balaustrada, que apontava a arma contra Ivy. Rosnando, bateu na cabeça do bruxo com a pasta. O homem se virou cambaleante. Girei sobre um pé, batendo o outro no seu plexo solar. Balançando os braços, tombou contra o corrimão.

Não parei para ver se ele estava ou não caído. Deixando que David lutasse pela arma, desci a escada correndo. Ivy estava lutando com Candice e tinha minha mochila de amuletos aos seus pés. Havia três corpos espalhados pelo chão. O coitado do Chad não estava tendo um bom dia.

– Ivy – chamei, quando ela jogou Candice na parede e teve um momento de pausa. – Cadê o Lee?

Seus olhos estavam negros e os dentes, arreganhados. Com um grito agudo de fúria, Candice se lançou contra ela. Ivy pulou para cima do candelabro, acertando o maxilar de Candice com um pontapé e jogando a vampira para trás. Houve um rangido no teto.

– Cuidado! – gritei ao pé da escada quando Ivy saltou, pousando com uma graça surreal enquanto o candelabro caía, despedaçando-se e lançando cacos de vidro e cristal para todo lado.

– Pela cozinha! – Ivy ofegou, agachada. – Ele está na garagem. Com Kisten.

Candice me olhou, com ódio nos olhos negros, e lambeu o sangue que escorria da sua boca. Seu olhar desceu para minha mochila de amuletos. Ela se preparou para correr na direção dela, e Ivy saltou.

– Vai! – gritou Ivy, atracando-se com a vampira, que era mais baixa do que ela.

Eu fui. Com o coração na boca, corri, contornando os destroços do candelabro, e peguei os amuletos no caminho. Atrás de mim, veio um grito de dor e pavor. Parei. Ivy tinha prendido Candice contra a parede. Meu rosto ficou gelado. Eu já tinha visto aquilo antes. "Graças a Deus, eu sobrevivi."

Candice esperneava e resistia com um novo frenesi nos movimentos enquanto tentava se libertar. Ivy a segurou, deixando-a tão imóvel quanto uma viga de aço. A força de Piscary a tornava incontrolável, e o medo de Candice alimentava sua sede de sangue. Da garagem, que eu ainda não conseguia ver, veio o som de um disparo. Afastei o olhar das duas, assustada. Ivy era uma vampira completa agora. Totalmente. Ela estava perdida.

Com a boca seca, corri pela cozinha vazia até a porta da garagem. Candice soltou outro grito, um som aterrorizante que acabou em murmúrio. Eu não queria aquilo. Não queria nada daquilo.

Virei ao som de passos atrás de mim, mas era David. Seu rosto estava branco e ele não diminuiu o ritmo ao caminhar até mim, com uma arma nas mãos.

– Ela está...? – perguntei, ouvindo minha voz tremer.

David pousou a mão no meu ombro e me fez avançar. Rugas marcavam seu rosto, deixando-o mais velho.

– Vai – ele disse, com a voz rouca. – Ela está te protegendo.

Ouvi o som de vozes masculinas na garagem, que parou de repente. O silêncio foi seguido de um disparo. Agachada junto à porta, vasculhei a mochila. Coloquei um punhado de amuletos em torno do pescoço e prendi as algemas no cinto. Senti o peso da arma de *paintball* na mão; ela estava carregada com quatorze bolinhas alinhadas, prontas para pôr alguém para dormir, com propulsor suficiente para atirar todas.

David observou pela porta e depois voltou.

– Há cinco homens com Saladan atrás de um carro preto no fundo da garagem. Acho que estão tentando dar partida. Seu namorado está no canto. Dá para chegar perto dele com uma corridinha rápida. – Olhou para mim enquanto eu me atrapalhava com os amuletos. – Meu Deus! Para que tantos?

"Meu namorado?", pensei, aproximando-me do batente e arrastando os amuletos sob mim. "Bom, eu dormi com ele."

– Um é para dor – sussurrei. – Um é para conter sangramento. Um é para revelar magia negra antes de sofrer as consequências e...

Parei no meio da frase quando deram partida no carro. "Merda."

– Desculpa ter perguntado – David murmurou, logo atrás de mim.

Com o coração batendo forte, arrisquei me levantar. Curvada, avancei, inspirando profundamente o ar escuro e frio da garagem enquanto me agachava atrás de um Jaguar prateado marcado por balas. Kisten ergueu a cabeça. Ele estava no chão, pressionando a mão no peito, com os olhos vítreos pela dor e o rosto pálido sob o cabelo tingido de louro. Sangue escorria pela sua mão. O frio que senti não se devia só à falta de aquecimento na garagem – quatro homens estavam caídos ao seu lado. Um deles se mexeu, e Kisten deu um chute na sua cabeça até que o sujeito não se mexesse mais.

– Isso está ficando cada vez melhor – sussurrei, avançando na direção de Kisten. A porta da garagem começou a se abrir com um rangido, e era possível ouvir os gritos dentro do carro apesar do ronco do motor. Mas Kisten era a única coisa com a qual eu me importava agora. – Você está bem?

Coloquei dois amuletos no seu pescoço. Eu me senti mal. Ele se machucar não estava nos planos. Ivy ser levada a beber o sangue de alguém também não estava nos planos. Nada tinha acontecido como o planejado.

– Pegue Lee, Rachel – ele disse, fazendo uma careta de dor. – Eu vou sobreviver.

Os pneus do carro cantaram ao dar marcha a ré. Em pânico, olhei de Kisten para o carro, dividida.

– Pegue-o! – Kisten insistiu, com os olhos azuis encrespados de dor.

David ajudou Kisten, deitado no chão da garagem. Com uma mão, pressionava a mão dele sobre a ferida, e, com a outra, procurava alguma coisa no casaco. Tirando um celular, apertou o número de emergência.

Fechando os olhos, Kisten aprovou com a cabeça quando me levantei. O carro tinha saído de marcha a ré para a estrada de acesso e tentava avançar aos solavancos. O motor morreu. Furiosa, saí a passos duros atrás dele.

– Lee – gritei. O motor do carro estalou para ligar e os pneus derraparam sobre os paralelepípedos úmidos. Meus dentes rangiam. Captando uma linha, cerrei o punho. A energia da linha me atravessou, enchendo minhas veias com uma sensação espantosa de força. Estreitei os olhos. – *Rhombus* – eu disse, movendo os dedos com o gesto.

Meus joelhos vacilaram e gritei quando a dor da energia necessária para erguer um círculo daquele tamanho se espalhou pelo meu corpo, ardendo quando não consegui canalizar tudo de uma vez. Ouvi um barulho horrível de metal se retorcendo e pneus cantando. O som me atravessou, fixando-se na minha memória para assombrar meus pesadelos. O carro tinha acertado meu círculo, mas foi ele que se partiu, não eu.

Recuperei o equilíbrio e continuei em frente quando os homens saíram do carro batido. Sem perder tempo, apontei minha arma, apertando o gatilho com uma lentidão metódica. Dois caíram antes que a primeira de suas balas atravessasse o ar ao lado da minha cabeça.

– Você está atirando em mim? – gritei. – Você está atirando em mim? – Derrubei o homem armado com um encantamento. Restavam Lee e mais dois. Um ergueu as mãos para o alto. Lee olhou para o homem e, sem hesitar, atirou nele. O estampido ressoou pelo meu corpo como se eu tivesse sido atingida.

O bruxo empalideceu e caiu no chão de paralelepípedos, apoiando-se no carro e tentando conter o sangramento.

A raiva correu pelo meu corpo, e me detive. Furiosa, mirei em Lee e apertei o gatilho.

Levantando-se, ele murmurou em latim e fez um gesto. Saltei para o lado, mas Lee tinha apontado na bala, que desviou para a direita. Ainda agachada, atirei de novo. Ele assumiu um ar condescendente quando também a desviou. Os movimentos das suas mãos ficaram mais sinistros, e arregalei os olhos. "Merda, preciso acabar logo com isso."

Avancei contra Lee, mas gritei quando o último vampiro se lançou contra mim. Caímos enroscados, e lutei ferozmente para que ele não conseguisse me segurar. Com um último grunhido e um chute selvagem, me libertei e consegui me levantar. Ofegante, recuei. Os meus treinos de luta com Ivy voltaram à memória em um misto de esperança e desespero. Nunca tinha conseguido vencer Ivy. Não de verdade.

O vampiro atacou em silêncio. Pulei para o lado, arranhando o cotovelo quando o terno da senhora Aver rasgou. Debaixo dele, rolei pelo chão, tapando a cabeça com os braços e chutando-o para longe quando recuperei o fôlego. O zumbido do círculo formigou pelo meu corpo. Eu tinha encostado no vamp, e o círculo se quebrou. Na mesma hora, perdi a ligação com a linha e me senti vazia.

Levantei-me com um salto, virando para me esquivar do seu chute. "Caramba, ele nem está se esforçando!" A arma de *paintball* estava atrás de mim e, quando o vamp pulou para me atacar, me joguei em uma parte do chão onde ele não poderia alcançar, e rolei para pegar a arma. Estendendo os dedos, soltei o ar quando senti o metal frio na minha mão.

– Te peguei, filho da mãe! – gritei, girando e acertando-o bem no meio da testa.

Seus olhos se arregalaram e, então, se reviraram. Reprimindo um grito, rolei para o lado quando ele tombou para a frente com o impulso. Sua queda sobre os paralelepípedos emitiu um baque surdo. Sangue correu por baixo da sua bochecha. Ele tinha quebrado alguma coisa.

– Sinto muito por você trabalhar para esse canalha – murmurei ao me levantar; então, olhei ao redor. Fiquei boquiaberta e deixei deslizar a arma, que ficou pendurada em um dedo. Eu estava cercada por oito homens, todos a uns bons três metros de distância. Lee estava parado atrás deles, com um olhar detestavelmente satisfeito enquanto abotoava o paletó. Fiz uma careta e tentei recuperar o fôlego. Ah, ótimo. Eu tinha quebrado o círculo. "Merda, quantas vezes tenho que apanhar esse cara?"

Ofegante e encurvada de dor, vi David e Kisten imóveis sob a mira de três armas na garagem. Eu tinha derrubado cinco homens. Kisten tinha acabado com pelo menos quatro, sem contar os primeiros no andar de cima. E eu nem sabia quantos Ivy tinha derrubado. Lee estava pronto para uma maldita guerra.

Devagar, me endireitei. Eu aguentaria.

– Senhorita Morgan? – A voz de Lee soou estranha entre o gotejar de neve derretida que pingava da porta da garagem. O sol se punha atrás da casa e eu tremia agora que não estava me mexendo. – Ainda tem alguma coisa na sua pistolinha?

Olhei para ela. Se eu tinha contado bem, como achava que tinha, ainda restavam oito feitiços. Oito feitiços que eram inúteis, considerando que Lee era capaz de desviar todos. E, mesmo se ele não o fizesse, eu tinha poucas chances de derrubar tantos homens sem ser pega. "Se eu jogar de acordo com as regras, pelo menos..."

– Vou abaixar a arma – eu disse e, então, devagar e cuidadosamente, despejei as balas azuis, que continham os feitiços, antes de lançar a arma para ele. Sete esferas saltitaram, rolando pelas frestas entre os paralelepípedos da entrada até pararem. Sete bolinhas visíveis e uma na minha mão. "Meu Deus, isso tem que funcionar. Só não amarrem as minhas mãos. Preciso ficar com as mãos livres."

Tremendo, levantei as mãos para o alto e recuei, deixando que uma bolinha explosiva deslizasse pela minha manga e se aninhasse, fria, no cotovelo. Lee fez um gesto e os homens que me rodeavam se aproximaram. Um segurou meu ombro, e me esforcei para não bater nele. "Tranquila, calma. Ninguém precisa me amarrar."

Lee chegou perto.

– Menininha idiota – zombou, tocando a testa por baixo da franja castanha, onde havia aparecido um novo corte.

Levou a mão para trás, e me obriguei a ficar imóvel, aguentando o tapa que ele me deu com o dorso da mão. Furiosa, me endireitei da posição a que o tapa tinha me levado. Os homens ao meu redor riram, mas eu estava gesticulando atrás das costas, deixando rolar a bolinha quando terminei. Meus olhos saltaram de Lee para as bolas explosivas nos paralelepípedos. Alguém se abaixou para pegar uma.

– Você está errado – eu disse para Lee, respirando com dificuldade. – Eu sou uma *bruxinha* idiota.

O olhar de Lee seguiu o meu para as bolas.

– *Consimilis* – eu disse, captando uma linha.

– Abaixem-se! – Lee exclamou, empurrando os homens para fora do caminho.

– *Calefacio!* – gritei, acotovelando o bruxo que me segurava e rolando para o chão. Pensando rápido, montei um círculo ao meu redor. Houve um estouro, e estilhaços azuis choveram do lado de fora da bolha. As bolas de plástico tinham explodido com o calor, enviando poções de sono para todo lado. Ergui os olhos por trás dos braços. Todos estavam no chão, menos Lee, que tinha colocado vários homens entre ele e as poções voadoras. Na garagem, Ivy estava em pé, arquejando sobre os três últimos vamps. Tínhamos acabado com todos. Só faltava Lee. E ele era meu.

Um sorriso perpassou meus lábios enquanto me erguia e quebrava o círculo, pegando a energia do meu *chi*.

– Sobramos só nós dois, surfistinha – desafiei, jogando para o ar e apanhando a bola explosiva que eu tinha usado como objeto focal. – Quer lançar os dados?

O rosto redondo de Lee ficou imóvel e, então, sem demonstrar nenhuma emoção, ele captou uma linha.

– Filho da puta – xinguei, avançando. Bati de cara com ele, jogando-o em cima dos paralelepípedos. Com os dentes cerrados, Saladan agarrou meu pulso, apertando-o até a bola explosiva rolar para longe de mim. – Cale essa boca! – gritei em cima dele, pressionando o braço na sua garganta para que não conseguisse falar. Ele resistiu, erguendo a mão para acertar meu rosto.

Soltei a respiração, arquejando com dor enquanto Lee batia no mesmo lugar em que Al tinha me machucado. Pegando seu pulso, o algemei, o virei e puxei seu braço para trás. Com um joelho nas suas costas, prendendo-o contra o chão, fechei a segunda algema ao redor do outro punho.

– Estou cansada das suas merdas – exclamei. – Ninguém tem o direito de lançar uma magia negra para cima de mim nem de me prender num barco com uma bomba. Ninguém! Está me ouvindo? Quem você pensa que é para vir até a minha cidade e tentar se apoderar dela? – Girando-o para o lado, peguei o papel de David do bolso do seu casaco. – E isso daqui não é seu! – disse, erguendo o documento feito um troféu.

– Pronta para uma viagenzinha, bruxa? – Lee perguntou, com os olhos castanhos cheios de ódio e sangue escorrendo da boca.

Arregalei os olhos quando senti que ele puxava mais energia da linha a que estava ligado.

– Não! – gritei ao entender o que estava fazendo. "As algemas são padrão FIB", pensei, censurando-me. E, como tal, não tinham o núcleo de prata sólida das algemas da SI. Ele podia saltar. Ele podia saltar para uma linha se soubesse como. E, pelo jeito, sabia.

– Rachel! – Ivy gritou; sua voz e a luz desapareceram com uma rapidez assustadora.

Fui coberta por uma camada de todo-sempre. Engasguei, empurrando Lee para o lado e levando as mãos à boca, sem conseguir respirar. Meu coração batia violentamente enquanto a magia dele me atravessava, traçando as linhas físicas e mentais que me definiam. A escuridão do nunca me invadiu, e entrei em pânico ao sentir que eu existia em fragmentos espalhados por todos os lados e, ao mesmo tempo, em lugar nenhum. Fiquei à beira da loucura, sem conseguir respirar, nem pensar.

Gritei quando voltei a mim com um solavanco e a escuridão retornou às profundezas da minha alma. Eu conseguia respirar de novo.

Lee me chutou, e rolei para ficar de quatro no chão, agradecendo a Deus por ter meu corpo de volta. A rocha fria cortou minha pele através da meia-calça e arquejei, tentando tomar fôlego e sentindo náusea com o cheiro agonizante de cinzas. O vento agitava meu cabelo contra o rosto. Minha pele exposta estava fria. Com o coração a mil, ergui os olhos, sabendo, pela luz avermelhada que cobria os cascalhos em que eu estava ajoelhada, que não estávamos mais na estrada de acesso à mansão de Lee.

– Ai... merda – murmurei, fitando o sol que se punha atrás dos destroços reluzentes de prédios destruídos.

Eu estava no todo-sempre.

Trinta e dois

As rochas ao meu lado, cobertas de gelo, deslizaram, e me joguei para o lado antes que o pé de Lee acertasse minhas costelas de novo. Pequeno e vermelho, o sol se punha atrás da sombra de um prédio destruído. Parecia a Torre Carew. Perto de nós, estavam os escombros do que devia ser uma fonte. "Estamos na Praça da Fonte?"

– Lee – murmurei, assustada. – Precisamos sair daqui.

Ouvi um estalo, e ele trouxe os braços para a frente do corpo. Seu terno estava sujo e parecia destoar de toda aquela destruição. O som suave e distinto de uma pedra caindo me fez virar a cabeça, e ele lançou as algemas na direção do barulho. Não estávamos sozinhos. "Droga."

– Lee! – murmurei, furiosa. "Ai, meu Deus. Se Al me encontrar, eu estou morta." – Pode levar a gente para casa?

Ele sorriu, afastando o cabelo dos olhos. Andando sobre os escombros soltos, examinou o horizonte devastado.

– Você não parece bem – ele disse, e me recolhi diante da sonoridade da sua voz, ecoada entre as pedras frias. – Primeira vez no todo-sempre?

– Sim e não. – Trêmula, me levantei e apalpei os joelhos ralados. Tinha feito um rasgo nas meias, de onde escorria sangue. Eu estava em cima de uma linha. Sentia seu zumbido e quase conseguia vê-la de tão forte que era. Envolvendo o corpo com os braços, dei um pulo com o som de uma pedra deslizante. Não estava pensando em apanhar Lee, só em fugir. No entanto, não sabia atravessar as linhas.

Outra pedra maior caiu. Girei, passando o olhar pelos escombros cobertos de gelo.

Com as mãos nos quadris, Lee estreitou os olhos voltados para as nuvens avermelhadas, como se não se incomodasse com o frio.

– Demônios menores – ele disse. – Relativamente inofensivos a menos que você esteja ferida ou seja ignorante.

Afastei-me um pouco da pedra caída.

– Essa não é uma boa ideia. Vamos voltar e acabar com isso como pessoas normais.

Ele voltou o olhar para mim.

– O que você vai me dar em troca? – zombou, arqueando as sobrancelhas.

Eu me senti como na vez em que um menino com quem tinha saído me levou até uma casa de chácara vazia e tentou me arrastar para dentro dela, dizendo que, se não fizesse o que ele mandava, teria que descobrir o caminho para casa sozinha. No fim, eu quebrei seu dedo para pegar a chave da caminhonete e chorei durante o caminho todo para casa. Minha mãe ligou para a mãe dele e a história acabou aí, exceto pelas piadas intermináveis que precisei aturar na escola. Talvez eu tivesse ganhado mais respeito se meu pai tivesse batido no pai dele, mas isso já não era possível na época. Não achei que quebrar o dedo de Lee fosse me ajudar a voltar para casa dessa vez.

– Não posso – sussurrei. – Você matou todas aquelas pessoas.

Balançando a cabeça, ele fungou.

– Você sujou minha reputação. Quero me ver livre de você.

Minha boca ficou seca quando percebi seu objetivo. Aquele filho da mãe queria me entregar para Algaliarept.

– Não faça isso, Lee – eu disse, assustada. Minha cabeça se ergueu diante do som de garras correndo. – Nós dois estamos em dívida com ele – acrescentei. – Ele pode pegar você com a mesma facilidade.

O bruxo chutou algumas pedras para fazer uma pequena clareira.

– Na-na-ni-na-não. O boato que corre dos dois lados das linhas é que ele quer você. – Com os olhos negros sob a luz vermelha, Lee sorriu. – Mas, por via das dúvidas, vou te amaciar um pouquinho para ele.

– Lee – murmurei, encolhida de frio enquanto ele começava a murmurar em latim. O brilho da energia de linha em sua mão iluminou seu rosto, lançando sombras horríveis. Fiquei tensa, com um pânico súbito. Não havia para onde correr nos três segundos que me restavam.

Perdi o fôlego com o barulho repentino dos seres que se escondiam. Ergui os olhos e vi uma esfera de energia vindo na minha direção. Se eu fizesse um círculo, Al sentiria. Se desviasse a esfera, Al saberia. Por isso, fiquei parada como uma idiota, e ela me acertou com força.

O calor se espalhou pela minha pele e minha cabeça foi lançada para trás; boquiaberta, tentei respirar. Era apenas energia de linha enchendo meu *chi*. "*Tulpa*", pensei ao cair, dando a ela um lugar para o qual seguir.

O calor logo se desfez, avançando para a esfera criada que aguardava na minha mente. Algo em mim pareceu mudar, e percebi que tinha cometido um erro. Os seres ao nosso redor guincharam e desapareceram.

Ouvi um estalido baixo e, com o coração acelerado, me empertiguei. Prendi a respiração e fui soltando-a devagar em um frio branco e úmido de vapor. Encontrei a silhueta esguia e trevosa de Al contra o sol poente, erguendo-se sobre um prédio em ruínas, de costas para nós.

– Merda – Lee praguejou. – Como ele já está aqui?

Virei-me para ele ao ouvir o chiado baixo e agudo do giz metálico contra o chão. Era a versão bruxa da linha de ley desenhada com fita adesiva e formava um círculo bastante seguro. Meu coração bateu mais forte quando um brilho preto e roxo surgiu entre nós. Depois de soprar com força, Lee guardou o giz e me abriu um sorriso confiante.

Tremendo violentamente, olhei para os escombros escurecidos sob o pôr do sol avermelhado. Eu não tinha nada com que traçar um círculo. Era uma bruxa morta. Estava do lado de Al das linhas de ley; meu último contrato não significava mais nada.

Al se virou ao sentir a formação do círculo de Lee, mas foi nos meus olhos que seu olhar se cravou.

– Rachel Mariana Morgan – o demônio me cumprimentou, com a voz arrastada, claramente contente enquanto uma cascata de energia de linha descia sobre ele, e sua roupa se transformava no que imaginei ser um traje de equitação inglês, incluindo um chicote e botas reluzentes de cano longo. – Que diabos você fez no cabelo?

– Oi, Al – eu disse, recuando. Eu precisava sair dali. "Não há lugar como nosso lar", pensei, sentindo o zumbido da linha sobre a qual estava parada, sem saber se bater os saltos ajudaria. Lee estava fora do alcance, então por quê, por quê, meu Deus, eu não podia estar também?

Satisfação praticamente irradiava do rosto de Lee. Meu olhar saltou para Al enquanto o demônio escolhia com cuidado o caminho para descer das ruínas até a praça.

"A praça", pensei, sentindo a esperança presa na garganta. Dei um giro e tentei me posicionar, tropeçando enquanto afastava as pedras com o pé, à procura. Se aquele lugar era um reflexo de Cincinnati, aquela era a Praça da Fonte. E, se aquela era a Praça da Fonte, haveria um maravilhoso círculo desenhado entre a rua e o estacionamento. Mas era muito, muito grande.

Minha respiração acelerou quando meu pé revelou um arco desgastado de traçado roxo. "É igual. É igual!" Febril, percebi que Al estava quase na altura da praça. Rapidamente, captei a linha mais próxima. A energia fluiu para dentro de mim com o gosto forte de nuvens e folha de estanho. "*Tulpa*", pensei, desesperada para reunir força suficiente para fechar um círculo daquele tamanho antes que Al percebesse o que eu estava prestes a fazer.

Fiquei rija quando a torrente de energia me preencheu. Gemendo, caí de joelhos. Com o rosto aristocrático espantado, Al se endireitou. Viu nos meus olhos o que eu pretendia fazer.

– Não! – berrou, avançando enquanto eu estendia a mão para tocar o círculo e dizia minha palavra de invocação.

Fiquei sem fôlego quando, com a sensação de ser lançada para fora de mim mesma, uma onda tremeluzente de um dourado translúcido se ergueu do chão, cortando rochas e escombros e arqueando-se para, enfim, se fechar com um zumbido sobre minha cabeça. Cambaleando, caí para trás com a boca aberta, fitando a cúpula. "Puxa! Fechei o círculo da Praça da Fonte!" Eu tinha fechado um círculo de nove metros de diâmetro, feito para sete bruxos fecharem sem dificuldades, não apenas uma bruxa. Pelo jeito, uma só conseguiria fazê-lo, se tivesse motivação suficiente.

Al escorregou, mas conseguiu parar, balançando os braços para não dar de cara com o círculo. Um som baixo e metálico reverberou pelo ar obscuro, cobrindo minha pele como pó. Arregalei os olhos e vi. Eram sinos. Sinos grandes, profundos e ressoantes. Havia mesmo sinos, e meu círculo os tinha tocado.

Meus joelhos tremeram por causa da adrenalina, e os sinos tocaram outra vez. Com uma expressão irritada, Al estava parado a menos de um metro da beira do círculo, com a cabeça inclinada e os lábios finos comprimidos enquanto ouvia o terceiro repique desaparecer. O poder da linha que corria através de mim ficou mais suave, virando um leve zumbindo. O silêncio da noite era terrivelmente profundo.

– Belo círculo – Al elogiou, parecendo, ao mesmo tempo, impressionado, aborrecido e interessado. – Você vai ser um sucesso no Trekker Trek.

– Obrigada. – Estremeci quando ele tirou a luva e tocou meu círculo, criando ondas que reverberaram pela superfície. – Não toque! – deixei escapar, e ele riu baixinho, tocando e tocando, sem parar de se mover, em busca de um ponto fraco. O círculo era enorme; ele poderia encontrar um. "O que eu fiz?"

Com as mãos enfiadas embaixo dos braços para me esquentar, olhei para Lee, que continuava no seu círculo, duas vezes mais seguro agora que também estava dentro do meu.

– Ainda podemos fugir – eu disse, ouvindo minha voz trêmula. – Nenhum de nós precisa ser familiar dele. Se a gente...

– Você é muito idiota, né? – Lee tocou seu círculo com o pé, desfazendo-o. – Quero me livrar de você e pagar o preço da minha cicatriz de demônio. Por Deus, por que eu te salvaria?

Tremendo, senti o vento batendo contra a minha pele.

– Lee! – exclamei, virando-me para continuar com Al no campo de visão conforme o demônio avançava para trás do meu círculo, sem parar de testá-lo. – Precisamos sair daqui!

Torcendo o pequeno nariz, perante o cheiro de âmbar queimado, Lee riu.

– Não. Vou te espancar e depois te entregar para o Algaliarept, e ele vai considerar minha dívida paga. – Convencido e seguro de si mesmo, olhou para Al, que tinha parado de cutucar meu círculo e agora se encontrava parado com uma expressão contente. – É satisfatório?

Senti um frio amedrontado na barriga quando um sorriso perverso e calculista se abriu no rosto bem delineado de Al. Um tapete com detalhes elaborados e uma cadeira do século XVIII forrada de veludo castanho surgiram atrás dele; sem deixar de sorrir, Al se sentou, sob a luz vermelha dos últimos raios de sol que atravessavam as ruínas dos prédios. Cruzando as pernas, disse:

– Stanley Collin Saladan, temos um acordo. Se me entregar Rachel Mariana Morgan, considero sua dívida paga.

Lambi os lábios, que tinham ficado gelados sob o vento cortante. Ao nosso redor, surgiram os sons baixos de seres que se aproximavam, chamados pelo repique dos sinos da cidade e atraídos pela promessa da escuridão. O barulhinho de uma pedra chamou minha atenção. "Algo está aqui com a gente."

Lee sorriu, e limpei as mãos na saia emprestada, endireitando-me. O sujeito tinha motivos para estar confiante, afinal, eu era uma bruxa de terra sem amuletos enfrentando um mestre de linhas de ley. No entanto, ele não sabia de tudo. Al também não. Bem, nem mesmo eu sabia de tudo, mas sabia de uma coisa da qual eles não estavam cientes. Quando aquele sol vermelho e horrível se pusesse atrás dos prédios em ruínas, não seria eu a familiar de Al.

Eu queria sobreviver. Naquele momento, não me interessava saber se entregar Lee para Al no meu lugar seria certo ou não. Depois, quando estivesse sentada com uma caneca de chocolate quente nas mãos, tremendo com a lembrança daquele momento, seria a hora de decidir. Mas, para ganhar, eu precisava antes perder. O que poderia doer muito.

– Lee – eu disse, tentando uma última vez. – Leve a gente para casa! – "Meu Deus, faça com que eu esteja certa!"

– Você é uma criança mesmo – o bruxo reclamou, ajeitando o terno sujo de terra. – Não para de choramingar e torcer para ser resgatada.

– Lee! Espere – gritei, quando ele avançou três passos e lançou uma bola de névoa roxa.

Pulei para o lado. Ela passou por mim na altura do peito, acertando o que restava da fonte. Com um estrondo, parte dela estalou e caiu, levantando poeira vermelha no ar que escurecia.

Quando me virei, Lee estava com meu cartão de visitas na mão, aquele que eu tinha entregado ao segurança do seu barco. "Merda. Ele tem um objeto focal."

– Não faça isso – aconselhei. – Você não vai gostar de como essa história vai terminar.

Lee balançou a cabeça, movendo os lábios enquanto sussurrava.

– *Doleo* – proferiu nitidamente; tratava-se de uma palavra de invocação, que fez o ar vibrar. Com meu cartão ainda nas mãos, ele gesticulou.

Endireitando-me, contive o gemido que estava prestes a soltar. A dor que revirou meu estômago fez com que eu me dobrasse. Respirando apesar dela, me levantei com dificuldade. Não pensei em nada para revidar. Cambaleante, dei um passo à frente para tentar me livrar da dor. Se conseguisse acertar Lee, talvez ela chegasse ao fim. Se conseguisse pegar meu cartão, ele não poderia usá-lo para focar em mim e precisaria lançar mão de seus feitiços.

Dei de cara com Lee. Nós dois caímos e as pedras me cortaram. Ele esperneou, e rolei sob os aplausos de Al, abafados por suas luvas brancas. A dor me cobriu, tornando impossível pensar em qualquer coisa. "É uma ilusão", eu disse a mim mesma. Um encantamento de linha de ley. Só magia de terra poderia causar dor de verdade. "É só uma ilusão." Ofegante, removi o feitiço de mim usando apenas força de vontade. Eu me recusava a sentir aquilo.

Meu ombro machucado latejou, com uma aparência de dor maior do que a dor real. Eu me apeguei à dor verdadeira, afastando a agonia fantasma. Encurvada, vi Lee por entre os fios do meu cabelo, totalmente livres daquele coque idiota.

– *Inflex* – Lee disse, sorrindo quando os dedos terminaram o feitiço, e me encolhi, esperando que algo acontecesse, mas nada mudou.

– Hum, boa! – Al exclamou de cima da rocha. – De primeira. Legal!

Vacilei sobre os pés, lutando contra as últimas sombras de dor. Eu estava sobre a linha de novo. Conseguia sentir. Se soubesse viajar através das linhas, poderia acabar com aquilo naquela hora. "Abracadabra", pensei. "Alacazam." Droga, eu seria capaz até de torcer o nariz, como em *A feiticeira*, se achasse que aquilo funcionaria. Mas nada funcionou.

Os sons à minha volta aumentaram. Eles estavam ficando mais ousados agora que o sol ameaçava se pôr. Uma pedra rolou atrás de mim, e me virei. Meu pé escorregou e, com um grito, caí. Senti náusea ao torcer o tornozelo. Ofegante, agarrei-o, sentindo lágrimas de dor nos olhos.

– Genial! – Al aplaudiu. – Má sorte é extremamente difícil. Mas remova esse encantamento. Não quero uma desastrada na minha cozinha.

Lee fez um gesto, e um rápido redemoinho cheirando a âmbar queimado se ergueu, agitando meu cabelo. Senti um nó na garganta quando o encantamento se quebrou. Meu tornozelo latejou, e as pedras frias me cortavam. Ele tinha me amaldiçoado com má sorte? "Filho da puta..."

Com os dentes cerrados, me apoiei numa pedra para me levantar. Já tinha jogado Ivy para longe com todo-sempre puro, e não precisava de um objeto focal para lançá-lo contra ele. Com a raiva crescente, me empertiguei, tentando me lembrar de como fazer isso. Eu sempre tinha feito por instinto. O medo e a raiva ajudavam e, ao me levantar com dificuldade, levei mais energia do *chi* para as mãos. Elas arderam, mas contive a dor, puxando ainda mais da linha até que minhas mãos espalmadas parecessem queimar. Furiosa, comprimi a energia pura nelas, deixando-a do tamanho de uma bola de beisebol.

– Filho da mãe – murmurei, cambaleando ao atirar nele.

Lee se jogou para o lado, e a bola dourada de todo-sempre acertou o círculo. Arregalei os olhos, surpresa, quando uma cascata de arrepios me atravessou com o estouro da minha bola.

– Ah, vá se ferrar! – gritei. Eu não tinha previsto que o feitiço coberto pela minha aura romperia o círculo. Aterrorizada, me virei para Al, pensando que, se não conseguisse reerguer a proteção a tempo, teria que lutar contra os dois. Mas o demônio continuou sentado, observando por cima do meu ombro com os olhos de bode arregalados. Boquiaberto, olhava por cima dos óculos.

Girei a tempo de ver meu feitiço atingir um prédio próximo. Um leve estrondo fez tremer meus pés. Levei a mão à boca quando um escombro do tamanho de um ônibus se soltou e caiu com uma lentidão surreal.

– Bruxa idiota – Lee disse. – Está vindo bem em cima da gente!

Virei e corri, abrindo caminho com dificuldade por entre os escombros, com as mãos dormentes nas rochas cobertas de gelo. O chão tremeu, erguendo uma poeira densa. Tropecei e caí.

Ofegando e tossindo, me levantei, trêmula. Meus dedos doíam e eu não conseguia movê-los. Encontrei Lee do outro lado das novas rochas, com ódio e um pouco de medo no olhar.

Palavras em latim saíram da sua boca. Eu olhava fixamente para o cartão em seus dedos, que se moviam. Meu coração estava acelerado enquanto eu esperava, sem poder fazer nada. Ele fez um gesto, e meu cartão pegou fogo.

Queimou feito pólvora. Gritei e virei o rosto, levando as mãos aos olhos. Os guinchos dos demônios menores caíram sobre mim. Vacilei para trás, perdendo o equilíbrio. Manchas vermelhas cobriam minha visão. Meus olhos estavam abertos e lágrimas corriam pelo rosto, mas eu não conseguia ver. Eu não conseguia ver!

Ouvi o som de pedras deslizando e gritei ao levar um tapa. Tentei lutar às cegas, quase caindo quando minhas mãos não encontraram nada. Um medo debilitante se instalou em mim. Eu não conseguia ver. Saladan tinha tirado minha visão!

Uma mão me empurrou e eu caí, preparando um chute. Senti que tinha acertado Lee, que caiu também.

– Vagabunda – ele xingou, ofegante, e dei um grito quando arrancou uma mexa do meu cabelo e se afastou.

– Continue! – Al disse alegremente. – Deem o melhor de si! – estimulou.

– Lee! – gritei. – Não faça isso! – O vermelho não desapareceu. "Por favor, por favor, tomara que isso seja uma ilusão."

Palavras obscuras, que quase soaram obscenas, foram enviadas de Lee. Senti o cheiro de uma mecha se queimar.

Meu coração estava apertado com uma dúvida repentina. Não sabia se iria conseguir. Ele me mataria. Não havia como vencer. Ai, meu Deus..., o que eu tinha na cabeça?

– Você deu a ela dúvidas – Al comentou, admirado, em meio às trevas. – É um encantamento muito complexo – murmurou. – O que mais? Consegue adivinhar o futuro?

– Consigo fazer com que ela se lembre do passado – Lee disse, perto de mim, ofegante.

– Ah! – o demônio exclamou, radiante. – Tive uma ideia maravilhosa! Faça-a se lembrar da morte do pai!

– Não... – sussurrei. – Lee, tenha um pouco de compaixão. Por favor.

Mas sua voz carregada de ódio murmurou, e eu gemi, caindo sobre mim mesma enquanto uma dor mental avançava, cortante, sobre a dor física. Meu pai. O último suspiro do meu pai. O toque da sua mão seca e fraca na minha. Eu tinha ficado lá, recusando-me a sair pelo que quer que fosse. Estava lá quando ele parou de respirar. Estava lá quando sua alma se libertou, me deixando sozinha, para me defender por conta própria, cedo demais. Isso me tornou a pessoa forte e cheia de defeitos que eu era.

– Pai – solucei, com dor no peito. Ele tinha tentado ficar, mas não conseguira. Ele tinha tentado sorrir, mas estava fraco. – Ai, pai – sussurrei, baixando a voz à medida que meus olhos se enchiam de lágrimas. Eu tinha tentado mantê-lo comigo, mas também sem sucesso.

Uma tristeza sombria surgiu na minha mente, fazendo com que eu me voltasse para dentro de mim mesma. Ele tinha me deixado. Eu estava sozinha. Ele tinha partido. Ninguém nunca tinha chegado perto de preencher o vazio que ele deixara. E ninguém nunca conseguiria.

Entre soluços, fui tomada pela lembrança angustiada daquele último e terrível momento no qual me dei conta de que ele tinha falecido. Isso não aconteceu quando me tiraram de perto dele no hospital, mas duas semanas depois, quando bati o recorde da escola de oitocentos metros na corrida e olhei para as arquibancadas à procura do seu sorriso orgulhoso. Ele não estava lá. Foi então que percebi que estava morto.

– Genial – Al murmurou ao meu lado, com a voz sofisticada. Não fiz nada quando uma mão enluvada segurou meu queixo e ergueu minha cabeça. Piscando, eu não conseguia ver Al, mas sentia o calor da sua mão. – Você acabou mesmo com ela – o demônio disse, maravilhado.

A respiração de Lee era arquejante. Estava claro que aquilo tinha exigido muito dele. Eu não conseguia parar de chorar; as lágrimas corriam pelo meu rosto, frias sob o vento. Al soltou meu queixo e me agachei em posição fetal, entre os escombros aos seus pés, sem querer saber o que aconteceria em seguida. "Ai, meu Deus. Pai..."

– Ela é toda sua – Lee disse. – Tire minha marca.

Senti os braços de Al em torno de mim, erguendo-me. Não pude fazer nada a não ser me pressionar contra ele. Eu estava com muito frio e ele cheirava ao desodorante do meu pai. Embora soubesse que era mais uma de suas crueldades perversas, me agarrei a ele e solucei. Eu tinha saudades do meu pai. Meu Deus, como tinha saudades dele!

– Rachel – surgiu a voz do meu pai, arrancada das minhas lembranças, e chorei ainda mais. – Rachel – repetiu a voz. – Tem mais alguma coisa?

– Não – eu disse, entre soluços.

– Tem certeza? – meu pai disse, com a voz doce e carinhosa. – Você se esforçou tanto, minha bruxinha. Lutou de verdade, usou todas as suas forças e perdeu?

– Perdi – eu disse, soluçando. – Quero ir para casa.

– Shhh – ele me consolou, na escuridão, encostando sua mão fria em mim. – Vou te levar para casa e te pôr na cama.

Senti que Al começava a se mover. Eu estava destruída, mas não tinha terminado ainda. Minha mente se rebelou, querendo se afundar ainda mais no vazio, mas minha força de vontade venceu. Era Lee ou eu – e eu queria minha caneca de chocolate quente e um bom livro.

– Al – sussurrei. – Lee deveria estar morto. – Era mais fácil respirar agora. A lembrança da morte do meu pai estava voltando para os cantos obscuros da minha mente. Ela esteve enterrada lá por tanto tempo que logo encontrou o caminho e se guardou, para se revelar em noites solitárias.

– Calma, Rachel – Al disse. – Sei o que pretendia fazer deixando que Lee te atacasse, mas você consegue ativar a energia demoníaca por completo. Nunca houve uma bruxa capaz disso. – Ele riu, e sua alegria me congelou. – E você é minha. Não de Newt nem de nenhum outro demônio, mas minha.

– E minha marca de demônio? – Lee se queixou, alguns passos atrás de nós, e quis chorar por ele. O sujeito estava frito e nem sabia.

– Lee também é capaz – murmurei. Eu conseguia ver o céu. Piscando muito, distingui a silhueta escura de Al, que me segurava, contra as nuvens vermelhas. Fui tomada pelo alívio e descartei minhas últimas dúvidas, guardando uma centelha de esperança. Os encantamentos de ilusão usando linhas de ley só funcionavam por um curto período, a menos que tivessem um objeto de prata em que pudessem residir permanentemente. – Prove – eu disse. – Prove o sangue dele. O pai de Trent também o curou. Lee consegue ativar magia de demônio.

Al estacou de repente.

– Bendito seja eu três vezes. Existe outra pessoa igual a você?

Gritei ao cair, berrando quando meu quadril acertou uma pedra.

Atrás de mim, ouvi Saladan gritando, espantado. Virando-me onde Al tinha me deixado, espreitei sobre o entulho e esfreguei os olhos para distinguir o demônio, que passava as unhas afiadas no braço de Lee. Sangue jorrou, e me senti mal.

– Desculpe, Lee – murmurei, abraçando os joelhos. – Desculpe.

Al soltou um som gutural de prazer.

– Rachel tem razão – disse, ao tirar o dedo dos lábios. – E, além disso, você é melhor em magia de linha de ley. Vou te levar no lugar dela.

– Não! – Lee gritou, e Al o puxou para mais perto. – Era ela que você queria! Eu trouxe a bruxa para você!

– Você me deu a bruxa, eu tirei sua marca de demônio e agora vou te levar comigo. Vocês dois conseguem ativar magia de demônio – Al disse. – Eu poderia passar décadas brigando com uma familiar magricela e resiliente que nem Rachel, sem nunca conseguir enfiar os feitiços que você já sabe na cabecinha de vento dela. Já tentou lançar uma praga de demônio?

– Não! – Lee gritou, tentando escapar. – Não posso!

– Mas vai. Tome – Al disse, deixando-o cair no chão. – Segure isso para mim.

Tapei os ouvidos e me enrolei enquanto Lee gritava sem parar. Era um som agudo e bruto, que raspava meu crânio feito um pesadelo. Eu estava prestes a vomitar. Tinha dado Lee a Algaliarept para salvar minha vida. O fato de que Lee tinha tentado o mesmo comigo não fez com que me sentisse melhor.

– Lee – eu disse, chorando. – Desculpe. Meu Deus, me desculpe.

Seus gritos cessaram quando ele desmaiou. O demônio sorriu, girando sobre os calcanhares, em minha direção.

– Tchau, querida. Não gosto de ficar na superfície depois do pôr do sol. Boa sorte.

Arregalei os olhos.

– Não sei voltar para casa! – gritei.

– Não é problema meu. Tchauzinho.

Eu me sentei; sentia frio, sentada sobre pedras que pareciam me ensopar. Lee recuperou a consciência com um gemido desarticulado e medonho. Segurando-o embaixo do braço, Al lançou-me um aceno de cabeça e desapareceu.

Uma pedra desceu, deslizando até meus pés. Pisquei, limpando os olhos, o que acabou enchendo-os de pó e lascas de rocha.

– A linha – murmurei ao lembrar. Talvez eu conseguisse voltar, se chegasse a ela. Lee tinha saltado de fora de uma linha, mas talvez eu precisasse aprender a andar antes de ser capaz de correr.

Com o canto dos olhos, vi um movimento que chamou minha atenção. Meu coração acelerou e virei a cabeça, sem encontrar nada. Tentando me acalmar, me levantei, perdendo o ar ao sentir pontadas ardentes no tornozelo. Voltei para o chão. Com os dentes cerrados, decidi que tentaria sair de lá rastejando.

Estendi o braço, notando que o terno da senhora Aver estava coberto de pó e gelo, que eu tinha tirado das pedras ao meu redor. Eu me segurei a uma rocha maior e me puxei para a frente, conseguindo ficar quase em pé. Meu corpo tremia por causa do frio e do resto da adrenalina. O sol tinha quase se posto. Um deslizar de pedras me fez andar mais rápido. Eles estavam se aproximando.

Ergui a cabeça ao ouvir um leve estalo. O som de pedras rolando veio de todos os lados; eram os demônios menores correndo para se esconder. Exalei quando, por trás do meu cabelo, vi uma figura pequena vestida de roxo-escuro com as pernas cruzadas. Ela se encontrava à minha frente, com um cajado fino e da minha altura pousado no colo, e envolta em um roupão. Não um roupão de banho, mas uma mistura elegante de um quimono com algo que um xeique do deserto usaria. O tecido ondulava-se com a leveza de linho. Um chapéu redondo com abas retas e topo plano estava pousado na sua cabeça. Estreitando os olhos devido à luz fraca, concluí que havia uns dois centímetros entre a barra dourada e o chão. "O que foi agora?"

– Quem diabos é você? – perguntei, avançando outro passo. – Vai me levar para casa em vez de Al?

– Quem diabos é você? – ecoou sua voz, num misto de leveza e rispidez. – Sim. Pode ser.

Quem quer que fosse, não estava me batendo com o cajado preto entalhado, nem me lançando um encantamento, nem mesmo fazendo caretas, então ignorei a figura e me afastei mais um passo. Ouvi o ruído de um papel amassado e, surpresa, prendi o papel dobrado de David na cintura. "É, acho que ele vai querer isso de volta."

– Sou Newt – disse a figura, parecendo desapontada por eu estar ignorando-a. Ela falava com um sotaque carregado que eu não conseguia situar; era uma forma estranha de pronunciar as vogais. – E não, não vou te levar para casa. Já tenho um demônio como familiar. Algaliarept está certo; você é quase inútil agora.

"Um demônio como familiar? Ah, isso deve ser bom!" Gemendo, continuei avançando. Minhas costelas doíam, e coloquei a mão nelas. Ofegante, ergui os olhos. Um rosto delicado, nem jovem, nem velho – meio que... nada – me encarou.

– Ceri tem medo de você – eu disse.

– Eu sei. A garota é muito perspicaz. Ela está bem?

O medo se instalou em mim.

– Deixe Ceri em paz – declarei, recuando quando Newt afastou meu cabelo dos olhos. Seu toque pareceu se afundar em mim, embora eu sentisse a ponta dos seus dedos firme na minha testa. Encarei seus olhos negros, que me observavam com calma e curiosidade.

– Seu cabelo deveria ser ruivo – disse o ser, que cheirava a dentes-de-leão esmagados. – E seus olhos são verdes como os das minhas irmãs, não castanhos.

– Irmãs? – murmurei, considerando-me capaz de lhe dar minha alma em troca de um amuleto contra dor. Meu Deus, meu corpo todo doía, por dentro e por fora. Sentei sobre meus calcanhares, longe do seu alcance. Newt tinha uma graciosidade etérea, e sua roupa não dava nenhuma pista do seu gênero. Trazia um colar de ouro negro no pescoço, cujo estilo também não era masculino nem feminino. Meu olhar desceu até seus pés descalços, que pairavam sobre os escombros. Eram finos e esguios. Um tanto feios. Masculinos? – Você é homem ou mulher? – acabei perguntando, incerta.

Newt franziu a testa.

– Faz diferença?

Com os músculos trêmulos, levei a mão à boca e chupei o sangue do corte que tinha feito na rocha. "Para mim, faz."

– Não leve a mal, mas o que você está fazendo aqui?

O demônio sorriu, fazendo-me pensar que o motivo daquela alegria não poderia ser bom.

– Estão fazendo algumas apostas para ver se você aprende a usar as linhas antes do pôr do sol. Estou aqui para ninguém roubar.

Uma pontada de adrenalina aclarou minha cabeça.

– O que vai acontecer quando o sol se pôr?

– Qualquer um poderá ficar com você.

Outra pedra deslizou de um monte próximo, e voltei a avançar.

– Mas você não me quer.

O ser abanou a cabeça, flutuando para trás.

– Talvez, se me dissesse por que Al pegou o outro bruxo em vez de você, eu pudesse querer. Eu... não me lembro.

A voz de Newt parecia preocupada, o que me deixou curiosa. Todo-sempre demais tinha fritado seu cérebro, talvez? Eu não tinha tempo para lidar com um demônio maluco, mesmo que fosse poderoso.

– Procure na internet. Estou ocupada agora – eu disse, avançando com dificuldade.

Dei um salto quando um pedregulho do tamanho de um carro caiu meio metro à minha frente. O chão tremeu, e lascas de pedra cortaram meu rosto. Olhei para o pedregulho, depois para Newt, que sorria enquanto ajustava as mãos no cajado, o que lhe conferia um ar simpático e inofensivo. Minha cabeça doía. "Certo, talvez eu tenha um pouco de tempo."

– Ah, Lee consegue ativar magia de demônio – eu disse, sem ver nenhum motivo para dizer que eu também conseguia.

Os olhos negros de Newt se arregalaram.

– Já? – exclamou. Então seu rosto se fechou, com raiva não de mim, e sim de si mesmo. Esperei que ele movesse a pedra, mas não moveu. Respirando fundo, dei a volta por Newt, já que o demônio parecia ter se esquecido da minha presença. A sensação de perigo que emanava da sua figura esguia estava crescendo e se acumulando, tensionando meus músculos e me dando arrepios. Eu estava com a impressão de que só estava viva porque um demônio muito poderoso estava curioso.

Torcendo para que Newt não se lembrasse mais de mim, fui avançando devagar, tentando ignorar a dor no tornozelo. Escorreguei, segurando a respiração ao bater um braço na pedra. Eu tremia de dor. O pedregulho estava bem diante de mim e, reunindo forças, puxei os joelhos para a frente. Meu tornozelo estava queimando de agonia enquanto eu levantava e me segurava à pedra para me equilibrar.

O ar se agitou, e Newt surgiu ao meu lado.

– Quer viver para sempre?

A pergunta me causou um arrepio. Droga, o interesse dele estava aumentando, não diminuindo.

– Não – murmurei. Com a mão estendida, manquei para longe da pedra.

– Eu também não queria até experimentar. – O cajado de sequoia batia no chão conforme Newt avançava, sempre ao meu lado, com os olhos negros assustadoramente mais vívidos do que os de qualquer pessoa que eu já vira na vida. Senti um arrepio. Havia alguma coisa errada com ele, muito errada. Não sabia o que era até perceber que, assim que eu desviava o olhar de Newt, esquecia da sua aparência demoníaca. Mas não de seus olhos. – Sei uma coisa que Algaliarept não sabe – ele disse. – Agora me lembro. Você gosta de segredos. E é boa em guardá-los também. Sei tudo sobre você. Você tem medo de si mesma.

Cerrei os dentes, sentindo uma pontada no tornozelo ao escorregar numa pedra. A linha estava logo à frente. Metade do sol tinha se afundado no horizonte. Demoraria sete minutos para que desaparecesse por completo assim que tocasse o horizonte. Eu tinha três minutos e meio. Conseguia ouvir os demônios menores segurando a respiração, na expectativa. "Meu Deus, me ajude a encontrar uma saída."

– Você tem razão em ter medo de si mesma – Newt disse. – Quer saber por quê?

Ergui a cabeça. Ele estava entediado, ou ela estava entediada, e procurava uma diversão. Eu não queria ser interessante.

– Não – sussurrei, ficando ainda mais assustada.

Um sorriso perverso perpassou seu rosto, cujas emoções mudavam mais rápido do que as de um vampiro chapado de Enxofre.

– Acho que vou contar uma piada para Algaliarept. E, quando ele acabar de destruir aquele bruxo por causa do que terá pedido, vou trocar a marca que você deve a ele e ficar com ela para mim.

Comecei a tremer e não consegui parar.

– Você não pode fazer isso.

– Posso sim. E talvez eu faça. – Newt girou o cajado de um lado para o outro, batendo numa pedra, que ricocheteou na escuridão. Ouviu-se um grito de dor e passos apressados sobre as rochas que deslizavam. – Daí terei duas marcas – o demônio disse para si mesmo –, porque você não conseguirá descobrir como viajar pela linha, e terá que comprar de mim uma viagem para fora daqui.

Ouvi um grito indignado, erguido entre os observadores escondidos atrás das pedras e logo suprimido.

Horrorizada, parei repentinamente, sentindo a linha diante de mim.

– Você quer sobreviver – Newt entoou, com a voz um pouco mais grave. – Vai fazer qualquer coisa para isso. Qualquer coisa.

– Não – sussurrei, aterrorizada por saber que Newt tinha razão. – Eu vi Lee viajando pela linha. Também posso viajar.

Com um brilho nos olhos negros, Newt pousou a ponta do cajado no chão.

– Você não vai descobrir como. Não vai acreditar, não ainda. Vai ter que fazer um pacto... comigo.

Assustada, oscilei sobre os pés e, no passo seguinte, cambaleei para dentro da linha, sentindo-a como um rio quente e abundante que me encheu por dentro. Quase ofegante, tropecei, vendo os olhos à minha volta, estreitados de voracidade e raiva. Eu estava com dor. Precisava sair dali. O poder da linha zumbia pelo meu corpo, pacífico e reconfortante. "Não há lugar como nosso lar."

Newt assumiu um ar de escárnio, com desdém nas pupilas negras.

– Você não consegue.

– Consigo sim – afirmei, com a visão escurecendo enquanto quase perdia a consciência. Em meio às trevas, brilhavam olhos verdes. Perto. Muito perto. O poder da linha zumbia através de mim. "Não há lugar como nosso lar. Não há lugar como nosso lar. Não há lugar como nosso lar", pensei, desesperada, puxando energia e fazendo-a girar na minha cabeça. Eu tinha atravessado as linhas com Lee. Vira como ele tinha feito. Bastou que ele pensasse aonde queria ir. Eu queria ir para casa. Por que não estava dando certo?

Meus joelhos vacilaram quando o primeiro vulto saiu das sombras, com uma finura irreal, lento e hesitante. Newt olhou para ele, depois se voltou para mim devagar, com a sobrancelha erguida.

– Um favor, e te mando de volta.

Ai, Deus. Outro não.

– Me deixe em paz! – gritei, lançando uma pedra em um dos vultos que se aproximavam; as pontas ásperas da rocha rasparam meus dedos e quase caí para o lado. Soltei um arquejo que mais parecia um soluço ao recuperar o equilíbrio. O demônio menor desviou, depois se endireitou. Outros três pares de olhos brilharam atrás dele.

Dei um pulo quando Newt surgiu à minha frente. A luz tinha desaparecido. Seus olhos negros se cravaram em mim, vasculhando e apertando a minha alma até fazer jorrar um pavor borbulhante.

– Você não vai conseguir. Não tem tempo para aprender – Newt disse, e eu senti um calafrio. Havia ali um poder bruto e rodopiante. A alma de Newt era tão negra que quase não podia ser vista. Eu conseguia sentir sua aura avançar sobre a minha, começando a encostar nela tal era a força da sua vontade. Newt poderia me pegar se quisesse. Eu não era nada. Minha vontade não era nada. – Se não fizer o pacto, vai morrer nessa pilha esquálida de promessas quebradas – ele me assustou. – Mas não posso te levar através das linhas com um fiapo tão fino chamado de casa. Casa não serve. Pense em Ivy. Você ama aquela vampira mais do que ama a maldita igreja – disse, com uma honestidade mais cortante do que qualquer dor física.

Berrando alto de raiva, os vultos se reuniram e pularam.

– Ivy! – gritei, aceitando o pacto e desejando estar com ela: o cheiro do seu suor quando lutávamos, o gosto dos biscoitos de Enxofre, o som de seus passos e o erguer de suas sobrancelhas quando ela tentava não sorrir.

Encolhi-me ao sentir, de repente, a presença sombria de Newt em minha cabeça. O pensamento "a quantos erros uma vida consegue sobreviver?" ecoou na minha mente, mas não sabia a quem ele pertencia.

Newt tirou o ar dos meus pulmões, e senti a mente se despedaçar. Eu estava em todos os lugares e em lugar nenhum. A desconexão perfeita da linha me atravessou, veloz, fazendo-me existir em todas as linhas do continente. "Ivy!", pensei de novo, começando a entrar em pânico até me lembrar dela, agarrando-me à sua vontade indômita e à tragédia dos seus desejos. "Ivy. Quero voltar para Ivy."

Com um pensamento selvagem, Newt uniu minha alma. Ofegante, cobri os ouvidos quando um estalo agudo me agitou. Caí para a frente, batendo os joelhos e os cotovelos nos azulejos cinza do chão. Ouvi gritos e um estalido de metal. Papéis voaram, e alguém mandou chamar a SI.

– Rachel! – Ivy gritou.

Ergui os olhos, espreitando por entre os fios de cabelo que caíam sobre meu rosto, notando que estava no que parecia ser um corredor de hospital. Ivy estava sentada numa cadeira de plástico laranja. Suas bochechas estavam sujas e seus olhos, vermelhos e arregalados, mostrando um espanto visível. David encontrava-se ao seu lado, também sujo e desgrenhado, com o sangue de Kisten nas mãos e no peito. Um telefone tocou e ninguém atendeu.

– Oi – eu disse, com a voz fraca e os braços trêmulos. – Hum, alguém pode dar uma olhada em mim? Não estou me sentindo muito bem.

Ivy se levantou, estendendo os braços. Tombei para a frente, acertando os azulejos do chão com o rosto. A última coisa de que me lembro foi o toque da mão dela.

Trinta e três

– Já vou! – gritei, apertando o passo ao atravessar o santuário escuro a caminho da porta, batendo as botas no chão e deixando um rastro de neve atrás de mim. A enorme sineta que funcionava como campainha soou mais uma vez, e acelerei o passo. – Estou indo! Pelo amor de Deus, não toque de novo ou os vizinhos vão chamar a SI.

Os toques do sino ainda ecoavam quando encostei na maçaneta, roçando sonoramente o casaco de náilon. Meu nariz estava frio e meus dedos, congelados; o calor da igreja ainda não tivera tempo para me esquentar.

– David! – exclamei ao abrir a porta e encontrar o lóbis.

– Oi, Rachel. – Ele estava bonito com os óculos, o casaco longo, a barba espessa e o chapéu de caubói cobertos de neve. A garrafa de vinho na mão ajudava. Um homem mais velho encontrava-se ao seu lado, usando uma jaqueta de couro e calça jeans. Ele era mais alto do que David, e observei seu corpo levemente enrugado, mas em forma, sem saber de quem era. Alguns fios de cabelo branco apareciam por baixo do chapéu. O homem trazia um graveto na mão, sem dúvida uma oferenda simbólica para a fogueira de solstício, e me dei conta de que se tratava de um bruxo. "O antigo parceiro de David?", pensei. Uma limusine estava parada atrás deles, mas imaginei que os dois tivessem vindo no carro azul de quatro portas estacionado na frente dela. – Rachel – David disse, atraindo meu olhar de volta para eles. – Este é Howard, meu antigo parceiro.

– É um prazer te conhecer, Howard – cumprimentei, estendendo a mão.

– O prazer é meu. – Sorrindo, ele tirou uma luva para estender a mão cheia de sardas e algumas rugas. – David falou muito sobre você, e eu me convidei. Espero que não seja um problema.

– Imagine – respondi, sinceramente. – Quanto mais gente, melhor.

O bruxo agitou minha mão para cima e para baixo três vezes antes de soltá-la.

– Eu precisava vir – ele complementou, com um brilho nos olhos verdes. – Não é todo dia que aparece a chance de conhecer uma mulher capaz de correr mais rápido do que David e aguentar seu jeito de trabalhar. Vocês dois cuidaram bem do caso do Saladan.

Sua voz era mais grave do que eu esperava, e a sensação de estar sendo avaliada aumentou.

– Obrigada – agradeci, um pouco envergonhada. Dei um passo para trás, convidando os dois a entrar. – Estamos lá nos fundos, em volta da fogueira. Podem entrar. É mais fácil atravessar a igreja do que ir tropeçando pelo jardim.

Howard entrou, deixando um rastro de cheiro de sequoia. David estava limpando a neve das botas e hesitou, erguendo os olhos para a placa nova acima da porta.

– Bonita – elogiou. – É nova?

– Sim. – Um pouco melancólica, coloquei a cabeça para fora a fim de olhar para cima. A placa de latão gravada tinha sido colocada na frente da igreja, em cima da porta. Tinha vindo com uma lâmpada, que iluminava a entrada com um brilho suave. – É um presente de solstício para Ivy e Jenks.

David soltou um som de aprovação e compreensão. Tornei a olhar para a placa. ENCANTOS VAMPIRESCOS LTDA. TAMWOOD, JENKS E MORGAN. Eu tinha adorado, e não liguei de pagar a mais pela urgência. Ivy tinha se surpreendido ao vê-la naquela tarde. Pensei que ela fosse chorar. Eu a tinha abraçado ali mesmo, na entrada. Estava claro que ela queria me abraçar, mas estava com medo que eu interpretasse mal o gesto. Ivy era minha amiga, poxa. Podia abraçá-la se quisesse.

– Espero que ajude a acabar com os boatos de que eu morri – acrescentei, fazendo sinal para ele entrar. – O jornal publicou rápido meu obituário, mas, como não sou vamp, não vão colocar nada na seção dos ressuscitados a menos que eu pague.

– Imagino – David disse. Dava para ouvir o riso na sua voz, e lhe dirigi um olhar seco quando bateu os pés uma última vez antes de entrar. – Você está bem para uma bruxa morta.

– Obrigada.

– Seu cabelo quase voltou ao normal. E o resto?

Fechei a porta, lisonjeada com a preocupação em sua voz. Howard estava parado no meio do santuário, passando os olhos pelo piano de Ivy e pela minha mesa.

– Estou bem – respondi. – Minha energia está baixa, mas já está voltando ao normal. Já o cabelo... – Prendi um cacho castanho-avermelhado atrás da orelha, sob o gorro de malha que minha mãe tinha me dado naquela tarde. – A caixa dizia que a tinta saía depois de cinco lavagens – eu disse, com amargura. – Ainda estou esperando.

Um pouco irritada por me lembrar do meu cabelo, levei os dois para a cozinha. Na verdade, o cabelo era o menor dos meus problemas. No dia anterior, tinha encontrado uma cicatriz com o conhecido desenho de um círculo cortado ao meio, localizado no meu pé esquerdo: a marca do favor que eu devia a Newt. Agora, devia um favor a dois demônios, mas estava viva. Estava viva e não era familiar de ninguém. E ter descoberto uma marca no pé tinha sido melhor do que acordar com um grande "N" tatuado na testa.

Os passos de David hesitaram quando ele viu as travessas de comida na mesa. A área de trabalho de Ivy tinha sido reduzida a um trecho de um metro quadrado; o resto estava coberto por biscoitos, bolinhos, embutidos e bolachas salgadas.

– Sirvam-se – eu disse, recusando-me a me preocupar com coisas que, no momento, estavam fora do meu controle. – Querem esquentar o vinho antes de sairmos para a fogueira? – perguntei, comendo uma fatia de salame. – Temos um jarro especial para isso. – Podia usar meu encantamento novo, mas ele não era confiável e eu estava cansada de queimar a língua.

O som do vinho batendo na mesa foi alto.

– Vocês bebem vinho quente? – David disse, chocado ao olhar para o micro-ondas.

– Ivy e Kisten sim. – Vendo que o lóbis hesitava, dei uma mexidinha rápida na panela de cidra temperada no fogão. – A gente pode esquentar metade e colocar o resto no banco, se você preferir – acrescentei.

– Por mim, tudo bem – David disse, tirando o papel-alumínio da rolha com seus dedos curtos.

Howard começou a encher um prato, mas, ao receber um olhar incisivo do ex-parceiro, parou.

– Mmmm! – o bruxo disse de repente, com o prato na mão. – Tudo bem se eu for lá atrás me apresentar? – Agitou o ramo preso entre a mão e o pratinho descartável. – Faz tempo que não participo de uma fogueira de solstício.

Um sorriso surgiu nos meus lábios.

– Fique à vontade. A porta fica na sala de estar.

David e Howard trocaram outro olhar, e o bruxo saiu sozinho. Ouvi os cumprimentos baixos quando abriu a porta. David suspirou. Havia algum problema.

– Rachel – ele disse. – Tenho um papel para você assinar.

Meu sorriso congelou.

– O que eu fiz? – deixei escapar. – É por causa do carro do Lee?

– Não – ele respondeu, e senti um aperto no peito quando baixou os olhos. "Ai, meu Deus. Deve ser grave."

– Que foi? – Coloquei a colher na pia e me virei, segurando os cotovelos.

David abriu o casaco e tirou um papel dobrado, que entregou para mim. Depois, começou a abrir a garrafa.

– Não precisa assinar se não quiser – ele disse, olhando para mim de esguelha sob o chapéu de caubói. – Não vou ficar ofendido. Sério. Pode recusar. Não tem problema.

Gelei, e depois senti um calor enquanto lia a declaração de palavras simples. Surpresa, ergui a cabeça e fitei seus olhos ansiosos.

– Você quer que eu faça parte da sua matilha? – balbuciei.

– Não tenho matilha – ele se apressou em explicar. – Você seria a única a participar. – Sou registrado como lobo solitário, mas a empresa não demite nenhum macho ou fêmea alfa.

Não consegui pensar em nada para dizer enquanto ele se apressava a preencher o silêncio.

– Eu, hum, me sinto mal por tentar te subornar – ele disse. – Não seria como se estivéssemos casados ou nada do tipo, mas te daria o direito de ter um seguro através de mim. E, se um de nós for hospitalizado, o outro terá acesso aos registros médicos e poderá decidir o que vai acontecer se ele estiver inconsciente. Não tenho ninguém que possa tomar essas decisões por mim e prefiro que seja você, não um tribunal ou meus irmãos. – Encolheu um ombro. – Além disso, você poderia participar do piquenique da empresa.

Mirei o papel, depois seu rosto barbado e, em seguida, o papel de novo.

– E o seu antigo parceiro?

Ele olhou por cima do documento, para ler as letras.

– É preciso uma fêmea para montar uma matilha.

– Ah. – Encarei o formulário. – Por que eu? – perguntei, honrada com o pedido, mas confusa. – Deve haver um monte de lóbis que adorariam essa chance.

– E há mesmo. É exatamente este o problema. – Ele deu um passo para trás e voltou a se recostar no balcão central. – Não quero uma matilha. É muita responsabilidade. Muitos laços. Matilhas crescem. E, mesmo que eu fizesse o acordo com uma lóbis que, desde o começo, soubesse que a relação não passaria de algo no papel, ela esperaria certas coisas, e sua família também. – Mirou o forro, com um olhar que revelava sua idade. – E, se eu não provesse essas coisas, a família dela começaria a tratá-la como uma prostituta, não como uma cadela alfa. Com você, não vou ter esse problema. – Ele me olhou nos olhos. – Vou?

Pisquei, com um leve sobressalto.

– Hum, não. – Um sorriso surgiu no canto dos meus lábios. "Cadela alfa? Combina comigo." – Tem uma caneta? – perguntei.

David deu um leve suspiro, aliviado.

– Precisamos de três testemunhas.

Eu não conseguia parar de sorrir. Imagina só quando eu contasse para Ivy. A vamp ficaria doidinha.

Viramos para a janela ao surgimento de uma labareda e de alguns gritos animados. Ivy lançou um segundo ramo de sempre-viva na fogueira, e as chamas voltaram a se erguer. O entusiasmo com que ela estava assimilando a tradição da minha família de fazer uma fogueira de solstício era preocupante.

– Consigo pensar em três pessoas rápido – eu disse, enfiando o papel no bolso de trás.

David assentiu.

– Não precisamos resolver isso hoje. Mas o ano fiscal está terminando, e seria bom mandarmos os papéis antes dessa data para você poder usar os benefícios e aparecer no catálogo novo.

Eu estava na ponta dos pés para alcançar um jarro para o vinho, e David estendeu o braço e o pegou para mim.

– Tem um catálogo? – perguntei, ao descer sobre os calcanhares.

Seus olhos se abriram mais.

– Quer permanecer anônima? Custa mais, mas não tem problema.

Encolhi os ombros, sem saber o que queria.

– O que vão dizer quando você aparecer no piquenique ao meu lado?

David derramou metade do vinho no jarro e colocou-o no micro-ondas para aquecer.

– Nada. Todo mundo acha que eu tenho raiva mesmo.

Eu não conseguia parar de sorrir enquanto enchia uma caneca com cidra temperada. Os motivos de David podiam ser duvidosos – querer mais estabilidade no emprego –, mas nós dois teríamos benefícios. Por isso, foi com um humor muito melhor que seguimos para a porta dos fundos, o lóbis com seu vinho quente e a garrafa meio vazia nas mãos, e eu com minha sidra temperada. O calor da igreja tinha me aquecido, e o guiei para a sala.

Os passos de David ficaram mais lentos enquanto ele contemplava a sala iluminada. Ivy e eu tínhamos nos encarregado da decoração, e havia roxo, vermelho, dourado e verde por toda parte. A meia de couro dela parecia solitária em cima da lareira, então eu tinha comprado uma de malha verde e vermelha, com um sininho, aceitando qualquer tradição que envolvesse ganhar presentes. Ivy tinha até pendurado uma meinha branca para Jenks, que ela pegara da coleção de bonecas da irmã, mas o frasco de mel nunca caberia dentro dela.

A árvore de Natal de Ivy reluzia no canto, com um brilho etéreo. Eu nunca tivera uma antes, e me senti honrada por ela ter deixado que eu ajudasse na decoração com enfeites embrulhados em lenços de papel. Tínhamos nos divertido uma noite inteira fazendo aquilo, ouvindo música e comendo pipoca.

Embaixo dela, havia só dois presentes: um para mim e um para Ivy, ambos de Jenks. Ele fora embora, mas seus presentes tinham sido deixados para trás em quartos opostos.

Coloquei a mão na maçaneta da porta nova, sentindo um nó na garganta. Nós já tínhamos aberto os presentes, já que nenhuma de nós duas era boa em esperar. Ivy ficara olhando fixamente para a bonceca Betty Morda-me, com os dentes cerrados e praticamente sem fôlego. Eu não tinha me comportado muito melhor, quase chorando ao encontrar um par de celulares na caixa. Um era para mim e o outro, bem menor, para Jenks. Segundo o recibo, ele ativara os aparelhos no mês anterior e já tinha até colocado o número dele entre os preferidos do meu.

Com o maxilar rígido, abri a porta e a segurei para David sair. Eu daria um jeito de Jenks voltar. Mesmo que tivesse de contratar um piloto para escrever um pedido de desculpas no céu, eu daria um jeito.

– David – eu disse quando ele passou por mim. – Você pode levar uma coisa para o Jenks?

No primeiro degrau, o lóbis olhou para mim de soslaio.

– Talvez – respondeu, desconfiado.

Fiz uma careta.

– São só umas sementes. Não encontrei nada no meu livro sobre linguagem das flores que falasse "Desculpe, sou uma anta". Então acabei escolhendo não-me-esqueças.

– Está bem – ele respondeu, parecendo mais seguro. – Posso levar sim.

– Obrigada. – Não passava de um sussurro, mas eu tinha certeza de que ele tinha ouvido, apesar dos gritos diante de sua chegada.

Peguei o vinho quente de David e o coloquei perto da fogueira. Howard parecia contente conversando com Keasley e Ceri, lançando olhares inseguros para Takata, escondido nas sombras do carvalho.

– Venha aqui – eu disse para David, enquanto Kisten tentava chamar sua atenção. A irmã de Ivy estava tagarelando a seu lado, e ele parecia exausto. – Quero te apresentar para o Takata.

O ar noturno era frio, tão seco que quase chegava a ser dolorido, e sorri para Ivy quando vi que ela estava tentando explicar à Ceri a arte de fazer um *s'more*. Confusa, a elfa não entendia como colocar uma barra de chocolate entre um produto de grãos açucarado e um *marshmallow* pudesse ser bom. Palavras dela, não minhas. Eu tinha certeza de que ela mudaria de opinião assim que comesse um.

Senti os olhos de Kisten sobre mim do outro lado das chamas, que baixavam, e contive um calafrio. O vaivém das luzes iluminava seu rosto, mais magro, mas não menos bonito, depois da sua passagem pelo hospital. Minhas lembranças a respeito de Nick tinham esmorecido, sendo transformadas numa dor leve sob os carinhos do vamp vivo. Kist estava aqui, Nick não. A verdade era que fazia meses que Nick não estava. Ele não tinha ligado nem mandado um cartão de solstício e, de propósito, não deixara nenhuma forma de contato. Era hora de pular para outra.

Takata se achegou para o lado na mesa de piquenique, para o caso de querermos sentar. O show, no começo da noite, tinha decorrido sem percalços – e, como Lee não estava por perto, Ivy e eu assistimos dos bastidores. Takata tinha dedicado "Marcas vermelhas" à nossa empresa, e metade da plateia agitara os isqueiros em tributo, pensando que eu ainda estava morta.

Eu estava brincando quando o convidara para a fogueira, mas fiquei contente por ele ter vindo. Takata parecia gostar de não ter ninguém em cima dele enquanto ficava sentado, quietinho, longe dos outros. Reconheci a expressão distante no seu rosto enrugado, muito parecida com a de Ivy quando planejava uma missão, e me perguntei se, em seu próximo álbum, haveria uma música sobre centelhas entre galhos enegrecidos pelo gelo de um carvalho.

– Takata – eu disse, quando nos aproximamos, e ele voltou a si. – Gostaria que conhecesse David Hue. Ele é o agente de seguros que me ajudou a pegar Saladan.

– David – Takata disse, tirando a luva antes de estender a mão fina e comprida. – É um prazer te conhecer. Parece que você saiu ileso da última missão da Rachel.

O lóbis abriu um sorriso caloroso, mostrando os dentes.

– Mais ou menos – disse, ao soltar sua mão e recuar um passo. – Embora eu não achasse que isso fosse acontecer quando apareceram todas aquelas armas. – Encolhendo os ombros de brincadeira, virou de lado para que a frente do seu corpo ficasse aquecida pelas chamas. – Era demais para mim – completou, com calma.

Fiquei contente por ele não estar gaguejando, ou gritando, nem ter os olhos arregalados, como Erica estava até Kisten puxar a menina pelo colarinho e arrastá-la para longe.

– David! – Kisten chamou, quando meus pensamentos levaram meu olhar até ele. – Podemos conversar sobre meu barco? Quanto você acha que custaria colocá-lo no seguro?

David soltou um suspiro sofrido.

– Esse é o preço de trabalhar com seguros – disse, baixinho.

Arqueei a sobrancelha.

– Acho que ele só quer alguém para ficar entre ele e a Erica. Aquela menina não cala a boca *nunca*.

O lóbis começou a avançar.

– Você não vai me deixar sozinho por muito tempo, vai?

Sorri.

– É uma das minhas responsabilidades como membra da matilha? – perguntei, ao que Takata arregalou os olhos.

– Para falar a verdade, é. – Erguendo a mão para Kisten, seguiu na direção dele, parando para, com a ponta da bota, chutar um tronco de volta às chamas. Howard estava rindo do outro lado da fogueira; seus olhos verdes brilhavam.

Olhei para Takata, que arqueava a sobrancelha grossa.

– Membra da matilha? – perguntou.

Fiz que sim e me sentei ao seu lado à mesa de piquenique.

– Por questões de seguro. – Colocando a cidra temperada na mesa, pousei os cotovelos nos joelhos e suspirei. Eu adorava o solstício, e não só por causa da comida e das festas. Cincinnati apagava todas as luzes da meia-noite até o nascer do sol, e aquela era a única vez em que dava para ver o céu noturno como ele deveria ser visto. As pessoas que fossem apanhadas roubando durante o blecaute recebiam penas duras, o que diminuía os problemas.

– Como você anda? – Takata perguntou, pegando-me de surpresa. Eu quase tinha esquecido que ele estava ali. – Me falaram que você estava no hospital.

Sorri, envergonhada, sabendo que estava começando a parecer cansada depois de ter gritado durante duas horas no show dele.

– Estou bem. Eles não queriam me dar alta ainda, mas Kisten estava do outro lado do corredor e, depois que pegaram a gente, hum, brincando com os controles da cama, decidiram que estávamos bem o bastante para sermos colocados para fora. – "Aquela enfermeira rabugenta da noite. Pelo fuzuê que ela armou, parecia até que estávamos fazendo alguma coisa pervertida... Enfim, a mulher era muito rabugenta."

Takata me olhou enquanto eu corava e puxava o gorro de malha para cobrir as orelhas.

– Tem uma limusine parada lá na frente – eu disse, para mudar de assunto. – Quer que eu fale para eles irem embora?

O músico ergueu os olhos para os galhos escuros.

– Eles podem esperar. Tem comida lá dentro.

Concordando com a cabeça, relaxei.

– Quer vinho quente?

Ele levou um susto, arregalando os olhos surpresos.

– Não. Não, obrigado.

– Mais sidra temperada, então? – Ofereci. – Pegue esta. Não tomei nada da minha ainda.

– Põe um golinho só, então – aceitou, estendendo a xícara vazia, e despejei metade da minha bebida na sua caneca. Eu me sentia um tanto especial sentada ao lado de Takata, compartilhando a mesma bebida, mas fiquei tensa ao sentir uma leve vibração reverberar pelo meu corpo. Congelei, sem saber o que era, e Takata olhou para mim.

– Também sentiu? – perguntou. Respondi que sim, inquieta e um pouco preocupada.

– O que foi?

A boca grande de Takata se abriu em um sorriso largo.

– O círculo da Praça da Fonte. Feliz solstício. – Ele ergueu o copo e eu brindei num gesto automático.

– Feliz solstício – repeti, pensando que era estranho eu ter sentido a vibração. Aquilo nunca tinha acontecido antes. Mas, enfim, talvez o fato de ter fechado o círculo sozinha tivesse me deixado sensível a ele.

Com a impressão de que o mundo inteiro estava em harmonia, bebi a sidra, encontrando os olhos suplicantes de David ao olhar por cima da caneca. A boca de Erica se movia sem parar, e Kisten segurava o lóbis pelo ombro, tentando conversar apesar dela.

– Com licença – eu disse, saindo da mesa. – David precisa ser resgatado.

Takata riu, e caminhei sem pressa até o outro lado da fogueira. Embora não parasse de falar com David, os olhos de Kisten estavam pousados sobre mim, e senti um calor no peito.

– Erica – eu disse, ao me aproximar. – Takata quer tocar uma canção para você.

O músico se ajeitou subitamente, lançando-me um olhar de pânico quando a adolescente soltou um grito agudo. Kisten e David relaxaram, aliviados, enquanto ela corria para o outro lado da fogueira na direção dele.

– Graças a Deus – Kisten murmurou, e sentei no lugar dela. – Aquela menina não cala a boca.

Bufando, me aproximei, tocando sua coxa sugestivamente. Ele colocou um braço em torno de mim, como eu queria, puxando-me para mais perto. Kisten soltou um leve suspiro, e um calafrio percorreu meu corpo. Soube que ele tinha sentido quando minha cicatriz começou a formigar.

– Pare – sussurrei, envergonhada, e ele me apertou com mais força.

– Não consigo evitar – o vamp disse, tomando fôlego. – Quando todo mundo vai embora?

– Quando o sol nascer – respondi, colocando a caneca no chão. – É na ausência que se conhece a falta.

– Não é meu coração que sente sua falta – ele murmurou, e senti outro arrepio.

– Então – Kisten disse mais alto quando David começou a parecer constrangido. – Rachel me falou que você pediu para ela ser sua parceira fantasma, assim você recebe dois salários e ela consegue desconto no seguro.

– Ah, sim... – David balbuciou, baixando a cabeça, com os olhos escondidos atrás da aba do chapéu. – Quanto a isso...

Tive um sobressalto quando a mão fria de Kisten entrou embaixo do meu casaco e tocou minha pele na altura da cintura.

– Eu gostei – murmurou, sem falar sobre os dedos que traçavam pequenos círculos, me aquecendo por dentro. – Criativo. Meu tipo de coisa.

David ergueu a cabeça.

– Dá licença – murmurou, levantando a mão rapidamente para arrumar os óculos. – Ainda não cumprimentei Ceri e Keasley.

Ri baixinho, e Kisten me puxou mais para perto.

– Vai lá, espertinho – Kisten disse.

O lóbis baixinho parou de repente e franziu a testa para ele em advertência. Depois continuou, parando no caminho para encher uma taça de vinho.

Meu sorriso se desfez devagar. O cheiro de couro ficou mais forte, misturado ao forte aroma de cinzas queimadas, e me aconcheguei ainda mais a Kisten.

– Ei – eu disse, em voz baixa, com os olhos fixados na fogueira. – David quer que eu assine um documento. Para me tornar parte da matilha dele.

– Jura? – ele disse, empurrando-me um pouco para me olhar de frente. Seus olhos azuis estavam arregalados, com o rosto surpreso e intrigado.

Olhei para os meus dedos frios e entrelacei-os com os dele.

– Queria que você fosse testemunha.

– Ah. – Seu olhar se voltou para a fogueira, e ele moveu o braço para se afastar um pouco.

Abri um sorriso largo ao entender o que estava pensando e ri.

– Não, seu bobo – eu disse, cutucando seu braço. – Vou entrar para a matilha, não participar de uma relação interespécies. Não vou casar com ele, pelo amor da Virada! É só um acordo legal para eu conseguir o seguro e o David não ser demitido. Ele pediria para uma lóbis, mas não quer uma matilha e, se pedisse para uma, era isso que conseguiria.

Kisten soltou um longo suspiro lento, e pude sentir a suavidade voltar à sua postura.

– Acho bom – ele disse, puxando-me para perto. – Porque você é minha cadela alfa, princesa, e de mais ninguém.

Olhei incisivamente para ele, o que era difícil, considerando que eu estava quase no seu colo.

– Princesa? – eu disse, com secura. – Sabe o que aconteceu com o último cara que me chamou de princesa?

Kisten me puxou para mais perto.

– Talvez depois, querida – murmurou, causando um delicioso arrepio na minha pele. – Acho melhor não chocar seus amigos – acrescentou, e segui seu olhar para Howard e Keasley, que riam enquanto Ceri tentava comer um *s'more* sem se sujar.

– Você pode testemunhar para mim? – perguntei.

– Claro. – Ele me apertou com mais força. – Acho que criar relações é uma coisa boa. – Tirou o braço de mim e segui seu olhar, encontrando Ivy, que nos olhava fixamente. – Mas talvez Ivy discorde.

Subitamente preocupada, me afastei. Ivy se levantou e, com passos longos e rápidos, subiu os degraus do alpendre e entrou na igreja. A porta bateu com força suficiente para fazer a guirlanda cair.

Sem reparar, Erica avançou, puxando uma cadeira para perto da fogueira. A conversa estava animada, e Keasley e Ceri se aproximaram quando Takata finalmente pegou o violão que tinha trazido mas vinha ignorando até o momento. Então acomodou-se, movendo os dedos longos devagar por causa do frio enquanto dedilhava. Estava tudo gostoso. Muito gostoso. A única coisa que faltava eram os comentários sarcásticos de Jenks e um toque de pó de pixie.

Suspirei, e os lábios de Kisten tocaram meu ouvido.

– Você vai conseguir trazer Jenks de volta – ele murmurou.

Surpresa pelo vamp saber em que eu estava pensando, perguntei:

– Tem certeza?

– Sim. Quando chegar a primavera e puder sair de novo, ele vai voltar. Jenks gosta demais de você para não te dar ouvidos quando o orgulho ferido sarar. Mas eu sei tudo sobre egos grandes, Rachel. Você vai ter que se rebaixar.

– Posso fazer isso – respondi com a voz fraca.

– Jenks acha que a culpa é dele – Kisten continuou.

– Vou convencer aquele pixie do contrário.

Sua respiração sussurrava nos meus ouvidos.

– Essa é a minha menina.

Sorri diante dos sentimentos que ele acendeu dentro de mim. Meu olhar saltou para a sombra de Ivy na cozinha, depois para a música improvisada. Uma testemunha a menos. Faltavam duas. E eu desconfiava que elas seriam as mais difíceis. Não podia pedir para Ceri ou Keasley. Havia um espaço naquele formulário que pedia o número do documento. Ceri não tinha um e, mesmo sem perguntar, sabia que Keasley não iria querer colocar o dele. Considerando a ausência de aposentadoria, eu suspeitava que ele estava se fingindo de morto.

– Dá licença? – murmurei, quando a sombra de Ivy atrás do vidro se ocultou pelo vapor rodopiante da água quente que ela jogou na pia. Kisten me soltou. Cheios de emoção e mistério, os olhos azuis de Takata cruzaram os meus antes que eu me virasse.

Parei para recolocar a guirlanda de cedro no gancho antes de entrar. Fui tomada pelo calor da igreja, tirei o gorro e o joguei em cima da lareira preta. Entrei na cozinha, onde encontrei Ivy encostada no balcão, com a cabeça baixa e as mãos segurando os cotovelos.

– Oi – eu disse, hesitante, sob o batente.

– Quero ver esse contrato – ela se adiantou, estendendo a mão e levantando a cabeça.

Fiquei boquiaberta.

– Como você...? – balbuciei.

Um leve sorriso amargurado perpassou seus lábios por um momento.

– O som atravessa bem o fogo.

Envergonhada, tirei o documento do bolso, sentindo-o ao mesmo tempo frio pelo ar da noite e quente pelo calor do meu corpo. Ela pegou o papel e franziu a testa. Depois de virar as costas para mim, o desdobrou. Fiquei inquieta.

– Hum, preciso de três testemunhas – eu disse. – Queria que você fosse uma delas.

– Por quê?

Ela não se virou. Seus ombros estavam tensos.

– David não tem uma matilha – expliquei. – A empresa não demite lobos com matilha. Ele poderá continuar trabalhando sozinho, e eu terei meu plano de saúde através dele. São só duzentos por mês, Ivy. Ele não quer nada além disso, senão teria pedido para uma lóbis.

– Eu sei. Minha pergunta é: por que você quer a minha assinatura? – Com o papel na mão, ela se virou, com o rosto tão inexpressivo que fiquei sem jeito. – Por que é importante para você que *eu* assine?

Abri a boca para responder, mas logo a fechei. Minha mente viajou para as palavras de Newt. Minha casa não tinha sido suficiente para me transportar, mas Ivy sim.

– Porque você é minha parceira – eu disse, corando. – Porque o que eu faço te afeta.

Em silêncio, a vamp tirou uma caneta do porta-lápis. De repente, me senti constrangida, percebendo que aquele papel garantia a David algo que a própria Ivy queria: uma ligação reconhecível comigo.

– Dei uma investigada nele enquanto vocês estavam no hospital – ela disse. – Ele não quer se ligar a você para resolver nenhum problema preexistente.

Ergui as sobrancelhas. Não tinha pensado nisso.

– Ele disse que esse era um negócio sem condições. – Hesitei. – Ivy, eu moro com você – reforcei, tentando reassegurar à vamp de que nossa amizade não precisava de um papel assinado para ser real, afinal, nosso nome estava na porta. O meu e o dela.

Ela ficou em silêncio, com o rosto inexpressivo e os olhos castanhos imóveis.

– Você confia nele?

Fiz que sim. Eu precisava confiar nos meus instintos.

Um leve sorriso perpassou seus lábios.

– Eu também. – Afastando uma travessa de biscoitos, ela escreveu seu nome na primeira linha, com uma assinatura caprichada, mas ilegível.

– Obrigada – agradeci quando Ivy me devolveu o documento. Voltei o olhar para trás dela ao abrir da porta dos fundos. Ivy ergueu o rosto, e reconheci um carinho no seu olhar com o som dos passos de Kisten no tapete ao lado da porta, tirando a neve. Ele entrou na cozinha, seguido por David.

– A gente vai assinar esse papel ou não? – Kisten perguntou, com uma tensão na voz que denunciava sua disposição a discutir com Ivy se ela estivesse hesitando.

A vamp apertou o botão da caneta várias vezes, com tanta rapidez que soltou um zumbido.

– Já assinei. É a sua vez.

Ele relaxou os ombros, sorrindo ao pegar a caneta e acrescentar sua assinatura masculina embaixo da dela. Depois, colocou o número do seu documento e entregou a caneta para David.

David se colocou entre os dois, parecendo pequeno ao lado da graça esguia dos vampiros. Pude notar seu alívio ao escrever seu nome completo. Meu coração bateu mais forte e peguei a caneta, puxando o papel para mim.

– Então – Kisten disse quando assinei. – Quem você vai pedir para ser a terceira testemunha?

– Jenks – Ivy e eu dissemos ao mesmo tempo, e ergui os olhos. Nossos olhares se cruzaram, e fechei a caneta.

– Pode pedir para ele no meu lugar? – perguntei a David.

O lóbis pegou o documento, dobrando-o com cuidado e guardando-o no bolso do casaco.

– Não quer pedir para outra pessoa? Talvez ele não aceite.

Olhei de relance para Ivy e me endireitei, enfiando um cacho atrás da orelha.

– Ele é um membro desta empresa – eu disse. – Se quiser passar o inverno resmungando na toca de um lóbis, por mim tudo bem, mas é bom voltar logo para cá quando o tempo melhorar ou vou ficar puta da vida. – Respirei fundo e acrescentei: – E, talvez, você consiga convencer Jenks de que ele é um membro importante dessa equipe e de que estou arrependida.

Kisten deu um passo para trás.

– Eu peço – David disse.

A porta dos fundos se abriu, e Erica entrou correndo, com as bochechas vermelhas e um brilho nos olhos.

– Ei! Venham! Ele está pronto para tocar! Pelo amor de Deus, ele já afinou e está pronto para tocar e vocês estão aqui comendo? Vamos, rápido!

Ivy tirou os olhos da neve que Erica tinha trazido e olhou para mim. David começou a avançar, empurrando a vamp gótica e saltitante à sua frente. Kisten foi atrás, com o som da conversa animada pelo som da amizade. A música de Takata surgiu, e fiquei boquiaberta quando, com sua voz etérea, Ceri começou a cantar uma música natalina ainda mais antiga do que sua existência. Ela estava cantando em latim. Arqueei a sobrancelha e olhei para Ivy.

Ivy fechou o zíper do casaco e pegou as luvas no balcão.

– Você concorda mesmo com isso?

– Sim – ela respondeu. – Pedir para Jenks assinar o documento pode ser a única maneira de enfiar naquela cabeça dura que a gente precisa dele.

Fiz uma careta e avancei na sua frente enquanto tentava descobrir uma maneira de fazer Jenks entender que eu estava errada por não confiar nele. Eu tinha escapado das garras de Algaliarept, conseguindo não só me livrar de uma das marcas de demônio como também quebrar o laço familiar com Nick... não que isso importasse agora. Tinha saído com o solteiro mais poderoso da cidade e tomado café com ele. Tinha resgatado uma elfa de mil anos de idade, aprendido a ser minha própria familiar e descoberto que conseguia jogar dados. Sem falar que tinha aprendido que era possível transar com um vampiro sem ser mordida. E por que eu estava com a impressão de que fazer Jenks voltar a falar comigo seria mais difícil do que todas essas coisas juntas?

– Vamos conseguir trazer Jenks de volta – Ivy murmurou atrás de mim. – Vamos trazê-lo de volta, *sim*.

Enquanto descia os degraus cobertos de neve e ouvia a música sob a noite cheia de estrelas, eu jurei que daria um jeito de isso acontecer.

Agradecimentos

Gostaria de agradecer às pessoas mais próximas a mim pela compreensão enquanto eu mergulhava nisso tudo. Mas, acima de tudo, gostaria de agradecer ao meu agente, Richard Curtis, que viu possibilidades antes que eu mesma soubesse que existiam, e à minha editora, Diana Gill, que me guiou por essas possibilidades e lhes deu vida.

Compartilhe a sua opinião
sobre este livro usando a hashtag
#AMorteNãoÉOBastante
na nossa rede social:

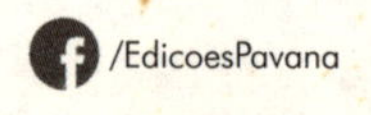